薬学生のための 分析化学

［第4版］

東京薬科大学名誉教授　　　　　東京薬科大学名誉教授
　　楠　文　代　　　　　　　　渋　澤　庸　一
　　　　　　　　　　編　集

東京薬科大学名誉教授　　　　　新潟薬科大学名誉教授
　　髙　村　喜代子　　　　　　嶋　田　健　次
　　　　　　　　　　顧　問

東京　廣川書店　発行

―――― **執筆者一覧**（五十音順）――――

岩 木 和 夫	東邦大学薬学部教授
楠　　 文 代	東京薬科大学名誉教授
小 谷　　 明	東京薬科大学薬学部准教授
渋 澤 庸 一	東京薬科大学名誉教授
東 海 林　 敦	東京薬科大学薬学部講師
袴 田 秀 樹	東京薬科大学薬学部教授
柳 田 顕 郎	東京薬科大学薬学部教授
大 和　　 進	新潟薬科大学薬学部教授

薬学生のための分析化学 ［第4版］

編者　楠　　文代
　　　渋澤　庸一

平成11年4月1日　初版発行©
平成14年1月25日　第2版発行
平成20年2月1日　第3版発行
平成29年2月20日　第 4 版 1 刷発行

発行所　株式会社　廣川書店

〒113-0033　東京都文京区本郷3丁目27番14号
電話 03（3815）3651　FAX 03（3815）3650

第 4 版　まえがき

　分析化学の目的は，『化学反応を応用した分析術すなわち化学分析に関する諸反応の原理を究明し，進んでその理論や方法を確立する』ところにある．本書は，「基礎分析化学通論」長瀬雄三著に示されているこの基本的な考え方の上に立脚したうえで，基礎事項から応用に至るまでを全般的な観点で編集した，大学薬学部学生のための分析化学の教科書である．

　本書の初版は，東京薬科大学名誉教授髙村喜代子博士及び新潟薬科大学名誉教授嶋田健次博士が中心となり，分析化学の基本に加えて次の視点から編纂され，1999 年に出版された．すなわち，薬学における分析化学の大きな流れは，超微量化と高選択性を目指して計測法の高性能化にある．同時に，物質の持つ機能を理解するには，分子の構造や存在状態をあるがままに捕える手法も重要である．このような多岐に亘るニーズに応えるには，試料の採取と計測に適した形への変換（前処理），高度な分子認識と計測法の選択などの過程を重視しなければならない．そのためには物質の特性並びに溶液内化学反応に対する深い理解が前提となる．このような初版からの方向性は第 2 版，さらに第 3 版でも踏襲されてきた．

　2006 年度より 6 年制薬学教育が導入され，薬剤師，薬学研究者等を目指す学生が学んで欲しい内容を整理した薬学専門教育のガイドラインとして"薬学教育モデル・コアカリキュラム"が 2002 年に提示され，さらに 2013 年に改訂された．また 2016 年 3 月には第十七改正日本薬局方が告示された．医療の分野で iPS 細胞による医療への実用化，遺伝子治療等の新しい流れが生まれる中で基礎分析化学の重要性を再確認し，さらに医薬品分析における国際調和や分析バリデーションの重視，コンピュータの進歩に伴う解析法の進歩なども考慮した現況を踏まえて，本書の改訂を企てた．まず，初版からの方向性はこれらの潮流の中でも重要であることを確認し，さらに"薬学教育モデル・コアカリキュラム"C2 化学物質の分析，(1) 分析の基礎，(2) 溶液中の化学平衡，(3) 化学物質の定性分析・定量分析，(4) 機器を用いる分析法，(5) 分離分析法，(6) 臨床現場で用いる分析技術に関する基本的事項を網羅すること，並びに，日本薬局方の理解に役立つことを心掛けて，第 4 版の内容を検討し，改訂を行なった．

　本書第 4 版の構成は，第 1 章「分析化学の基礎としての化学平衡」，第 2 章「容量分析」，第 3 章「定性反応と重量分析」，第 4 章「電気化学分析」，第 5 章「光分析」，第 6 章「分子構造解析のための分析」，第 7 章「分離分析」，第 8 章「熱分析法」，第 9 章「生物学的分析」，第 10 章「実際試料の分析に向けて」となっている．第 3 章，第 5 章，及び第 6 章は大幅に改めて，核磁気共鳴，質量分析など各種機器分析法の基本原理とその分析情報，日本薬局方定性反応などの記載を追加した．

　著者らの教育研究経験を通して生れた本書が広く大学の分析化学教育に役立ち，多くの学生諸

氏が分析化学の理解を深められれば誠に幸いである．

　最後に，本書の出版にあたり，廣川書店前社長（故）廣川節男氏並びに編集部の諸氏に献身的な御尽力を賜りました．ここに深甚なる謝意を表します．

　2017年1月

著 者 一 同

目 次

第1章 分析化学の基礎としての化学平衡 ……………………（小谷　明）*1*

1 化学平衡の考え方　1
- 1-1 溶液の濃度の表し方　1
- 1-2 質量作用の法則と平衡定数　2
- 1-3 活量と活量係数の関係　3

2 酸塩基平衡　4
- 2-1 酸と塩基の定義　4
- 2-2 酸と塩基の強さ　5
- 2-3 酸と塩基の平衡定数　6
- 2-4 pH　8
- 2-5 各pHにおける各化学種の存在する割合　13
- 2-6 非水溶媒中における酸塩基平衡　14

3 沈殿平衡　16
- 3-1 溶解度積　16
- 3-2 沈殿生成に及ぼす因子　18
- 3-3 分別沈殿　21

4 錯生成平衡　23
- 4-1 金属錯体　23
- 4-2 金属錯体生成反応　28

5 酸化還元平衡　33
- 5-1 酸化還元反応　33
- 5-2 酸化還元電位　34
- 5-3 酸化還元反応の平衡定数　35

6 分配平衡　36
- 6-1 分配律　36
- 6-2 分配比　37
- 6-3 抽　出　37
- 6-4 溶媒抽出に及ぼすpHの影響　39

7 イオン交換平衡　41
- 7-1 イオン交換反応における平衡定数　41
- 7-2 イオン交換容量　42
- 7-3 イオン交換体の分析化学への利用　43

第2章 容量分析 ……………………………………（柳田顕郎）45

1 容量分析総論 45
- 1-1 容量分析法の種類　45
- 1-2 容量分析法に用いる化学反応の条件　46
- 1-3 当量点（終点）の判定法　46
- 1-4 標準液の標定　47

2 酸塩基滴定 50
- 2-1 酸塩基滴定の滴定曲線　51
- 2-2 酸塩基指示薬と滴定終点の判定　56
- 2-3 混合酸や多塩基酸の滴定　60
- 2-4 非水溶液中での酸塩基滴定　67

3 沈殿滴定 69
- 3-1 沈殿滴定の滴定曲線　69
- 3-2 滴定終点の検出　71

4 キレート滴定 75
- 4-1 単座配位子を用いる錯滴定　75
- 4-2 多座配位子を用いるキレート滴定　77

5 酸化還元滴定 85
- 5-1 酸化還元滴定の滴定曲線　85
- 5-2 滴定終点の判定　89
- 5-3 酸化還元滴定の実例　91

第3章 定性反応と重量分析 ……………………………（小谷　明）97

1 定性反応 97

2 純度試験 111
- 2-1 アンモニウム試験法　111
- 2-2 塩化物試験法　112
- 2-3 重金属試験法　112
- 2-4 鉄試験法　112
- 2-5 ヒ素試験法　113
- 2-6 硫酸塩試験法　113
- 2-7 硫酸呈色物試験法　113

3 重量分析 114

3-1 揮発重量法　114
3-2 抽出重量法　115
3-3 沈殿重量法　115

第4章　電気化学分析 ……………………………（楠　文代）117

1　総論　117
2　電位差分析　118
 2-1　電極電位　119
 2-2　電位差測定　120
 2-3　pHの測定　124
 2-4　電位差滴定　125
3　ボルタンメトリー　127
 3-1　電気分解　127
 3-2　電極反応を構成する過程　128
 3-3　ポーラログラフィー　129
 3-4　ボルタンメトリー　130
 3-5　ボルタンメトリック検出器　131
 3-6　電流滴定　132
4　電量分析法　133
 4-1　電量分析法　133
 4-2　電量滴定法　133
5　導電率測定法　134
 5-1　溶液の導電率　134
 5-2　導電率滴定　136
6　センサー　136
 6-1　イオンセンサー　137
 6-2　ガスセンサー　137
 6-3　バイオセンサー　137

第5章　光分析 ……………………………（東海林　敦）139

1　総論　139
 1-1　電磁波　139
 1-2　電磁波と物質の相互作用　140
 1-3　紫外及び可視光を利用した光分析法　141

2 紫外可視吸光分析　142
- 2-1　光吸収と*Lambert-Beer*の法則　142
- 2-2　電子遷移と吸収スペクトル　145
- 2-3　装　置　149
- 2-4　分析化学への応用　151

3 蛍光分析　155
- 3-1　蛍光と*Stokes*則　155
- 3-2　分子構造と蛍光　156
- 3-3　スペクトル　156
- 3-4　蛍光強度　158
- 3-5　装　置　158
- 3-6　分析化学への応用　160

4 化学発光分析　162
- 4-1　化学発光物質と反応機構　163
- 4-2　化学発光強度　164
- 4-3　定量分析への応用　164

5 原子吸光分析　164
- 5-1　原子による光吸収　165
- 5-2　装　置　165
- 5-3　分析化学への応用　171

6 原子発光分析　175
- 6-1　原子発光分析の種類　176
- 6-2　分析化学への応用　179

7 旋光度分析・円二色性　180
- 7-1　平面偏光と円偏光　180
- 7-2　旋光度測定法　182
- 7-3　円二色性（CD）測定法　186
- 7-4　旋光分散と円二色性　188
- 7-5　分析化学への応用　189

第6章　分子構造解析のための分析　　　　　　　　　　　（袴田秀樹）*193*

1 総　論　193

2 赤外吸収とラマン散乱　194
- 2-1　原　理　194
- 2-2　測定装置と測定法　199

3 核磁気共鳴　203

3-1 原　理　203
3-2 測定装置と測定法　211

4　電子スピン共鳴　216
4-1 原　理　216
4-2 測定装置と測定法　217

5　蛍光 X 線分析と粉末 X 線回折　219
5-1 X 線と物質との相互作用　219
5-2 蛍光 X 線分析の原理　221
5-3 蛍光 X 線分析測定装置と測定法　224
5-4 X 線回折の原理　226
5-5 X 線回折測定装置と測定法　230

6　質量分析　233
6-1 概　要　233
6-2 試料導入部　234
6-3 イオン化部　234
6-4 質量分離部　237
6-5 イオン検出部　240
6-6 質量スペクトル（MS スペクトル）　240
6-7 GC-MS，LC-MS 及び LC-MS/MS　242

第7章　分離分析 ………………………………（渋澤庸一）*247*

1　総　論　247
1-1 物質の分離　247
1-2 相変換による分離　247
1-3 二相間への分配による分離　248
1-4 その他の方法による分離　249

2　クロマトグラフィーの基礎　249
2-1 定義と分類　249
2-2 クロマトグラフィーの各種パラメータ　251

3　カラム液体クロマトグラフィー　257
3-1 吸着クロマトグラフィー　259
3-2 分配クロマトグラフィー　260
3-3 イオン交換クロマトグラフィー　261
3-4 サイズ排除クロマトグラフィー　262
3-5 アフィニティークロマトグラフィー　266

4　高速液体クロマトグラフィー　267

    4-1　カラム　268
    4-2　装　置　269
    4-3　定性・定量分析　272
    4-4　誘導体化　274
    4-5　アミノ酸クロマトグラフィー　274
  5　ガスクロマトグラフィー　275
    5-1　装　置　276
    5-2　揮発性誘導体化　282
    5-3　定性・定量分析　283
  6　超臨界流体クロマトグラフィー　285
    6-1　超臨界流体　285
    6-2　装　置　286
    6-3　超臨界流体クロマトグラフィーの特徴と応用例　287
  7　ろ紙，薄層クロマトグラフィー　288
    7-1　ろ紙クロマトグラフィー　288
    7-2　薄層クロマトグラフィー　290
  8　電気泳動法　292
    8-1　原　理　292
    8-2　分　類　293
    8-3　移動界面電気泳動法　293
    8-4　ゾーン電気泳動法　294
    8-5　キャピラリー電気泳動　301

第8章　熱分析法　……………………………（渋澤庸一）*307*

1　総　論　307
2　示差熱分析法　308
3　示差走査熱量測定法　310
4　熱重量測定法　311

第9章　生物学的分析　……………………………（大和　進）*315*

1　バイオアッセイ　315
2　酵素化学的分析法　317
  2-1　酵素化学の基礎　318
  2-2　基質濃度と酵素濃度　320

2-3　酵素活性の定量化　322
　　2-4　分析用試薬としての酵素の使用形態　326
3　イムノアッセイ　327
　　3-1　抗原抗体反応の基礎　330
　　3-2　競合法と非競合法，分離と非分離　331
　　3-3　ラジオイムノアッセイ　333
　　3-4　エンザイムイムノアッセイ　334
　　3-5　蛍光偏光イムノアッセイ　339
4　遺伝子解析法　339
5　バイオ創薬とバイオアッセイ　343

第10章　実試料の分析に向けて　……………………………（岩木和夫）345

1　分析方法が確立するまで　346
2　サンプリング　348
3　試料の前処理　348
　　3-1　灰　化　349
　　3-2　除たん白　349
　　3-3　溶媒抽出法　349
　　3-4　固相抽出法　349
　　3-5　その他　351
4　測定方法の選定　351
5　測定値の取扱い　351
　　5-1　測定値の有効数字と数値の処理　352
　　5-2　誤差とその種類　354
　　5-3　ばらつきの表し方　355
　　5-4　異常値の取扱い　359
　　5-5　分析法の比較（有意差検定）　360
6　分析法バリデーション　361
　　6-1　分析法バリデーションとは　362
　　6-2　分析能パラメーター　362
7　日本薬局方とは　365
8　試薬，標準試料，器具　366
　　8-1　試　薬　366
　　8-2　試液と標準試料　366
　　8-3　器　具　368

付　表 …………………………………………………………………………… *369*

　　　付表1　酸塩基の電離定数　370
　　　付表2　難溶性電解質とその溶解度積　372
　　　付表3　金属錯体の生成定数　374
　　　付表4　標準酸化還元電位　376
　　　付表5　式量酸化還元電位　378

索　引 …………………………………………………………………………… *379*

第1章 分析化学の基礎としての化学平衡

中和滴定などのように，化学反応を定量的な分析に利用することが多い．このように分析化学では，反応がどのような方向にどの程度進んでいくか，すなわち化学平衡の概念を理解する必要がある．

1 化学平衡の考え方

1-1 溶液の濃度の表し方

溶液に溶けている物質の割合を濃度という．分析化学において濃度は，重要な物理量の一つであり，溶液の濃度は目的に応じて次のような単位を用いて表される．

A. モル濃度 molarity

溶液1L（SI単位では1L = 1 dm^3）の中の溶質の物質量（mol）で，単位は mol/L（SI単位では mol・dm^{-3}）又はMで表す．なお，塩化ナトリウムのように，分子でなくイオン結晶として存在しているものに対しては式量濃度 formality（単位F）という場合もあるが，実際にはこれもモル濃度ということが多い．

B. 規定度 normality

溶液1L中の溶質の当量数 equivalent で，記号Nで表す．当量数は反応の種類によって定義が異なる．酸塩基反応では，1 mol の H$^+$（プロトン）を授受できる酸塩基物質の物質量が1当量

となる．例えば，1 mol の H_2SO_4 は，2 mol の H^+ を供与できるので（$H_2SO_4 \rightleftarrows 2H^+ + SO_4^{2-}$），2当量である．酸化還元反応では，1 mol 電子を授受できる酸化還元物質の物質量が1当量となる．例えば，1 mol の $KMnO_4$ は酸性溶液中で5 mol の電子を受け取るので（$MnO_4^- + 8H^+ + 5e^- \rightleftarrows Mn^{2+} + 4H_2O$），5当量である．規定度 N ＝ 当量数 ÷ 溶液の体積（L）の関係にあるので，0.1 mol/L HCl，0.1 mol/L NaOH，0.05 mol/L H_2SO_4，0.02 mol/L $KMnO_4$ を規定度で表すとそれぞれ 0.1 N となる．

規定度は，化学量論を扱う容量分析の計算に便利であるが，SI単位系に属さないため，日本薬局方第13改正以降使用されていない．しかし，分野によっては現在も慣習的に使用されている．

C. 質量モル濃度 molality

溶媒1 kg 中の溶質の物質量（mol）で，単位は mol/溶媒 1000 g で表す．希薄な水溶液では，質量モル濃度とモル濃度はほとんど同じである．

D. 百分率濃度

ある成分の質量の，全成分の質量に対する比を表す単位として，百分率（パーセント，％）がよく用いられる．日本薬局方では，次の単位を用いる．

$$質量百分率（\%）= \frac{溶質（g）}{溶液（g）} \times 100$$

$$質量対容量百分率（w/v\%）= \frac{溶質（g）}{溶液（mL）} \times 100$$

$$体積百分率（vol\%）= \frac{溶質（mL）}{溶液（mL）} \times 100$$

E. その他

ppm：parts per million の略で百万分率（10^{-6}）を意味する．1 ppm ＝ 1 mg/kg（比重1とみなせる溶液ならば 1 mg/L）である．

ppb：parts per billion の略で十億分率（10^{-9}）を意味する．1 ppb ＝ 1 μg/kg（比重1とみなせる溶液ならば 1 μg/L）である．

ppt：parts per trillion の略で一兆分率（10^{-12}）を意味する．1 ppt ＝ 1 ng/kg（比重1とみなせる溶液ならば 1 ng/L）である．

1-2　質量作用の法則と平衡定数

反応物AとBから生成物CとDを生じる可逆反応（a，b，c，dは係数）

$$aA + bB \rightleftarrows cC + dD$$

において，CとDが生成する右向きの反応（正反応）における反応速度と，AとBが生成する左向きの反応（逆反応）における反応速度が等しくなれば，A，B，C，Dの濃度が一定に保たれるようになる．このとき，その反応は平衡状態に達したといい，それぞれの物質のモル濃度［A］，［B］，［C］，［D］の間には，次の質量作用の法則 law of mass action が成り立っている．

$$K = \frac{[C]^c[D]^d}{[A]^a[B]^b} \tag{1.1}$$

ここで，K は平衡定数 equilibrium constant を呼ばれ，温度と圧力が一定であれば一定値を示す．

厳密にいうと，平衡定数はA，B，C，Dの活量 a_A, a_B, a_C, a_D によって次式のように表される．

$$K = \frac{a_C^c \cdot a_D^d}{a_A^a \cdot a_B^b} \tag{1.2}$$

活量は，理想系と実在系に存在する誤差を修正するために，*Gilbert Lewis* によって導入された熱力学的濃度である．実際の溶液では，溶質の濃度が増加すると溶質分子間の相互作用が大きくなるので，希薄溶液のような理想系に比べて，相互作用の分だけ溶質分子の動きは抑制されてしまう．その結果，実際に有効な濃度（実効濃度）は溶質の濃度よりも小さくなる．この実効濃度が活量 activity と呼ばれ，a で表される．活量は，溶質の相対的な濃度ともいえ，単位のない物理量である．標準状態（$a = 1$）を基準にして，概ね（1）～（3）の標準を用いている．（1）気体の活量として圧力が用いられ，理想気体に対しては 1 atm が $a = 1$ である．（2）溶媒のような液体，又は固体は $a = 1$ である．（3）希薄溶液では，溶質の活量はモル濃度（mol/L）に等しい．

通常，分析化学では希薄溶液を扱うことが多いので，平衡定数は，式（1.1）を用いている．

1-3 活量と活量係数の関係

溶質Xのモル濃度［X］と活量 a の関係は，溶質間の相互作用による効果を補正する係数である活量係数 activity coefficient（γ）を用いて，$a = \gamma[X]$ で表される．通常，$0 \leq \gamma \leq 1$ であるが，γ が1より少し大きい値となる場合もある．相互作用の存在しない希薄溶液あるいは無電荷の溶質の水溶液では $\gamma = 1$ と見なすことができる．しかし，溶液中の溶質が高濃度あるいは溶質が電荷を持つイオンとして存在し，共存しているイオン間の静電的相互作用が存在する場合は $\gamma < 1$ になる．従って，溶質の濃度あるいはイオンの価数が増加すると静電的相互作用が大きくなり，活量係数は小さくなる．通常，分析化学で扱うような希薄溶液における化学平衡では，活量とモル濃度は同じと扱ってよい．

活量を知るには，活量係数を求める必要がある．*Peter Debye* と *Erich Hückel* は 25℃の水溶液中における活量係数を理論的に計算できる式（*Debye-Hückel* の式）を次のように導き出した．

$$-\log \gamma = \frac{0.51 z^2 \sqrt{I}}{1 + 0.33\alpha\sqrt{I}} \tag{1.3}$$

I はイオン強度であり，次のように定義される．

$$I = \frac{1}{2}\sum_i C_i z_i^2 \tag{1.4}$$

ここで，C_i 及び z_i は水溶液中に存在するイオンの濃度及び電荷である．すなわち，イオン強度は，電解質の活量係数に対する共存イオンの影響を表す尺度といえる．また，式（1.3）の a はイオンの最近接距離であり，水溶液中では多くのイオンについて a は約 3 Å（オングストローム＝ 10^{-10} m）であるから，次のように表すことができ，イオン強度によって電解質の活量係数が決定されることを示している．

$$-\log\gamma = \frac{0.51 z^2 \sqrt{I}}{1 + \sqrt{I}} \tag{1.5}$$

イオン強度がそれほど大きくなく，1 に比べて無視できるほど小さい場合（例えば，$I < 0.01$），式（1.5）は，次のように表される．

$$-\log\gamma = 0.51 z^2 \sqrt{I} \tag{1.6}$$

この式は，$Debye\text{-}Hückel$ の極限式と呼ばれる．

2 酸塩基平衡

2-1 酸と塩基の定義

酸と塩基の定義づけは，$Arrhenius$ の電離説（1887）に始まる．$Arrhenius$ によれば，酸とは水溶液中で H^+ を生じて酸性を示す物質で，塩基とは OH^- を生じてアルカリ性を示す物質である．この定義は，水以外の溶媒を用いた場合には当てはまらないので，1923 年に $Brønsted$ と $Lowry$ はさらに広義の酸塩基理論を提唱した．それによれば，「酸とは溶液中でプロトン（H^+）を放出できる物質（プロトン供与体 proton donor）であり，塩基とは H^+ を受け取ることのできる物質（プロトン受容体 proton acceptor）である」と定義される．例えば，塩化水素 HCl は水溶液中では H^+ を放ち，塩化物イオン（Cl^-）を生じる．

$$\underset{\text{酸}}{HCl} \rightleftarrows \underset{\text{塩基}}{H^+ + Cl^-}$$

HCl は酸であり，Cl^- は再び H^+ を受け取って HCl になる可能性があるので塩基である．HCl と Cl^- は互いに H^+ を授受して塩基と酸に変わることができるので，共役の関係にあり，これを**共役酸塩基対** conjugate acid-base pair という．つまり，HCl は Cl^- の**共役酸** conjugate acid であり，

Cl^- は HCl の**共役塩基** conjugate base である.

ところで,酸がプロトンを放つためには,それを受け取る塩基の存在が必要である.水溶液中で酸が電離するとき,溶媒である水にプロトンを与える.従って,この場合の塩基は水である.言い換えれば,酸が水溶液中で電離するということは,塩基である水と酸塩基反応が進むことなのである.同様に塩基が電離するときは水からプロトンを奪う,この場合も,酸としての水との酸塩基反応なのである.このことは次のように表される.例えば,HCl の場合には,

$$HCl + H_2O \rightleftharpoons H_3O^+ + Cl^-$$
酸1 　　塩基2 　　　　酸2 　　　塩基1
共役酸塩基対

また,アンモニア NH_3 では,

$$NH_3 + H_2O \rightleftharpoons OH^- + NH_4^+$$
塩基1 　　酸2 　　　　塩基2 　　　酸1
共役酸塩基対

上例のように水は酸でも塩基でもあり得るので,両性プロトン性溶媒とも呼ばれ,その電離は次のように表される.

$$H_2O + H_2O \rightleftharpoons H_3O^+ + OH^-$$
酸1 　　塩基2 　　　酸2 　　　塩基1

分析化学で用いる溶媒は水である場合が多い.従って,我々が日常,ある物質が酸であるか塩基であるかというのは,水に対する相対的な表し方なのである.すなわち,水にプロトンを与えるものを酸,水からプロトンを受け取るものを塩基としている.水と結合(水和)したプロトン(溶媒和プロトン)を**ヒドロニウムイオン** hydronium ion 又は**オキソニウムイオン** oxonium ion と称し,H_3O^+ と表すが,特に必要な時以外は H^+ と略記することが多い.

2-2 酸と塩基の強さ

酸の強さはプロトンを与えようとする傾向の大きさを表す.同様に塩基の強さも,相手の酸からプロトンを取ろうとする傾向の大きさを表す.酸のプロトンを与えようとする傾向は,当然プロトンを受け取るべき相手の塩基の強さにも依存する.従って,酸の強さを比較するには基準になる塩基が必要であり,我々が日常扱っている水溶液では,溶媒である水が基準の塩基となる.例えば,

$$HCl + H_2O \rightleftharpoons H_3O^+ + Cl^-$$

の反応では HCl と H_3O^+ とはどちらも酸であるから H^+ を与えようとする.同時に塩基である Cl^- と H_2O もプロトンを取り込もうとする.この反応が平衡に達したとき,平衡点は完全に右辺に片寄っている.これは,HCl が H_3O^+ よりずっと強い酸であり,また,Cl^- は H_2O よりずっと弱い塩基で,水溶液中でプロトンを取り込めないことを意味している.

一方，酸 HCN は水溶液で次のように電離するが，

$$HCN + H_2O \rightleftarrows H_3O^+ + CN^-$$

この平衡は，左辺に大きく片寄って成立する．これは，HCN が弱い酸であり，CN^- は比較的強い塩基であることを示している．従って，HCl は HCN より強酸である．一般に強酸の共役塩基は弱塩基であり，弱酸の共役塩基は強塩基である．

$HClO_4$, HCl, HNO_3 の酸としての強さはそれぞれ異なるはずである．しかし，これらの強酸の 0.1 mol/L 水溶液中では，次の平衡が著しく右辺へ片寄っており，いずれも 0.1 mol/L の H_3O^+ を生成して同一の酸性度を示す．

$$HClO_4 + H_2O \rightleftarrows H_3O^+ + ClO_4^-$$
$$HCl + H_2O \rightleftarrows H_3O^+ + Cl^-$$
$$HNO_3 + H_2O \rightleftarrows H_3O^+ + NO_3^-$$

すなわち，H_3O^+ 以上の強酸の酸性度は水溶液中ですべて H_3O^+ のレベルまで引き下げられてしまう．このような現象を溶媒（水）の**水平化効果** leveling effect という．

2-3　酸と塩基の平衡定数

水溶液中で弱酸 HA が電離してプロトンを放出し平衡状態にあるとき，質量作用の法則を適用する．

$$HA + H_2O \rightleftarrows H_3O^+ + A^-$$

$$K = \frac{[H_3O^+][A^-]}{[HA][H_2O]}$$

ここで，溶媒の濃度 $[H_2O]$ は他の化学種の濃度（$[HA]$ あるいは $[A^-]$ など）に比べて非常に大きい．従って，酸の電離に伴う水の濃度変化は無視することができ，$[H_2O]$ は一定と考えてよいから

$$K_a = K[H_2O] = \frac{[H^+][A^-]}{[HA]} \tag{1.7}$$

と表される．前述のように，$[H_3O^+]$ は特に必要のない限り $[H^+]$ と略記する．K_a を酸の**電離定数** electrolytic dissociation constant あるいは**解離定数** dissociation constant といい，これが大きいほど HA が強い酸であることを示す．

また，多塩基酸は水溶液中で逐次的にプロトンを放出する．例えば，二塩基酸 H_2A は次のように 2 段階の解離をする．

$$H_2A + H_2O \rightleftarrows H_3O^+ + HA^-$$
$$HA^- + H_2O \rightleftarrows H_3O^+ + A^{2-}$$

各段階において平衡が成り立つので，各々の解離定数は質量作用の法則によって次のように表される．

$$K_{a1} = \frac{[\mathrm{H}^+][\mathrm{HA}^-]}{[\mathrm{H_2A}]} \tag{1.8}$$

$$K_{a2} = \frac{[\mathrm{H}^+][\mathrm{A}^{2-}]}{[\mathrm{HA}^-]} \tag{1.9}$$

ここで，K_{a1} と K_{a2} は，それぞれ酸の第一解離定数と第二解離定数を表す．
同様に弱塩基を B で表すと，

$$\mathrm{B} + \mathrm{H_2O} \rightleftarrows \mathrm{BH}^+ + \mathrm{OH}^-$$

$$K = \frac{[\mathrm{BH}^+][\mathrm{OH}^-]}{[\mathrm{B}][\mathrm{H_2O}]}$$

$$K_b = K[\mathrm{H_2O}] = \frac{[\mathrm{BH}^+][\mathrm{OH}^-]}{[\mathrm{B}]} \tag{1.10}$$

K_b が塩基の電離定数（解離定数）であり，これが大きいほど B が強い塩基であることを示す．主な酸及び塩基の電離定数 K_a 及び K_b を巻末付表1に一括した．

　ここで，溶媒である水について考えてみよう．純粋な水にも，ごくわずかな導電率が実測される．これは，水が酸であるとともに塩基であり，水同士で酸塩基反応が行われ，次の電離平衡が成立しているからである．

$$\mathrm{H_2O} + \mathrm{H_2O} \rightleftarrows \mathrm{H_3O}^+ + \mathrm{OH}^-$$

$$K = \frac{[\mathrm{H_3O}^+][\mathrm{OH}^-]}{[\mathrm{H_2O}]^2}$$

$[\mathrm{H_2O}]$ は一定と見てよいから

$$K_w = [\mathrm{H}^+][\mathrm{OH}^-] = 1.0 \times 10^{-14} \quad (25\,^\circ\mathrm{C}) \tag{1.11}$$

この K_w を水の**イオン積** ion product という．純粋な水ばかりでなく，酸や塩基が存在している場合でも，水溶液中の $[\mathrm{H}^+]$ と $[\mathrm{OH}^-]$ の積は温度一定ならば常に一定である．

　純粋な水では，水の電離反応式から分かるように $[\mathrm{H}^+]=[\mathrm{OH}^-]$ であり，このような場合は液性が中性であるという．常温では $K_w = 1.0 \times 10^{-14}$ であるから，$[\mathrm{H}^+] = 1.0 \times 10^{-7}$ mol/L である．酸を加えれば $\mathrm{H_3O}^+$ を生じて $[\mathrm{H}^+] > [\mathrm{OH}^-]$ となり，この場合の液性を酸性という．そして塩基を加えれば $[\mathrm{OH}^-] > [\mathrm{H}^+]$ となり，この場合の液性をアルカリ性という．

　既述のように，弱酸 HA は水溶液中で次のように電離する．

$$\mathrm{HA} + \mathrm{H_2O} \rightleftarrows \mathrm{H_3O}^+ + \mathrm{A}^-$$

$$K_a = \frac{[\mathrm{H}^+][\mathrm{A}^-]}{[\mathrm{HA}]} \tag{1.7}$$

同時に HA の共役塩基 A^- は，水からプロトンを得て，次の平衡に達する．

$$\mathrm{A}^- + \mathrm{H_2O} \rightleftarrows \mathrm{HA} + \mathrm{OH}^-$$

$$K_b = \frac{[\mathrm{HA}][\mathrm{OH}^-]}{[\mathrm{A}^-]} \tag{1.12}$$

この反応は，いわゆる弱酸の塩の加水分解反応である．式 (1.7) 及び (1.12) を水のイオン積の関係式 (1.11) に代入すると，

$$K_w = [H^+][OH^-] = \frac{K_a[HA]}{[A^-]} \cdot \frac{K_b[A^-]}{[HA]} = K_a \cdot K_b \tag{1.13}$$

となる．このように K_a あるいは K_b のどちらか一方が分かれば，他方を簡単に求めることができる．K_a は酸の強さを表す尺度であるとともに，その共役塩基の強さも表している（主な酸及び塩基の電離定数を巻末付表1に示した）．

ところで，$A^- + H_2O \rightleftarrows HA + OH^-$ や $BH^+ + H_2O \rightleftarrows H_3O^+ + B$ のような反応は，いわゆる"弱酸あるいは弱塩基の塩の加水分解反応"として説明されている．しかし Brønsted 説に従えば，これも普通の酸塩基反応であり，別種の反応として扱う必要はない．実例を挙げると，酢酸ナトリウムの加水分解は，酢酸の共役塩基である酢酸イオンの塩基としての電離であり，

$$CH_3COO^- + H_2O \rightleftarrows CH_3COOH + OH^-$$

塩化アンモニウムの加水分解は，アンモニウムイオンの酸としての電離なのである．

$$NH_4^+ + H_2O \rightleftarrows H_3O^+ + NH_3$$

2-4　pH

水溶液中の酸塩基平衡を扱う場合，H_3O^+ あるいは OH^- の濃度は非常に小さい場合が多い．特に酸塩基滴定の過程ではこれらの濃度が何桁にもわたって大きく変化するので，このような場合には，Sørensen の提案による**水素イオン指数** hydrogen ion exponent を利用するのが便利である．水素イオン指数とは，水素イオン濃度（mol/L）の逆数の常用対数で，pH の記号で表される．

$$pH = -\log[H^+] \tag{1.14}$$

同様に OH^- イオン濃度についても，

$$pOH = -\log[OH^-] \tag{1.15}$$

従って，式 (1.11) より，

$$pH + pOH = pK_w = 14 \tag{1.16}$$

である．また，常温における中性溶液の pH は 7 であり，pH＜7 が酸性，pH＞7 がアルカリ性である．

なお，p はそのあとに付く語の負の対数を意味する記号で，電離定数においては，$pK_a(=-\log K_a)$ 及び $pK_b(=-\log K_b)$ のように用いられる．

水溶液中の平衡の定量的な取り扱い（pH の算出など）を行う場合には，次の (1) ～ (3) の基本的な関係を考慮する．

(1) 質量作用の法則 law of mass action：溶液内で起こるすべての反応について，平衡定数と（平衡）濃度を考える．
(2) 質量不変の法則に基づく質量収支（物質収支 mass balance）：溶液内に加えた物質は，反

応じて化学種の形が変わったとしても，消滅することも増加することもない．溶液に加えた物質の総濃度（全濃度，分析濃度，C で表す）は，溶液内に存在する化学種の総和に等しい．例えば，酸の水溶液中で HA $\rightleftharpoons$ H$^+$ + A$^-$ の平衡が成り立っているとき，酸の総濃度 C_{HA} は，C_{HA} = [HA] + [A$^-$] である．

(3) 電気的中性の原理 electroneutrality principle に基づく電荷収支（電荷均衡 charge balance）：溶液中の正の電荷の総和と負の電荷の総和は等しい．

A. 強酸の溶液

0.1 mol/L 塩酸の pH を求めてみよう．
(1) 質量作用の法則：水のイオン積　[H$^+$][OH$^-$] = 10^{-14}
(2) 質量収支：[HCl] + [Cl$^-$] = 0.1　塩酸は完全に電離しているので，[Cl$^-$] = 0.1
(3) 電荷収支：[H$^+$] = [OH$^-$] + [Cl$^-$]

の関係より，[H$^+$]([H$^+$] − 0.1) = K_w が得られるので，2 次方程式を用いて [H$^+$] を算出する．

$$[H^+] = \frac{0.1 + \sqrt{0.1^2 \times 4K_w}}{2} \fallingdotseq 0.1$$

この例は，強酸の濃度が大（$0.1^2 \gg 4K_w$）であるので，近似的に塩酸の電離により生じた，[H$^+$] = 0.1 mol/L より求められる．pH = −log [H$^+$] = −log 0.1 = 1

B. 弱酸の溶液

0.1 mol/L 酢酸の pH を求めてみよう．
(1) 質量作用の法則：

酢酸の電離　CH$_3$COOH $\rightleftharpoons$ H$^+$ + CH$_3$COO$^-$

$$K_a = \frac{[H^+][CH_3COO^-]}{[CH_3COOH]} = 1.75 \times 10^{-5} \ (pK_a = 4.76) \tag{1.17}$$

水のイオン積　[H$^+$][OH$^-$] = K_w = 10^{-14}

(2) 質量収支：[CH$_3$COOH] + [CH$_3$COO$^-$] = 0.1　　　　　　　　　　　(1.18)
(3) 電荷収支：[H$^+$] = [OH$^-$] + [CH$_3$COO$^-$]　　　　　　　　　　　　(1.19)

溶液は酸性であり，[H$^+$] $\gg$ [OH$^-$] であるから，式(1.19)より

$$[H^+] \fallingdotseq [CH_3COO^-] \tag{1.20}$$

式 (1.17) に式 (1.18)，(1.20) を代入すると

$$K_a = \frac{[H^+][CH_3COO^-]}{[CH_3COOH]} = \frac{[H^+]^2}{0.1 - [H^+]} \tag{1.21}$$

が得られるので，2 次方程式を用いて [H$^+$] を算出する．

$$[H^+] = \frac{-K_a + \sqrt{K_a^2 + 4 \times 0.1 \times K_a}}{2} = 1.31 \times 10^{-3} \text{ mol/L}$$

$$\mathrm{pH} = -\log[\mathrm{H}^+] = -\log(1.31 \times 10^{-3}) = 2.88$$

この例のように弱酸の濃度が大（> 0.01 mol/L）であり，$[\mathrm{H}^+]$ が弱酸の濃度に比べて十分に小さい場合には，式（1.21）の分母が近似できる（$0.1 - [\mathrm{H}^+] \fallingdotseq 0.1$）ので，$[\mathrm{H}^+] = \sqrt{0.1 \times K_a}$ により算出できる．

$$\mathrm{pH} = -\log[\mathrm{H}^+] = -\log\sqrt{0.1 \times K_a} = (pK_a - \log 0.1)/2 = 2.88$$

C. 多塩基酸の溶液

二塩基酸である 0.1 mol/L シュウ酸の pH を求めてみよう．

(1) 質量作用の法則

シュウ酸の第1段の電離　$(\mathrm{COOH})_2 \rightleftharpoons \mathrm{H(COO)}_2^- + \mathrm{H}^+$

$$K_{a1} = \frac{[\mathrm{H}^+][\mathrm{H(COO)}_2^-]}{[(\mathrm{COOH})_2]} = 5.62 \times 10^{-2} \ (pK_{a1} = 1.25) \tag{1.22}$$

シュウ酸の第2段の電離　$\mathrm{H(COO)}_2^- \rightleftharpoons (\mathrm{COO})_2^{2-} + \mathrm{H}^+$

$$K_{a2} = \frac{[\mathrm{H}^+][(\mathrm{COO})_2^{2-}]}{[\mathrm{H(COO)}_2^-]} = 5.25 \times 10^{-5} \ (pK_{a2} = 4.28) \tag{1.23}$$

水のイオン積　$[\mathrm{H}^+][\mathrm{OH}^-] = K_w = 10^{-14}$

(2) 質量収支：$[(\mathrm{COOH})_2] + [\mathrm{H(COO)}_2^-] + [(\mathrm{COO})_2^{2-}] = 0.1$ (1.24)

(3) 電荷収支：$[\mathrm{H}^+] = [\mathrm{H(COO)}_2^-] + 2[(\mathrm{COO})_2^{2-}] + [\mathrm{OH}^-]$ (1.25)

溶液は酸性であり，$[\mathrm{H}^+] \gg [\mathrm{OH}^-]$ であるから，式（1.25）より

$$[\mathrm{H}^+] \fallingdotseq [\mathrm{H(COO)}_2^-] + 2[(\mathrm{COO})_2^{2-}] \tag{1.26}$$

式（1.24）及び（1.26）に，式（1.22）と（1.23）を代入すると

$$\frac{[\mathrm{H}^+][\mathrm{H(COO)}_2^-]}{K_{a1}} + [\mathrm{H(COO)}_2^-] + \frac{K_{a2}[\mathrm{H(COO)}_2^-]}{[\mathrm{H}^+]} = 0.1 \tag{1.27}$$

$$[\mathrm{H}^+] = [\mathrm{H(COO)}_2^-] + \frac{2K_{a2}[\mathrm{H(COO)}_2^-]}{[\mathrm{H}^+]} \tag{1.28}$$

それぞれ式（1.27）及び（1.28）が得られる．両式を $[\mathrm{H(COO)}_2^-]$ でまとめると

$$\frac{0.1 \times K_{a1}[\mathrm{H}^+]}{[\mathrm{H}^+]^2 + [\mathrm{H}^+]K_{a1} + K_{a1}K_{a2}} = \frac{[\mathrm{H}^+]^2}{[\mathrm{H}^+] + 2K_{a2}}$$

$$[\mathrm{H}^+]^3 + K_{a1}[\mathrm{H}^+]^2 + K_{a1}(K_{a2} - 0.1)[\mathrm{H}^+] - 2 \times 0.1 \times K_{a1}K_{a2} = 0 \tag{1.29}$$

が得られる．$K_{a1} \gg K_{a2}$ であり，第2段目の電離が無視でき，

$$[\mathrm{H}^+]^2 + K_{a1}[\mathrm{H}^+] - 0.1 \times K_{a1} = 0$$

が得られるので，2次方程式を用いて $[\mathrm{H}^+]$ を算出する．

$$[\mathrm{H}^+] = \frac{-K_a + \sqrt{K_a^2 + 4 \times 0.1 \times K_a}}{2} = 5.20 \times 10^{-2} \ \mathrm{mol/L}$$

$$\mathrm{pH} = -\log[\mathrm{H}^+] = -\log(5.20 \times 10^{-2}) = 1.28$$

0.1 mol/L シュウ酸の $[H^+]$ は大きいので，前出の 0.1 mol/L 酢酸のように近似（$0.1-[H^+]$ ≒ 0.1）することはできない．仮に，濃度 C mol/L の多塩基酸 H_nA について，$C \gg [H^+]$，$K_{a1} \gg K_{a2} > \cdots > K_{an}$ の関係が成り立つのであれば，多塩基酸 H_nA の pH は，第 2 段目以降の電離は無視して pH = $-\log\sqrt{C \times K_{a1}}$ より求めることができる．

D. 両性物質の溶液

酸及び塩基として作用する物質を両性物質といい，炭酸水素ナトリウム（$NaHCO_3$），リン酸二水素一ナトリウム（NaH_2PO_4），酸性及び塩基性官能基の両方を分子内に持つアミノ酸などがある．

例として，0.1 mol/L 炭酸水素ナトリウム水溶液の pH を求めてみよう．まず，水溶液中における炭酸は次のように 2 段階の解離をする．

$$H_2CO_3 + H_2O \rightleftarrows H_3O^+ + HCO_3^-$$

$$K_{a1} = \frac{[H^+][HCO_3^-]}{[H_2CO_3]} = 4.57 \times 10^{-7} \quad (pK_{a1} = 6.34) \tag{1.30}$$

$$HCO_3^- + H_2O \rightleftarrows H_3O^+ + CO_3^{2-}$$

$$K_{a2} = \frac{[H^+][CO_3^{2-}]}{[HCO_3^-]} = 5.62 \times 10^{-11} \quad (pK_{a2} = 10.25) \tag{1.31}$$

炭酸水素イオンは，完全に解離する炭酸水素ナトリウムの塩から生じる．

炭酸水素イオンの電離

$$\text{酸} \quad HCO_3^- + H_2O \rightleftarrows H_3O^+ + CO_3^{2-} \quad K_{a2} = 5.62 \times 10^{-11}$$
$$\text{塩基} \quad HCO_3^- + H_2O \rightleftarrows H_2CO_3 + OH^- \quad K_{b2} = K_w/K_{a1} = 2.19 \times 10^{-8}$$
$$\tag{1.32}$$

炭酸水素イオンの不均化反応

$$HCO_3^- + HCO_3^- \rightleftarrows H_2CO_3 + CO_3^{2-}$$

$$K = \frac{[H_2CO_3][CO_3^{2-}]}{[HCO_3^-]^2} = \frac{K_{a2}}{K_{a1}} = \frac{5.62 \times 10^{-11}}{4.57 \times 10^{-7}} = 1.23 \times 10^{-4} \tag{1.33}$$

式（1.31）〜（1.33）の平衡定数の比較から，不均化反応が最も著しく右に向かって進行することが分かる．このため近似的に $[H_2CO_3] \fallingdotseq [CO_3^{2-}]$ とすると，式（1.30）と（1.31）より，

$$\frac{[H^+][HCO_3^-]}{K_{a1}} = \frac{[HCO_3^-]K_{a2}}{[H^+]}$$

$$[H^+]^2 = K_{a1}K_{a2}$$

ゆえに，pH = $-\log\sqrt{K_{a1} \times K_{a2}}$ = $(pK_{a1} + pK_{a2})/2$ = 8.33

となる．ある条件下において，$NaHCO_3$ のような二塩基酸の一金属塩の水溶液の pH は，塩の濃度には全く無関係である．

E. 弱酸とその塩の溶液

0.1 mol/L 酢酸と 0.2 mol/L 酢酸ナトリウム水溶液の pH を求めてみよう．酢酸ナトリウムの塩から生じた酢酸イオンにより，右辺に向かって進行する酢酸の電離（$CH_3COOH \rightleftharpoons H^+ + CH_3COO^-$）は抑制される．また，酢酸の存在により，右辺に向かって進行する酢酸イオンの加水分解（$CH_3COO^- + H_2O \rightleftharpoons CH_3COOH + OH^-$）についても抑制される．これらより，次の近似を行うことができる．

$$[CH_3COOH] \fallingdotseq 0.1 \text{ mol/L} \qquad [CH_3COO^-] \fallingdotseq 0.2 \text{ mol/L}$$

$$K_a = \frac{[H^+][CH_3COO^-]}{[CH_3COOH]} = \frac{[H^+] \times 0.2}{0.1} = 1.75 \times 10^{-5}$$

$$[H^+] = (0.1 \times 1.75 \times 10^{-5})/0.2 = 8.75 \times 10^{-6} \qquad pH = 5.06$$

このような弱酸とその塩の溶液は，緩衝液（少量の酸あるいは塩基を加えたり，水で薄めたりしても，溶液の pH があまり変化しない溶液）に利用される．その pH 算出には，次の *Henderson-Hasselbalch* の式（解離定数の式を対数で表現したもの）がよく用いられる．

$$pH = pK_a + \log\frac{[共役塩基]}{[酸]}$$

水溶液の pH を算出するための簡単な式を表 1.1 に示す．

表 1.1　水溶液の pH を求める簡単な式

強酸 C_{HA} の溶液
　　pH = $-\log C_{HA}$　（$C_{HA} > 10^{-6}$ mol/L の場合）

強塩基 C_B の溶液
　　pH = 14 − pOH = 14 − ($-\log C_B$)　（$C_B > 10^{-6}$ mol/L の場合）

弱酸 C_{HA} の溶液
　　pH = ($pK_a - \log C_{HA}$)/2　（ただし，$K_a < 10^{-3}$，$C_{HA} > 10^{-2}$ mol/L の場合）

弱塩基 C_B の溶液
　　pH = 14 − pOH = 14 − ($pK_b - \log C_B$)/2　（ただし，$K_b < 10^{-3}$，$C_B > 10^{-2}$ mol/L の場合）

両性物質 C_{HB^-} の溶液
　　pH = ($pK_{a1} + pK_{a2}$)/2
　　　（K_{a1} は $H_2B \rightleftharpoons HB^- + H^+$ の電離定数，K_{a2} は $HB^- \rightleftharpoons B^{2-} + H^+$ の電離定数）

緩衝液 $C_{HA} + C_{A^-}$ の溶液（弱酸とその塩の混合溶液）
　　pH = $pK_a + \log (C_{A^-}/C_{HA})$

2-5 各 pH における各化学種の存在する割合

酢酸（pK_a = 4.76）は水溶液中で，$CH_3COOH \rightleftharpoons H^+ + CH_3COO^-$ で示される平衡状態にある．CH_3COOH を分子形，CH_3COO^- をイオン形といい，溶液の pH により両化学種の存在割合（分率）が変化する．

酢酸の総濃度を C_{HA}，解離定数を K_a とした場合，質量収支より $C_{HA} = [CH_3COOH] + [CH_3COO^-]$，質量作用の法則より，$K_a = [H^+][CH_3COO^-]/[CH_3COOH]$ と表される．この2式を変形させると，CH_3COOH の分子形の分率（$[CH_3COOH]/C_{HA}$）とイオン形の分率（$[CH_3COO^-]/C_{HA}$）を次式のように誘導できる．

$$\frac{[CH_3COOH]}{C_{HA}} = \frac{[H^+]}{[H^+] + K_a}$$

$$\frac{[CH_3COO^-]}{C_{HA}} = \frac{K_a}{[H^+] + K_a}$$

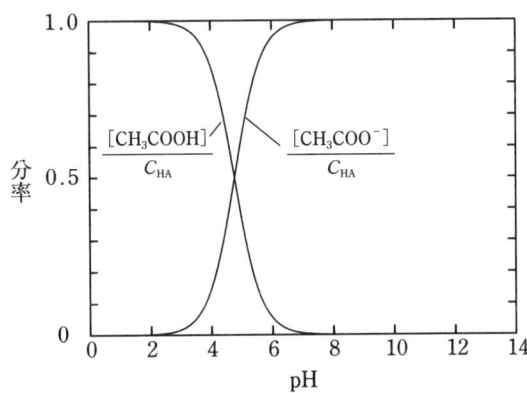

図 1.1 酢酸の各化学種の pH による存在割合（分率）

いろいろな pH における酢酸の各化学種の分率を図 1.1 に示した．図 1.1 から分率 0.5 の交点では，pH = pK_a であり，これより 2 ほど低い pH ではほとんどが分子形，また高い pH ではほとんどイオン形であることが分かる．

次に三塩基酸であるリン酸の場合を考えてみよう．水溶液中におけるリン酸は次のように3段階の解離をする．

$$H_3PO_4 + H_2O \rightleftharpoons H_3O^+ + H_2PO_4^- \quad K_{a1} = \frac{[H^+][H_2PO_4^-]}{[H_3PO_4]} \quad (pK_{a1} = 2.12)$$

$$H_2PO_4^- + H_2O \rightleftharpoons H_3O^+ + HPO_4^{2-} \quad K_{a2} = \frac{[H^+][HPO_4^{2-}]}{[H_2PO_4^-]} \quad (pK_{a2} = 7.21)$$

$$HPO_4^{2-} + H_2O \rightleftharpoons H_3O^+ + PO_4^{3-} \qquad K_{a3} = \frac{[H^+][PO_4^{3-}]}{[HPO_4^{2-}]} \qquad (pK_{a3} = 12.32)$$

リン酸の総濃度を C_a とした場合，リン酸の分子形（H_3PO_4）とイオン形（$H_2PO_4^-$，HPO_4^{2-}，PO_4^{3-}）の各化学種の分率は，質量収支（$C_a = [H_3PO_4] + [H_2PO_4^-] + [HPO_4^{2-}] + [PO_4^{3-}]$）より，次式のように誘導できる．

$$\frac{[H_3PO_4]}{C_a} = \frac{[H^+]^3}{[H^+]^3 + [H^+]^2 K_{a1} + [H^+]K_{a1}K_{a2} + K_{a1}K_{a2}K_{a3}}$$

$$\frac{[H_2PO_4^-]}{C_a} = \frac{[H^+]^2 K_{a1}}{[H^+]^3 + [H^+]^2 K_{a1} + [H^+]K_{a1}K_{a2} + K_{a1}K_{a2}K_{a3}}$$

$$\frac{[HPO_4^{2-}]}{C_a} = \frac{[H^+]K_{a1}K_{a2}}{[H^+]^3 + [H^+]^2 K_{a1} + [H^+]K_{a1}K_{a2} + K_{a1}K_{a2}K_{a3}}$$

$$\frac{[PO_4^{3-}]}{C_a} = \frac{K_{a1}K_{a2}K_{a3}}{[H^+]^3 + [H^+]^2 K_{a1} + [H^+]K_{a1}K_{a2} + K_{a1}K_{a2}K_{a3}}$$

従って，図 1.2 のようにリン酸の各化学種の分率と pH の関係を表すことができる．

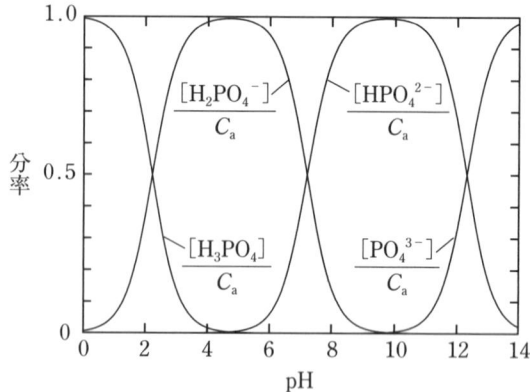

図 1.2 リン酸の各化学種の pH による存在割合（分率）

2-6 非水溶媒中における酸塩基平衡

A. 非水溶媒中における酸と塩基

酸 HA が電離するとき，プロトンを受け取る溶媒は水だけではない．溶媒分子を SH で表すならば，一般に酸 HA の電離は，

$$HA + SH \rightleftharpoons SH_2^+ + A^- \qquad (1.34)$$

と表される．ここで，SH_2^+ は溶媒と結合（溶媒和）したプロトンである．実例を挙げると，水

溶液中では H_3O^+, 氷酢酸*の中では $CH_3COOH_2^+$, エタノールの中では $C_2H_5OH_2^+$ である.

HA が SH_2^+ より強い酸であるならば, 式 (1.34) の反応の平衡は著しく右へ片寄り, 全ての HA が電離して SH_2^+ を生じる. その結果, その酸 HA と同じ濃度の SH_2^+ となり, 溶液の酸性度は SH_2^+ の酸としての強さまで引き下げられる. すなわち溶媒の水平化効果である. HA の強さは HA が電離して SH_2^+ を生成する度合いによって決まるから, それは溶媒の塩基性度にも依存する. 例えば, $HClO_4$, HCl 及び HNO_3 は氷酢酸中において次のように電離する.

$$HClO_4 + CH_3COOH \rightleftharpoons CH_3COOH_2^+ + ClO_4^-$$
$$HCl + CH_3COOH \rightleftharpoons CH_3COOH_2^+ + Cl^-$$
$$HNO_3 + CH_3COOH \rightleftharpoons CH_3COOH_2^+ + NO_3^-$$

この平衡において, $HClO_4$ は $CH_3COOH_2^+$ より強い酸であるため平衡は右辺へ片寄るため強酸となるが, HCl と HNO_3 は $CH_3COOH_2^+$ より弱い酸であるため平衡は左辺へ片寄るため弱酸となる. 図 1.3 には, 水の自己プロトリシスの範囲と酸の強さの序列を $pK_{a(水中)}$ とともに示した. $CH_3COOH_2^+$ は H_3O^+ に比べて非常に強い酸であるので, 水平化効果によって水溶液中ではその強さを区別できなかった強酸であっても, 氷酢酸を溶媒にすると $HClO_4 > HCl > HNO_3$ のように酸の強さを区別できる. またフェノールは水中ではほとんど電離しないが, 水より塩基性の強いピリジン中ではほぼ完全に電離し, $C_5H_5NH^+$ を生じる.

塩基 B の電離も同様に扱われ, 次の一般式で表される.

$$B + SH \rightleftharpoons HB^+ + S^-$$

例えば, アンモニアは水溶液中では次のように電離するが, この平衡は大きく左へ片寄っている.

$$NH_3 + H_2O \rightleftharpoons NH_4^+ + OH^-$$

一方, 酸性度の大きい氷酢酸中では反応はほぼ完全に右に進む.

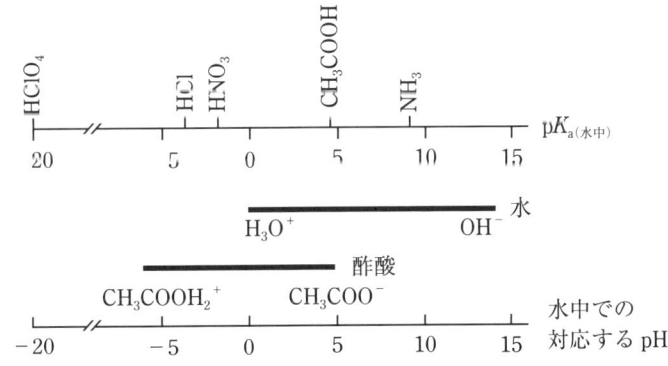

図 1.3　酸の強さと, 水と酢酸の自己プロトリシスの範囲との関係

---

* 純粋な酢酸 (JIS K8355:2006 では, 純度が 99.7% 以上). 室温が下がると凝固するので氷酢酸 glacial acetic acid とよばれる. 日本薬局方では, 酢酸 (100) と表記される.

$$NH_3 + CH_3COOH \rightleftharpoons NH_4^+ + CH_3COO^-$$

同様に,脂肪族アミン,芳香族アミンなども水中では弱い塩基であるが,氷酢酸中では強い塩基として働く.

B. 溶媒の分類

非水溶媒についてはいろいろな分類法があるが,次の分類が広く使われている.

1) プロトン性溶媒 protic solvent

プロトンの放出も受容もできる溶媒であるが,それらの傾向の相違によって更に次のように分けられる.

a. 両性溶媒 amphiprotic solvent

プロトンの放出と受容の傾向が同程度で,酸と塩基の両方の性質を併せ持つ溶媒.中性溶媒ともいう.例:水,メタノール,エタノール

b. 酸性溶媒 acidic solvent

プロトンを与える傾向の方が強い溶媒.例:酢酸,ギ酸,トリフルオロ酢酸

c. 塩基性溶媒 basic solvent

プロトンを受け取る傾向の方が強い溶媒.例:n-ブチルアミン,エチレンジアミン

2) 半プロトン性溶媒 semiprotic solvent

プロトンを受け取る傾向は比較的強く塩基として行動するが,プロトンを放出することはない.例:ピリジン,エーテル,N,N-ジメチルホルムアミド

3) 非プロトン性溶媒 aprotic solvent

プロトン授受能力がほとんどなく,酸性も塩基性も示さない不活性な溶媒である.主に混合溶媒として用いられる.例:ベンゼン,四塩化炭素,クロロホルム

3 沈殿平衡

3-1 溶解度積

難溶性の塩 MA はわずかながら水に溶け,MA の飽和溶液になって溶解は止まる.非電解質の

場合には，そのモル溶解度が固体と飽和溶液との間の溶解・沈殿平衡における平衡定数に相当する．しかし，MA が難溶性電解質の場合には，極めて希薄な飽和溶液中で固相と液相との間に次のような平衡が成り立つ．

$$\underset{(固相)}{MA} \rightleftarrows \underset{(液相)}{M^+ + A^-}$$

一定温度では，右向きの反応の速度 v_1 は，

$$v_1 = k_1 \qquad (k_1 は速度定数)$$

左向きの反応の速度 v_2 は，各反応物質の濃度に比例し，

$$v_2 = k_2[M^+][A^-] \qquad (k_2 は速度定数)$$

平衡状態においては $v_1 = v_2$ であるから，次の関係が成り立つ．

$$[M^+][A^-] = k_1/k_2 = K_{sp} \tag{1.35}$$

式 (1.35) から，一般に難溶性電解質は溶液中で生じるイオンの濃度積が K_{sp} の値に達するまでは溶解し，沈殿を生じないことが分かる．K_{sp} の値に達すれば飽和し，それ以上では MA は沈殿となって析出する．この溶解・沈殿平衡におけるイオンの濃度積 K_{sp} 値を**溶解度積** solubility product といい，温度が一定であればそれぞれの物質について定数である（巻末付表2参照）．たいていの物質は温度が高くなれば溶解度も大きくなるように，難溶性電解質の溶解度積も温度とともに大きくなるのが普通である．

溶解度積は難溶性電解質の溶解・沈殿平衡を考える際に重要な定数である．すなわち，沈殿の溶解性を示す平衡定数であるから，飽和溶液中に存在し得るイオンの濃度，2種類の溶液を混合するときの沈殿生成の有無，ある溶液に沈殿を混合するときの溶解もしくは沈殿生成の度合いなどを溶解度積の値によって予測することができる．例えば，塩化バリウム水溶液と硫酸ナトリウム水溶液を反応させたときに，加えたバリウムイオンの全濃度が C_{Ba}，硫酸イオンの全濃度が C_{SO_4} であるならば，硫酸バリウムの溶解度積 ($K_{sp}^{BaSO_4}$) と混合溶液中の沈殿生成の有無は次のようにまとめられる．

$C_{Ba} \times C_{SO_4} > K_{sp}^{BaSO_4}$ 沈殿が生成する．
$C_{Ba} \times C_{SO_4} = K_{sp}^{BaSO_4}$ 沈殿は見られない．飽和溶液
$C_{Ba} \times C_{SO_4} < K_{sp}^{BaSO_4}$ 沈殿は生成しない．

難溶性単塩 MA の純水中における不均一系平衡では，$[M^+]$ 及び $[A^-]$ はいずれも飽和溶液中における MA の全濃度，すなわちモル溶解度 s に等しい．従って $M^I A^I$ 型の塩の溶解度積 K_{sp} は純水に対するモル溶解度 s の二乗に等しく，次の関係が成り立つ．

$$K_{sp} = [M^+][A^-] = [M^+]^2 = [A^-]^2 = s^2 \qquad \therefore \quad s = \sqrt{K_{sp}}$$

一般に，M_mA_n の組成を持つ難溶性塩の溶解度積 $K_{sp}^{M_mA_n}$ と溶解度 s との関係は次のようになる．

$$M_mA_n \rightleftarrows mM^{n+} + nA^{m-}$$

$[M^{n+}] = ms$, $[A^{m-}] = ns$ であるから，

$$K_{sp}^{M_mA_n} = [ms]^m [ns]^n = m^m n^n s^{m+n}$$

$$\therefore s = \sqrt[m+n]{\frac{K_{sp}}{m^m n^n}}$$

例えば，AgCl $\rightleftharpoons$ Ag$^+$ + Cl$^-$ の平衡を考えてみよう．25℃においてモル溶解度は 1.05×10^{-5} mol/L である．[Ag$^+$] = [Cl$^-$] = 1.05×10^{-5} mol/L となり，K_{sp} = [Ag$^+$][Cl$^-$] = 1.1×10^{-10}

さらに，Ag$_2$CrO$_4$ $\rightleftharpoons$ 2Ag$^+$ + CrO$_4^{2-}$ の平衡を考えてみよう．25℃においてモル溶解度は 8.4×10^{-5} mol/L である．[Ag$^+$] = $2 \times 8.4 \times 10^{-5}$ mol/L，[CrO$_4^{2-}$] = 8.4×10^{-5} mol/L となり，K_{sp} = [Ag$^+$]^2[CrO$_4^{2-}$] = $(2 \times 8.4 \times 10^{-5})^2 \times 8.4 \times 10^{-5}$ = 2.4×10^{-12}

3-2 沈殿生成に及ぼす因子

溶液中の難溶性塩 MA の沈殿平衡（MA $\rightleftharpoons$ M$^+$ + A$^-$）において，生じるイオンの濃度 [M$^+$] と [A$^-$] は，溶液中に共存するイオン，温度，有機溶媒，さらに溶液の pH のなどによって大きく異なる．従って，難溶性塩の沈殿生成あるいはその溶解度に対して，これらの諸条件は大きな影響を及ぼす．

A．共通イオンの影響

溶液中に存在する沈殿の構成イオンと共通のイオンの添加により平衡が移動し，その沈殿の溶解度が減少する（共通イオン効果）．溶解度積の式（1.35）からも，難溶性塩 MA の溶解度は，純水中に比べて M$^+$ 又は A$^-$ を含む溶液中の方が小さいことが分かる．例えば，AgNO$_3$ に NaCl を加えて AgCl（K_{sp} = 1.1×10^{-10}）を沈殿させる場合に，両者が当量ずつ反応すれば，溶液中に沈殿しないで残っている [Ag$^+$] 及び [Cl$^-$] は，$s = \sqrt{K_{sp}}$ から，1.05×10^{-5} mol/L である．ここに 1 mol/L NaCl 1 mL を余分に加え，そのときの全液量が 100 mL であるとすると，1 mL 過量に加えた結果生じる Cl$^-$ の濃度 〈Cl$^-$〉は 0.01 mol/L である．従って，次の関係から溶液に残る [Ag$^+$] を算出することができる．

$$[Ag^+]\{[Cl^-] + \langle Cl^- \rangle\} = 1.1 \times 10^{-10}$$

$$[Ag^+] = \frac{1.1 \times 10^{-10}}{[Cl^-] + \langle Cl^- \rangle} = \frac{1.1 \times 10^{-10}}{[Ag^+] + 0.01}$$

分母の [Ag$^+$] は 0.01 に比べて極めて小さくて無視できるから

$$[Ag^+] = \frac{1.1 \times 10^{-10}}{0.01} = 1.1 \times 10^{-8} \text{ mol/L}$$

この濃度は AgCl の濃度と見なせるから，沈殿しないで溶液中に残った AgCl の物質量は 1 L 中 1.1×10^{-8} mol である．純水 1 L 中の AgCl のモル溶解度は 1.05×10^{-5} mol であるから，1 mol/L NaCl 1 mL を余分に加えたため，AgCl のモル溶解度を 1/1000 に減少させることができる．これは，Ag$^+$ を AgCl として，より定量的に沈殿させることを意味している．

一方，大過量の沈殿試薬（目的のイオンと難溶性塩を作るために加える試薬）を加えると，沈

殿が再び溶解するとか，沈殿が解膠してろ紙の目を通過するというような逆効果を起こすことがある．例えば，AgCl を沈殿させるのに NaCl を大過量に加えると，図 1.4 に示すようにかえって溶解度が大きくなる．これは，$[AgCl_2]^-$ 又は $[AgCl_4]^{3-}$ のような水溶性錯イオンをつくるためである．

難溶性塩をつくるために沈殿試薬を過量に加えると，可溶性の錯体を形成して，いったん生じた沈殿を再溶解することがあるので，このような錯体の影響について注意する必要がある．図 1.4 は硝酸銀溶液に塩化ナトリウム溶液を加えて塩化銀を沈殿させ，上澄み中の $[Ag^+]$ と $[Cl^-]$ を計算及び実験で求めた結果を示したもので，$\log[Cl^-]$ が -2.5 付近になったとき $[Ag^+]$ は最低値になることを示している．

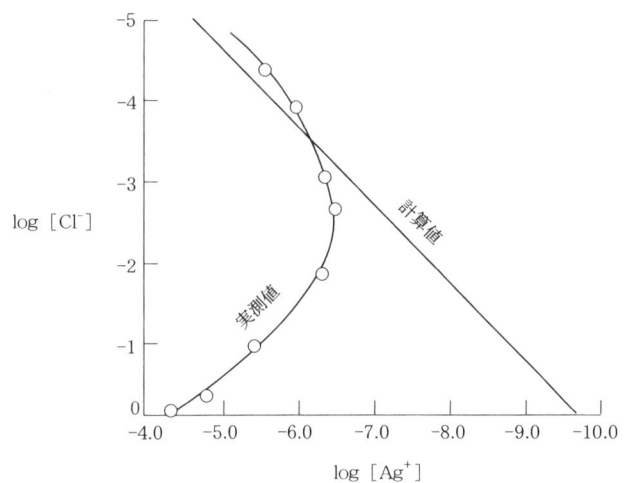

図 1.4　NaCl 溶液中における AgCl の溶解
(長瀬雄三ら (1992) 基礎分析化学通論［上］, 廣川書店より引用)

過量の沈殿試薬を加えると，いったん生じた沈殿が再び溶解する例として，HgS の沈殿生成について述べる．Hg^{2+} に S^{2-} を加えていくと HgS が容易に沈殿するが，

$$Hg^{2+} + S^{2-} \rightleftharpoons HgS$$

$[S^{2-}]$ が大きくなると次のような副反応が起こって溶解する．

$$HgS + S^{2-} \rightleftharpoons [HgS_2]^{2-}$$

この場合，S^{2-} を含む Hg^{2+} の沈殿試薬として H_2S を用いると，飽和 H_2S でも $[S^{2-}]$ は，1×10^{-5} mol/L と著しく小さく，しかも HgS の溶解度積が 4×10^{-53} と極めて小さいから沈殿が生じる．しかし $[HgS_2]^{2-}$ を生じるほどの $[S^{2-}]$ ではない．ところが，H_2S の代わりに Na_2S を Hg^{2+} の沈殿試薬として用いると，Na_2S は 1 mol/L 溶液でも $[S^{2-}]$ は 0.09 mol/L と非常に大きいので，いったん HgS は沈殿するが，さらに Na_2S を加えると $[HgS_2]^{2-}$ を生じて溶けてしまう．

また，Al^{3+} に OH^- を加えて $Al(OH)_3$ を沈殿させるとき，OH^- を含む試薬として NH_3 を加えればよい．NaOH を加えると $[OH^-]$ が大きいため，いったん生じた $Al(OH)_3$ が $[Al(OH)_4]^-$ とな

って溶けてしまう．このように同種のイオンを含む試薬であっても，その電離度の大小によってイオン濃度が違うから，この点を考慮して副反応を起こさないような試薬を選ぶ必要がある．

B. pHの影響

沈殿反応がpHによって左右される場合も多い．特に炭酸塩や硫化物などの溶解度は，pHの影響を大きく受ける．これに反して強酸塩の溶解度はpHの影響をほとんど受けない．

まず，硫化物MSについて考えよう．もともとH_2Sは極めて弱い酸で，次のように電離するが，その電離定数は小さい．

$$H_2S \rightleftharpoons H^+ + HS^- \qquad \frac{[H^+][HS^-]}{[H_2S]} = 9 \times 10^{-8}$$

$$HS^- \rightleftharpoons H^+ + S^{2-} \qquad \frac{[H^+][S^{2-}]}{[HS^-]} = 1 \times 10^{-15}$$

$$\therefore \quad H_2S \rightleftharpoons 2H^+ + S^{2-} \qquad \frac{[H^+]^2[S^{2-}]}{[H_2S]} = 1 \times 10^{-22}$$

沈殿MSにおけるMとSとは同量あるわけであるから，溶液中では，

$$[M^{2+}] = [S^{2-}] + [HS^-] + [H_2S]$$

となるはずである．この式から，$[HS^-]$及び$[H_2S]$を消去すれば，

$$[M^{2+}] = [S^{2-}]\left\{1 + \frac{[H^+]}{1 \times 10^{-15}} + \frac{[H^+]^2}{1 \times 10^{-22}}\right\}$$

更に両辺に$[M^{2+}]$を乗ずれば，

$$[M^{2+}]^2 = [M^{2+}][S^{2-}]\left\{1 + \frac{[H^+]}{1 \times 10^{-15}} + \frac{[H^+]^2}{1 \times 10^{-22}}\right\}$$

従って，

$$溶解度\, s = [M^{2+}] = \sqrt{K_{sp}} \times \sqrt{1 + \frac{[H^+]}{1 \times 10^{-15}} + \frac{[H^+]^2}{1 \times 10^{-22}}}$$

となる．またpH 7以下では，平方根中の第一項と第二項は無視できるので，近似的に

$$[M^{2+}] \fallingdotseq \sqrt{K_{sp}} \times [H^+] \times 10^{11}$$

の関係が成り立つ．すなわち難溶性硫化物の溶解度は，pH 7以下ではpHの減少とともに急速に（pH 1単位につき10倍）大きくなることが分かる．

C. 温度の影響

一般に，無機塩類の水への溶解度は温度上昇に伴い大きくなる．その顕著な例が塩化鉛である．塩化鉛は常温では難溶性塩とされているが，温湯にはかなり溶けるので，塩化銀と塩化鉛との混合物から後者だけを温浸によって分別することができる．ただし，$ZnSO_4$，Li_2CO_3，Na_2SO_4など，溶解度が小さくなるものもある．

D. 有機溶媒の影響

多くの無機塩は水に比べて有機溶媒に溶けにくい．これは水に比較して有機溶媒は誘電率が小さく，また有機溶媒中では無機イオンの溶媒和が少なくなるからである．従って，水と混和する有機溶媒を加えると，溶解度が低くなることが知られている．例えば，$CaSO_4$ は，水（誘電率は約 80（25 ℃））には 2.084 g/L まで溶けるが，エタノールを 13.8 ％含む水溶液（誘電率は約 71（25 ℃））には 0.436 g/L までしか溶けない．

E. 異種イオンの影響

一般に沈殿の溶解度は，共通でないイオン（異種イオン）を含む塩の共存によって大きくなる．これを**塩効果** salt effect という．これは異種イオンの共存によってイオン間の静電的斥力が変化し，いい換えれば溶液のイオン強度が増し，難溶性塩を構成する両イオンの活量係数が小さくなる結果と考えられる．

塩効果は共存する電解質の種類によって違い，イオン価が大きくなると著しく大きくなる．また，沈殿の溶解度は多価イオンからできている塩の共存に大きな影響を及ぼす（図 1.5）．

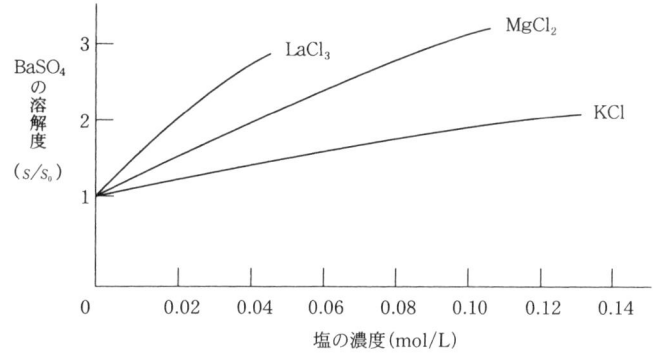

図 1.5　$BaSO_4$ の溶解度に及ぼす異種イオンの影響
s_0：純水に対する溶解度（mol/L），s：塩の水溶液に対する溶解度（mol/L）
（長瀬雄三ら（1992）基礎分析化学通論［上］，廣川書店より引用）

3-3　分別沈殿

2 種類のイオン A^-，B^- が，金属イオン M^+ と反応して同形の沈殿 MA，MB を生じる場合，まず溶解度積の小さいほうの沈殿（MA とする）を生じ，ある程度 MA の沈殿が生じたところで溶解度積の大きいほうの沈殿 MB が生じ始める．このとき MB の溶解度積に比べ，MA のそれが非常に小さければ，MA がほとんど沈殿し終わってから MB の沈殿が始まるから，MA と MB とを別々に沈殿させることができる．このような操作を**分別沈殿** fractional precipitation といい，化学

分析ではしばしば利用される.

例として, AgI の沈殿中に AgCl が生じ始めるときの条件を考えてみよう. I^- と Cl^- の混合溶液に Ag^+ を加えると AgI がまず沈殿し, そのため $[I^-]$ が減少していき, ある点に達して, AgCl が沈殿し始めると上澄み液は二つの固相 AgI 及び AgCl と平衡を保つことになり, 次の関係が成り立つ.

$$[Ag^+][I^-] = K_{sp}^{AgI} = 1.0 \times 10^{-16}$$
$$[Ag^+][Cl^-] = K_{sp}^{AgCl} = 1.1 \times 10^{-10}$$
$$[I^-]/[Cl^-] = K_{sp}^{AgI}/K_{sp}^{AgCl} = 9.1 \times 10^{-7}$$

AgCl の沈殿が生じ始める点は, $[I^-]/[Cl^-]$ が溶解度積の比 ($K_{sp}^{AgI}/K_{sp}^{AgCl}$) に等しくなったときであり, その後はこの比を保ちながら AgCl の沈殿が生じる. 従って, 溶解度積の比が小さいほど, 分別沈殿をより完全に行えることを示している. $K_{sp}^{AgI}/K_{sp}^{AgCl}$ は非常に小さく, 分別沈殿が可能であることが分かる.

マグネシウム及びアルカリ土類金属に属するイオンは, 性質が似ているため, それぞれを分別することは難しい. 表 1.2 には難溶性アルカリ土類金属塩の溶解度積をまとめた. Ba^{2+}, Sr^{2+}, Ca^{2+}, Mg^{2+} を分離するには, 次の方法が採られている. まず酢酸-酢酸アンモニウム緩衝液中で濃厚な K_2CrO_4 試液を加えると, 溶解度積の小さな $BaCrO_4$ が初めに沈殿する. この分離液に半容以下のエタノールを加えると $SrCrO_4$ が析出してくる. これは, $SrCrO_4$ は水に少量可溶であるが (15℃ の水に 0.12 % 溶解), エタノールの添加によって $SrCrO_4$ の溶解度が著しく減少するからである (53 % エタノールに 0.002 % 溶解). 最後に, 分離液に $(NH_4)_2C_2O_4$ を加えると, MgC_2O_4 に比べて溶解度積の小さい CaC_2O_4 が先に沈殿するので, 分離液には Mg^{2+} が残る.

表 1.2 マグネシウムならびにアルカリ土類金属の溶解度積

	シュウ酸塩	クロム酸塩	硫酸塩
Mg^{2+}	8.6×10^{-5}	可溶	可溶
Ca^{2+}	2×10^{-9}	可溶	6×10^{-5}
Sr^{2+}	5×10^{-8}	4×10^{-5}	2.8×10^{-7}
Ba^{2+}	1.7×10^{-7}	2.4×10^{-10}	1×10^{-10}

4 錯生成平衡

4-1 金属錯体

　水分子 H_2O の酸素原子は非共有電子対を有し，金属イオンに対して電子対供与体，すなわち *Lewis* の塩基として働く．一方，金属イオンは電子対受容体であり，*Lewis* の酸として働く．水溶液中で Ni^{2+}，Cu^{2+} などの金属イオンは，$[Ni(OH_2)_6]^{2+}$，$[Cu(OH_2)_4]^{2+}$ のように水分子と結合した形で存在している．このように，電子対供与体であるイオン，あるいは中性分子などの**配位子** ligand が，電子対受容体である金属イオンと配位結合している化合物を総称して**金属錯体** metal complex という．

　$[Cu(OH_2)_4]^{2+}$ 溶液にエチレンジアミン $H_2NCH_2CH_2NH_2$ を加えると，N の非共有電子対が Cu^{2+} に配位する．このとき，エチレンジアミン2分子は4分子の H_2O と置き換わって結合し，平面形の深青色の錯陽イオンを生じる．このように二座配位子以上の多座配位子が中心原子との間で配位結合するような錯体を，**金属キレート化合物** metal chelate compound 又は単に**キレート** chelate と呼ぶ．配位子を試薬という観点から見ると，キレート配位子はキレート試薬といえる．

　キレート試薬が中心金属に配位すると，互いにつながった2個以上の配位原子に挟まれて，中心金属は配位子と**キレート環** chelate ring を構成する．単座配位子より構成される無機錯体と異なって，一般にキレートが種々の特性を示すのは，このキレート環の形成による．

A. 無機金属錯体

　無機イオン又は無機化合物が配位子として金属に結合して生じる錯体を無機金属錯体という．以下に主な無機配位子をあげる．

　アンモニア分子　NH_3 が金属イオンに配位したアンミン錯イオンは，いずれも水に溶けやすく，錯生成定数は比較的大きい．そのため，錯イオンを形成する金属イオンにアンモニア試液を加えると，まず水酸化物又は水酸化物塩を沈殿するが，アンモニア試液を過量に加えれば，錯イオンを生じて溶解する．

　硫酸銅の水溶液 $[Cu(OH_2)_4]^{2+}$ にアンモニア試液に加えていくと沈殿が生成するが，過量に加えると沈殿は溶けて濃青色のテトラアンミン銅(Ⅱ)錯イオンが生成するのは，その一例である．

$$2Cu^{2+} + SO_4^{2-} + 2NH_4^+ + 2OH^- \rightleftharpoons Cu_2(OH)_2SO_4 + 2NH_4^+$$

$$Cu_2(OH)_2SO_4 + 8NH_3 \rightleftharpoons 2[Cu(NH_3)_4]^{2+} + SO_4^{2-} + 2OH^-$$

NH_3 以外にも金属錯体を形成する無機の配位子としては，CN^-，X^-（ハロゲン），S^{2-}，SCN^-，

OH^-, H_2O などがある.

シアン化物イオン CN^- は陰イオン性配位子として, Cの非共有電子対で配位することにより, $[Ag(CN)_2]^-$, $[Cu(CN)_4]^{3-}$, $[Cd(CN)_4]^{2-}$, $[Co(CN)_6]^{4-}$, $[Fe(CN)_6]^{4-}$ などの錯陰イオンを生じる. シアノ錯イオンの錯生成定数はアンミン錯イオンに比べて極めて大きい.

ハロゲン化物イオン X^- は $[MX]^{n+}$ から最高 $[MX_x]^{n-}$ の形の各種ハロゲノ錯イオンをつくる. ハロゲノ錯イオンの安定性は, シアノ錯イオンなどより低い. ハロゲノ錯イオンは, 一般にクロロ錯イオン<ブロモ錯イオン<ヨード錯イオンの順に安定である. フルオロ錯イオンは他のハロゲノ錯イオンに比べてかなり安定なので, F^- は Sb^{3+}, Sn^{4+}, Fe^{3+}, Al^{3+} などのマスキング剤として用いられる.

イオウイオン S^{2-} は陰イオン性配位子として金属に配位して, チオ水銀酸(Ⅱ)イオン $[HgS_2]^{2-}$, チオ亜ヒ酸イオン $[AsS_3]^{3-}$ などの水溶性チオ酸イオンを生成する.

チオシアン酸イオン SCN^- は金属と結合して, $[Ag(SCN)_2]^-$, $[Fe(SCN)_6]^{3-}$ などのチオシアナト錯陰イオンを生成する.

一方, 青色の結晶硫酸銅(Ⅱ) $CuSO_4 \cdot 5H_2O$ は5分子の結晶水のうち4分子は Cu^{2+} に1分子は陰イオンの SO_4^{2-} に配位した $[Cu(OH_2)_4]SO_4 \cdot H_2O$ として存在している. Cu^{2+} が水溶液中で示す青色は, 結晶の場合と同じように, Cu^{2+} に H_2O が配位した $[Cu(OH_2)_4]^{2+}$ として溶解していることによる. このように水溶液中に存在するイオンは中心金属に定まった数の OH_2 が配位した**アクア錯イオン** aqua complex ion を形成している.

ここで, 溶液の $[OH^-]$ が増大すると, アクア錯イオンは H^+ を放つようになる.

$$[Cu(OH_2)_4]^{2+} \rightleftharpoons [CuOH(OH_2)_3]^+ + H^+$$
$$[Al(OH_2)_6]^{3+} \rightleftharpoons [AlOH(OH_2)_5]^{2+} + H^+$$

H^+ の**電離**(**解離** dissociation)は配位子解離であり, 生じた $[CuOH(OH_2)_3]^+$, $[AlOH(OH_2)_5]^{2+}$ などを**ヒドロキソアクア錯陽イオン** hydroxoaqua complex cation という. 配位子解離が更に進めば, Cu^{2+} の場合は, $[Cu(OH)_2(OH_2)_2]$ を生じて電荷を失い, 水酸化銅(Ⅱ)として沈殿する. Al^{3+} では2段の解離を経て電荷を失い, $[Al(OH)_3(OH_2)_3]$ が沈殿する.

B. 有機金属錯体

有機金属錯体は, 金属イオンと有機単座配位子とで構成される錯体と, 金属イオンと有機多座配位子とで構成される錯体に分類される.

1) 単座配位子との錯体

酢酸イオン CH_3COO^- (OAc^-) を含む中性溶液に Fe^{3+} を加えると赤褐色を呈する. OAc^- は, 有機陰イオン性配位子として, 金属イオン M^{n+} と中性錯分子 $[M(OAc)_x(OH_2)_y]$ から錯陰イオン $[M(OAc)_x]^{n-}$ の形の, 各種のアセタト錯体をつくる.

フェノールの中性水溶液に Fe^{3+} を加えると赤〜紫色を呈する. この発色は Fe^{3+} の6個の配位

座にフェノールの陰イオン $C_6H_5O^-$ が配位し，フェノラトアクア鉄(Ⅲ)錯陽イオンからヘキサフェノラト鉄(Ⅲ)錯陰イオンに至る各段階の錯体を生成するためである．その他，有機化合物が単座配位子として配位する例にはピリジンがある．ピリジンのN原子の非共有電子対が金属に配位するものである．単座配位子による錯体は，多座配位子による錯体に比べて安定性が劣るので，化学分析用には多座配位子による錯体を用いることが多い．

2) 多座配位子との錯体

有機化合物が配位子となる場合，1個の分子又はイオンの中にN，O，Sなどの配位原子を2

表 1.3 多座配位子（キレート試薬）

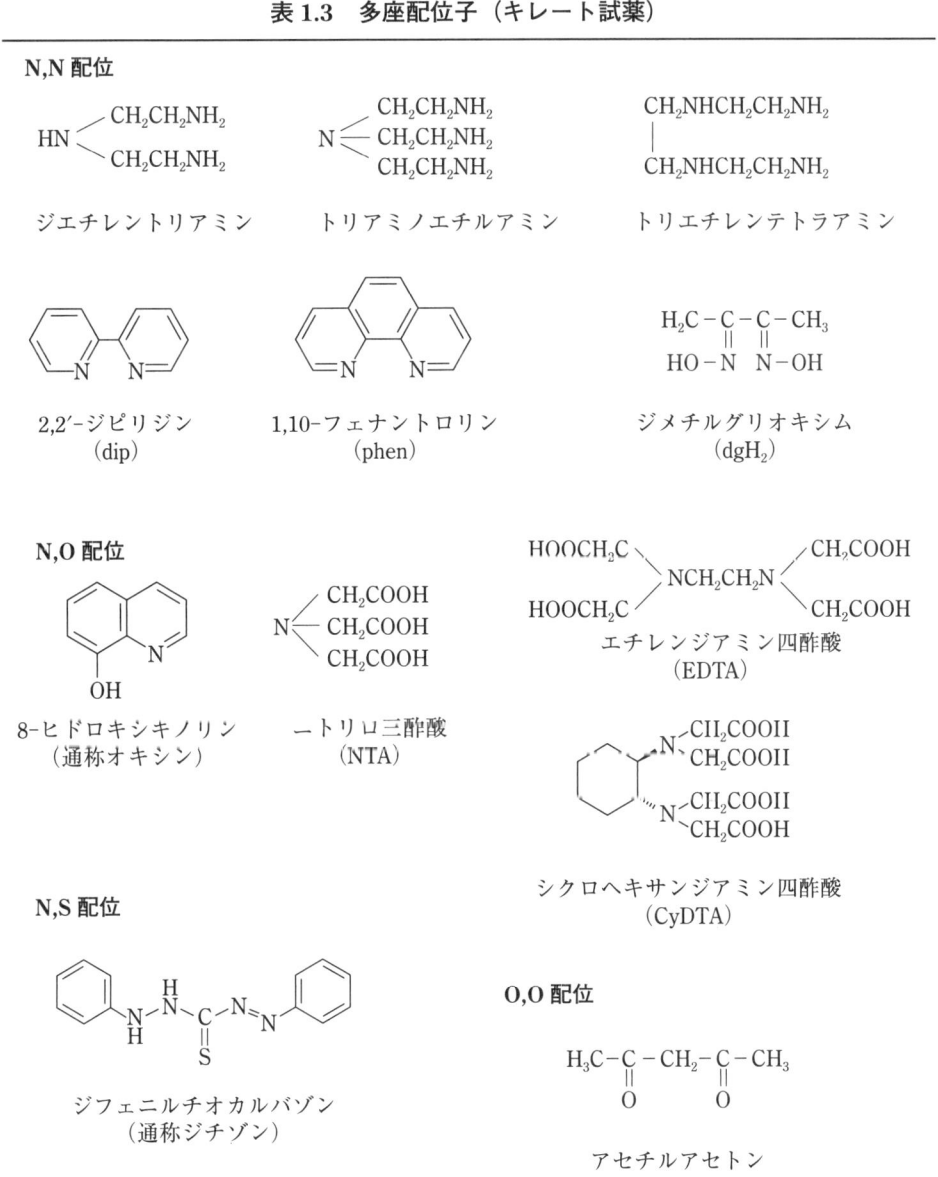

N,N 配位

ジエチレントリアミン　　トリアミノエチルアミン　　トリエチレンテトラミン

2,2′-ジピリジン（dip）　　1,10-フェナントロリン（phen）　　ジメチルグリオキシム（dgH_2）

N,O 配位

8-ヒドロキシキノリン（通称オキシン）　　ニトリロ三酢酸（NTA）　　エチレンジアミン四酢酸（EDTA）

シクロヘキサンジアミン四酢酸（CyDTA）

N,S 配位

ジフェニルチオカルバゾン（通称ジチゾン）

O,O 配位

アセチルアセトン

個以上持つ多座配位子(キレート配位子)になりうる.金属イオンは配位子分子(キレート試薬)によって包み込まれ,多数のキレート環を形成する.表1.3では,代表的なキレート試薬を挙げ,配位形式によって分類した.

a. N,N 配位のキレート試薬

エチレンジアミン(en)は,二座配位子で金属イオンとの間で安定な金属キレートをつくる.ポリアミン類としてジエチレントリアミン,トリアミノエチルアミン,トリエチレンテトラアミンのような多座配位子の化合物が知られ,配位原子のNの数が多くなるに従ってその錯生成定数は大きくなる.ジピリジルを骨格とする含窒素複素環化合物は,2個の配位原子Nと金属イオンとの間に配位結合を形成し,五員環キレートをつくる.従って,アンミン錯イオン,ピリジン錯体などに比べて安定なキレートが形成される.

2,2′-ジピリジル(dip),1,10-フェナントロリン(phen)などはいずれもFe^{2+}と濃赤色で水溶性のキレートをつくる.そのうち,フェナントロリン鉄(Ⅱ)錯陽イオン$[Fe(phen)_3]^{2+}$は酸化還元指示薬として用いられている(第2章5-2参照)

一方,ジメチルグリオキシム(dgH_2)はNi^{2+}と酢酸酸性あるいはアンモニアアルカリ性で極めて難溶性の赤色キレート分子を生成する.

b. N,O 配位のキレート試薬

8-ヒドロキシキノリン(オキシン)は,Fe^{3+},Cu^{2+}など多くの金属イオンと難溶性の沈殿をつくる.8-ヒドロキシキノリノラト金属キレートは,キノリンの三級アミンのN原子と*peri*位の水酸基のO原子が金属イオンに配位した五員環の中性錯分子型のキレートを形成する.

ポリアミンに -COOH 基を導入すると一層安定な金属キレートをつくり,しかもより多くの金属イオンと反応するようになる.特に表1.3に示したEDTA,NTA,CyDTAのようなアミノポリカルボン酸は,安定度の大きい金属キレートをつくることが知られており,別名**コンプレキサン** complexane とも呼ばれる.これらEDTA,CyDTAなどのコンプレキサンは2〜4価金属イオンといずれもイオンの電荷に関係なく1モル対1モルで反応してキレートをつくる.

例えば,EDTA二ナトリウム塩(Na_2H_2Yとする)と,金属イオンM^{2+},M^{3+}との錯体の生成平衡は次式で表される.

$$M^{2+} + Na_2H_2Y \rightleftharpoons [M^{II}Y]^{2-} + 2H^+ + 2Na^+$$
$$M^{3+} + Na_2H_2Y \rightleftharpoons [M^{III}Y]^- + 2H^+ + 2Na^+$$

EDTA,NTA,CyDTAの3種の試薬と金属イオンとがつくるキレートの絶対錯生成定数(絶対安定度定数)K_f値を表1.4に掲げた.EDTAは,2個のN,4個のOで六座配位子として働く(図1.6).

c. N,S 配位のキレート試薬

ジフェニルチオカルバゾン(ジチゾン)のクロロホルム溶液は,金属塩(Pd^{2+},Cd^{2+},Zn^{2+},Cu^{2+}など)溶液と振ると有色キレートをつくる.

d. O,O 配位のキレート試薬

表1.4 EDTA, NTA, CyDTA の金属キレートの錯生成定数

金属イオン	EDTA	NTA	CyDTA
Mg^{2+}	4.9×10^8	2.6×10^5	2.0×10^{10}
Ca^{2+}	5.1×10^{10}	2.6×10^6	1.2×10^{12}
Sr^{2+}	4.3×10^8	9.6×10^4	–
Ba^{2+}	5.8×10^7	6.6×10^4	1.0×10^8
Cu^{2+}	6.4×10^{18}	9.2×10^{12}	2.0×10^{21}
Cd^{2+}	2.9×10^{16}	6.8×10^9	1.6×10^{19}
Zn^{2+}	3.2×10^{16}	4.7×10^{10}	5.1×10^{18}
Co^{2+}	2.0×10^{16}	2.4×10^{10}	8.0×10^{18}
Ni^{2+}	4.2×10^{18}	3.4×10^{11}	–
Hg^{2+}	6.4×10^{21}	–	–
Pb^{2+}	1.1×10^{18}	2.5×10^{11}	5.1×10^{19}
Al^{3+}	1.4×10^{16}	–	4.0×10^{17}
Fe^{3+}	1.3×10^{25}	–	–
Ag^+	2.0×10^7	2.5×10^5	–

I. M. Kolthoff, Philip J. Elving: "Treatise on Analytical Chemistry", 2nd Ed., Part 1, Vol. 2 (John Wiley and Sons, New York, 1979) による.

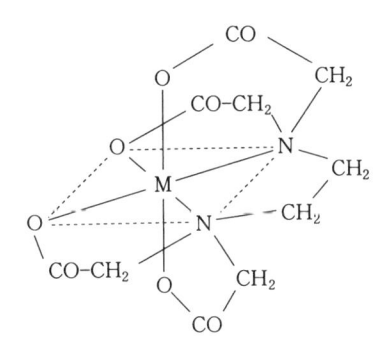

図1.6 EDTA-金属のキレート

一般式 R COCH$_2$CO-R' で表される β-ジケトンの中で,アセチルアセトンは最も代表的なキレート試薬である.アセチルアセトンは,アルカリ金属以外のほとんどすべての金属イオンと安定な中性錯分子型のキレートをつくる.これらのキレートは有機溶媒に可溶なので溶媒抽出用の試薬として利用される.

4-2 金属錯体生成反応

A. 錯生成定数

　NH_3, SCN^- などの単座配位子と金属イオンとの間の錯体生成反応は，種々の錯体を逐次生成する．

　鉄(Ⅲ)イオンは配位子イオン SCN^- の濃度に従って，$[FeSCN(OH_2)_5]^{2+}$ を初めとする数種のチオシアナト鉄(Ⅲ)錯体を逐次に生成する．鉄(Ⅲ)イオンは硫酸アンモニウム鉄(Ⅲ)の結晶では六水和イオンのヘキサアクア鉄(Ⅲ)イオン $[Fe(OH_2)_6]^{3+}$ として存在し，SCN^- 濃度に応じて段階的に連続した配位子置換反応の平衡が成り立つ．

$$[Fe(OH_2)_6]^{3+} + SCN^- \rightleftarrows [FeSCN(OH_2)_5]^{2+} + H_2O$$
$$[FeSCN(OH_2)_5]^{2+} + SCN^- \rightleftarrows [Fe(SCN)_2(OH_2)_4]^+ + H_2O$$
$$[Fe(SCN)_2(OH_2)_4]^+ + SCN^- \rightleftarrows [Fe(SCN)_3(OH_2)_3] + H_2O$$
$$[Fe(SCN)_3(OH_2)_3] + SCN^- \rightleftarrows [Fe(SCN)_4(OH_2)_2]^- + H_2O$$
$$[Fe(SCN)_4(OH_2)_2]^- + SCN^- \rightleftarrows [Fe(SCN)_5(OH_2)]^{2-} + H_2O$$
$$[Fe(SCN)_5(OH_2)]^{2-} + SCN^- \rightleftarrows [Fe(SCN)_6]^{3-} + H_2O$$

この平衡は，$[Fe^{3+}]$ と $[SCN^-]$ との相対比の影響を受け，$[SCN^-]$ の増加と共にチオシアナト鉄(Ⅲ)錯体の生成は段階的に進行する．

　錯体の安定度，すなわち金属イオンと配位子との結合の強さを表す値が**錯生成定数** complex formation constant である．鉄(Ⅲ)イオンと SCN^- との間の六段階のチオシアナト鉄(Ⅲ)錯体の逐次生成反応の平衡定数 (k_1, k_2, k_3, k_4, k_5, k_6) が求められる．k_1, k_2, …, k_6 をそれぞれ**逐次生成定数** consecutive formation constant と呼び，$K_f = k_1 \times k_2 \times k_3 \times k_4 \times k_5 \times k_6$ を**全錯生成定数** over-all complex formation constant という．なお，K_f の逆数を錯解離定数 K_c, complex dissociation constant とも呼ぶ．

　一般に中心金属イオンを M，配位子を L で表した錯体生成反応　$M + nL \rightleftarrows ML_n$ において，全錯生成定数 K_f は式 (1.36) で示される．

$$K_f = \frac{[ML_n]}{[M][L]^n} \tag{1.36}$$

なお，K_f の値は一般に大きいので，$\log K_f$ で表すことが多い．この場合は，

$$\log K_f = \log k_1 + \log k_2 + \log k_3 + \cdots + \log k_n$$

で，以下，単に錯生成定数といえば K_f を指すことにする．K_f は温度及びイオン強度が一定であれば定数であり（巻末付表3参照），K_f 又は $\log K_f$ の値が大きいほど，その錯体の安定度は大きい．

B. 錯体生成に及ぼす pH の影響

　溶液内における錯体の生成平衡は一般に複雑で，平衡を支配する大きな要因の一つに pH がある．pH が高くなると多くの金属イオンは次のように配位子解離してヒドロキソアクア錯陽イオンを生じ，次いで水酸化物が沈殿することもしばしばある．

$$[Cu(OH_2)_4]^{2+} \rightleftarrows [Cu(OH)(OH_2)_3]^+ + H^+$$

　一方，配位子はプロトンを受け取って共役酸を生成しやすく，pH が低いと配位子の化学種，存在量ともに変化する．全錯生成定数 K_f は絶対錯生成定数と呼ばれるのに対して，このような副反応を考慮した生成定数を**条件付錯生成定数** conditional over-all formation constant, K_f' という．式（1.36）に対応する K_f' は式（1.37）で表される．表 1.5 に主な金属-EDTA の $\log K_f'$ と pH との関係を示した．

$$K_f' = \frac{[ML_n]}{[M'][L']^n} \tag{1.37}$$

ここで，[M'] は遊離の金属イオンの平衡濃度 [M] ではなく，配位子 L と錯生成していない金属イオン M の全濃度である．

$$[M'] = [M] + [MOH] + \cdots + [M(OH)_m]$$

[L'] は金属イオン M と錯生成していない配位子 L の全濃度である．

表 1.5　主な金属-EDTA の $\log K_f'$

pH	Ca	Ba	Mg	Cd	Cu^{II}	Hg^{II}
0					0.40	3.56
1				0.97	3.37	6.47
2				3.75	6.14	9.22
3	0.26			5.96	8.31	11.13
4	2.15		0.35	7.93	10.31	11.52
5	4.10	1.34	2.13	9.90	11.20	11.56
6	5.92	3.04	3.93	11.72	14.02	11.32
7	7.29	4.39	5.20	13.09	15.35	10.61
8	8.35	5.45	6.35	14.14	16.15	9.78
9	9.34	6.44	7.34	15.06	16.40	8.98
10	10.20	7.30	8.18	15.45	16.31	8.55
11	10.61	7.71	8.47	14.45	15.83	7.92
12	10.61	7.77	7.99	11.94	15.45	6.99
13	10.22	7.62	7.09	8.40	15.31	6.00
14	9.38	7.02		4.49	15.30	5.00

I. M. Kolthoff, Philip J. Elving：``Treatise on Analytical Chemistry'', 2nd Ed., Part 1, Vol. 2 （John Wiley and Sons, New York, 1979）による．

$$[L'] = [L] + [HL]$$

いま，[M] に対する [M'] の比 [M']/[M] を M に起こる副反応係数 α_{OH}，[L] に対する [L'] の比 [L']/[L] を L に起こる副反応係数 α_H と定義する．このとき，[M'] と [M]，[L'] と [L] の関係は，次の通りとなる．

$$[M'] = [M] \times \alpha_{OH} \qquad [L'] = [L] \times \alpha_H$$

α_{OH} は M と OH^- の起こす副反応 $M + mOH^- \rightleftharpoons [M(OH)_m]$ の平衡定数の関数，α_H は L と H^+ の起こす副反応 $L + H^+ \rightleftharpoons HL$ の平衡定数の関数である．M と L だけが反応し，これと競合する OH^-，H^+ による副反応が起きないときには，$\alpha_{OH} = 1$，$\alpha_H = 1$ であり，[M'] = [M]，[L'] = [L] となる．M が L 以外の OH^- と副反応を起こすときには，$\alpha_{OH} > 1$ であり，同様に L が M 以外の H^+ を副反応すれば $\alpha_H > 1$ となる．副反応係数を用いると，条件付錯生成定数 K_f' と K_f との関係は，式 (1.38) で表される．

$$K_f' = \frac{[ML_n]}{[M'][L']^n} = \frac{[ML_n]}{[M]\alpha_{OH}[L]^n \alpha_H^n} = K_f \times \frac{1}{\alpha_{OH} \alpha_H^n} \tag{1.38}$$

$$\log K_f' = \log K_f - (\log \alpha_{OH} + n \log \alpha_H)$$

この α_{OH}，α_H，K_f の値から，ある条件での K_f' を計算することができる．

1）EDTA のキレート生成における pH の下限

EDTA（H_4Y とする）は，4 個の -COOH 基を持ち，次のように電離する．

$$H_4Y \rightleftharpoons H_3Y^- + H^+ \qquad K_{a1} = 1.02 \times 10^{-2}$$
$$H_3Y^- \rightleftharpoons H_2Y^{2-} + H^+ \qquad K_{a2} = 2.14 \times 10^{-3}$$
$$H_2Y^{2-} \rightleftharpoons HY^{3-} + H^+ \qquad K_{a3} = 6.92 \times 10^{-7}$$
$$HY^{3-} \rightleftharpoons Y^{4-} + H^+ \qquad K_{a4} = 5.50 \times 10^{-11}$$

pH 10 以下では溶液の pH に応じて H_4Y，H_3Y^-，H_2Y^{2-}，HY^{3-}，及び Y^{4-} の各 EDTA の化学種

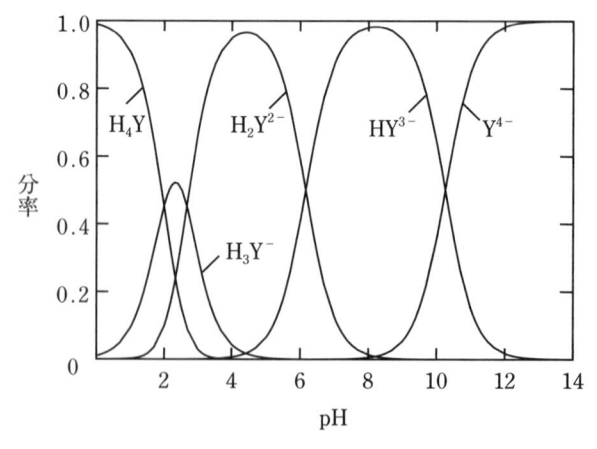

図 1.7 EDTA の各化学種の pH による存在割合（分率）

が存在する．この5種類の化学種はpHの関数として表される（図1.7）．Y^{4-}は錯生成における配位化学種である．pHが低くなるとH^+とY^{4-}との反応が進行するため，Y^{4-}の存在量が減少して$[MY]^{n-4}$キレートが生成しにくくなる．このように，配位子Y^{4-}と目的金属イオンMとのキレート生成反応では，Y^{4-}，H^+，及び共存するイオンAが副反応を起こすので，Y^{4-}とM，Y^{4-}とH^+，Y^{4-}とAとの反応を考慮する必要がある．ここでは，Y^{4-}とH^+の副反応を取り上げてみる．

pH 10以上では，EDTAの大部分はY^{4-}として存在し，一部HY^{3-}が共存している．金属イオンMと結合していないEDTAの全濃度を$[Y']$とすると，$[Y']$はY^{4-}の他にY^{4-}がH^+を逐次受け取ったHY^{3-}，H_2Y^{2-}，H_3Y^-，H_4Yの各平衡濃度の和であるから，

$$[Y'] = [Y^{4-}] + [HY^{3-}] + [H_2Y^{2-}] + [H_3Y^-] + [H_4Y]$$

と表される．EDTAの酸解離定数$K_{a1} \sim K_{a4}$を用いて表すと式(1.39)が得られる．

$$[Y'] = [Y^{4-}] \left\{ 1 + \frac{[H^+]}{K_{a4}} + \frac{[H^+]^2}{K_{a3}K_{a4}} + \frac{[H^+]^3}{K_{a2}K_{a3}K_{a4}} + \frac{[H^+]^4}{K_{a1}K_{a2}K_{a3}K_{a4}} \right\} \quad (1.39)$$

ここで，{ }の項を副反応係数α_Hとすれば，式(1.39)は，$[Y'] = [Y^{4-}]\alpha_H$と表される．

いま，pH 10における$[Y^{4-}]$の存在率を式(1.39)より推算すると，$\alpha_H = 2.82$，$\log \alpha_H = 0.45$となり，$[Y']$の35.5%がY^{4-}，64.5%がそれ以外の形として存在していることになる．pH 11で同じように計算すると$\alpha_H = 1.18$，$\log \alpha_H = 0.07$より，$[Y']$の84.6%がY^{4-}，15.4%が主にHY^{3-}として存在していることになる．

表1.6 主なコンプレキサンの$\log \alpha_H$

pH	IDA	NTA	EDTA	CyDTA	DTPA	GEDTA
0	12.19	14.35	21.40	24.09	28.43	23.28
1	10.20	11.40	17.44	20.10	23.48	19.32
2	8.26	8.72	13.70	16.21	18.79	15.58
3	6.65	6.96	10.79	12.78	14.89	12.67
4	5.48	5.83	8.61	10.13	11.80	10.49
5	4.46	4.81	6.61	8.02	9.35	8.47
6	3.46	3.81	4.78	6.19	7.26	6.47
7	2.46	2.81	3.41	4.84	5.26	4.48
8	1.47	1.82	2.35	3.79	3.33	2.52
9	0.59	0.87	1.36	2.78	1.74	0.87
10	0.11	0.22	0.50	1.79	0.68	0.14
11	0.01	0.03	0.07	0.85	0.14	0.01
12	0.00	0.00	0.01	0.20	0.02	0.00
13	0.00	0.00	0.00	0.03	0.00	0.00
14	0.00	0.00	0.00	0.00	0.00	0.00

I. M. Kolthoff, Philip J. Elving："Treatise on Analytical Chemistry", 2nd Ed., Part 1, Vol. 2 (John Wiley and Sons, New York, 1979) による．

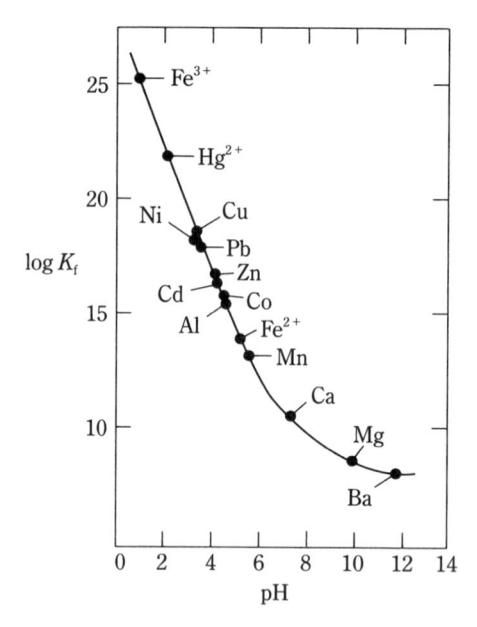

図1.8　EDTAによる錯生成定数と滴定可能なpHとの関係

α_Hを用いると，Y^{4-}とM^{n+}とがつくる$[MY]^{n-4}$の生成定数，すなわち全錯生成定数K_fと，あるpHにおける生成定数，すなわち条件付錯生成定数K_f'との関係は，式（1.40）で表される．

$$K_f' = \frac{[[MY]^{n-4}]}{[M^{n+}][Y']} = \frac{[[MY]^{n-4}]}{[M^{n+}][Y^{4-}]\alpha_H} = \frac{K_f}{\alpha_H} \tag{1.40}$$

従って，全錯生成定数K_fの小さい金属ほど$[H^+]$が小さい（pHが高い）条件で滴定しなければならず，金属イオンのキレート滴定は，各金属イオンごとに滴定可能なpHの下限が存在する．

表1.6にEDTAなどコンプレキサンのpHと$\log \alpha_H$の関係を示した．図1.8には種々の0.01 mol/Lの金属イオン溶液を，滴定誤差1.0％でEDTAにより滴定できる最低のpHと$\log K_f$との関係を示した．

2）EDTAのキレート生成におけるpHの上限

一方，pHを高くしすぎると$[OH^-]$の増大につれてOH^-も金属イオンに配位し，例えば，$[Mg(OH)Y]^{3-}$，$[Mg(OH)_2Y]^{4-}$などのヒドロキソキレートが生成されるようになり，ついにはEDTAキレートよりも安定な$Mg(OH)_2$のような水酸化物を沈殿してH_3Y^-やY^{4-}と反応しやすくなる．すなわち，pHの上限を超えると目的の金属イオンのキレート滴定が不可能となる．

このように，Y^{4-}に起こるH^+との副反応の一方では，金属イオンについてもOH^-との副反応が起こる．金属イオンMの平衡濃度$[M]$がOH^-により下がれば，MYキレートをつくる主反応の錯生成定数の値は減少する．Y^{4-}と結合していない金属イオンMの全濃度$[M']$を次の式で示すとき，

表 1.7　主な金属イオン log α_{OH}

pH	Ca^{2+}	Mg^{2+}	Cd^{2+}	Fe^{3+}	Ni^{2+}	Zn^{2+}
2				0.04		
3				0.40		
4				1.79		
5				3.71		
6				5.70		
7				7.70		
8			0.01	9.70	0.02	0.01
9			0.08	11.70	0.15	0.81
10		0.02	0.55	13.70	0.70	2.41
11	0.01	0.15	1.96	15.70	1.61	5.44
12	0.08	0.70	4.55	17.70	2.60	8.45
13	0.48	1.16	8.08	19.70	3.60	11.75
14	1.32	2.60	12.01	21.70	4.60	15.53

I.M. Kolthoff, Philip J. Elving：" Treatise on Analytical Chemistry", 2nd Ed., Part 1, Vol. 2 (John Wiley and Sons, New York, 1979) による

$$[M'] = [M] + [MOH] + [M(OH)_2] + \cdots + [M(OH)_m]$$

[M] に対する [M'] の比 [M']/[M] を M に起こる OH^- との副反応係数 α_{OH} とおく．[M'] = [M] α_{OH} となり，ある pH における条件付錯生成定数 K'_f は式 (1.41) で表される．

$$K'_f = \frac{[[MY]]}{[M'][Y']} = \frac{[[MY]]}{[M]\alpha_{OH}[Y^{4-}]\alpha_H} = \frac{K_f}{\alpha_{OH}\alpha_H} \tag{1.41}$$

表 1.7 に主な金属イオンの log α_{OH} と pH との関係を示した．

以上のように，適切な pH 領域を選べば，金属イオンと配位子とを 1：1 のモル比できわめて安定なキレート化合物を生成するので，精度の良いキレート滴定を行うことができる．

5　酸化還元平衡

5-1　酸化還元反応

酸化 oxidation と**還元** reduction は日常よく見られる現象である．酸化という用語は，本来燃焼などに関連して酸素 oxygen と反応することに用いられ，還元はこれを元に戻すことに用いられ

た．酸化反応と還元反応とは必ず対になって起こり，その本質は電子の授受にある．すなわち，酸化とはある物質（原子，分子，イオン）が電子を失うこと，還元とは電子を得ることである．従って，**酸化還元反応** oxidation-reduction reaction（又は redox reaction）は，反応系に存在する**電子供与体** electron donor と**電子受容体** electron acceptor の間の電子移動によって生じる化学反応と定義することができる．一例として次の反応を取り上げる．セリウム(Ⅳ)イオンの水溶液を鉄(Ⅱ)イオンの水溶液に加えると，互いに反応して，次の平衡が成立する．

$$Ce^{4+} + Fe^{2+} \rightleftharpoons Ce^{3+} + Fe^{3+} \tag{1.42}$$

この反応は，次の二組の**酸化還元対** redox couple の間に生じる電子の授受により進行する．

$$\underset{\text{酸化体}}{Ce^{4+}} + e^- \rightleftharpoons \underset{\text{還元体}}{Ce^{3+}} \tag{1.43}$$

$$\underset{\text{酸化体}}{Fe^{3+}} + e^- \rightleftharpoons \underset{\text{還元体}}{Fe^{2+}} \tag{1.44}$$

式（1.42）の反応の平衡は，実際に右辺に偏っている．すなわち，Ce^{4+} は Fe^{2+} から電子を受け取って Ce^{3+} に還元され，Fe^{2+} は Ce^{4+} に電子を与えて Fe^{3+} に酸化される．

このように，一方の系で酸化反応が起こるとき，同時に他方では還元反応が起こるので，通常両者をまとめて酸化還元反応と呼ぶのである．

式（1.42）の反応では，Ce^{4+} は電子受容体として働き，相手から電子を奪ってこれを酸化するので**酸化剤** oxidizing agent（又は oxidant）と呼ばれる．一方，Fe^{2+} は電子供与体として働き，相手に電子を与えてこれを還元するので**還元剤** reducing agent（又は reductant）と呼ばれる．このように，酸化還元反応では，一方の反応系（半反応という）で失われた分の電子が，そっくり他方の系に与えられる．

5-2 酸化還元電位

式（1.43）あるいは式（1.44）のような半反応は，一般に

$$\text{Ox}（酸化体）+ ne^- \rightleftharpoons \text{Red}（還元体） \tag{1.45}$$

で表される．これは，n 個の電子が関与する酸化還元対であり，この反応における自由エネルギー変化 ΔG は，次のように表される．

$$\Delta G = \Delta G° + RT \ln \frac{a_{\text{Red}}}{a_{\text{Ox}}} \tag{1.46}$$

ここで，$\Delta G°$ は標準状態における反応の自由エネルギー変化（標準自由エネルギー変化），R は気体定数（$8.314 \text{ J} \cdot \text{K}^{-1} \cdot \text{mol}^{-1}$），$T$ は絶対温度であり，a_{Ox}，a_{Red} はそれぞれ Ox（酸化体），Red（還元体）の活量とする．ΔG と酸化還元反応により n 個の電子が動くことで生じる電位 E との関係は，F はファラデー定数（$96485 \text{ C} \cdot \text{mol}^{-1}$）を用いて次のように表される．

$$\Delta G = -nFE \tag{1.47}$$

E は**酸化還元電位** oxidation-reduction potential（又は redox potential）といい，酸化還元対の反

応性や電子授受の傾向を示す尺度となる．この酸化還元反応が標準状態にあるならば，$\Delta G°$ は次のように表される．

$$\Delta G° = -nFE° \tag{1.48}$$

ここで，$E°$ を**標準酸化還元電位** standard redox potential といい，式（1.45）の反応に固有の値であり，温度一定のとき定数となる．式（1.47），（1.48）を式（1.46）に代入すると，次のように表される．

$$-nFE = -nFE° + RT \ln \frac{a_{\text{Red}}}{a_{\text{Ox}}}$$

$$E = E° + \frac{RT}{nF} \ln \frac{a_{\text{Ox}}}{a_{\text{Red}}} \tag{1.49}$$

式（1.49）は *Nernst* 式と呼ばれ，酸化還元反応の基礎となる重要な式である．*Nernst* 式では本来 Ox および Red の活量を用いるべきであるが，便宜上モル濃度で示すと次のように表される．

$$E = E° + \frac{RT}{nF} \ln \frac{[\text{Ox}]}{[\text{Red}]} \tag{1.50}$$

Ox 又は Red が固体の場合には活量は 1 とするので，濃度は 1 として扱えばよい．各定数値を代入し，自然対数を常用対数に換算する（$\ln x = 2.3026 \log x$）と 25 ℃において，

$$E = E° + \frac{0.059}{n} \log \frac{[\text{Ox}]}{[\text{Red}]} \tag{1.51}$$

となる．酸化体の濃度と還元体の濃度が，どちらも 1 であるときは，$E = E°$ となる．電位は通常，$2H^+ + 2e^- \rightleftharpoons H_2$ の反応の標準酸化還元電位を基準として，V vs. SHE という単位で表す．SHE は**標準水素電極** standard hydrogen electrode（第 4 章参照），vs. は versus の略である．種々の酸化還元反応の標準酸化還元電位を巻末付表 4 に示した．半反応式の $E°$ 値が，負で絶対値の大きい酸化還元対ほど，還元体は酸化されやすく，酸化体は還元されにくい．つまり，$E°$ 値が負であるほど酸化反応が進行しやすい．$E°$ 値が，正で絶対値の大きい酸化還元対ほど，還元体は酸化されにくく，酸化体は還元されやすい．つまり，$E°$ 値が正であるほど還元反応が進行しやすい．従って，$E°$ の値は酸化剤や還元剤の強弱のめやすとなる．実際の酸化還元滴定では，高い $E°$ 値を示すものの酸化体と低い $E°$ 値を示すものの還元体を組み合わせて行う（第 2 章 5-1 参照）．

5-3　酸化還元反応の平衡定数

次のような酸化還元反応を取り上げる．

$$\text{OX}_1 + \text{Red}_2 \rightleftharpoons \text{Red}_1 + \text{OX}_2 \tag{1.52}$$

この反応は，次の二組の酸化還元対から成り立ち，それぞれの酸化還元電位は，式（1.51）に基づいて，それぞれ次のように求めることができる．

反応1　$Ox_1 + ne^- \rightleftharpoons Red_1$ (1.53)

$$E_1 = E°_1 + \frac{0.059}{n} \log \frac{[Ox_1]}{[Red_1]}$$ (1.54)

反応2　$Ox_2 + ne^- \rightleftharpoons Red_2$ (1.55)

$$E_2 = E°_2 + \frac{0.059}{n} \log \frac{[Ox_2]}{[Red_2]}$$ (1.56)

$E_1 > E_2$ のときは，Ox_1 の方が Ox_2 よりも電子を受け取る傾向が大きいので，式（1.52）の反応は左辺から右辺に進む．これと逆に $E_1 < E_2$ のときは，Ox_2 の方が Ox_1 よりも電子を受け取る傾向が大きいので，反応は右辺から左辺に進む．平衡に達しているときは，$E_1 = E_2$ であるから，式（1.54）及び式（1.56）より，

$$E°_1 - E°_2 = \frac{0.059}{n} \log \frac{[Red_1][Ox_2]}{[Ox_1][Red_2]}$$ (1.57)

ここで，式（1.52）の反応の平衡定数 K は，

$$K = \frac{[Red_1][Ox_2]}{[Ox_1][Red_2]}$$ (1.58)

であるから，平衡定数と標準酸化還元電位とは次のように関係づけられる．

$$E°_1 - E°_2 = \frac{0.059}{n} \log K$$ (1.59)

式（1.57）から式（1.52）の反応を酸化還元滴定に用いる場合の条件について検討できる．例えば，未反応物質が 0.1 % 以下である条件を考えよう．Ox_1 を Red_2 で滴定するとき，当量点で 0.1 % が未反応であるとすると，$[Ox_1]/[Red_1] = 1/1000$，$[Ox_2]/[Red_2] = 1000$ であるから，式（1.58）より $K = 10^6$ となる．いま，$n = 1$ とすると，この K の値は式（1.59）より，反応1と反応2の $E°$ の差が 0.35 V の場合に相当する．従って，未反応物質が 0.1 % 以下である条件は，K が 10^6 より大きく，$E°_1$ と $E°_2$ の差が 0.35 V 以上ということになる．

6　分配平衡

6-1　分配律

互いに混じり合わない水と有機溶媒の二相系における溶質の分配平衡について考える．互いに混じり合わない水と有機溶媒中に溶質を溶解させ，振り混ぜると，溶質は水相と有機溶媒相に分

配され平衡に達する．このとき，分配された溶質の濃度が低く，溶質の分子種が二相間で同じならば，一定温度，一定圧力において次の式が成り立つ．

$$K_D = \frac{C_o}{C_w} \tag{1.60}$$

式（1.60）は Nernst の**分配律** distribution law と呼ばれ，C_o は有機溶媒相中の溶質の濃度，C_w は水相中の溶質の濃度，K_D は**分配係数** partition coefficient という．すなわち，ある物質が二相間に分配されて，平衡に達するとき，両相における物質の濃度の比は定数となる．K_D が1より大きければ，溶質は有機溶媒相へ親和性が高く，有機溶媒相へ分配されやすいことを示している．実際には式（1.60）では溶質の活量を用いるべきであるが，溶質の濃度が希薄で活量係数が近似的に1と見なせるならば，濃度を用いても差し支えない．このとき，K_D は物質に固有な値である．

6-2　分配比

二相間に分配される溶質は解離，会合を起こさず一定の分子種である場合には分配係数に意味がある．しかし，二相間に分配される溶質が各相中で解離，会合を起こし，種々の化学種として存在する場合がある．このようなとき，分配される溶質が特定の化学種だけの分配挙動を分配係数で表すことはできない．従って，二相中における溶質の化学種の総量を比で表した**分配比** distribution ratio（D）が現実に用いられる．

例えば，水と有機溶媒の二相系において，ある物質Mの有機溶媒中の全濃度を $[M]_o$，水相中の全濃度を $[M]_w$ とすると

$$\text{分配比 } D = \frac{[M]_o}{[M]_w} \tag{1.61}$$

すなわち，水と有機溶媒の二相系において，水中と有機溶媒中に存在する化学種が一種類のときは，D は分配係数 K_D に一致する．

6-3　抽　出

溶媒抽出は最も基本的な分離・精製手段の一つである．水とエーテルのように互いに混じり合わない二相溶媒（水−有機溶媒）系へ溶質を分配させると，二相への溶質の溶解度の違いを利用して物質を分離することができる．このような分離法を溶媒抽出という．この方法は，有機化合物，無機化合物をはじめとし，錯体，金属キレートなどの分離，精製，濃縮などに利用されている．

目的成分を抽出する場合，水と有機溶媒の両相に存在する物質の合計量の何パーセントが有機溶媒によって抽出されたかを**抽出パーセント** percentage extraction で表す場合が多い．抽出パーセント $E(\%)$ は次式で表される．

$$E(\%) = \frac{[M]_o \cdot V_o}{[M]_o \cdot V_o + [M]_w \cdot V_w} \times 100 \tag{1.62}$$

ここで，V_w は水相の体積，V_o は有機溶媒相の体積である．

E（%）と D との関係は，次式で示される．

$$E(\%) = \frac{100 \cdot D}{\dfrac{V_w}{V_o} + D} \tag{1.63}$$

式（1.63）から，抽出の効率をよくするには分配比 D の値が大きい二相系を選ぶか，V_o，すなわち有機溶媒相の体積を大きくすればよいことが分かる．

また，水相と有機溶媒相の体積が等しいときは，

$$E(\%) = \frac{100 \cdot D}{1 + D} \quad \text{又は} \quad D = \frac{E(\%)}{100 - E(\%)} \tag{1.64}$$

で表され，D と E の関係は，図1.9のようになる．

水溶液からの溶媒抽出において，水と二相を形成し，目的成分をよく溶解する有機溶媒を選択する必要がある．溶解度は有機溶媒の誘電率と目的成分の極性によって決まる．また，水と有機溶媒の二相系において多くの有機溶媒は比重が1よりも小さく，上相を形成するが，クロロホルムのように比重が1よりも大きい有機溶媒では，有機溶媒相は下相となる．表1.8には水と二相を形成し，溶媒抽出に汎用される主な有機溶媒の誘電率と比重を示した．

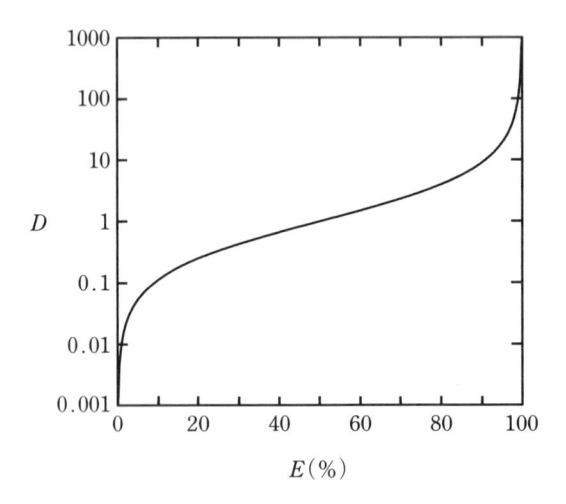

図1.9 分配比と抽出パーセントとの関係

表 1.8 溶媒抽出に汎用される主な有機溶媒

溶 媒	誘電率	比 重
n-ヘキサン	1.9	0.66
シクロヘキサン	2.0	0.78
ベンゼン	2.3	0.88
トルエン	2.4	0.87
ジエチルエーテル	4.3	0.71
クロロホルム	4.8	1.49
酢酸エチル	6.0	0.90
n-ブタノール	17.5	0.81

6-4 溶媒抽出に及ぼす pH の影響

有機化合物の溶媒抽出あるいは金属キレートの抽出平衡と生成平衡は，いずれも水相中の $[\mathrm{H}^+]$ によって著しく影響される．

水相中の安息香酸 HBz を有機溶媒で抽出するときの抽出平衡を模式的に図 1.10 に示した．

水相中には安息香酸 HBz と安息香酸イオン Bz^-，有機溶媒相中には HBz だけ存在するとすれば，この抽出系における分配比 D は，式 (1.65) のように表される．

$$D = \frac{[\mathrm{HBz}]_\mathrm{o}}{[\mathrm{HBz}]_\mathrm{w} + [\mathrm{Bz}^-]_\mathrm{w}} \tag{1.65}$$

この式に，安息香酸の酸解離定数 K_a と分配係数 K_D

$$K_\mathrm{a} = \frac{[\mathrm{H}^+]_\mathrm{w}[\mathrm{Bz}^-]_\mathrm{w}}{[\mathrm{HBz}]_\mathrm{w}} \qquad K_\mathrm{D} = \frac{[\mathrm{HBz}]_\mathrm{o}}{[\mathrm{HBz}]_\mathrm{w}} \tag{1.66}$$

を代入して整理すると，次式が得られる．

$$D = \frac{[\mathrm{HBz}]_\mathrm{o}}{[\mathrm{HBz}]_\mathrm{w}\left(1 + \dfrac{K_\mathrm{a}}{[\mathrm{H}^+]_\mathrm{w}}\right)} = \frac{K_\mathrm{D}}{1 + \dfrac{K_\mathrm{a}}{[\mathrm{H}^+]_\mathrm{w}}} \tag{1.67}$$

この式は，$[\mathrm{H}^+]_\mathrm{w} \gg K_\mathrm{a}$ のとき，D はほぼ K_D に等しいことを示している．一方，$[\mathrm{H}^+]_\mathrm{w} \ll K_\mathrm{a}$ のとき，D は小さくなり $K_\mathrm{D}[\mathrm{H}^+]_\mathrm{w}/K_\mathrm{a}$ となる．すなわち，安息香酸は，酸性では有機溶媒相に抽出されやすく，塩基性では水相に存在したままとなる．

安息香酸は，無極性溶媒中では二量体として存在する．これを加味して抽出平衡を考えよう．

すなわち，安息香酸はベンゼン中で，$2\mathrm{HBz} \rightleftarrows (\mathrm{HBz})_2$ の平衡状態にあり，二量体生成定数 K_p は，$K_\mathrm{p} = [(\mathrm{HBz})_2]/[\mathrm{HBz}]^2$ と表される．

従って，安息香酸を水相からベンゼンで抽出する場合，その分配比 D は次のように表される．

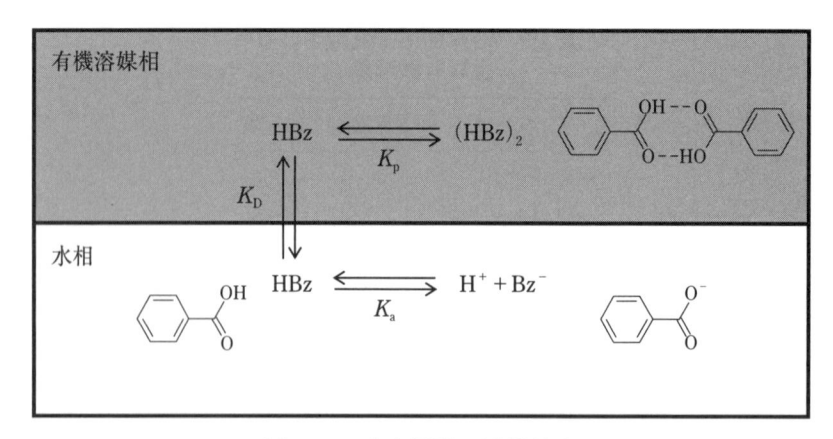

図 1.10 安息香酸の溶媒抽出

$$D = \frac{[\text{HBz}]_\text{o} + 2[(\text{HBz})_2]_\text{o}}{[\text{HBz}]_\text{w} + [\text{Bz}^-]_\text{w}} = \frac{[\text{HBz}]_\text{o}(1 + 2K_\text{p}[\text{HBz}]_\text{o})}{[\text{HBz}]_\text{w}\left(1 + \dfrac{K_\text{a}}{[\text{H}^+]_\text{w}}\right)}$$

$$= K_\text{D} \times \frac{1 + 2K_\text{p}[\text{HBz}]_\text{o}}{1 + \dfrac{K_\text{a}}{[\text{H}^+]_\text{w}}} \tag{1.68}$$

二量体の生成は，安息香酸の濃度の増加とともに増加し，その結果，有機溶媒中の安息香酸濃度が増加する．すなわち，安息香酸の濃度が大きいほど抽出されやすいことが分かる．

水相中の金属イオン M^{n+} に弱酸のキレート試薬 HX を加え，キレート MX_n を形成させて有機溶媒相へ抽出するときの抽出平衡を模式的に図 1.11 に示した．

金属を含む化学種すなわち M^{n+} と MX_n は，水相中には M^{n+} と MX_n，有機溶媒相中には MX_n だけ存在するとすれば，この抽出系における分配比 D は，式 (1.69) のように表される．

$$D = \frac{[\text{MX}_n]_\text{o}}{[\text{MX}_n]_\text{w} + [\text{M}^{n+}]} \tag{1.69}$$

金属キレート MX_n の大部分が水相から有機溶媒相へ抽出され，$[\text{M}^{n+}]$ に対して $[\text{MX}_n]_\text{w}$ が十分に小さく無視できるとすると，式 (1.69) は次式で表される．

$$D = \frac{[\text{MX}_n]_\text{o}}{[\text{M}^{n+}]} \tag{1.70}$$

この式に，弱酸のキレート試薬 HX の酸解離定数 K_a と分配係数 K_D

$$K_\text{a} = \frac{[\text{H}^+][\text{X}^-]}{[\text{HX}]_\text{w}} \qquad K_\text{D} = \frac{[\text{HX}]_\text{o}}{[\text{HX}]_\text{w}}$$

キレートの生成定数 K_f，生成したキレートの分配係数 K_D'

$$K_\text{f} = \frac{[\text{MX}_n]_\text{w}}{[\text{M}^{n+}][\text{X}^-]^n} \qquad K_\text{D}' = \frac{[\text{MX}_n]_\text{o}}{[\text{MX}_n]_\text{w}}$$

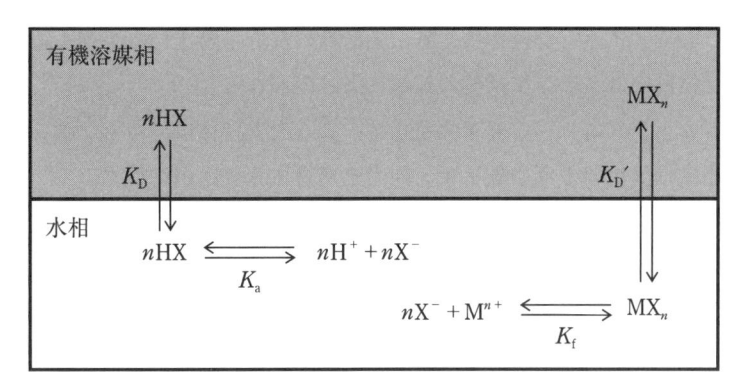

```
┌─────────────────────────────────────────────────────────┐
│ 有機溶媒相                                                │
│                                                          │
│           nHX                            MX_n            │
│          ↑↓ K_D                         ↑↓ K_D'          │
│ 水相                                                      │
│           nHX  ⇌  nH⁺ + nX⁻                              │
│                K_a                                       │
│                          nX⁻ + M^{n+}  ⇌  MX_n           │
│                                       K_f               │
└─────────────────────────────────────────────────────────┘
```

図 1.11 金属イオンのキレート抽出

を代入して整理すると次式が得られる.

$$D = \frac{K_D' \cdot K_f \cdot K_a^n [\mathrm{HX}]_o^n}{K_D^n \cdot [\mathrm{H}^+]^n} \tag{1.71}$$

ここで, $K_e = \dfrac{K_D' \cdot K_f \cdot K_a^n}{K_D^n}$ とおけば, 式 (1.71) は

$$D = K_e \cdot \frac{[\mathrm{HX}]_o^n}{[\mathrm{H}^+]^n} \tag{1.72}$$

となる. 両辺の対数を取ると,

$$\log D = \log K_e + n \log[\mathrm{HX}]_o + n\,\mathrm{pH} \tag{1.73}$$

となる. 式 (1.72) から有機金属キレートの分配比 D は有機溶媒相中のキレート試薬の濃度に比例し, 水相の水素イオンの濃度に反比例することが分かる. K_e を**抽出定数** extraction constant と呼ぶ. また, 式 (1.73) から, $[\mathrm{HX}]_o$ が一定に保てれば, $\log D$ と pH の関係をプロットし, その傾き n から金属イオンの電荷, すなわち結合するキレート配位子 HX の数が分かる. また, 金属イオンの有機溶媒相への抽出のされやすさは, 水相と有機溶媒相の両相における金属化学種の濃度が等しくなる $\log D = 0$ にあたる pH を比較すればよい.

7 イオン交換平衡

7-1 イオン交換反応における平衡定数

イオン交換体の交換基を持つイオンが, 溶液中の陽または陰イオンと可逆的に置き換わること

を，イオン交換という．イオン交換体は，水に不溶性の高分子酸または高分子塩基とみなすことができ，イオン交換反応はイオン交換体の種類によって異なる．

例えば，スチレン・ジビニルベンゼン共重合体のような支持体にスルホン酸を導入した強酸性陽イオン交換樹脂では，次のような陽イオン同士を交換する反応が進行する．

$$R-SO_3^-H^+ + Na^+ \rightleftharpoons R-SO_3^-Na^+ + H^+ \tag{1.74}$$

カルボキシ基を導入した弱酸性陽イオン交換樹脂は，酸性では解離しないため，中性から塩基性領域において陽イオン交換反応が進行する．

一方，第4級アルキルアンモニウム基を導入した強塩基性陰イオン交換樹脂では，次のような陰イオン同士を交換する反応が進行する．

$$R-N^+R_3 \cdot OH^- + Cl^- \rightleftharpoons R-N^+R_3 \cdot Cl^- + OH^- \tag{1.75}$$

アミノ基を導入した弱塩基性陰イオン交換樹脂は，塩基性では解離しないため，中性から酸性領域において陰イオン交換反応が進行する．

イオン交換反応は速やかに進行し，通常数秒ないし数分で平衡状態に達する．式(1.74)のイオン交換反応を質量作用の法則に当てはめると，交換平衡定数K_{ex}は，次式で表される．

$$K_{ex} = \frac{[Na^+]_R[H^+]}{[Na^+][H^+]_R} \tag{1.76}$$

K_{ex}は，選択係数とも呼ばれ，イオン交換体に対するイオンの吸着性を示す指標であり，K_{ex}が大きいほど吸着性が高い．イオン交換樹脂へのイオンの吸着性は，溶媒の種類，濃度，pH，樹脂の架橋度，支持体の種類など様々な要因が影響するが，一般にイオンの電荷が大きいほど吸着性は高くなり（陽イオン交換樹脂：$Na^+ < Ca^{2+} < Al^{3+}$，陰イオン交換樹脂：$Cl^- < SO_4^{2-} < PO_4^{3-}$），電荷の等しいイオンでは水和イオンの半径が小さいほど吸着性は高くなる（陽イオン交換樹脂：$Li^+ < Na^+ < K^+$，陰イオン交換樹脂：$F^- < Cl^- < Br^- < I^-$）．

また，イオン交換樹脂に対するイオンの吸着性は，ある種のイオンの溶液相中濃度に対する樹脂相中の濃度に対する比であり，分配係数に相当する．従って，式(1.76)のイオン交換反応の分配係数K_Dは，$K_D = [Na^+]_R/[Na^+]$で表される．

7-2　イオン交換容量

イオン交換樹脂のイオン交換可能な最大交換量をイオン交換容量といい，乾燥した樹脂1gが交換しうるイオンの量と定義されている．強酸性陽イオン交換樹脂を例にすると，そのイオン交換容量は，水酸化ナトリウム液による中和滴定で求められる．すなわち，風乾した樹脂をガラス管につめ，過量の塩化ナトリウム溶液を通して樹脂のH^+とNa^+を交換する．

$$R-SO_3^-H^+ + NaCl \rightleftharpoons R-SO_3^-Na^+ + HCl$$

生成したHClを水酸化ナトリウム液で滴定する．

$$HCl + NaOH \rightleftharpoons NaCl + H_2O$$

例えば，イオン交換樹脂の質量が x g，a mol/L 水酸化ナトリウム液の消費量が b mL の場合，イオン交換容量 Q は，次式で表される．

$$Q(\mathrm{cmol/kg}) = (a \times b \times 100)/x \tag{1.77}$$

7-3　イオン交換体の分析化学への利用

イオン交換体は，希薄なイオン性物質の分離，濃縮，除去に用いられる．具体的には，イオン交換クロマトグラフィーの固定相，固相抽出，イオン交換水の製造などがあげられる．日本薬局方では，カルバゾクロムスルホン酸ナトリウム水和物やプラステロン硫酸エステルナトリウム水和物の定量に利用されている．

第2章 容量分析

1 容量分析総論

　容量分析法 volumetric analysis とは，未知濃度の定量目的成分を含む試料溶液に対して，その成分と化学量論的に反応する化合物の既知濃度溶液（**容量分析用標準液**[*] volumetric standard solution）を加えて化学反応を行わせ，その反応が完結するまでに要した標準液の体積（容量）を計測し，試料溶液中の目的成分量を求める**定量分析法** quantitative analysis である．実際には，試料溶液の一定量に対して標準液を少量ずつ添加して反応させる．この操作を**滴定** titration という．

　なお，定量分析法としては，容量分析法以外にも重量分析法や各種の機器分析法があるが，これらの方法については，第3章以降に詳述する．

1-1 容量分析法の種類

　容量分析法の滴定は，次のような化学反応に基づいて進行する．

$$mA + nB \rightleftharpoons 生成物 \tag{2.1}$$

ここで，Bが定量目的成分であるならば，Aは滴定剤と呼ばれる試薬であり，Aの既知濃度溶液が標準液である．式 (2.1) の滴定では，滴定剤Aと定量目的成分Bは $m:n$ の物質量比（モル比）で反応が完結する．また，このとき用いる化学反応の種類によって，容量分析法は次のように分類される．

---

[*] 本章ではこれを単に標準液という．

a 酸塩基滴定（中和滴定）
b 沈殿滴定
c 錯体生成滴定（特に，キレート滴定）
d 酸化還元滴定

これらの方法の特徴や事例については，本章第2節以降に詳述する．

1-2　容量分析法に用いる化学反応の条件

容量分析法に用いる化学反応が，次のような条件を満たすとき，滴定による定量が可能となる．
a その化学反応の当量関係が既知であり，副反応が起こらないこと．
b 反応が定量的に進行して，当量点において反応が事実上完結すること（逆反応の進行が無視できること）．
c 反応速度が大きいこと．
d 反応が終了した時点で，それを判定する適切な方法があること．

1-3　当量点（終点）の判定法

　式（2.1）のような化学量論的な関係に基づいて，滴定における反応が完結する理論上の点を，**当量点** equivalence point という．これに対し，同じ反応の完結を以下に示すような実験的方法によって判定した場合は，**終点** end point と呼ぶ．当量点と終点は一致すれば理想的であるが，実際には両者は必ずしも一致せず，この不一致が滴定誤差となるため，この誤差が許容範囲内に止まるように実験条件を工夫するか，適切な補正を行う必要がある．

A. 指示薬による終点判定法

　一般に，滴定の当量点付近では反応に関与する化学種の濃度が急激に変化する．そこで，この濃度変化に伴い，可逆的かつ鋭敏に色調変化するような化合物をあらかじめ被滴定液に添加しておくことで，滴定の終点を目視判定することが可能になる．このような化合物を**指示薬** indicator と呼ぶ．指示薬による終点の目視判定は簡便であるので，広く利用されている．また，指示薬法は終点前後の化学反応や滴定曲線の特徴を理解する上でも有用であるので，本章第2節以降より，酸塩基滴定における酸塩基指示薬，沈殿滴定における吸着指示薬，キレート滴定における金属指示薬，酸化還元滴定における酸化還元指示薬などについて詳述する．

B. 機器計測による終点判定法

　上述の目視指示薬を使用することなく，機器計測によって終点を判定する方法としては，電気滴定法（電位差滴定法，電流滴定法，及び伝導度滴定法；第4章で詳述）や光度滴定法（吸光度測定を利用する方法；第5章で詳述）などが用いられている．これらの機器計測法は，終点付近

での目視判定に寄らない連続的なデータの取得が可能であり，滴定の自動化に適している．また，電位差滴定法では適切な電極を選択することにより，酸塩基滴定（非水滴定を含む）だけでなく沈殿滴定や酸化還元滴定などの多様な種類の滴定の終点判定を行うことができる利点もある（滴定の種類と電極の組合せに関しては，p.125，第4章，表4.3参照）．

C. 日本薬局方における滴定終点検出法

日本薬局方医薬品を容量分析法で定量する際の終点判定法としては，上述の指示薬法と電位差滴定法が多く採用されており，日本薬局方の一般試験法の項目中に**滴定終点検出法**として記載されている．

1-4 標準液の標定

A. 標定とファクター

容量分析法を用いて試料溶液中の目的成分の定量を行う場合，事前に，滴定に使用する標準液の濃度を正確に求めておく必要がある．具体的には，標準液は所定の表示濃度にできるだけ近くなるように調製した後，基準となる高純度の物質と反応させることにより，調製した標準液の濃度を正確に決定する．この目的で行う滴定操作を**標定** standardization といい，基準となる物質を**容量分析用標準物質** reference materials for volumetric analysis という．通常，標定により求めた標準液の濃度は表示濃度に近い値になるはずであるが，必ずしも表示濃度とは一致しない．このずれの度合いを比にして表したもの，すなわち，標定によって求めた標準液の濃度の表示濃度に対する比を，**ファクター** factor といい，記号 f で表す．

$$f = \frac{標定で求めた標準液の濃度}{標準液の表示濃度} \tag{2.2}$$

例えば，表示濃度 0.1 mol/L の塩酸を調製し，標定で求めた濃度が 0.1012 mol/L であった場合は，ファクター $f = 0.1012/0.1 = 1.012$ と計算できる．

また，表示濃度 0.1 mol/L の水酸化ナトリウム液のファクターが 0.995 であった場合は，この標準液中の NaOH の濃度は，表示濃度 × f = 0.1 × 0.995 = 0.0995（mol/L）であることがわかる．

標定によりファクターが確定した標準液は，「0.1 mol/L 塩酸（$f = 1.012$）」のように，表示濃度，標準液の名称，（ファクター数値）を用いて表し，引き続いて定量目的成分の容量分析に使用することができる．日本薬局方では，「容量分析用標準液はファクターが 0.970 〜 1.030 の範囲にあるように調製する」ことを規定している．

B. 容量分析用標準物質

標準液の標定に使用する容量分析用標準物質は，分析結果の正確さを左右する重要な物質であ

るので，次のような条件が要求される．

a　一定の組成を有する高純度の物質であること．
b　化学的に安定であること．
c　加熱，乾燥により一定の重量になること．
d　吸湿性，潮解性がなく，秤量や保存が容易であること．
e　分子量が大であること（秤量値の相対誤差を小さくできる）．
f　水に対する溶解度が高く，加熱しなくても容易に溶けること．

JIS（日本工業規格）K8005では，これらの条件を満たす物質の中から，表2.1記載の10種類の試薬を容量分析用標準物質として規定している．実際の標定に際しては，これらの標準物質をJISで指定した方法で乾燥した後，精密に秤量して用いる．また，日本薬局方においては（標準物質ではなく）「標準試薬」と記載されているが，容量分析用標準液の標定におけるそれらの取り扱い手順はJISに準じている．

表2.1　容量分析用標準物質（JIS K8005:2014）

標準物質	化学式	質量分率 %	適用
アミド硫酸	$HOSO_2NH_2$	99.90 以上	酸塩基滴定
炭酸ナトリウム	Na_2CO_3	99.95 以上	酸塩基滴定
フタル酸水素カリウム	$C_6H_4(COOK)(COOH)$	99.95 〜 100.05	酸塩基滴定
塩化ナトリウム	NaCl	99.95 以上	沈殿滴定
フッ化ナトリウム	NaF	99.90 以上	沈殿滴定
亜鉛	Zn	99.990 以上	キレート滴定, 沈殿滴定
銅	Cu	99.98 以上	キレート滴定, 酸化還元滴定
シュウ酸ナトリウム	$(COONa)_2$	99.95 以上	酸化還元滴定
二クロム酸カリウム	$K_2Cr_2O_7$	99.98 以上	酸化還元滴定
ヨウ素酸カリウム	KIO_3	99.95 以上	酸化還元滴定

C. 標準液と標定

日本薬局方に規定されている容量分析用標準液の代表的なものについて，その標定に適用する滴定の種類，標準試薬（標準物質）や終点決定法などを，表2.2にまとめて示した．

標定は，（表2.1記載の）容量分析用標準物質を用いて滴定する**直接法**で行うことが望ましい．しかし，適切な標準物質がない場合は，すでに直接法で標定済みの他の容量分析用標準液と反応させることにより，標準液の濃度とファクターを決定する．このような標定を**間接法**という．例えば，表2.2記載の標準液においては，酸化還元滴定用の「ヨウ素液」の標定が「チオ硫酸ナトリウム液」を用いる間接法で行われている．この標定に用いた「チオ硫酸ナトリウム液」は，あらかじめ（表2.1記載の）ヨウ素酸カリウムを用いる直接法によって標定されたものである．一

般に，間接法は操作が余分に加わるため，直接法よりもファクターの正確さは劣る．

また，標準液は溶液状態で長時間安定であることが求められる．標定は一度行うだけでよいことが望ましいが，安定性が十分とはいえない場合もあり，長期保存した標準液は再度標定してから用いるべきである．

表 2.2　第十七改正日本薬局方における容量分析用標準液の標定
(*1 は間接法で標定する標準液；*2 は標定が不要な標準液；*3 は JIS 標準物質ではない試薬)

容量分析用標準液（濃度は省略）	滴定の種類	標準試薬あるいは標準液	終点決定法（指示薬法は試薬名を記す）
塩酸	酸塩基滴定（中和滴定）	炭酸ナトリウム	メチルレッド試液又は電位差滴定法
硫酸		炭酸ナトリウム	メチルレッド試液又は電位差滴定法
水酸化ナトリウム液		アミド硫酸	ブロモチモールブルー試液又は電位差滴定法
水酸化カリウム液		アミド硫酸	ブロモチモールブルー試液
過塩素酸	非水滴定（酸塩基滴定）	フタル酸水素カリウム	クリスタルバイオレット試液又は電位差滴定法
酢酸ナトリウム液*1		過塩素酸	p-ナフトールベンゼイン試液
テトラメチルアンモニウムヒドロキシド液		安息香酸*3	チモールブルー・N,N-ジメチルホルムアミド試液又は電位差滴定法
テトラブチルアンモニウムヒドロキシド液		安息香酸*3	電位差滴定法
ナトリウムメトキシド液		安息香酸*3	チモールブルー・N,N-ジメチルホルムアミド試液
硝酸銀液	沈殿滴定	塩化ナトリウム	フルオレセインナトリウム試液又は電位差滴定法
チオシアン酸アンモニウム液*1		硝酸銀液	硫酸アンモニウム鉄（Ⅲ）試液
過塩素酸バリウム液		硫酸	アルセナゾⅢ試液
エチレンジアミン四酢酸二水素ナトリウム（EDTA）液	キレート滴定	亜鉛	エリオクロムブラック T・塩化ナトリウム指示薬
亜鉛液*2			
塩化マグネシウム液*1		EDTA 液	エリオクロムブラック T・塩化ナトリウム指示薬
酢酸亜鉛液*1		EDTA 液	エリオクロムブラック T・塩化ナトリウム指示薬
硫酸亜鉛液*1		EDTA 液	エリオクロムブラック T・塩化ナトリウム指示薬
硝酸ビスマス液*1		EDTA 液	キシレノールオレンジ試液
ラウリル硫酸ナトリウム液	錯生成滴定	塩酸パパベリン*3	メチルエローのジクロロメタン溶液

表 2.2 つづき

容量分析用標準液（濃度は省略）	滴定の種類	標準試薬あるいは標準液	終点決定法（指示薬法は試薬名を記す）
過マンガン酸カリウム液	酸化還元滴定	シュウ酸ナトリウム	
ヨウ素液[*1]		チオ硫酸ナトリウム液	デンプン試液又は電位差滴定法
チオ硫酸ナトリウム液		ヨウ素酸カリウム	デンプン試液又は電位差滴定法
臭素液[*1]		チオ硫酸ナトリウム液	デンプン試液
臭素酸カリウム液[*1]		チオ硫酸ナトリウム液	デンプン試液
硫酸四アンモニウムセリウム(Ⅳ)液[*1]		チオ硫酸ナトリウム液	デンプン試液
ヘキサシアノ鉄(Ⅲ)酸カリウム液[*1]		チオ硫酸ナトリウム液	デンプン試液
硫酸アンモニウム鉄(Ⅲ)液[*1]		チオ硫酸ナトリウム液	デンプン試液
硫酸アンモニウム鉄(Ⅱ)液[*1]		過マンガン酸カリウム液	
シュウ酸液[*1]		過マンガン酸カリウム液	
塩化チタン(Ⅲ)液[*1]		過マンガン酸カリウム液	
シュウ酸ナトリウム液[*2]			
ヨウ素酸カリウム液[*2]			
二クロム酸カリウム液[*2]			
亜硝酸ナトリウム液	ジアゾ滴定	スルファニルアミド[*3]	電位差滴定法又は電流滴定法
塩化バリウム液	重量分析法		

2.1 酸塩基滴定

酸塩基滴定 acid-base titration（**中和滴定** neutralization titration）は酸と塩基の定量的な中和反応を利用する滴定であり，滴定の進行に伴い被滴定液中の水素イオン濃度が変化する．水溶液中においては，酸・塩基の溶解に伴い生じた溶媒和プロトン（H_3O^+）と溶媒陰イオン（OH^-）の反応

$$H_3O^+ + OH^- \rightleftharpoons 2H_2O$$

が中和反応の本質であるが，反応生成物の水はほとんど電離しないため，この反応は定量的に進行する．酸（あるいは塩基）の試料溶液を塩基（あるいは酸）の標準液で滴定し，その消費量から酸（あるいは塩基）の濃度を求める．終点判定には酸塩基指示薬が用いられるが，後述（第 4 章）のように電気化学的な方法でも決定することができる．溶媒には通常水が用いられるが，非

常に弱い酸あるいは塩基の滴定には非水溶媒が用いられる．これらの詳細を以下に述べる．

2-1 酸塩基滴定の滴定曲線

　容量分析において，標準液の添加量（あるいは滴定率）に対するイオン又は化合物の濃度変化や電位変化などを図示して得られる特徴的な曲線を，**滴定曲線** titration curve と呼ぶ．特に，酸塩基滴定において実測（あるいは計算）された pH 値をプロットして得られる曲線を，**中和曲線** neutralization curve という．ここでは，一塩基酸 HA と一酸塩基 MOH の中和反応（HA + MOH $\rightleftarrows$ MA + H$_2$O）とその中和曲線について，具体例に基づいて述べる．なお，簡略化のため，滴定開始前の HA 及び MOH の濃度は共に 0.1 mol/L とする．また，滴定剤である標準液は強酸あるいは強塩基である．

A. 強塩基による強酸の滴定

　第 1 章で述べたように，水中における強酸とは H$_3$O$^+$ よりも強い酸のことであり，pK_a が負の値となる過塩素酸や硝酸，塩化水素などが該当する．ここでは「塩化水素 HCl」の滴定を事例とし，0.1 mol/L 塩化水素水溶液（以下，塩酸と略す）100 mL に対して，0.1 mol/L 水酸化ナトリウム液を標準液として V mL 滴加した場合の，被滴定液の pH 変化と滴定曲線について考える．なお，水中において NaOH や HCl は完全電離すると仮定する．

a）$V = 0$ mL のとき（滴定開始前）

　塩酸の濃度がそのまま水素イオン濃度に等しいので，

$$[\text{H}^+](= c_{\text{HCl}}) = 0.1 \text{ mol/L}$$

$$\text{pH} = 1$$

b）$V < 100$ mL のとき（当量点前）

　NaOH で中和されていない未反応の HCl 濃度が溶液の水素イオン濃度となるので，

$$[\text{H}^+] = 0.1 \times \frac{100 - V}{100 + V} \text{ mol/L}$$

c）$V = 100$ mL のとき（当量点）

　HCl と NaOH は過不足なく完全に中和する．また，中和で生成する塩 NaCl は水と反応しないため，溶液の水素イオン濃度は水のイオン積 $K_w = [\text{H}^+][\text{OH}^-] = 1.0 \times 10^{-14}$ で決まり，

$$[\text{H}^+] = [\text{OH}^-] = 10^{-7} \text{ mol/L}$$

$$\text{pH} = 7$$

d）$V > 100$ mL のとき（当量点以降）

　被滴定液中の HCl はすべて中和されて，標準液（NaOH）が過剰に加えられた状態であるので，

$$[\text{OH}^-] = 0.1 \times \frac{V - 100}{100 + V} \text{ mol/L}$$

これらの式を用いて，塩酸（及び水酸化ナトリウム液）の濃度 c が 1.00 mol/L，0.10 mol/L，又は 0.01 mol/L の各事例について，滴定経過中の pH を計算すると表 2.3 の数値が得られ，滴定曲線は図 2.1 のようになる．

図 2.1 で明らかなように，滴定の始めの段階では pH 変化は非常に小さいが，当量点付近に達すると変化はやや大きくなり，当量点の直前・直後において，ほとんど垂直を示すほど著しい変化を示す．この状態を **pH 飛躍** pH jump と呼ぶ．また，図からわかるように，酸・塩基の濃度 c が薄いほど pH 飛躍の範囲が小さくなるため，終点判定に用いる指示薬の選択には注意を要する．

なお，日本薬局方における容量分析用標準液としての水酸化ナトリウム液の標定は，アミド硫酸を標準試薬とする酸塩基滴定により行われ，終点の pH が中性であるため，ブロモチモールブルー試液が指示薬として用いられる（表 2.2 参照）．

表 2.3 塩酸 100 mL を水酸化ナトリウム液で滴定するときの pH 変化
（塩酸と水酸化ナトリウム液の濃度はいずれも c mol/L とする）

水酸化ナトリウム液		$c = 1.00$ mol/L		$c = 0.10$ mol/L		$c = 0.01$ mol/L	
滴定量 (mL)	滴定率 (%)	$[H^+]$	pH	$[H^+]$	pH	$[H^+]$	pH
0.0	0	1.00	0.0	1.00×10^{-1}	1.0	1.00×10^{-2}	2.0
50.0	50	3.33×10^{-1}	0.5	3.33×10^{-2}	1.5	3.33×10^{-3}	2.5
90.0	90	5.26×10^{-2}	1.3	5.26×10^{-3}	2.3	5.26×10^{-4}	3.3
99.0	99	5.03×10^{-3}	2.3	5.03×10^{-4}	3.3	5.03×10^{-5}	4.3
99.9	99.9	5.00×10^{-4}	3.3	5.00×10^{-5}	4.3	5.00×10^{-6}	5.3
100.0	100（当量点）	1.00×10^{-7}	7.0	1.00×10^{-7}	7.0	1.00×10^{-7}	7.0
100.1	100.1	2.00×10^{-11}	10.7	2.00×10^{-10}	9.7	2.00×10^{-9}	8.7
101.0	101	2.01×10^{-12}	11.7	2.01×10^{-11}	10.7	2.01×10^{-10}	9.7
110.0	110	2.10×10^{-13}	12.7	2.10×10^{-12}	11.7	2.10×10^{-11}	10.7
150.0	150	5.00×10^{-14}	13.3	5.00×10^{-13}	12.3	5.00×10^{-12}	11.3

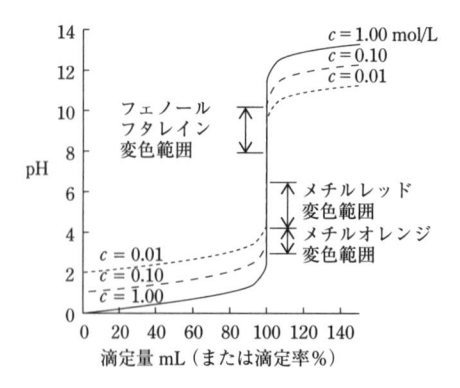

図 2.1　NaOH による HCl の滴定曲線

B. 強酸による強塩基の滴定

上述の図 2.1 は S 字形の曲線であるが，0.1 mol/L 水酸化ナトリウム水溶液 100 mL に対して 0.1 mol/L 塩酸を標準液として滴定を行う場合は，逆 S 字形の滴定曲線となる．

C. 強塩基による弱酸の滴定

強酸の滴定の場合とは異なり，弱酸の滴定においては中和反応により生じる塩 MA（正確には共役塩基 M$^-$）の一部がさらに加水分解するため，当量点の液性はアルカリ性であり，その pH は弱酸の電離定数 K_a によって決まる．従って，この中和反応の経過は弱酸の電離のみならず塩の加水分解も考慮する必要がある．

なお，水中における弱酸とは，H$_3$O$^+$ よりも弱く pK_a が正の値となる酸のことをいい，カルボキシ基を有する有機化合物などが該当する．ここではカルボキシ基を有する一塩基酸として「酢酸 CH$_3$COOH」の滴定を事例とし，0.1 mol/L 酢酸 100 mL に対して，0.1 mol/L 水酸化ナトリウム液を標準液として V mL 滴加した場合の，被滴定液の pH 変化と滴定曲線について考える．なお，水溶液中における酢酸の電離平衡と電離定数 K_a は次のとおりとする．

$$CH_3COOH \rightleftharpoons CH_3COO^- + H^+$$

$$K_a = \frac{[CH_3COO^-][H^+]}{[CH_3COOH]} = 1.75 \times 10^{-5} \quad (pK_a = 4.76) \tag{2.3}$$

a) $V = 0$ mL のとき（滴定開始前）

0.1 mol/L 酢酸水溶液の pH 計算であり，第 1 章（p.9）での計算結果と同一である．すなわち，式（2.3）において，[CH$_3$COO$^-$] = [H$^+$]，[CH$_3$COOH] ≒ 0.1 mol/L であるので，

$$[H^+] = \sqrt{0.1 \times K_a} = 1.32 \times 10^{-3} \text{ mol/L}$$

$$pH = 2.88$$

b) $V < 100$ mL のとき（当量点前）

NaOH V mL の添加で生じた中和の塩 CH$_3$COONa は水中で完全電離するため，中和された酢酸（あるいは添加した NaOH）に相当する量の酢酸イオン CH$_3$COO$^-$ が生じる．一方で，溶液中には中和されていない未反応の酢酸 CH$_3$COOH も残っている．従って，V mL の添加時の両者の濃度はそれぞれ，

$$[CH_3COO^-] = 0.1 \times \frac{V}{100 + V} \text{ mol/L}$$

$$[CH_3COOH] = 0.1 \times \frac{100 - V}{100 + V} \text{ mol/L}$$

である．また，この時の被滴定液の水素イオン濃度と pH は，式（2.3）より，

$$[H^+] = \frac{[CH_3COOH]}{[CH_3COO^-]} \times K_a \quad \text{もしくは} \quad pH = pK_a + \log \frac{[CH_3COO^-]}{[CH_3COOH]}$$

であるので，ここに両者の濃度（もしくは濃度比）を代入することで計算できる．

また特に，酢酸の半量が中和された**半当量点**（$V = 50$ mL）においては，$[CH_3COO^-] = [CH_3COOH]$（$= 0.1 \times 50/150$ mol/L）であるので，

$$[H^+] = K_a (= 1.75 \times 10^{-5} \text{ mol/L}) \qquad \text{もしくは} \qquad pH = pK_a (= 4.76)$$

c) $V = 100$ mL のとき（当量点）

CH_3COOH と NaOH は過不足なく完全に中和し，生成した塩 CH_3COONa は完全電離して酢酸イオン CH_3COO^- が 0.05 mol/L 生じる．生じた酢酸イオンは酢酸の共役塩基（弱塩基）であり，下式のとおり水中では一部が加水分解されるため，液性はアルカリ性を示す．

$$CH_3COO^- + H_2O \rightleftharpoons CH_3COOH + OH^-$$

$$K_b = \frac{[CH_3COOH][OH^-]}{[CH_3COO^-]} \left(= \frac{K_w}{K_a}\right) = 5.71 \times 10^{-11} \tag{2.4}$$

また，当量点では，式（2.4）において，$[CH_3COOH] = [OH^-]$，$[CH_3COO^-] \fallingdotseq 0.05$ mol/L であるので，

$$[OH^-] = \sqrt{0.1 \times K_b} = 2.39 \times 10^{-6} \text{ mol/L}$$

$$pOH = 5.71$$

$$pH = 8.29$$

d) $V > 100$ mL のとき（当量点以降）

被滴定液中に過剰に存在する NaOH（すなわち OH^-）により，中和の塩由来の CH_3COO^- の加水分解反応が抑制されるため，溶液の pH（pOH）は過剰の NaOH 濃度のみで決まる．すなわち，

$$[OH^-] = 0.1 \times \frac{V - 100}{100 + V} \text{ mol/L}$$

となり，これより pH が計算できる．

これらの式による計算値から作図された 0.1 mol/L 水酸化ナトリウム液による 0.1 mol/L 酢酸の滴定曲線は，図 2.2 のとおりであり，当量点の液性がアルカリ性であることが読み取れる．また，被滴定液中の酢酸の化学種に注目すれば，滴定開始前（$V = 0$ mL）はほとんど全て分子形

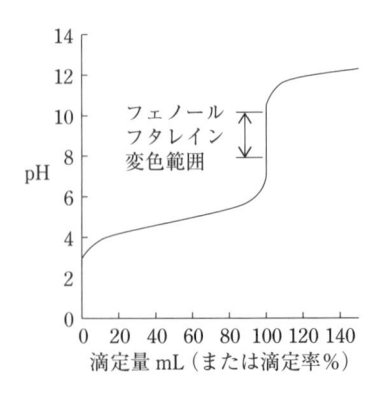

図 2.2　0.1 mol/L NaOH 液による 0.1 mol/L CH_3COOH の滴定曲線

CH_3COOH であるが，当量点（$V = 100$ mL）ではほとんど全てイオン形 CH_3COO^- となっている．さらに，この間の半当量点（$V = 50$ mL）においては，[CH_3COO^-] = [CH_3COOH] であるため被滴定液が pH 緩衝液の状態になっており，（NaOH を加えても）pH がほとんど増加しない独特な曲線形状を示している．

なお，K_a の値が異なる（$10^{-4} > K_a > 10^{-10}$）種々の弱酸について，その濃度 c が 1.00, 0.10, 及び 0.01 mol/L の場合の（同濃度の）強塩基による滴定曲線の形状について，比較して示した結果を図 2.3 に示す．図からわかるように，K_a が小さくなるに従って pH 飛躍は小さくなり，さ

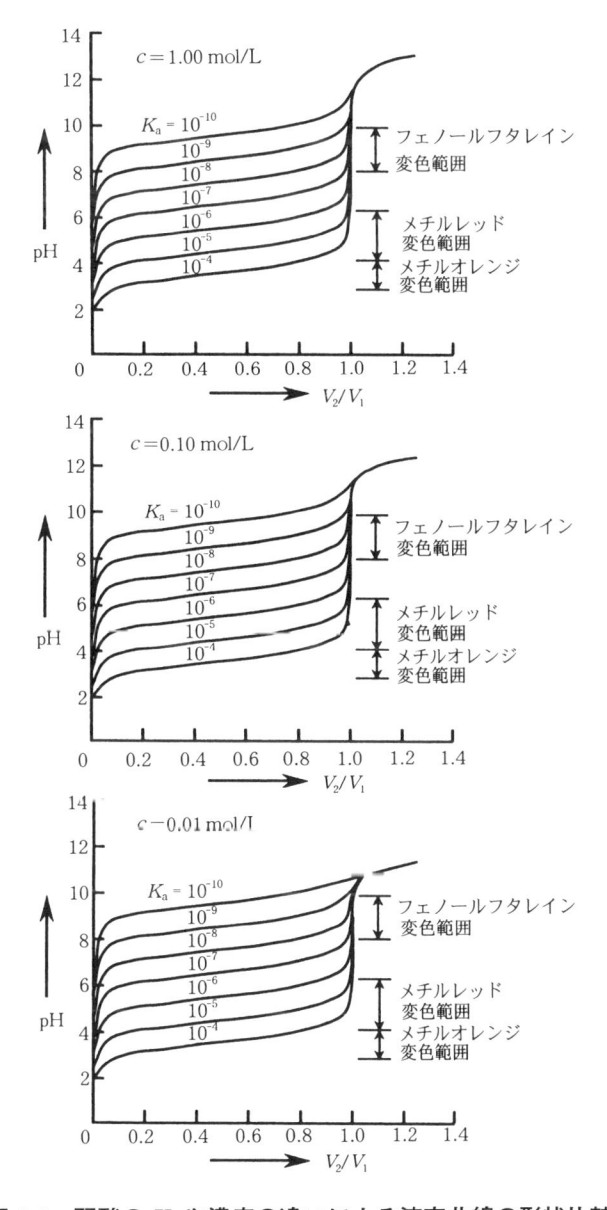

図 2.3 弱酸の K_a や濃度の違いによる滴定曲線の形状比較

らに濃度が薄くなればますます pH 飛躍が小さくなる．このときの pH 飛躍は図 2.1 の場合のように pH = 7 を中心に対称的でなく，アルカリ性側に傾く．これらのことは，次節に述べる指示薬の選択，滴定終点決定の精度に関係してくる．

D. 強酸による弱塩基の滴定

C 項の場合の S 字形の滴定曲線に対して，弱塩基の電離定数 K_b の大きさに依存した逆 S 字形の滴定曲線が得られるので，pH 飛躍は酸性側に傾く．

2-2　酸塩基指示薬と滴定終点の判定

A. 酸塩基指示薬

酸塩基滴定において，実際に滴定が当量点に達したかどうかを決めるためには，当量点近傍における pH の急激な変化を検出する必要がある．この点に関して，芳香族もしくは芳香族性の複素環式化合物である弱酸や弱塩基の中には，溶液の水素イオン濃度［H^+］変化に伴って可逆的に変色する化合物があることが知られている．この変色を利用すれば酸塩基滴定の終点の目視判定が可能であり，また pH の簡易測定もできることから，これらの化合物は**酸塩基指示薬** acid-base indicator 又は **pH 指示薬** pH indicator と呼ばれて利用されている．

一般に酸塩基指示薬は，H^+ と結合している酸型と，H^+ を電離して共役の関係にある塩基型とで異なる色調を呈する．いい換えれば，H^+ の授受により，互いに呈色が異なる共役酸塩基対を形成するような（発色団を有する）弱酸もしくは弱塩基が酸塩基指示薬となりうる．

弱酸である酸塩基指示薬のことを**酸性指示薬** acid indicator といい，フェノールフタレイン，フェノールレッド，チモールブルー，ブロムクレゾールグリーン，p-ニトロフェノールなどがこれに属する．一例として図 2.4 に示したように，フェノールフタレインは酸性から中性溶液中では（3 つの芳香環が共役していない）無色の酸型（H_2In）構造をとるが，弱アルカリ溶液中では

例：フェノールフタレイン（変色範囲：pH 8.0 ～ 10.0）

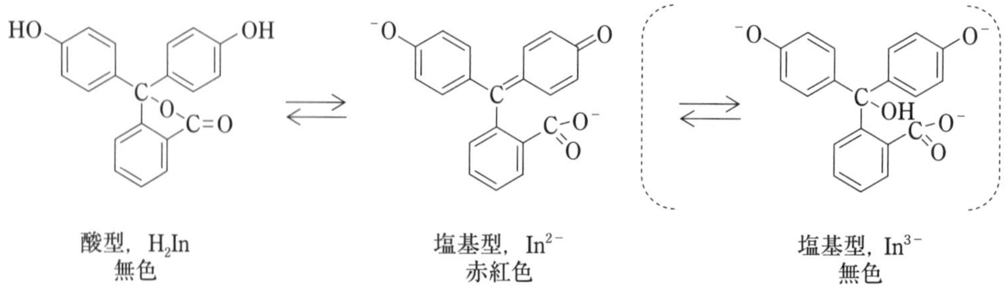

酸型，H_2In
無色

塩基型，In^{2-}
赤紅色

塩基型，In^{3-}
無色

図 2.4　pH 変化に伴うフェノールフタレインの構造と色調変化

H^+を放出して発色団であるキノイド構造を有する塩基型（In^{2-}）となり，溶液は赤紅色を呈する．なお，強アルカリ溶液中ではIn^{3-}型になり，キノイド構造が失われて赤紅色は退色する．

一方，弱塩基である酸塩基指示薬のことを**塩基性指示薬** basic indicator といい，メチルオレンジ，メチルレッド，ニュートラルレッドなどがこれに属する．一例として図2.5に示したように，メチルオレンジはH^+の授受に伴い，酸型（HIn^+）と塩基型（In）の各構造において発色団の共役二重結合系の変化が生じ，色調が赤色と黄色の間で鋭敏に変化する．

例：メチルオレンジ（変色範囲：pH 3.1 ～ 4.4）

酸型，HIn^+
赤色

塩基型，In
黄色

図 2.5 pH 変化に伴うメチルオレンジの構造と色調変化

次に，酸塩基指示薬の色調変化と溶液のpHとの関係について，一般式を用いて考えてみよう．いま，弱酸である指示薬の酸型を HIn で表せば，その電離平衡は（一般の弱酸と同様に）次式で表される．

$$HIn \rightleftarrows H^+ + In^- \qquad K_{In} = \frac{[H^+][In^-]}{[HIn]} \tag{2.5}$$

この平衡定数K_{In}は**指示薬定数** indicator constant と呼ばれ，K_{In}の値は弱酸である指示薬の電離定数K_aに等しい．また，式（2.5）を対数で表現した *Henderson-Hasselbalch* 式は，

$$pH = pK_{In} + \log \frac{[In^-]}{[HIn]}$$

となる．この式より，溶液のpHが指示薬のpK_{In}より小さい（pH $<$ pK_{In}）場合は，指示薬の大部分は酸型で存在（$[In^-]<[HIn]$）するため溶液は HIn の酸性色を呈することが分かる．一方，溶液のpHが指示薬のpK_{In}より大きい（pH $>$ pK_{In}）場合は，指示薬の大部分は塩基型で存在（$[In^-]>[HIn]$）するため溶液は In^- のアルカリ性色を呈する．また特に，溶液のpHが指示薬のpK_{In}と同じ（pH $=$ pK_{In}）場合は，$[In^-] = [HIn]$であるから，溶液の色調は HIn の酸性色とIn^-のアルカリ性色の中間色を示すはずである．

すなわち，肉眼で判別される溶液の色調は$[In^-]$と$[HIn]$との濃度比で決まる．ここで，両者の濃度比$[In^-]/[HIn]$が1/10より大きくなると HIn の酸性色の中にIn^-のアルカリ性色が認められ，逆に濃度比$[In^-]/[HIn]$が10より小さくなると，In^-のアルカリ性色の中に HIn の酸性色が認められるとすると，この指示薬の変色を識別できる最小のpH変化は pH $= pK_{In} \pm 1$ということになる．このようなpH範囲を指示薬の**変色範囲** transition interval という．このこと

表 2.4 主な酸塩基指示薬 (*Kolthoff*)

指示薬	変色範囲(pH)	酸性色-アルカリ性色
o-クレゾールレッド	0.2〜1.8	赤-黄
m-クレゾールレッド	0.5〜2.5	赤-黄
チモールブルー	1.2〜2.8	赤-黄
ペンタメトキシレッド	1.2〜3.2	赤紫-無
キナルジンレッド	1.4〜3.2	無-赤
トロペオリン OO (Na 塩)	1.4〜2.6	赤-黄
ヘキサメトキシレッド	2.6〜4.6	紅-無
メチルイエロー	2.9〜4.0	赤-黄
テトラブロムフェノールブルー	3.0〜4.6	黄-青
ブロモフェノールブルー	3.0〜4.6	黄-青紫
メチルオレンジ (Na 塩)	3.1〜4.4	赤-黄
ナフチルレッド	3.7〜5.0	赤-黄
アリザリンスルホン酸ナトリウム	3.7〜5.2	黄-紫
ブロモクレゾールグリーン	3.8〜5.4	黄-青
メチルレッド	4.2〜6.2	赤-黄
クロルフェノールレッド	5.0〜6.6	黄-赤
ヘプタメトキシレッド	5.0〜7.0	赤-無
ブロモクレゾールパープル	5.2〜6.8	黄-紫
ピナクロム M	5.8〜7.6	無-紫
アリザリン	5.5〜6.8	黄-赤
p-ニトロフェノール	5.6〜7.6	無-黄
ブロモチモールブルー	6.0〜7.6	黄-青
アウリン	6.8〜8.2	黄-赤
フェノールレッド	6.8〜8.4	黄-赤
ニュートラルレッド	6.8〜8.0	赤-黄褐
o-クレゾールレッド	7.2〜8.8	黄-紫
o-クレゾールベンゼイン	7.2〜8.6	黄-赤
プロピル-α-ナフトールオレンジ	7.4〜8.0	黄-赤
α-ナフトールフタレイン	7.3〜8.7	淡紅-青緑
m-クレゾールパープル	7.4〜9.0	黄-紫
チモールブルー	8.0〜9.6	黄-青
フェノールフタレイン	8.0〜10.0	無-赤紅
キシレノールフタレイン	9.0〜10.5	無-青
チモールフタレイン	9.3〜10.5	無-青
ナイルブルー A	10.0〜11.0	青-赤
アリザリンイエロー R (Na 塩)	10.2〜12.0	黄-赤紫
ジアゾバイオレット	10.1〜12.0	黄-紫
ニトラミン	10.8〜12.8	無-赤黄
トロペオリン O	11.1〜12.7	黄-赤黄
2,4,6-トリニトロ安息香酸ナトリウム	12.0〜13.4	無-赤黄
1,3,5-トリニトロベンゼン	11.5〜14.0	無-赤褐

(長瀬雄三ら (1992) 基礎分析化学通論 (上) 廣川書店より引用)

は，弱塩基である指示薬についても同様に考えることができる．

表 2.4 に常用される酸塩基指示薬を示す．実際に多くの酸塩基指示薬の変色範囲が約 2 pH 単位（pH = pK_{In} ± 1）の間にあることが分かるであろう．

B. 滴定終点の判定

上述のように，種々の酸塩基指示薬はそれぞれ特有の pH 範囲で変色する．従って，酸塩基滴定に際しては，その滴定曲線の pH 飛躍の範囲内に変色範囲を持つ指示薬を加えることにより，滴定の終点を判定することができる．

まず，先述の図 2.1 と表 2.3 で示したような強酸の塩酸を強塩基の水酸化ナトリウムで滴定する場合について考えてみよう．図 2.1 には 3 種類の指示薬の変色範囲を示してある．例えば，酸と塩基の濃度がそれぞれ 1.00 mol/L の場合には，pH が 3.3 から 10.7 の間に変色範囲を持つ指示薬により誤差範囲が ± 0.1 % 以内の精度で滴定を行うことができることが分かる．この場合の指示薬として，具体的にはメチルオレンジ，メチルレッド，フェノールフタレインのいずれも使用可能である．ところが，酸と塩基の濃度がそれぞれ 0.01 mol/L の場合には，pH 5 から 9 の間に変色範囲を持つ指示薬でなければならないので，もはやメチルオレンジは不適当になってくることが分かる．なお，この例とは逆の強塩基を強酸で滴定する場合も，指示薬については同様の結果となる．

次に，図 2.2 で示した弱酸の酢酸を強塩基の水酸化ナトリウムで滴定する場合には，指示薬の選択はさらに制約を受けるようになる．図 2.2 に見られるように，この場合の当量点における pH は 7 より大きいため，フェノールフタレインやチモールフタレインなどのアルカリ性側に変色範囲を持つ指示薬が適している．しかし，図 2.3 に示したように，弱酸の K_a や濃度が小さくなるに従って pH 飛躍はだんだん不明瞭になってくる．一般に，K_a ～ 10^{-7} 以下の弱酸は 0.1 mol/L 程度の濃度では（水溶液中では）滴定できない．

これと反対に，弱塩基を強酸で滴定する場合の当量点における pH は 7 より小さいため，メチルオレンジやメチルレッドなどの酸性側に変色範囲を持つ指示薬が適している．

一般的にいえば，当量点の pH にほぼ等しいところで変色するような指示薬を用いるのが望ましい，ということになる

C. 指示薬誤差

一般に，指示薬の変色点の [H^+] は当量点の [H^+] と必ずしも一致しないので，この不一致が滴定の誤差となる．指示薬の変色点の [H^+] を a，終点における溶液の体積を v，滴定前の溶液の体積を V，濃度を c とすると，滴定の指示薬誤差（終点誤差ともいう）は次式で与えられる．

$$\text{指示薬誤差\%} = \frac{a \times v}{V \times c} \times 100 \tag{2.6}$$

指示薬誤差は，当量点までの滴定量（理論値）に対する誤差量（|実測値 − 理論値|）の百分

率でもある．一例として，メチルオレンジを指示薬として 0.10 mol/L NaOH 30 mL を 0.10 mol/L HCl 液で滴定する事例で考えてみよう．この滴定の当量点までの HCl 液の滴定量は 30 mL であり，当量点の pH は 7 のはずであるが，メチルオレンジが pH 4（$[H^+] = 10^{-4}$ mol/L）で変色するならば，実際の終点までの滴定量は理論値よりも過剰な（30 + x）mL を要するはずである．この時，過剰に加えられた x mL 分の 0.10 mol/L HCl により溶液の pH が 4 となるため，

$$[H^+] = 0.1 \times \frac{x}{30 + 30 + x} = 10^{-4}$$

であり，$x = 0.06$ mL と求められ，これより指示薬誤差は

$$\frac{0.06}{30} \times 100 = 0.2 \%$$

として求められる．

あるいは，式（2.6）に従って

$$\frac{10^{-4} \times 60}{30 \times 0.1} \times 100 = 0.2 \%$$

と求めてもよい．

D. 酸塩基指示薬による pH の簡易測定

前述のように，酸塩基指示薬は溶液中で互いに呈色を異にする共役酸塩基対を形成し，酸型と塩基型の化学種の濃度比は pH によって決まる．溶液の色調は両者の濃度比によって変化するから，これを観測して pH を知ることができる．このことをもっと簡易に実用化したのが市販の pH 試験紙である．これは，ろ紙に種々の変色範囲の指示薬溶液を浸して乾燥したものであり，正確さは劣るが手軽で便利な pH 測定法として用いられている．pH 試験紙は pH 1.0 ～ 10.0 の範囲を 0.2 pH 単位程度の精度で測定できる．試料液に試験紙を浸して取り出し，添付された標準色彩表の色と比較するだけで簡単に pH が分かる．

一方，精度の高い pH 測定法としては，ガラス電極を用いる電位差測定法（pH メーター法）が広く用いられている（第 4 章参照）．

2-3 混合酸や多塩基酸の滴定

A. 混合酸の滴定

まず，強酸と弱酸の混合溶液を強塩基で滴定する場合について考えてみる．この混合溶液中では（K_a が非常に大きい）強酸の完全電離により生じた溶媒和プロトン（H_3O^+）が，共存する（K_a の小さな）弱酸の電離を強力に抑制している．従って，この溶液を強塩基で滴定すると，まず強酸が先に中和され，完結後に引き続き弱酸の中和が進行する．一例として，0.1 mol/L 塩酸

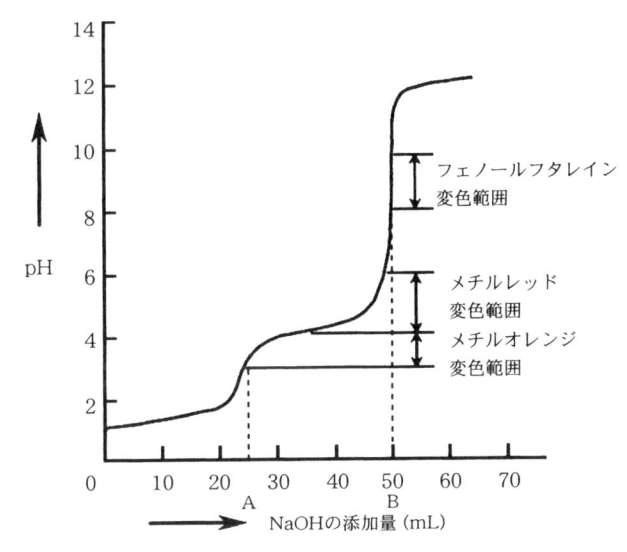

図 2.6 NaOH 液による混合酸（HCl と CH₃COOH）の滴定曲線

と 0.1 mol/L 酢酸を含む水溶液（25 mL）を 0.1 mol/L 水酸化ナトリウム液により滴定した際の滴定曲線を図 2.6 に示した．この滴定では塩酸，そして酢酸の順に中和が進行し，それぞれの酸の滴定終点で明瞭な pH 飛躍を示す 2 段の滴定曲線が得られる．この図において，メチルオレンジ指示薬の変色で検知した 1 段階目の pH 飛躍までの水酸化ナトリウム液の滴定量 A mL は，塩酸の中和のみに消費された量であり，そこからさらにフェノーフタレイン指示薬の変色で検知した 2 段階目の pH 飛躍までの滴定量（B − A）mL は，酢酸の中和のみに消費された量に相当する．

また，強塩基と弱酸の混合溶液を強酸で滴定する場合についても同様であり，まず強塩基が中和されて，完結後に引き続き弱塩基の中和が進行する．

B. 多塩基酸の滴定曲線の概略

2 個以上のプロトンを放出できる酸を多塩基酸という．代表的な多塩基酸としては，硫酸，炭酸，リン酸などの無機酸や，シュウ酸，マレイン酸，クエン酸などの有機酸が挙げられる．水溶液中における多塩基酸の電離は段階的に起こり，その各段階に対応する電離定数は K_{a1}, K_{a2}, K_{a3}…と表される．ここでは，一般式 H_2A で表される二塩基酸を強塩基で滴定した際の滴定曲線の概略について考えてみる．

水溶液中で H_2A は次のように 2 段階でプロトンを放出する．

$$H_2A \rightleftharpoons HA^- + H^+ \qquad K_{a1} = [HA^-][H^+]/[H_2A] \qquad (2.7)$$
$$HA^- \rightleftharpoons A^{2-} + H^+ \qquad K_{a2} = [A^{2-}][H^+]/[HA^-] \qquad (2.8)$$

プロトンの放出は負電荷が増えるほど起こりにくくなるので $K_{a1} > K_{a2}$ である．この多塩基酸の水溶液に強塩基を加えると，まず H_2A の中和（式（2.7）で生じたプロトンの中和）が HA^- の中和（式（2.8）で生じたプロトンの中和）よりも先行して起こる．このとき K_{a1}/K_{a2} が非常に大

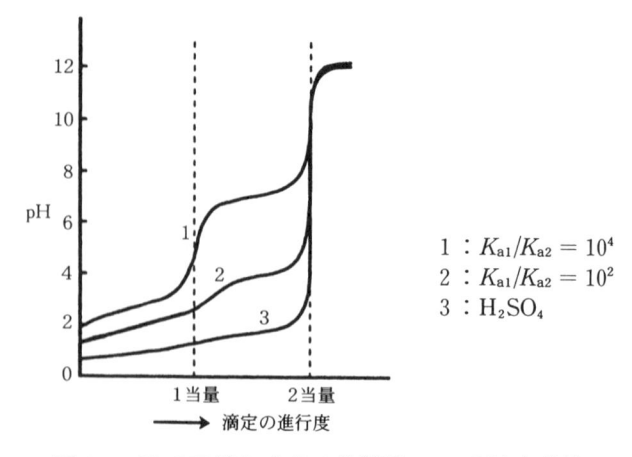

図 2.7　NaOH 液による二塩基酸 H_2A の滴定曲線

きければ（$K_{a1} \gg K_{a2}$），H_2A の中和がほとんど完了してから HA^- の中和が始まることになるため，その滴定曲線には明瞭な 2 段の pH 飛躍が現れる．

図 2.7 に，K_{a1}/K_{a2} が異なる 3 種類の二塩基酸 H_2A に対して，それぞれ同じ濃度の水酸化ナトリウム液で滴定した際の各滴定曲線を重ねて示した．図からわかるように，$K_{a1}/K_{a2} = 10^4$ であるような酸では，第 1 当量点と第 2 当量点にかなり明瞭な pH 飛躍を示す 2 段の滴定曲線（曲線 1）が得られる．一方，$K_{a1}/K_{a2} = 10^2$ であるような酸の滴定曲線（曲線 2）では，第 1 当量点の pH 飛躍は明瞭ではない．また，曲線 3 に示した硫酸の場合は，H_2SO_4 と HSO_4^- がどちらも（水中では強弱を比較しにくい）強い酸であり K_{a2} の値も非常に大きい（$K_{a2} = 0.012$）ため，第 1 当量点における pH 飛躍がほとんど現れず，一塩基酸の強酸と類似する滴定曲線の形状を示している．

C. 強塩基によるリン酸の滴定

多塩基酸の滴定の事例として，ここでは三塩基酸であるリン酸 H_3PO_4 の滴定について述べる．具体的には，0.1 mol/L リン酸 25 mL に対して，0.1 mol/L 水酸化ナトリウム液を標準液として V mL 滴加した場合の，被滴定液の pH 変化と滴定曲線について考える．

水溶液中におけるリン酸の多段階電離平衡と各電離定数は次のとおりとする．

$$H_3PO_4 \rightleftarrows H_2PO_4^- + H^+ \quad K_{a1} = 5.89 \times 10^{-3} \quad (pK_{a1} = 2.23) \tag{2.9}$$

$$H_2PO_4^- \rightleftarrows HPO_4^{2-} + H^+ \quad K_{a2} = 6.16 \times 10^{-8} \quad (pK_{a2} = 7.21) \tag{2.10}$$

$$HPO_4^{2-} \rightleftarrows PO_4^{3-} + H^+ \quad K_{a3} = 4.79 \times 10^{-13} \quad (pK_{a3} = 12.32) \tag{2.11}$$

また，水酸化ナトリウムによるリン酸の段階的な中和反応は，以下のとおり進行する．

$$\text{第 1 当量点まで}: H_3PO_4 + NaOH \longrightarrow NaH_2PO_4 + H_2O \tag{2.12}$$

$$\text{第 2 当量点まで}: NaH_2PO_4 + NaOH \longrightarrow Na_2HPO_4 + H_2O \tag{2.13}$$

（全反応式は $H_3PO_4 + 2NaOH \longrightarrow Na_2HPO_4 + 2H_2O$）

$$\text{第 3 当量点まで}: Na_2HPO_4 + NaOH \longrightarrow Na_3PO_4 + H_2O \tag{2.14}$$

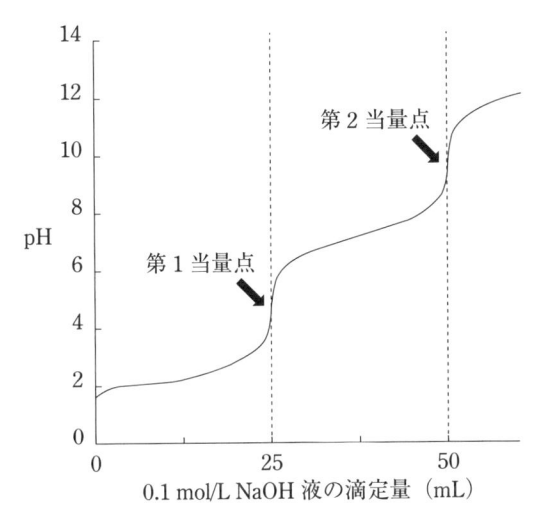

図 2.8　NaOH 液による H_3PO_4 の滴定曲線

（全反応式は $H_3PO_4 + 3NaOH \longrightarrow Na_3PO_4 + 3H_2O$）

なお，図 2.8 に示した滴定曲線の概略からわかるように，この滴定の第 3 当量点で生じるはずの PO_4^{3-} は強い陰イオン塩基であるため，水中での NaOH による滴定では pH 飛躍を観測できない．従って，本滴定によりリン酸を定量する場合は，第 1 当量点または第 2 当量点を滴定終点とし，そこまでの水酸化ナトリウム液の滴定量からリン酸含量を計算する．

a) $V = 0$ mL のとき（滴定開始前）

0.1 mol/L リン酸水溶液の pH を計算する．すなわち，式 (2.9) の K_{a1} は次のように表され，

$$K_{a1} = \frac{[H_2PO_4^-][H^+]}{[H_3PO_4]} = 5.89 \times 10^{-3} \tag{2.15}$$

$[H_2PO_4^-] = [H^+]$，$[H_3PO_4] \fallingdotseq 0.1$ mol/L であるので，

$$[H^+] = \sqrt{0.1 \times K_a} = 2.43 \times 10^{-2} \text{ mol/L}$$
$$\text{pH} = 1.615$$

b) $0 < V\ (= 12.5$ mL, 半当量点$) < 25$ のとき

式 (2.12) の中和反応に基づき，NaOH V mL の添加により中和されたリン酸に相当する量の塩 NaH_2PO_4（すなわち $H_2PO_4^-$）が生じる．一方で，溶液中には中和されていない未反応のリン酸 H_3PO_4 も残っている．したがって，V mL の添加時の両者の濃度はそれぞれ，

$$[H_2PO_4^-] = 0.1 \times \frac{V}{25 + V} \text{ mol/L}$$

$$[H_3PO_4] = 0.1 \times \frac{25 - V}{25 + V} \text{ mol/L}$$

である．また，この時の被滴定液の水素イオン濃度と pH は，式 (2.15) より，

$$[\mathrm{H}^+] = \frac{[\mathrm{H_3PO_4}]}{[\mathrm{H_2PO_4^-}]} \times K_{a1} \qquad \text{もしくは} \qquad \mathrm{pH} = \mathrm{p}K_{a1} + \log \frac{[\mathrm{H_2PO_4^-}]}{[\mathrm{H_3PO_4}]}$$

であるので，ここに両者の濃度を代入することで計算できる．

また特に，リン酸 $\mathrm{H_3PO_4}$ の半量が中和された**半当量点**（$V = 12.5$ mL）では，$[\mathrm{H_2PO_4^-}] = [\mathrm{H_3PO_4}]$ であるので，

$$[\mathrm{H}^+] = K_{a1}(= 5.89 \times 10^{-3}\,\mathrm{mol/L}) \qquad \text{もしくは} \qquad \mathrm{pH} = \mathrm{p}K_{a1}(= 2.23)$$

また，この時点では溶液が強い pH 緩衝液になっており，滴定による pH 変化が最小となる．

c) $V = 25$ mL（第 1 当量点）のとき

$\mathrm{H_3PO_4}$ と NaOH がモル比 1：1 で完全に中和し，生成した塩 $\mathrm{NaH_2PO_4}$ は完全電離してリン酸二水素イオン $\mathrm{H_2PO_4^-}$ が 0.05 mol/L 生じている．リン酸二水素イオンは両性物質（第 1 章，p.11 参照）であり，さらに下式の不均化反応が優先的に進行する．

$$\mathrm{H_2PO_4^-} + \mathrm{H_2PO_4^-} \rightleftarrows \mathrm{H_3PO_4} + \mathrm{HPO_4^{2-}}$$

$$K = \frac{[\mathrm{H_3PO_4}][\mathrm{HPO_4^{2-}}]}{[\mathrm{H_2PO_4^-}]^2} \left(= \frac{K_{a2}}{K_{a1}} \right) = 1.05 \times 10^{-5}$$

この不均化反応においては $[\mathrm{H_3PO_4}] = [\mathrm{HPO_4^{2-}}]$ であるので，

$$K_{a1} \times K_{a2} \left(= \frac{[\mathrm{H}^+][\mathrm{H_2PO_4^-}]}{[\mathrm{H_3PO_4}]} \times \frac{[\mathrm{H}^+][\mathrm{HPO_4^{2-}}]}{[\mathrm{H_2PO_4^-}]} \right) = [\mathrm{H}^+]^2$$

が成立し，さらに式を変形すると，

$$\mathrm{pH} = \frac{1}{2} (\mathrm{p}K_{a1} + \mathrm{p}K_{a2}) = 4.72 \qquad (2.16)$$

となる．従って，終点判定の指示薬としてはメチルレッドがふさわしい．

d) $25 < V$（$= 37.5$ mL，半当量点）< 50 のとき

式 (2.13) の中和反応に基づき，第 1 当量点以降の中和により生じた $\mathrm{Na_2HPO_4}$（すなわち $\mathrm{HPO_4^{2-}}$）と，未反応の $\mathrm{NaH_2PO_4}$（すなわち $\mathrm{H_2PO_4^-}$）が残っている．したがって，被滴定液は式 (2.10) の平衡状態にあり，その酸解離定数 K_{a2} は次のとおりである．

$$K_{a2} = \frac{[\mathrm{HPO_4^{2-}}][\mathrm{H}^+]}{[\mathrm{H_2PO_4^-}]} = 6.16 \times 10^{-8}$$

すなわち，この時の被滴定液の水素イオン濃度と pH は，

$$[\mathrm{H}^+] = \frac{[\mathrm{H_2PO_4^-}]}{[\mathrm{HPO_4^{2-}}]} \times K_{a2} \qquad \text{もしくは} \qquad \mathrm{pH} = \mathrm{p}K_{a2} + \log \frac{[\mathrm{HPO_4^{2-}}]}{[\mathrm{H_2PO_4^-}]}$$

であり，特に第 2 当量点までの**半当量点**（$V = 37.5$ mL）では，$[\mathrm{H_2PO_4^-}] = [\mathrm{HPO_4^{2-}}]$ であるので，

$$[\mathrm{H}^+] = K_{a2}(= 6.16 \times 10^{-8}\,\mathrm{mol/L}) \qquad \text{もしくは} \qquad \mathrm{pH} = \mathrm{p}K_{a2}(= 7.21) \text{ となる．}$$

また，この時点でも溶液は強い pH 緩衝液になっており，滴定による pH 変化が最小となる．

e）$V = 50$ mL（第 2 当量点）のとき

H_3PO_4 と NaOH がモル比 1 : 2 で完全に中和し，生成した塩 Na_2HPO_4 は完全電離して二価のリン酸水素イオン HPO_4^{2-} が生じている．リン酸水素イオンは（第 1 当量点のリン酸二水素イオンと同様に）両性物質であるため，さらに下式の不均化反応が優先的に進行する．

$$HPO_4^{2-} + HPO_4^{2-} \rightleftharpoons H_2PO_4^{-} + PO_4^{3-}$$

$$K = \frac{[H_2PO_4^{-}][PO_4^{3-}]}{[HPO_4^{2-}]^2} \left(= \frac{K_{a3}}{K_{a2}} \right) = 7.78 \times 10^{-6}$$

この不均化反応においては $[H_2PO_4^{-}] = [PO_4^{3-}]$ であるので，

$$K_{a2} \times K_{a3} \left(= \frac{[H^+][HPO_4^{2-}]}{[H_2PO_4^{-}]} \times \frac{[H^+][PO_4^{3-}]}{[HPO_4^{2-}]} \right) = [H^+]^2$$

が成立し，さらに式を変形すると，

$$pH = \frac{1}{2}(pK_{a2} + pK_{a3}) = 9.765$$

となる．従って，終点判定の指示薬としてはフェノールフタレインがふさわしい．

なお，図 2.8 に示した滴定曲線においては，第 1 当量点（25 mL）と第 2 当量点（50 mL）におけるpH 飛躍が明瞭であることが分かる．逆に，各当量点前の半当量点（12.5 mL と 37.5 mL）では溶液はpH 緩衝液になっているため，pH 変化量が小さく水平な曲線形状を示している．

D．強酸による炭酸塩の滴定

二塩基酸である炭酸 H_2CO_3 の電離は

$$H_2CO_3 \rightleftharpoons HCO_3^{-} + H^+ \qquad K_{a1} = 4.57 \times 10^{-7} \quad (pK_{a1} = 6.34) \qquad (2.17)$$

$$HCO_3^{-} \rightleftharpoons CO_3^{2-} + H^+ \qquad K_{a2} = 5.62 \times 10^{-11} \quad (pK_{a2} = 10.25) \qquad (2.18)$$

の 2 段階反応で進行する（$K_{a1} \gg K_{a2}$）．一方，（炭酸と水酸化ナトリウムの中和の塩である）炭酸ナトリウム Na_2CO_3 は水中では陰イオン塩基の炭酸イオン CO_3^{2-} とナトリウムイオンに完全電離し，生じた炭酸イオンは（弱塩基であり）強酸で滴定することができる．例えば，塩酸による滴定では以下の 2 段階で中和反応が進行する．

第 1 当量点：$Na_2CO_3 + HCl \longrightarrow NaHCO_3 + NaCl$

$$(CO_3^{2-} + H^+ \longrightarrow HCO_3^{-}) \qquad (2.19)$$

第 2 当量点：$NaHCO_3 + HCl \longrightarrow H_2CO_3 + NaCl$

$$(HCO_3^{-} + H^+ \longrightarrow H_2CO_3) \qquad (2.20)$$

その際の滴定曲線には各段階に対応した明瞭な 2 段の pH 飛躍が現れるので，適当な指示薬を選べば第 1 当量点と第 2 当量点を別々に求めることができる．ここでは具体的な事例として，0.1 mol/L Na_2CO_3 を 0.1 mol/L HCl で滴定する場合の第 2 当量点までの pH を算出してみよう．

まず，滴定開始から第 1 当量点までの間では，式（2.19）のとおり炭酸イオン CO_3^{2-} から炭酸水素イオン HCO_3^{-} へ変化するので，被滴定液の水素イオン濃度やpH は式（2.18）の K_{a2} 式に両

イオンの濃度を代入して計算できる．すなわち，

$$[H^+] = \frac{[HCO_3^-]}{[CO_3^{2-}]} \times K_{a2} \qquad もしくは \qquad pH = pK_{a2} + \log\frac{[CO_3^{2-}]}{[HCO_3^-]}$$

より求められ，特に半当量点では，$[CO_3^{2-}] = [HCO_3^-]$ であるので，$[H^+] = K_{a2}(= 5.62 \times 10^{-11}$ mol/L) もしくは pH = $pK_{a2}(= 10.25)$ となる．

第1当量点では Na_2CO_3 が全て中和されて酸性塩の $NaHCO_3$ となる．この塩は両性物質であり，その完全電離で生じる炭酸水素イオン HCO_3^- が（先述のリン酸二水素イオン $H_2PO_4^-$ と同様に）不均化反応を起こすため，式 (2.16) と同様に，

$$pH = \frac{1}{2}(pK_{a1} + pK_{a2}) = \frac{1}{2}(6.34 + 10.25) = 8.295 と算出される．$$

次に，第1当量点から第2当量点までの間では，式 (2.20) のとおり炭酸水素イオン HCO_3^- から炭酸 H_2CO_3 へ変化するので，被滴定液の水素イオン濃度や pH は式 (2.17) の K_{a1} 式に両イオンの濃度を代入して計算できる．すなわち，

$$[H^+] = \frac{[H_2CO_3]}{[HCO_3^-]} \times K_{a1} \qquad もしくは \qquad pH = pK_{a1} + \log\frac{[HCO_3^-]}{[H_2CO_3]}$$

より求められ，特に半当量点では，$[HCO_3^-] = [H_2CO_3]$ であるので，$[H^+] = K_{a1}(= 4.57 \times 10^{-7}$ mol/L) もしくは pH = $pK_{a1}(= 6.34)$ となる．

第2当量点ではさらに中和が進行し全て H_2CO_3 となる．この溶液の pH は式 (2.17) の K_{a1} 式

$$K_{a1} = \frac{[HCO_3^-][H^+]}{[H_2CO_3]} = 4.57 \times 10^{-7}$$

より計算でき，$[HCO_3^-] = [H^+]$，$[H_2CO_3] \fallingdotseq (0.1/3)$ mol/L であるので，

$$[H^+] = \sqrt{0.1/3 \times K_a} = 1.23 \times 10^{-4} \text{ mol/L}$$

$$pH = 3.91$$

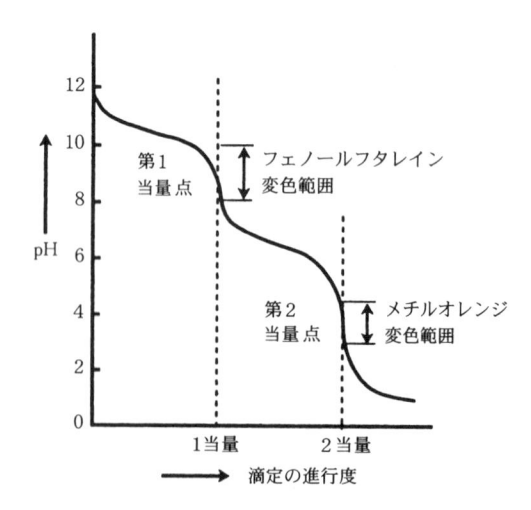

図 2.9 HCl 液による Na_2CO_3 の滴定曲線

と算出され，滴定曲線は図2.9のようになる．従って，第1当量点はフェノールフタレインを，第2当量点はメチルオレンジを指示薬として滴定すれば，それぞれの終点までの滴定量を求めることができる．

この方法は，さらにNaOHとNa$_2$CO$_3$の混合物の分離定量法（*Warder*法）へと実用化されており，日本薬局方水酸化ナトリウムや水酸化カリウムの定量にも利用されている．また，日本薬局方における容量分析用標準液としての塩酸や硫酸の標定に際しては，炭酸ナトリウムを標準試薬として，指示薬にメチルレッド試液を用いる上述の滴定が利用されている（表2.2参照）．

2-4 非水溶液中での酸塩基滴定

K_aやK_bの値が非常に小さい酸や塩基は水溶液中ではほとんど電離しないため，強塩基や強酸で滴定しても明瞭なpH飛躍が現れず定量できないが，水以外の溶媒（非水溶媒，第1章2-6参照）を適切に選択すると電離が促進されて滴定が可能になる．非水溶媒を用いて滴定する方法を**非水滴定** non-aqueous titration という．主な非水溶媒の種類ごとの滴定事例を以下に記述する．

A. 両性溶媒（例：エタノール）中での滴定

水も含めた両性溶媒はプロトンの供与能と受容能に差がないので，非常に弱い酸や塩基を滴定することができない．しかし，エタノールEtOHは水よりも脂溶性有機化合物をよく溶かすので，水に難溶性の中程度の酸や塩基（例：安息香酸，ヘキシルアミン，バルビツール酸誘導体など）を滴定する際の溶媒として適している．

B. 酸性溶媒（例：酢酸）中での弱塩基の滴定

アニリン（C$_6$H$_5$-NH$_2$, $K_b = 4.2 \times 10^{-10}$）は弱塩基のアンモニア（NH$_3$, $K_b = 1.8 \times 10^{-5}$）よりも塩基性が弱いため水中では滴定できない．一方，酸性溶媒の酢酸CH$_3$COOHは水よりもプロトン供与能が大きい溶媒であるため，氷酢酸中ではアニリンは強いプロトン受容体（塩基）として電離し，過塩素酸HClO$_4$のような強酸標準液での滴定が可能となる．氷酢酸中でのアニリンの電離は次のとおりである．

$$C_6H_5\text{-}NH_2 + CH_3COOH \rightleftharpoons C_6H_5\text{-}NH_3^+ \cdot CH_3COO^- \tag{2.21}$$

この溶媒は誘電率が小さいため，生成した正負のイオンは完全には解離せずイオン対を形成している．一方，滴定剤（標準液）である過塩素酸は（酢酸中でも）強酸として働き，溶媒和プロトンCH$_3$COOH$_2^+$を生じさせる．

$$HClO_4 + CH_3COOH \rightleftharpoons CH_3COOH_2^+ \cdot ClO_4^- \tag{2.22}$$

すなわち，式（2.21）で生じた溶媒陰イオンCH$_3$COO$^-$（を含むイオン対）と，式（2.22）で生じた溶媒和プロトンCH$_3$COOH$_2^+$（を含むイオン対）の中和反応は次のとおりであり，

$$C_6H_5\text{-}NH_3^+ \cdot CH_3COO^- + CH_3COOH_2^+ \cdot ClO_4^- \rightleftarrows$$
$$C_6H_5\text{-}NH_3^+ \cdot ClO_4^- + 2CH_3COOH$$

結果的に(見かけ上),次の中和反応が進行したことになる.
$$C_6H_5\text{-}NH_2 + HClO_4 \rightleftarrows C_6H_5\text{-}NH_3^+ \cdot ClO_4^-$$

生成した中和の塩(アニリンの過塩素酸塩)はイオン対を作って解離せず,反応は右へ進むため滴定が可能となる.

同様な反応により,日本薬局方においても多数の弱塩基性薬物の非水滴定による定量が行われている.また,日本薬局方における過塩素酸標準液の標定は,酢酸溶媒中でフタル酸水素カリウムを標準試薬として,指示薬にクリスタルバイオレット試液を用いる本法で行われている(表2.2参照).

C. 塩基性溶媒(例:ブチルアミン)中での弱酸の滴定

フェノール(C_6H_5-OH, $K_a = 1.05\times10^{-10}$)は弱酸の酢酸($K_a = 1.75\times10^{-5}$)よりも酸性が弱いため水中では滴定できない.一方,塩基性溶媒のブチルアミン Bu-NH_2 は水よりもプロトン受容能が大きい溶媒であるため,ブチルアミン中ではフェノールは強いプロトン供与体(酸)として電離し,ナトリウムメトキシド CH_3ONa のような強塩基標準液での滴定が可能となる.ブチルアミン中でのフェノールとナトリウムメトキシドの電離はそれぞれ次のとおりである.

$$C_6H_5\text{-}OH + Bu\text{-}NH_2 \rightleftarrows C_6H_5\text{-}O^- \cdot Bu\text{-}NH_3^+ \tag{2.23}$$
$$CH_3ONa + Bu\text{-}NH_2 \rightleftarrows Bu\text{-}NH^- \cdot Na^+ + CH_3OH \tag{2.24}$$

すなわち,式(2.23)で生じた溶媒和プロトン Bu-NH_3^+(を含むイオン対)と,式(2.24)で生じた溶媒陰イオン Bu-NH^-(を含むイオン対)の中和反応は次のとおりであり,

$$C_6H_5\text{-}O^- \cdot Bu\text{-}NH_3^+ + Bu\text{-}NH^- \cdot Na^+ \rightleftarrows C_6H_5\text{-}O^- \cdot Na^+ + 2Bu\text{-}NH_2$$

結果的に(見かけ上),次の中和反応が進行したことになる.

$$C_6H_5\text{-}OH + CH_3ONa \rightleftarrows C_6H_5\text{-}O^- \cdot Na^+ + CH_3OH$$

D. 滴定終点の判定

非水滴定においては,ガラス電極を指示電極とする電位差滴定法(第4章,表4.3参照)が終点判定によく用いられる.また,目視指示薬としては,クリスタルバイオレット(塩化メチルロザニリン)や p-ナフトールベンゼイン(図2.10)などが用いられるが,その選択は経験的である.

クリスタルバイオレット
（塩化メチルロザニリン）

p-ナフトールベンゼイン

図 2.10　非水滴定用の目視指示薬

3　沈殿滴定

　2種類の電解質溶液を混合すると難水溶性の塩が生成する沈殿反応において，その反応が定量的に進行するとき，一方の溶液の濃度が既知であればその反応の当量関係から他方の溶液の濃度を算出することができる．例えば，塩化ナトリウム NaCl 水溶液に硝酸銀 $AgNO_3$ 水溶液を加えて塩化銀 AgCl の白色沈殿が生じる反応

$$AgNO_3 + NaCl \rightleftarrows AgCl（沈）+ NaNO_3 \tag{2.25}$$
$$(Ag^+ + Cl^- \rightleftarrows AgCl)$$

において，濃度既知の $AgNO_3$ 標準液を用いれば，その反応体積から試料液中の NaCl 濃度を算出することができる．例えば，NaCl 濃度が x mol/L の試料液 10 mL に 1 mol/L $AgNO_3$ 標準液 20 mL が反応したとすれば，

$$x \times \frac{10}{1000} = 1 \times \frac{20}{1000} \quad \text{ゆえ} \quad x = 2 \text{ mol/L}$$

のように求めることができる．このように難溶性電解質の沈殿生成反応を利用する容量分析法を**沈殿滴定** precipitimetry という．

3-1　沈殿滴定の滴定曲線

　式（2.25）で表される沈殿反応について，滴定中の塩化物イオン濃度 $[Cl^-]$ 及び銀イオン濃度 $[Ag^+]$ の変化を考えてみよう．ここでは，0.1 mol/L NaCl 水溶液 100 mL に対して，0.1 mol/L $AgNO_3$ 液を標準液として V mL 滴加した場合の，各濃度変化と滴定曲線について記述する．

a) $V = 0$ mL のとき(滴定開始前)

NaCl は完全電離するので,
$$[Cl^-] = 1 \times 10^{-1} \text{ mol/L}, \quad pCl(= -\log[Cl^-]) = 1$$

b) $V < 100$ mL のとき(当量点前)

溶液中の $[Cl^-]$ は,滴定されていない未反応の NaCl の完全電離によって生じるので,$V = 50$ mL(半当量点)では,
$$[Cl^-] = 0.1 \times \frac{50}{150} = 3.3 \times 10^{-2} \text{ mol/L}, \quad pCl = 1.48$$

この時,滴定で生じた塩化銀 AgCl の沈殿から微量の銀イオンが生じており,その濃度は AgCl の溶解度積 $K_{sp} = [Ag^+][Cl^-] = 1.1 \times 10^{-10}$ より,
$$[Ag^+] = \frac{K_{sp}}{[Cl^-]} = \frac{1.1 \times 10^{-10}}{3.3 \times 10^{-2}} = 3.3 \times 10^{-9} \text{ mol/L}, \quad pAg = 8.48$$

また,$V = 90$ mL では,
$$[Cl^-] = 0.1 \times \frac{10}{190} = 5.3 \times 10^{-3} \text{ mol/L}, \quad pCl = 2.28$$

c) $V = 100$ mL のとき(当量点)

NaCl と $AgNO_3$ が過不足なく反応し,AgCl(沈)$\rightleftarrows Ag^+ + Cl^-$ の平衡のみが成立しているので $[Cl^-] = [Ag^+]$ である.さらに溶解度積の式より,
$$[Cl^-] = [Ag^+] = \sqrt{K_{sp}} = \sqrt{1.1 \times 10^{-10}} = 1.05 \times 10^{-5} \text{ mol/L}, \quad pCl = 4.98$$

d) $V > 100$ mL のとき(当量点以降)

当量点以降では,過剰の $AgNO_3$ 液から銀イオンが遊離するので,$V = 100.1$ mL であれば,
$$[Ag^+] = 0.1 \times \frac{0.1}{200.1} = 5 \times 10^{-5} \text{ mol/L}, \quad pAg = 4.30$$

またこのとき,AgCl の溶解度積 $K_{sp} = [Ag^+][Cl^-] = 1.1 \times 10^{-10}$ より,
$$[Cl^-] = \frac{K_{sp}}{[Ag^+]} = \frac{1.1 \times 10^{-10}}{5 \times 10^{-5}} = 2.2 \times 10^{-6} \text{ mol/L}, \quad pCl = 5.66$$

このようにして求めた各段階の pCl 値の変化を,図 2.11 に滴定曲線として示した.図から分かるように,当量点の前後で pCl の急激な変化(pCl 飛躍)が起こり,滴定反応が定量的に進行する.このとき,$AgNO_3$ 標準液の濃度が 0.1 mol/L(Ⅰ:実線)の方が,0.01 mol/L(Ⅱ:点線)よりも当量点における pCl 飛躍の範囲が大きいため,滴定の正確さが向上する.また,図には示さないが,ヨウ化物イオン I^- を $AgNO_3$ 液で滴定した場合は,反応で生じる難溶性塩 AgI の溶解度積($K_{sp} = 1 \times 10^{-16}$)が AgCl($K_{sp} = 1.1 \times 10^{-10}$)よりも小さいため,飛躍の範囲が非常に大きくなって滴定の正確さが増す.このように,標準液の濃度や難溶性塩の溶解度の値は,沈殿滴定の正確さに直接的に関わる要因である.

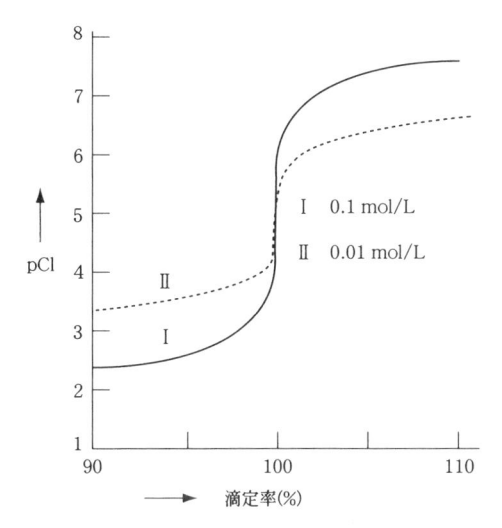

図 2.11　AgNO₃ 液による NaCl の滴定曲線

3-2　滴定終点の検出

沈殿滴定の当量点において，過量の標準液と着色性の物質を生じる試薬があれば，終点検出用の目視指示薬として利用することができる．特に銀塩生成反応に基づく沈殿滴定では，以下に示すような（名称付きの）各種方法が知られている．

A．モール法

AgCl の溶解度積（$K_{sp}(=s^2)=1.1\times10^{-10}$）はクロム酸銀 Ag_2CrO_4（$K_{sp}(=4s^3)=2\times10^{-12}$）よりも大きいが，AgCl のモル溶解度（$s=1.05\times10^{-5}$ mol/L）は Ag_2CrO_4（$s=7.9\times10^{-5}$ mol/L）よりも小さいため，AgCl の方が Ag_2CrO_4 よりも難溶性である．このことを利用して終点の目視判定を行う沈殿滴定法を**モール法** *Mohr* method という．

モール法では，塩化物イオン Cl^- を含む試料液に（指示薬として）クロム酸カリウム K_2CrO_4 試液を加えてから $AgNO_3$ 標準液で滴定を行うと，まず最初に AgCl の白色沈殿が生じ，次いで Ag_2CrO_4 の赤褐色沈殿が生じる．理想的には，滴定の進行に伴って AgCl の沈殿生成が完結した瞬間（当量点）に Ag_2CrO_4 の赤褐色沈がわずかに生じ，終点を正確に目視判定できることが望ましいが，そのためには指示薬である K_2CrO_4 試液の濃度 $[CrO_4^{2-}]$ を適正に保つ必要がある．

具体的には，当量点（前出の 3-1 c)）では $[Ag^+]=[Cl^-]=1.05\times10^{-5}$ mol/L であるので，当量点において Ag_2CrO_4 の赤褐色沈殿を生じさせるのに必要な $[CrO_4^{2-}]$ は，Ag_2CrO_4 の溶解度積 $K_{sp}=[Ag^+]^2[CrO_4^{2-}]=2\times10^{-12}$ より，

$$[CrO_4^{2-}]=\frac{K_{sp}}{[Ag^+]^2}=\frac{2\times10^{-12}}{(1.05\times10^{-5})^2}=0.018 \text{ mol/L}$$

であると計算できる．

しかし実際に指示薬として K_2CrO_4 試液を使用する濃度は，通常 0.005 〜 0.01 mol/L 程度を用いる．赤褐色沈殿に対する CrO_4^{2-} の黄色による妨害を回避するため薄い濃度を用いているが，この濃度範囲であれば指示薬誤差は小さい．また，この指示薬を用いる場合，被滴定液の液性は pH 6.5 〜 10.5 の範囲に保つ必要がある．アルカリ性が強すぎると Ag_2O の沈殿が生じる副反応が起こり，一方で酸性が強すぎると CrO_4^{2-} が $Cr_2O_7^{2-}$ になるため，Ag_2CrO_4 の沈殿が溶解して着色が認められなくなるからである．

B. ファヤンス法

フルオレセイン（図 2.12）を指示薬として加えて，塩化物イオン Cl^- を $AgNO_3$ 標準液で滴定すると，当量点をわずかに過ぎた時点で AgCl の沈殿が紅色に変わるので，この点を終点として目視判定することができる．このように沈殿に吸着することで色調変化する指示薬を**吸着指示薬** absorption indicator といい，吸着指示薬を用いる銀滴定法を**ファヤンス法** Fajans method という．

酸性色素であるフルオレセインを指示薬とする場合，当量点前の段階では（滴定により生じた）AgCl の沈殿表面には過剰の Cl^- が吸着しており，溶液中のフルオレセイン陰イオン Fl^-（緑色）は負に帯電した沈殿表面に吸着することなく電離している．しかし当量点を過ぎると，沈殿表面の Cl^- は消失し，代わりに過剰（に加えられた標準液由来）の Ag^+ に覆われる．このとき，この正に帯電した沈殿表面へ Fl^- が強く吸着し，沈殿の色調が紅色に変化するので終点を決定することができる（図 2.13）．

フルオレセインは弱酸であり，上述の $AgNO_3$ 標準液による Cl^- の滴定を行う場合，被滴定液の液性は pH 7 〜 10 が適当である．一方，図 2.12 に示した他の吸着指示薬，例えばジクロロフルオレセインを用いる場合は pH 4.4 以上で滴定が可能である．エオシンは吸着力が強すぎて

フルオレセイン　　　　　ジクロロフルオレセイン

エオシン　　　　　ローダミン 6G

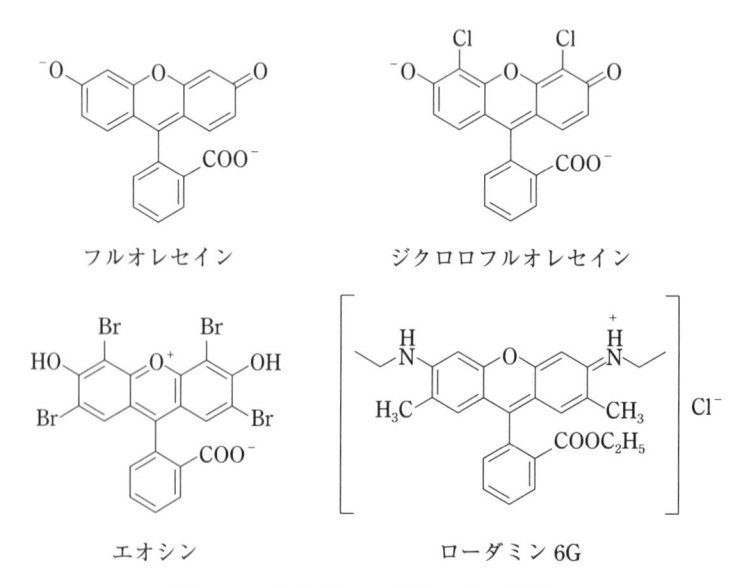

図 2.12　代表的な吸着指示薬の構造式

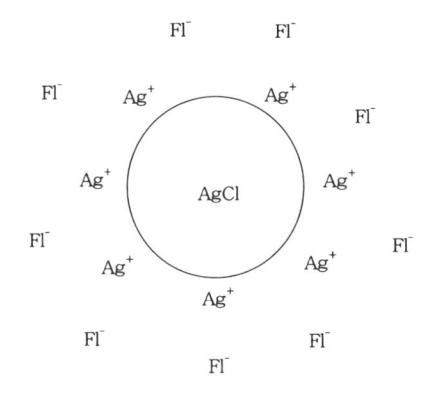

図 2.13 当量点を過ぎて AgCl の沈殿に吸着された Ag^+ のフルオレセインイオンとの結合

Cl^- には不適当であるが，pH 2 以上で Br^-，I^-，SCN^- の滴定に利用される．また，$AgNO_3$ 標準液による滴定で生じたハロゲン化銀の沈殿が酸性色素を吸着する力は AgCl ＜ AgBr ＜ AgI の順であるため，定量するハロゲンイオンの種類によって指示薬を選択する必要がある．一方で，これを利用して指示薬と液性を適切に使い分ければ，ハロゲンイオンの混合溶液を分別滴定することも可能になる．上述とは逆に，NaCl 標準液で Ag^+ を滴定した場合は（当量点を過ぎると）沈殿が負に帯電するが，このような場合の指示薬には塩基性色素，例えばローダミン 6G のような色素が適している（図 2.12）．

なお，日本薬局方における硝酸銀標準液の標定は，塩化ナトリウムを標準試薬として，指示薬にフルオレセインナトリウム試液を用いるファヤンス法で行われている（表 2.2 参照）．

C．フォルハルト法

Ag^+，Hg^{2+} を NH_4SCN 又は KSCN 標準液で滴定する方法は，**チオシアン酸塩滴定** thiocyanimetry 又は**フォルハルト法** *Volhard* method とも呼ばれる．

$$NH_4SCN + Ag^+ \rightleftharpoons AgSCN（白沈，K_{sp} = 10^{-12}）+ NH_4^+$$

$$2KSCN + Hg^{2+} \rightleftharpoons Hg(SCN)_2 + 2K^+$$

Ag^+ を含む試料液に，（指示薬として）Fe^{3+} を共存させた状態でチオシアン酸塩標準液を滴加していくと，まず AgSCN の白色沈殿を生じ，続いて $[FeSCN]^{2+}$ の赤色錯イオンを生じるから，わずかに赤色の現れる点が終点である．本法の指示薬には，硫酸アンモニウム鉄(Ⅲ)試薬を使用するが，その際の液性は硝酸又は硫酸酸性が適当であり，酸性が弱いと Fe^{3+} が加水分解して，$Fe(OH)_3$ を生じる恐れがある．フォルハルト法は，日本薬局方におけるチオシアン酸アンモニウム液の標定にも利用されている．しかしこの場合は適切な標準試薬がないため，（事前にファヤンス法で標定済の）硝酸銀標準液に対して，硫酸アンモニウム鉄(Ⅲ)試液を指示薬とする間接法による標定が行われる（表 2.2 参照）．

なお，上述の反応式で示した Hg^{2+} の滴定で生じる $Hg(SCN)_2$ は，AgSCN のように難溶性では

ないから，この反応は厳密には沈殿滴定ではない．この方法を逆に使って，第二水銀塩の標準液を用いて SCN^-，CN^-，ハロゲンイオンなどを滴定する方法（第二水銀塩滴定）も行われる．

また，フォルハルト法は間接的に Cl^-，Br^-，I^-，CN^-，SCN^-，S^{2-} などの定量に利用される．具体的には，まずこれらのイオンに一定過量の $AgNO_3$ 標準液を加えて難溶性塩として全て沈殿させてから，余剰分の $AgNO_3$ を NH_4SCN 標準液で滴定する．このとき消費した両標準液の体積の差から，目的イオンと反応した $AgNO_3$ 量を求めて，さらに目的イオンの量を算出する．この方法を，フォルハルトの余剰滴定法と呼ぶ．

D. その他の方法

1) 電位差滴定法

塩素，臭素，ヨウ素，フッ素又はイオウなどを含む有機化合物を，酸素を満たしたフラスコ中で燃焼分解し，その中に含まれるハロゲン又はイオウなどを確認又は定量する方法は，酸素フラスコ燃焼法（日局 17）と呼ばれる．このとき，熱分解で生じた Cl^-，Br^-，I^- に対しては，$AgNO_3$ 標準液を用いて沈殿滴定を行って定量する．その際の終点判定法は銀電極を指示電極とする電位差滴定法（第 4 章参照）により行われ，滴定経過に伴う電位変化を計測するが，終点の電位飛躍を大きくするために被滴定液へ事前にイソプロパノールを加えてから，滴定を開始する．また，ヨウ素に対しては，検液に抱水ヒドラジンを加えて I^- としてから，Cl^-，Br^- と同様に $AgNO_3$ 標準液で滴定する必要がある．

2) 金属指示薬による方法

イオウを含む有機化合物を酸素フラスコ中で燃焼分解して SO_4^{2-} とし，これに過塩素酸バリウム $Ba(ClO_4)_2$ 標準液を一定過量加えて $BaSO_4$ として沈殿させ，過量の $Ba(ClO_4)_2$ を硫酸標準液で逆滴定する（指示薬：アルセナゾIII試液）．

$$SO_4^{2-} + Ba(ClO_4)_2 \longrightarrow BaSO_4(沈) + 2ClO_4^-$$

この滴定では，指示薬と Ba^{2+} が結合したアルセナゾIII・Ba（赤紫色）が当量点を過ぎると遊離のアルセナゾIII（紅色）へ変化するので，その色調変化により終点判定する．

3) 等濁法

NaCl 標準液を用いる銀の定量法として，*Gay-Lussac* 滴定法又は**等濁法** equal turbidity method と呼ばれる方法がある．終点は NaCl 標準液を滴加しても，もはや AgCl の沈殿が析出しなくなる点を求めるもので，指示薬を用いない特徴がある．被滴定液の透明点又は濁度を比較する方法であり，終点は溶液中の $[Ag^+]$ と $[Cl^-]$ が等しい点なので，被滴定液を少量取り出して二等分し，それぞれに $AgNO_3$ 標準液又は NaCl 標準液を加えて比濁する．濁度が同程度になるまで滴定を続けて等しい濁度を示す点を終点とするものである．

4 キレート滴定

錯体の生成反応を用いる滴定を**錯生成滴定** complexometric titration という．ここでは，単座配位子と金属イオンの反応を利用する狭義の錯滴定 compleximetry と，多座配位子と金属イオンのキレート生成を利用する**キレート滴定** chelatemetric titration とを区別して記述する．

4-1 単座配位子を用いる錯滴定

単座配位子を用いる錯滴定では，生成する無機金属錯体の安定性がキレートよりも劣るため，実用可能な滴定法は限られている．しかし，金属イオンと安定な配位化合物を生じさせ，当量点付近で金属イオン濃度が大きく変化し，さらに終点判定できる適切な指示薬がある場合は，滴定による金属イオンの定量が可能となる．このような条件を満たす代表的な容量分析法として，CN^- を $AgNO_3$ 標準液で滴定する**リービッヒ法** $Liebig$ method が知られている．

同法の主な化学反応は次のとおりである．まず，CN^- を含む試料液に $AgNO_3$ 液を加えていくと，CN^- に対して Ag^+ が 1/2 当量（モル比で半量）に達するまでは，次の反応に従って水溶性のシアノ錯イオンが生じ，沈殿生成は起こらない．

$$2CN^- + Ag^+ \rightleftarrows [Ag(CN)_2]^- \tag{2.26}$$

この状態でさらに $AgNO_3$ 液を 1 滴過剰に加えると，次の反応が起こり，上記の平衡が破綻して $Ag[Ag(CN)_2]$（$= 2AgCN$）が沈殿する．

$$[Ag(CN)_2]^- + Ag^+ \rightleftarrows Ag[Ag(CN)_2]（沈） \tag{2.27}$$

この $AgCN$ の白色沈殿が最初に生じた瞬間を終点とすれば，式（2.26）の当量関係（$AgNO_3$ 1 モルがシアン化物 2 モルに対応）から CN^- を定量することができる．リービッヒ法による定量の正確さは，当量点前に生じるジシアノ銀（I）錯イオン $[Ag(CN)_2]^-$ の錯生成定数（$K_f = 1 \times 10^{21}$）が大きく安定で，さらに当量点後に生じる沈殿 $AgCN$ の溶解度積（$K_{sp} = 4 \times 10^{-12}$）が非常に小さいこと，などに基づいている．

具体例として，1.0×10^{-1} mol/L KCN を 1.0×10^{-1} mol/L $AgNO_3$ 液で滴定した場合の，被滴定液中の銀イオン濃度 $[Ag^+]$ 変化について考えてみる．まず，滴定率が 10% の時点では，未反応の KCN 濃度 $[CN^-]$ と生成した錯イオン濃度 $[[Ag(CN)_2]^-]$ はそれぞれ，

$$[CN^-] = 1.0 \times 10^{-1} \times \frac{9}{10} = 9 \times 10^{-2} \text{ mol/L}$$

$$[[Ag(CN)_2]^-] = 1.0 \times 10^{-1} \times \frac{1}{10} \times \frac{1}{2} = 5 \times 10^{-3} \text{ mol/L}$$

であり，これらを式 (2.26) の K_f 式に代入すれば，

$$K_f = \frac{[[Ag(CN)_2]^-]}{[Ag^+][CN^-]^2} = 10^{21}$$

$$[Ag^+] = \frac{[[Ag(CN)_2]^-]}{K_f[CN^-]^2} = \frac{5 \times 10^{-3}}{10^{21} \times (9 \times 10^{-2})^2} = 6.2 \times 10^{-22} \text{ mol/L}$$

と計算できる．また，当量点（滴定率 100 %）での $[Ag^+]$ は，式 (2.27) の沈殿 AgCN の溶解度積 K_{sp} 式より計算でき，このときの錯イオン濃度は

$$[[Ag(CN)_2]^-] = 1.0 \times 10^{-1} \times \frac{1}{2} = 5 \times 10^{-2} \text{ mol/L}$$

$$[Ag^+] = \frac{K_{sp}}{[[Ag(CN)_2]^-]} = \frac{4 \times 10^{-12}}{5 \times 10^{-2}} = 8 \times 10^{-11} \text{ mol/L}$$

となる．

この滴定における pAg（$= -\log[Ag^+]$）を滴定率に対してプロットすると，図 2.14 の実線のような滴定曲線が得られる．図の点線は，滴定反応により錯イオン $[Ag(CN)_2]^-$ の生成のみを考慮した場合の滴定曲線であるが，実際は当量点以降で AgCN の沈殿が生じるため，$[Ag^+]$ は（沈殿の溶解度積に基づいて）実線の挙動を示す．

なお，リービッヒ法では $AgNO_3$ 液の滴加部位に一瞬現れる AgCN の白沈が，当量点に近づくにつれて振り混ぜても溶けにくくなるので，滴定に時間を要する．この点を改良して迅速化したのが**ドニージェ法** *Deniges* method で，アンモニアアルカリ性で滴定を行うことによって，AgCN が沈殿するのを防いでいる．NH_3 が共存すると $[Ag(NH_3)_2]^+$（$\log K_f = 7.15$）が生成するが，これよりも $[Ag(CN)_2]^-$（$\log K_f = 21$）のほうがいっそう安定であるので，当量点に達するまでの $[Ag(CN)_2]^-$ の生成反応が妨げられることはない．

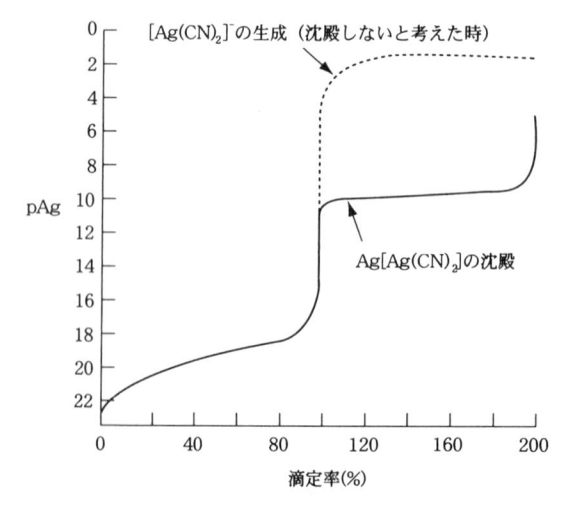

図 2.14　0.1 mol/L $AgNO_3$ による 0.1 mol/L KCN の滴定曲線
（長瀬雄三ら (1992) 基礎分析化学通論〔上〕，廣川書店より引用）

ドニージェ法の場合，当量点を過ぎても過剰の Ag^+ は $[Ag(NH_3)_2]^+$ となり，AgCN の沈殿が生じない．そこで指示薬として KI を加えると，当量点を過ぎて加えられた Ag^+ は NH_3 の存在下でも直ちに AgI の沈殿を生じる．この AgI の黄濁は AgCN の白濁よりもいっそう認めやすい．

なお，リービッヒ法を応用すれば，Ag^+ よりも安定なシアノ錯イオンを形成する金属イオン（Hg^{2+}，Cu^{2+}，Ni^{2+}，Co^{2+} など）を，間接法で滴定することもできる．

その他，Cl^-，Br^-，I^-，CN^-，SCN^- などは Hg^{2+} との間に，$[HgX_4]^{2-}$，$[HgX_2]$，$[Hg(SCN)_2]$，$[Hg(CN)_2]$ などの難解離性の錯体を生成する．これらは**第二水銀塩滴定** mercurimetry と呼ばれる．

4-2 多座配位子を用いるキレート滴定

Cd^{2+} のような金属イオン M と CN^-，NH_3 など単座配位子 L との間には，

$$M \longrightarrow ML_1 \longrightarrow ML_2 \longrightarrow \cdots \longrightarrow ML_n$$

のように金属イオン M の配位数を満たすまで，各段階の錯体を逐次生成する．図 2.15 に見られるように，強酸を NH_3 で滴定すると当量点における pH 飛躍が大きく現れるのに対して，Cd^{2+} と NH_3 との間には，逐次錯体生成反応が進行する．無機単座配位子より成る錯体においては，4 段階の錯生成の逐次生成定数 $\log k_1 \sim \log k_2$ にさほど差がないため，図に見られるように当量点のずっと前から滴定曲線はなだらかに上昇して明瞭な pM 飛躍を示さず，金属−単座配位子間の反応は一般に逐次滴定することが困難である．

一方，エチレンジアミン四酢酸（EDTA），ニトリロ三酢酸（NTA），シクロヘキサンジアミン四酢酸（CyDTA）などのアミノポリカルボン酸類は多種類の金属イオンと安定なキレート化合物を生成する．特に EDTA，CyDTA などの多座配位子を用いると，金属：多座配位子のモル比

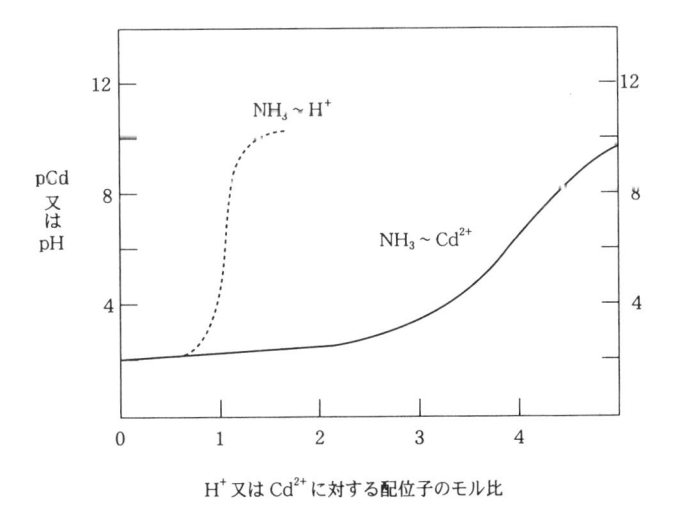

図 2.15 NH_3 による H^+ 又は Cd^{2+} の滴定曲線

が1:1の錯体だけを生成して，当量点においてK_fの値に対応した明瞭なpM飛躍が得られる．

EDTAのような多座配位子を用いるキレート滴定では，例えばpH 4～5の領域において，相手の金属イオンに関係なく常に1:1の比で反応して，無色で水溶性のキレートを生成する．

$$M^{2+} + H_2Y^{2-} \rightleftarrows [M^{II}Y]^{2-} + 2H^+$$

$$M^{3+} + H_2Y^{2-} \rightleftarrows [M^{III}Y]^- + 2H^+$$

$$M^{4+} + H_2Y^{2-} \rightleftarrows [M^{IV}Y] + 2H^+$$

四塩基酸であるEDTAの分子型（H_4Y）は水に溶けにくいため，標準液にはEDTAの二ナトリウム塩（Na_2YH_2）が一般に用いられている．

また，EDTA標準液で金属イオンM^{n+}を滴定すると，

$$M^{n+} + H_2Y^{2-} \rightleftarrows [MY]^{n-4} + 2H^+ \quad \text{(pH 4～5 領域)}$$

$$M^{n+} + HY^{3-} \rightleftarrows [MY]^{n-4} + H^+ \quad \text{(pH 7～9 領域)}$$

$$M^{n+} + Y^{4-} \rightleftarrows [MY]^{n-4} \quad \text{(pH > 10 領域)}$$

の反応が起こり，pH 4～9ではH^+が遊離する．そのために被滴定液（金属イオン溶液）のpHが低下するので，EDTA（Y^{4-}）がH^+を受け取る反応，例えば，

$$Y^{4-} + H^+ \rightleftarrows HY^{3-}$$

が起こる．同じように，次の副反応も起こる．

$$HY^{3-} + H^+ \rightleftarrows H_2Y^{2-}$$

$$H_2Y^{2-} + H^+ \rightleftarrows H_3Y^-$$

$$H_3Y^- + H^+ \rightleftarrows H_4Y$$

その結果，これらの各電離段階のEDTA化学種（Y^{4-}，HY^{3-}，H_2Y^{2-}，H_3Y^-，H_4Y）がそれぞれ

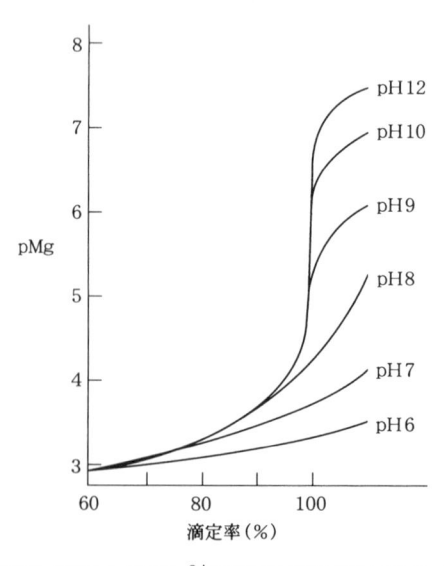

図2.16　EDTA液によるMg^{2+}の滴定曲線に及ぼすpH値の影響
（長瀬雄三ら（1992）基礎分析化学通論〔上〕，廣川書店より引用）

の分率に応じて M^{n+} と反応するので，滴定曲線が複雑になる．このような pH 低下を防ぎ，滴定中の pH を一定に保つには，金属イオンごとに適切な pH 緩衝液を溶媒とすればよい．図 2.16 に種々の pH における Mg^{2+} イオンの EDTA による滴定曲線を示した．図から明らかなように，Mg^{2+} の滴定には pH 10 付近に保つ必要がある．

A. 滴定曲線

ここでは，pH 10 において，0.01 mol/L $MgCl_2$ 水溶液 50 mL に対して，0.01 mol/L EDTA 水溶液を標準液として V mL 滴加した場合の，金属イオン濃度 $[Mg^{2+}]$ 変化と滴定曲線について記述する．

a) $V = 0$ mL のとき（滴定開始前）

$MgCl_2$ は完全電離するので，

$$[Mg^{2+}] = 1 \times 10^{-2} \text{ mol/L}, \quad pMg (= -\log[Mg^{2+}]) = 2$$

b) $V < 50$ mL のとき（当量点前）

溶液中の $[Mg^{2+}]$ は，滴定されていない未反応の $MgCl_2$ の完全電離によって生じるので，例えば $V = 10$ mL では，

$$[Mg^{2+}] = 0.01 \times \frac{40}{60} = 6.7 \times 10^{-3} \text{ mol/L}, \quad pMg = 2.17$$

c) $V = 50$ mL のとき（当量点）

$MgCl_2$ と EDTA（以下 Y と記載する）が過不足なく反応し，$MgCl_2 + Y \rightleftharpoons [MgY]^{2-}$ の平衡のみが成立している．pH 10 での条件付錯生成定数 $K_f' = 1.52 \times 10^8$ とすれば，

$$K_f' = \frac{[[MgY]^{2-}]}{[Mg^{2+}][Y']} = 1.52 \times 10^8 \tag{2.28}$$

当量点では

$$[Mg^{2+}] = [Y'] \text{ であり，}$$

$$[[MgY]^{2-}] = 0.01 \times \frac{50}{100} = 5.0 \times 10^{-3} \text{ mol/L} \quad \text{であるので，}$$

$$\frac{[[MgY]^{2-}]}{[Mg^{2+}][Y']} = \frac{5.0 \times 10^{-3}}{[Mg^{2+}]^2} = 1.52 \times 10^8$$

$$\therefore \quad [Mg^{2+}] = 5.7 \times 10^{-6} \text{ mol/L}, \quad pMg = 5.24$$

d) $V > 50$ mL のとき（当量点以降）

当量点を超えて，さらに EDTA 標準液 10 mL を過量に加えた場合（$V = 60$ mL）は，式 (2.28) に

$$[[MgY]^{2-}] = 0.01 \times \frac{50}{110} = \frac{0.5}{110} \text{ mol/L} \quad \text{と，}$$

表 2.5 0.01 mol/L EDTA 標準液による 0.01 mol/L Mg^{2+} 50 mL の滴定

EDTA(mL)	[Mg^{2+}](mol/L)	pMg
0.00	1.0×10^{-2}	2.00
10.00	6.7×10^{-3}	2.17
20.00	4.3×10^{-3}	2.37
30.00	2.5×10^{-3}	2.60
40.00	1.1×10^{-3}	2.96
49.00	1.0×10^{-4}	4.00
49.90	1.0×10^{-5}	5.00
50.00	5.7×10^{-6}	5.24
50.10	3.3×10^{-6}	5.48
60.00	3.3×10^{-8}	7.48

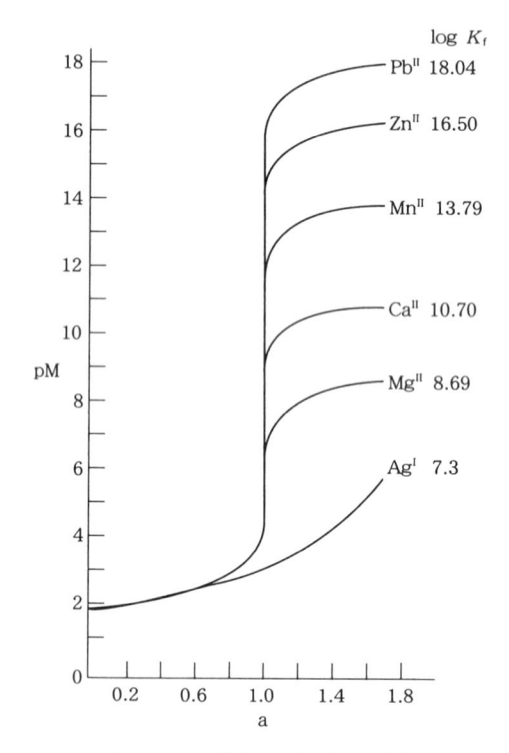

図 2.17 0.01 mol/L EDTA 液による各種金属イオンの滴定曲線
a：金属イオン 1 モル当たりに滴加した EDTA のモル数
（M^{n+}/EDTA） a = 1 が当量点
（長瀬雄三ら (1992) 基礎分析化学通論〔上〕, 廣川書店より引用）

$[Y'] = 0.01 \times \dfrac{10}{110} = \dfrac{0.1}{110}$ mol/L を代入して，

$$\dfrac{[[MgY]^{2-}]}{[Mg^{2+}][Y']} = \dfrac{5.0}{[Mg^{2+}] \times 0.1} = 1.52 \times 10^8$$

∴ $[Mg^{2+}] = 3.3 \times 10^{-8}$ mol/L, pMg = 7.48

このように計算を細かく行えば，表2.5の値が得られ，図2.17に示すような滴定曲線が得られる．図2.17には，Mg^{2+}以外の金属イオン種についても同じようにして求めた理論滴定曲線を示した．これらの滴定曲線からも明らかなように，金属イオンに対しETDAを等量加えたときにpM飛躍が認められる．また濃度が同じなら，キレートの生成定数$\log K_f$が大きな金属イオン種ほど当量点付近でpMが急激に変化するため，滴定の終点が明瞭になる．

B. 滴定終点の検出

キレート滴定は指示薬の変色により肉眼的に終点を求めることが多い．金属イオンをキレート滴定するときに用いる指示薬を**金属指示薬** metal indicator といい，金属イオンの濃度変化によって鋭敏に変色する．金属指示薬には金属発色指示薬と金属蛍光指示薬がある．

これらの金属指示薬もまた一種のキレート試薬に属し，指示薬自身の色と金属指示薬キレートの色（蛍光を含む）が，それぞれ異なるものでなければならない．従って，キレート滴定が可能となる条件として，i) 滴定条件において遊離指示薬と金属指示薬キレートとの色調の差が大きいこと，ii) 金属指示薬キレートの安定度が滴定剤−金属キレートの安定度よりも小さいこと，iii) 指示薬及び金属指示薬キレートが共に水溶性であること，などが要求される．

金属指示薬の大半は，それ自身が酸塩基指示薬としてH^+の授受を行うため，指示薬自身の色はpHによっても変化し，さらに金属イオンの一定濃度範囲において金属指示薬キレート色への変色を示す．ここでは具体例として，エリオクロムブラックT（EBT）の色調変化について説明

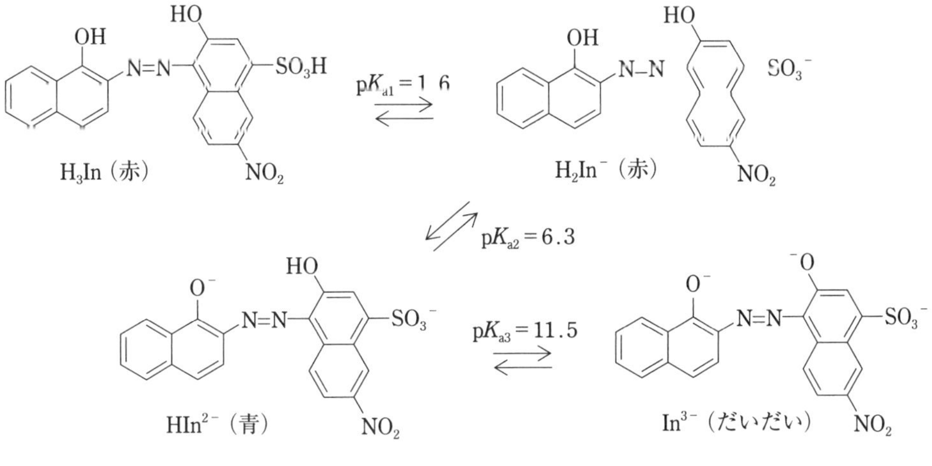

図 2.18　pH 変化に伴うエリオクロムブラック T 水溶液の色調変化

する．図2.18に示したように，EBTはスルホン酸基1個（$pK_{a1} = 1.6$），フェノール水酸基2個（$pK_{a2} = 6.3$，$pK_{a3} = 11.5$）を持ち，分子形H_3Inで表される．EBTを溶かした水溶液のpHが$pK_{a1}(= 1.6)$以下のときはH_3Inで存在するが，pHが約2〜6の領域（$pK_{a1} < pH < pK_{a2}$）ではスルホン酸基が電離して一価の陰イオンH_2In^-となり，指示薬色は赤色である．一方，pHが約7〜11の領域（$pK_{a2} < pH < pK_{a3}$）ではさらに水酸基が一つ電離して二価の陰イオンHIn^{2-}となり，指示薬色は青色に変わる．さらにpHが12以上（$pK_{a3} < pH$）では完全電離形でだいだい色の三価の陰イオンIn^{3-}となる．

いま，pHが10付近のEBT水溶液（HIn^{2-}，青色）にMg^{2+}を加えていくと，まず，pMgが4以下（$[Mg^{2+}]$が10^{-4} mol/L以上）で赤色の$MgIn^-$キレートが生成する．

$$HIn^{2-} + Mg^{2+} \rightleftharpoons MgIn^- + H^+$$
（青色，終点後）　　　　　（赤色，滴定前）

この状態は，試料（Mg^{2+}）溶液にEBT指示薬を加えただけの「滴定開始前」の状態に相当する．この溶液にEDTA標準液を加えていくと，滴定の進行に伴い遊離の$[Mg^{2+}]$が減少していき，終点を越える（pMgが6以上）と（指示薬キレートからMg^{2+}が奪われて）青色のHIn^{2-}に戻る．

このようなキレート滴定における金属イオンと指示薬と標準液の反応を，一般式で表すと以下のとおりである．すなわち，金属イオンM（*電荷の表示は省略）の試料液をEDTA標準液で滴定するとき，試料液に微量の指示薬HIn（*電荷の表示は省略）を加えると，

$$M + HIn \rightleftharpoons MIn + H^+$$

の反応に従って指示薬キレートMInが生じ，あるpH範囲で特有の色調を呈する．この溶液にEDTA標準液H_2Y^{2-}を滴加すると，まず指示薬と結合していない遊離のMがEDTAと結合し，滴定の進行に伴い[M]が減少していき，特に当量点付近で急激に減少する．当量点では加えられたEDTAが指示薬キレートMInからMを奪う（下式）ため，

$$MIn + H_2Y^{2-} \rightleftharpoons MY + HIn + H^+$$

指示薬キレート色が消えて，代わりにMと結合していない遊離の指示薬色が現れることにより，滴定の終点が判定できる．なお，この反応を完結させるためには，滴定のpHにおける金属イオンに対する指示薬キレートの錯生成定数$K_{f(MIn)}$が，EDTAキレートの錯生成定数$K_{f(MY)}$よりも小さくなければならない．

キレート滴定において汎用される金属指示薬の構造を図2.19に示した．これら指示薬の大半は，金属イオンと反応するだけでなく，プロトンの授受によって可逆的に変色する酸・塩基指示薬でもある．

EBTに代表されるo,o'-ジヒドロキシアゾ又はo-ヒドロキシアゾ化合物としては，NNやPANなどがあり，いずれの化合物も水酸基を持ち，その少なくとも1個が金属イオンに対して配位にあずかる有色性の指示薬である．

また，ヒドロキシフタレイン，ヒドロキシスルホフタレイン，ヒドロキシトリフェニルメタン系の指示薬は，フェノール性水酸基を有し，その1個以上が金属イオンに配位すると共に色素の

助色団となっている（PR, PV, PC, TPC, XO, MTB など）．PC や TPC などの酸・塩基指示薬のコンプレクソン誘導体では，H^+ の電離による呈色変化を見ることができる．

一方，タイロンは無色水溶性で金属キレートを形成して発色するフェノール性水酸基を持つ試薬であり，主に Fe^{3+} の金属指示薬として用いられる．

また，金属蛍光試薬としては，フルオレセインのコンプレクソン誘導体であるカルセインが Ca^{2+}，Cu^{2+} などの滴定に用いられる．金属蛍光指示薬は終点の判定を蛍光の発光又は消光で行うため，着色試料あるいは懸濁試料にも応用することができる．蛍光指示薬は光源の影響もなく，きわめて鋭敏であるなどの利点も有する．

金属イオンによる金属指示薬の変色は，金属イオンの種類と溶液の pH によって異なるから，これらに応じて最も適した金属指示薬を選択しなければならない．代表的な金属指示薬を用いた各種の金属イオンの EDTA による直接滴定に用いる際の pH 及び変色を表 2.6 に示した．

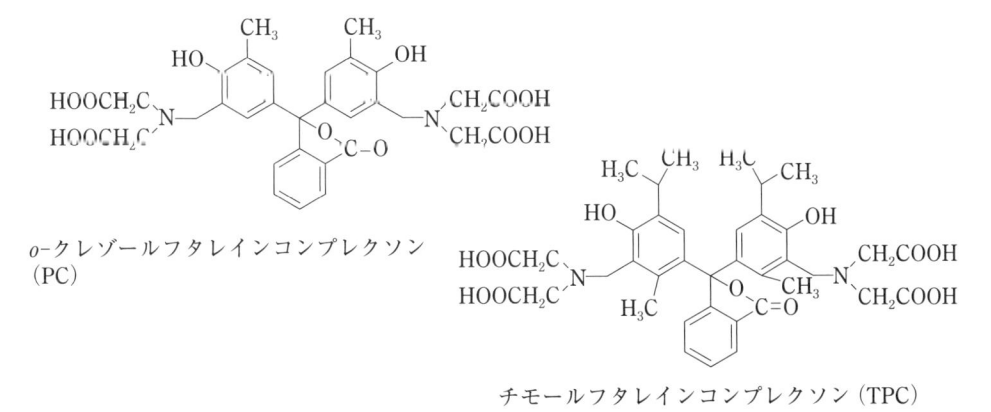

図 2.19 代表的な金属指示薬の構造式

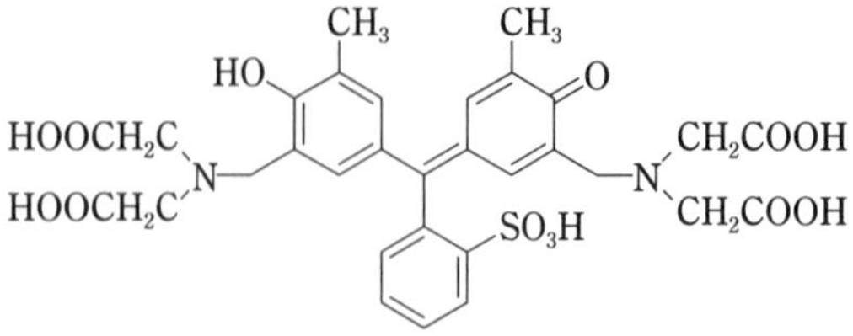

キシレノールオレンジ (XO)

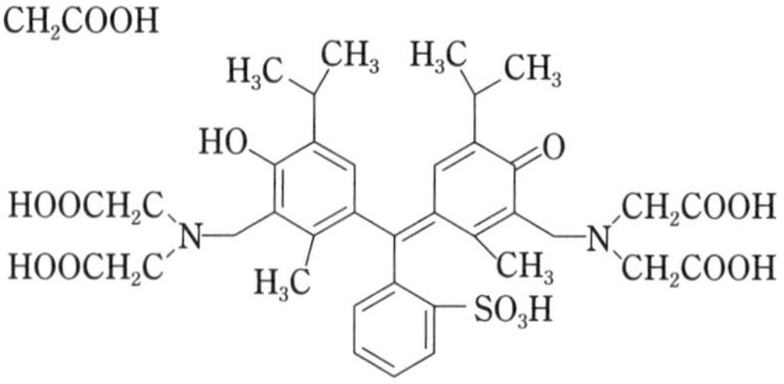

タイロン

メチルチモールブルー (MTB)

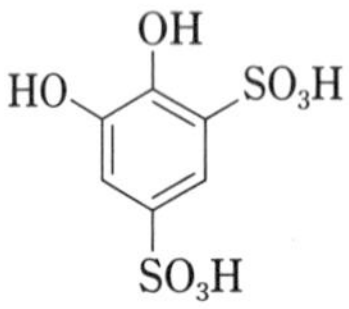

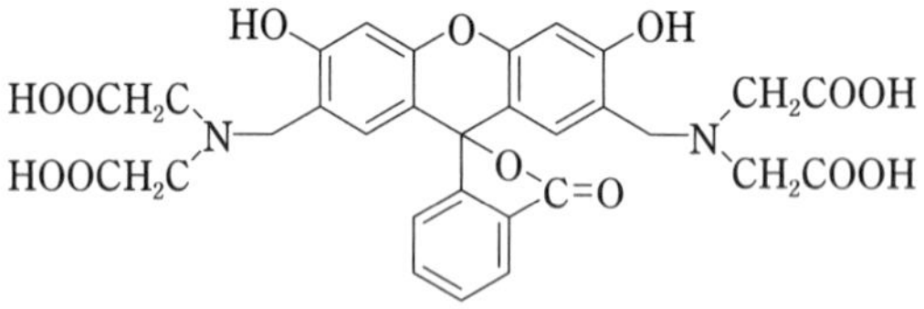

カルセイン

図 2.19 つづき

表 2.6 主な金属指示薬と滴定への適用性

金属指示薬 （略号）	適用 pH	指示薬の イオン色	終点 ← 指示薬キレ ートの色	適用できる主な金属イオン
EBT	7～11	青	赤	Ca, Mg, Zn, Cd, Hg^{II}, Pb, Mn^{II}
NN	12～13	青	赤	Ca 専用
PAN	3～10	黄	紅～赤紫	Cu, Zn, Cd, Ni, Bi
Cu-PAN*	3～10	赤紫	—	酸性：Zn, Cd, Hg^{II}, Ni, Co, Al, Fe^{III}
				アルカリ性：Mg, Cu, Mn^{II}
PV	2～6	黄	青	Bi, Th^{IV}, Cu
	アルカリ性	赤紫	青	Cu, Zn, Cd, Mn^{II}, Ni, Co, Mg
PC	10～11	無～微紅	紫赤	Ca, Mg, Ba, Sr, Cd, Mn^{II}
TPC	11～12	無～淡灰	青	Ca, Mg, Ba, Sr
	7～10	淡青	青	Mn^{II}
XO	6 以下	黄	赤	Bi, Zn, Pb, Cd, Co, Mg^{II}, Th^{IV}
MTB	6.5 以下	黄	青	Bi, Zn, Pb, Cd, Co, Hg^{II}, Th^{IV}, Fe^{II}
	11.5～12.5	灰黄	青	Mn^{II}, Zn, Pb, Cd, Co, Ca, Mg, Sr, Ba

* PAN の Cu キレート：終点で赤紫→黄色（PAN の色）

5 酸化還元滴定

酸化還元滴定 redox titration とは，酸化還元反応を利用する滴定による容量分析法である．具体的には，酸化剤（酸化体）を標準液として還元剤（還元体）を滴定し，あるいは還元剤（還元体）を標準液として酸化剤（酸化体）を滴定して，標準液の消費量からそれぞれの物質を定量する．なお，滴定の際に標準液として用いる試薬の名称に基づいて，慣用的な滴定名称が通用している例もある．例えば，過マンガン酸塩の標準液による滴定を過マンガン酸塩滴定といい，ヨウ素の標準液による滴定をヨウ素滴定という．

5-1 酸化還元滴定の滴定曲線

以下の一般式で示される酸化剤 Ox_1 と還元剤 Red_2 との酸化還元反応を，滴定に利用する場合について考えてみよう．

$$Ox_1 + Red_2 \rightleftarrows Red_1 + Ox_2$$

この酸化還元反応は次の二組の酸化還元対から成り立ち，それぞれの酸化還元電位（E_1 と E_2）は以下の Nernst 式から求められる．

$$Ox_1 + ne^- \rightleftarrows Red_1 \qquad E_1 = E_1^\circ + \frac{0.059}{n} \log \frac{[Ox_1]}{[Red_1]} \qquad (2.29)$$

$$Ox_2 + ne^- \rightleftarrows Red_2 \qquad E_2 = E_2^\circ + \frac{0.059}{n} \log \frac{[Ox_2]}{[Red_2]} \qquad (2.30)$$

実際の滴定は，酸化剤 Ox_1 と還元剤 Red_2 のどちらかを標準液として行う．滴定進行の過程で，溶液中の Ox_1 と Red_2 の濃度比が変化するので，標準液の添加量に対して（被滴定液の）酸化還元電位をプロットすることで滴定曲線が得られる．滴定の進行中は，標準液を加えるごとに反応は平衡に達して $F_1 = F_2$ が成り立つので，理論的には被滴定液の電位 E は式（2.29）及び式（2.30）のいずれから求めてもよく，すなわち $E = E_1 = E_2$ である．その際の電位は，被滴定液中に共存する酸化体 Ox と還元体 Red の濃度比によって決まる．

次に，具体的な事例として，1 mol/L 硫酸中で，硫酸鉄（Ⅱ）溶液に対して，同濃度の硫酸セリウム（Ⅳ）溶液を標準液として滴定した場合の，被滴定液の電位変化と滴定曲線について考えてみよう．ただし，ここでは滴定の進行度を滴定率 x %（当量点で 100 %）で表し，この値を滴定曲線の横軸の数値とする．この滴定における，酸化還元反応と各半反応の Nernst 式は以下のとおりである．

$$Ce^{4+} + Fe^{2+} \rightleftharpoons Ce^{3+} + Fe^{3+} \quad (2.31)$$
$$(Ox_1) \quad (Red_2) \quad (Red_1) \quad (Ox_2)$$

$$Ce^{4+} + e^- \rightleftharpoons Ce^{3+} \qquad E_{Ce} = E°_{Ce} + 0.059 \log \frac{[Ce^{4+}]}{[Ce^{3+}]} \quad (2.32)$$

$$Fe^{3+} + e^- \rightleftharpoons Fe^{2+} \qquad E_{Fe} = E°_{Fe} + 0.059 \log \frac{[Fe^{3+}]}{[Fe^{2+}]} \quad (2.33)$$

また,1 mol/L 硫酸中の各物質の標準酸化還元電位はそれぞれ,$E°_{Ce}$ = +1.44 V,$E°_{Fe}$ = +0.68 V とする.

a) 滴定開始前（x = 0 %）

溶液中には Fe^{2+} イオンだけが存在し,それ以外のイオンは存在しないので,このときの電位は不定である.従って,滴定開始前の電位を求める必要はない.

b) 当量点以前（0 < x < 100 %）

被滴定液中には,標準液との反応により生じた Ce^{3+} イオンと Fe^{3+} イオン,及び未反応の Fe^{2+} イオンが存在する.一方,標準液中の Ce^{4+} イオンは（全て Fe^{2+} と反応してしまうため）事実上 $[Ce^{4+}]$ = 0 である.従って,この場合の被滴定液の電位 E は式 (2.33) から計算する（$E = E_{Fe}$).滴定率が x %のとき,$[Fe^{2+}]:[Fe^{3+}] = (100 - x):x$ であるので,

$$E = E°_{Fe} + \frac{0.059}{n} \log \frac{[Fe^{3+}]}{[Fe^{2+}]} = 0.68 + 0.059 \log \frac{x}{(100 - x)}$$

となる.特に,半当量点（x = 50)のときの電位は,$E = E°_{Fe}$ = +0.68 V となる.

c) 当量点（x = 100 %）

当量点では標準液中の Ce^{4+} イオンと被滴定液中の Fe^{2+} イオンが過不足なく反応し,式 (2.31) の反応が右に進行して Ce^{3+} イオンと Fe^{3+} イオンが同濃度生じる（$[Ce^{3+}] = [Fe^{3+}]$).同時に,未反応イオン（Ce^{4+} と Fe^{2+}）も同濃度でごくわずかに存在する（$[Ce^{4+}] = [Fe^{2+}]$).このような当量点における被滴定液の電位 E_{eq} は,実験的には式 (2.32) もしくは式 (2.33) のいずれから求めても良く,$E_{eq} = E_{Ce} = E_{Fe}$ である.ここで,計算の便宜上,式 (2.32) と式 (2.33) を加えると,

$$E_{Ce} + E_{Fe} = E°_{Ce} + E°_{Fe} + 0.059 \log \frac{[Ce^{4+}][Fe^{3+}]}{[Ce^{3+}][Fe^{2+}]}$$

となり,これに上述の当量点における各イオンの濃度条件を代入すると,右辺の対数項は0となる.また,左辺 $E_{Ce} + E_{Fe} = 2E_{eq}$ であるので,

$$2E_{eq} = E°_{Ce} + E°_{Fe}$$
$$E_{eq} = \frac{E°_{Ce} + E°_{Fe}}{2} \quad (2.34)$$

から E_{eq} が求められる.

d) 当量点以降（100 ＜ x %）

当量点以降では，反応で生じた Ce^{3+} イオンと Fe^{3+} イオンの他に，過剰に加えられた標準液中の Ce^{4+} イオンが存在し，未反応の Fe^{2+} イオンは事実上存在しない（$[Fe^{2+}] = 0$）．従って，この

表2.7　Ce^{4+} による Fe^{2+} の滴定

滴定率(%)	$[Ce^{4+}]/[Ce^{3+}]$	$[Fe^{3+}]/[Fe^{2+}]$	電位(V vs. NHE)	計算式
1		0.01	0.56	式(2.33)
9		0.1	0.62	
50		1	0.68	
91		10	0.74	
99		100	0.80	
99.9		1000	0.86	
100			1.06	式(2.34)
100.1	0.001		1.26	式(2.32)
101	0.01		1.32	
110	0.1		1.38	
200	1		1.44	

（長瀬雄三ら（1992）基礎分析化学通論〔上〕，廣川書店より引用改変）

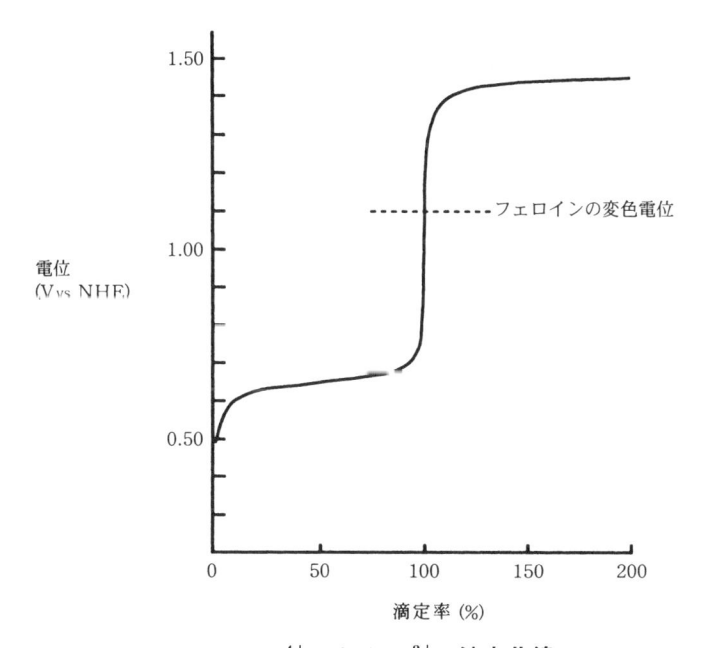

図2.20　Ce^{4+} による Fe^{2+} の滴定曲線

場合の被滴定液の電位 E は式（2.32）から計算する（$E = E_{Ce}$）．滴定率が x %のとき，$[Ce^{4+}]$：$[Ce^{3+}] = (x - 100)$：100 であるので，

$$E = E°_{Ce} + 0.059 \log \frac{[Ce^{4+}]}{[Ce^{3+}]} = 1.44 + 0.059 \log \frac{(x - 100)}{100}$$

となる．特に，当量点までの倍量（$x = 200$）滴加したときの電位は，$E = E°_{Ce} = +1.44\,V$ となる．

上記の滴定の進行に伴う滴定率や，（被滴定液中の）酸化体と還元体の濃度比や酸化還元電位の値の変化について，表 2.7 に示した．また，このときの滴定率を横軸，電位を縦軸として作成した滴定曲線のグラフを図 2.20 に示した．この滴定曲線においては，当量点の前後に明瞭な**電位飛躍** potential jump が認められ，滴定終点が容易に判断できる．また，目視指示薬で終点判定する場合は，フェロイン（変色電位 1.11 V，1 mol/L 硫酸中）が適している（次項 5-2 で後述する）．さらに，表 2.7 と図 2.20 から明らかなように，滴定が 50 % 進行したときの電位は被滴定成分（Ce）の反応の $E°_{Ce}$ 値に等しく，200 % では滴定試薬（標準液）成分（Fe）の反応の $E°_{Fe}$ 値に等しい．従って，両反応の $E°$ 値の差が大きいほど滴定曲線には大きな電位飛躍が現れ，滴定終点の判定が容易であるということが理解できるであろう．

代表的な酸化還元対について，*Nernst* 式と巻末の付表 4，5 記載の酸化還元電位と式量還元電位，さらに酸化体の割合と電位を求めて，図 2.21 に示した．例えば，硫酸酸性中のシュウ酸液に過マンガン酸カリウム液を加えて滴定を行うときは，左側の $-0.5\,V$ から $1.5\,V$ への電位飛躍を示す滴定曲線が予測される．また，ヨウ素液にチオ硫酸ナトリウム液を加えて滴定を行うときは，右側の $0.6\,V$ から $0.1\,V$ への電位変化を示す滴定曲線が予想される．

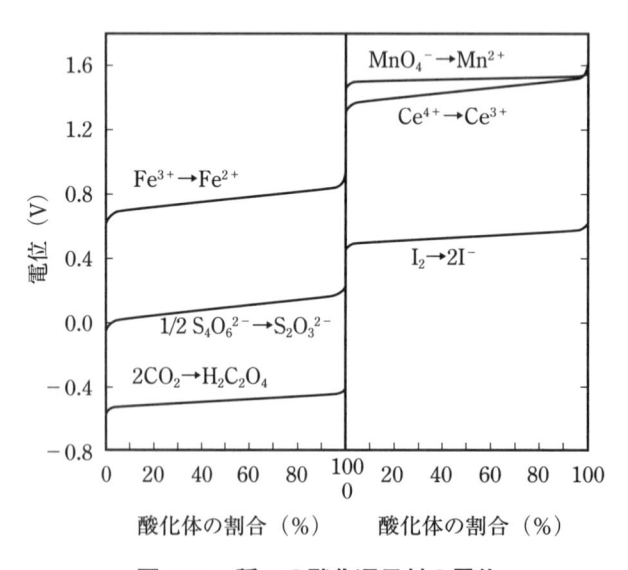

図 2.21　種々の酸化還元対の電位

5-2 滴定終点の判定

A. 酸化還元指示薬の利用

酸化還元指示薬 redox indicator とは，指示薬自身が可逆的な酸化還元反応を起こし，かつ酸化型と還元型の間に明瞭な変色が認められるものであり，酸化還元滴定の終点判定に利用することができる．一例として図 2.22 に示したように，ジフェニルアミンは酸化されるとまず無色のジフェニルベンジジンになり，さらに紫色のジフェニルベンジジン紫になる．このときの酸化還元電位は + 0.76 V であり，これより高い電位で滴定溶液は紫色を呈し，低い電位では無色となる．ジフェニルアミンは水に難溶で扱いにくいので，可溶性のスルホン酸塩が用いられる．この指示薬は + 0.85 V で色が変わり，酸化体は赤紫色，還元体は無色で，変色が極めて明瞭である．

また，1,10-フェナントロリン鉄(Ⅱ)錯イオン（別名：フェロイン）は濃赤色を呈し，酸化されると鉄(Ⅲ)錯イオンになり淡青色を呈する．その変色電位は + 1.06 V であるが，1 mol/L 硫酸

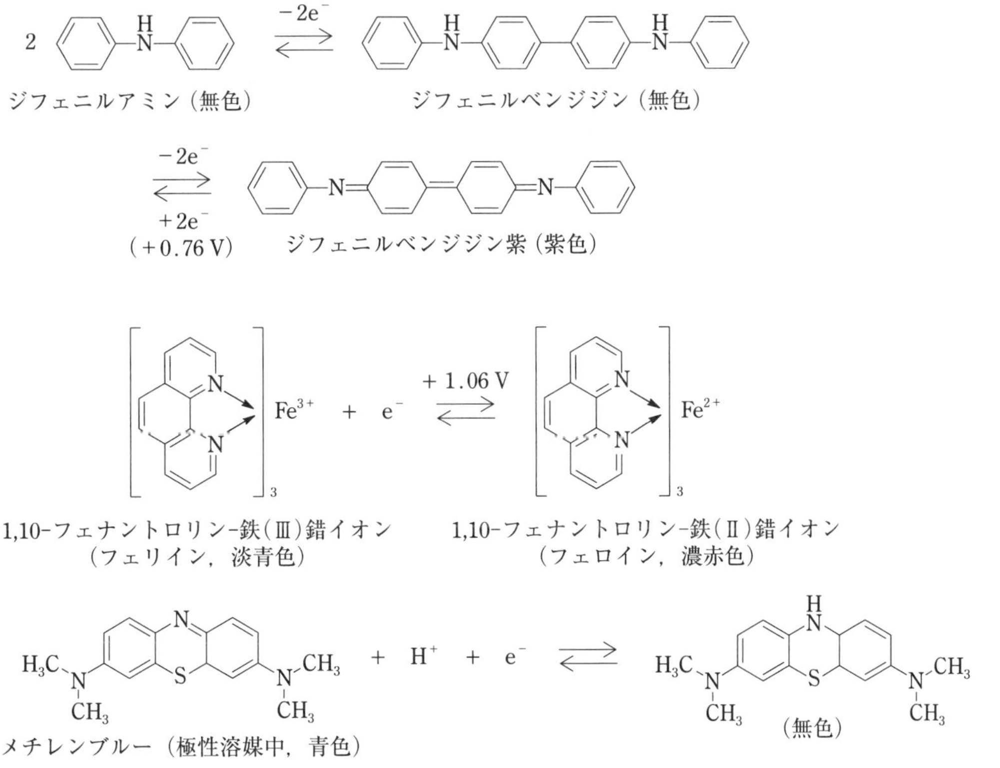

図 2.22　代表的な酸化還元指示薬の構造と色調変化

中では + 1.11 V で変色が観察される．フェロインは（前出 5-1 c）の）硫酸セリウム(Ⅳ)標準液による硫酸鉄(Ⅱ)の滴定の終点判定に極めて適した指示薬として実用される．なお，指示薬の選定に当たっては，滴定の条件下で指示薬の**変色電位** transition potential が当量点の電位 (E_{eq}) になるべく近いものが望ましい．

次に，酸化還元指示薬の変色電位とその範囲について考えてみる．酸化還元指示薬はそれ自身が可逆的に酸化還元反応を行う．ある指示薬の酸化型 I_{ox} と I_{red} との間に n 個の電子の授受があるとき，その酸化還元電位 E_1 は次の式で表される．

$$I_{ox} + ne^- \rightleftarrows I_{red}$$

$$E_1 = E_1^\circ + \frac{0.059}{n} \log \frac{[I_{ox}]}{[I_{red}]}$$

いま，酸化型と還元型の濃度比（$[I_{ox}]:[I_{red}]$）が10対1に達したときが，酸化型の色の中に還元型の色が認められる限界の濃度比であるとすれば，そのときの電位は

$$E = E_1^\circ + \frac{0.059}{n}$$

となる．反対に，還元型の色の中に酸化型の色が認められる限界も10対1であるならば

$$E = E_1^\circ - \frac{0.059}{n}$$

である．よって両者の差は $(2 \times 59)/n$ mV となる．酸化還元指示薬では $n = 2$ であることが多く，このような場合は約 60 mV の範囲で変色が観察される．ただし，指示薬の酸化型又は還元型の一方が無色の時には，他方がわずかに混在しても変色が認められるから，変色電位は標準酸化還元電位 E_1° より多少低い．また二色性指示薬についても，フェロインのように一方（酸化型）が淡色である場合は，変色電位は E_1° より多少高い．

なお，一般には酸化還元指示薬の酸化還元反応にはプロトンの授受が伴うので，通常 pH 条件などを付記して E_1°（又は変色電位）を示す．表2.8に代表的な酸化還元指示薬の色調と変色電位について一覧にして示した．

表2.8 酸化還元指示薬

指示薬	還元型の色	酸化型の色	変色電位(V)
5-ニトロフェロイン	赤	淡青	1.25[a]
フェロイン	赤	淡青	1.11[a]
エリオグライシン	黄緑	紅	0.98[b]
ジフェニルアミンスルホン酸	無	赤紫	0.85
ジフェニルベンジジン	無	紫	0.76[a]
メチレンブルー	無	青	0.53

[a] 1 mol/L H_2SO_4, [b] 0.5 mol/L H_2SO_4

（長瀬雄三ら（1992）基礎分析化学通論〔上〕，廣川書店より引用）

B. その他の終点判定法

　酸化還元滴定の終点判定に，滴定試薬の過剰分と反応する試薬を用いることがある．例えばヨウ素滴定では，デンプンがI_2と反応して濃青色物質を生じることを利用して終点を定める．この呈色は鋭敏で，10^{-5} mol/L 程度のI_2でも青色が現れる．この指示薬はデンプンを水と練って熱湯中に加え，薄い膠状溶液として用いる．また，α-ナフトフラボンのエタノール膠状溶液はI_2によって青色の蛍光を発するので，ヨウ素滴定に用いられる．

　一方，過マンガン酸カリウムは希薄な溶液でも（MnO_4^-による）紅紫色を呈するから，過マンガン酸カリウム液を用いる滴定では特に指示薬を加えず，滴定溶液にわずかの呈色が現れる点を滴定の終点とすることができる．この色は[MnO_4^-] = 10^{-5} mol/L で認められ，滴定誤差は極めて小さい．

　また，ヨウ素を使用する滴定においても，ヨウ素自身の色（赤褐色〜黄色）によって終点を定めることができる．このときクロロホルムを加えると，ヨウ素が水層から転溶してクロロホルム層が紫色を呈する．これを利用して終点を判定することがある．

5-3　酸化還元滴定の実例

　酸化還元滴定は酸化剤と還元剤とを組み合わせて行われる．一般的な酸化還元反応においては，酸化剤1分子と還元剤1分子それぞれが授受できる電子数が異なる場合が多いため，各滴定反応における「酸化剤と還元剤の反応のモル比」を事前に把握することが重要である．

　酸化剤を標準液とする滴定には過マンガン酸塩滴定，重クロム酸塩滴定，ヨウ素滴定，ヨウ素酸塩滴定，臭素滴定，臭素酸塩滴定，セリウム(Ⅳ)塩滴定などがある．一方，還元剤を標準液とする滴定には，鉄(Ⅱ)塩滴定，シュウ酸塩滴定，チオ硫酸塩滴定，チタン(Ⅲ)塩滴定などがある．

　また，亜硝酸塩を標準液とするジアゾ滴定は，亜硝酸が芳香族第一アミンをジアゾ化する反応に基づく滴定である．この際，亜硝酸の窒素の酸化数が +3 → 0 へと変化するので，これを酸化反応と見なして，ジアゾ滴定を酸化還元滴定に入れることがある．

　次に，一般によく使われる滴定の原理と応用例を述べる．

A. 過マンガン酸塩滴定

　過マンガン酸塩の水溶液を標準液として用いる滴定を**過マンガン酸塩滴定** permanganate titration という．通常，過マンガン酸カリウムが用いられるが，これは強い酸化剤であり，強酸性溶液（通常は硫酸酸性）中で次のように反応して，過マンガン酸イオン1モルが5モルの電子を受け取る酸化反応が進行する．

$$MnO_4^- （赤紫色） + 8H^+ + 5e^- \rightleftharpoons Mn^{2+} （無色） + 4H_2O$$
$$E° = +1.51 \text{ V} \qquad (2.35)$$

しかし，酸性度が低いと次のように反応し，過マンガン酸イオン1モルが受け取る電子量が3モルへと減少するので注意を要する．

$$MnO_4^- + 4H^+ + 3e^- \rightleftharpoons MnO_2 + 2H_2O \quad \text{(弱酸性)}$$

$$MnO_4^- + 2H_2O + 3e^- \rightleftharpoons MnO_2 + 4OH^- \quad \text{(アルカリ性)}$$

MnO_4^-溶液は赤紫色を呈しMn^{2+}に還元されれば無色になるから，過マンガン酸カリウム液を標準液とする滴定では，滴定開始からしばらくは無色であるが，当量点を超えたとたんに過剰の標準液の呈色が現れる．すなわち，MnO_4^-の呈色がわずかに認められるところを終点として判定可能であるため，この滴定では指示薬を必要としない．

過マンガン酸カリウムを調製するとき，溶液中に少量含まれる不純物が酸化されて（不純物由来の）MnO_2が生じてしまうと，MnO_2の触媒作用によってMnO_4^-が更に分解されてMnO_2を生成する．このような反応を自己触媒分解という．そこで過マンガン酸カリウム液を標定する前に，溶液を15分間煮沸してすべての不純物の酸化を促進し，48時間以上放置してから，生成したMnO_2をガラスフィルターでろ過して除いておく．

過マンガン酸カリウム液の標定は，容量分析用標準物質であるシュウ酸ナトリウムを用いる直接法で行う．硫酸酸性下におけるその酸化還元反応は次式で表される．

$$2KMnO_4 + 5Na_2C_2O_4 + 8H_2SO_4 \longrightarrow$$
$$2MnSO_4 + K_2SO_4 + 5Na_2SO_4 + 8H_2O + 10CO_2$$

ここで還元剤として働くシュウ酸イオンの半反応は，

$$2CO_2 + 2e^- \rightleftharpoons C_2O_4^{2-} \qquad E° = -0.49\,V \qquad (2.36)$$

であり，シュウ酸イオン1モルが2モルの電子を放出するから，上記の酸化還元反応における$KMnO_4$と$Na_2C_2O_4$の反応のモル比は2：5である．

また，過マンガン酸塩滴定の適用例として，オキシドール中の過酸化水素の定量（日局17）がある．オキシドールは過酸化水素H_2O_2を2.5～3.5 w/v%含んでおり，$KMnO_4$とは硫酸酸性下で次のように反応する．

$$2KMnO_4 + 5H_2O_2 + 3H_2SO_4 \longrightarrow 2MnSO_4 + K_2SO_4 + 5O_2 + 8H_2O$$

H_2O_2は酸化剤としても還元剤としても作用する物質であるが，上記の反応では還元剤として作用し，その半反応は次のとおりである．

$$O_2 + 2H^+ + 2e^- \rightleftharpoons H_2O_2 \qquad E° = +0.68\,V \qquad (2.37)$$

すなわち，過酸化水素1モルが2モルの電子を放出するから，上記の酸化還元反応における$KMnO_4$とH_2O_2の反応のモル比は2：5である．

B．ヨウ素滴定

ヨウ素を利用する滴定を**ヨウ素滴定**という．ヨウ素滴定は，ヨウ素I_2とヨウ化物イオンI^-との間の酸化還元反応，

$$I_2 + 2e^- \rightleftharpoons 2I^- \qquad E° = +0.53\,V \qquad (2.38)$$

に基づいている．ここで，被滴定物質側の半反応の標準酸化還元電位 $E°$ 値が＜＋0.53 V の場合には，（滴定の進行に伴い）上記の平衡反応が右側に進行するので，I_2 を酸化剤として滴定に利用することができる．この方法を**ヨウ素酸化滴定** iodimetry という．この滴定においては，ヨウ素1モルが2モルの電子を受け取る酸化反応が進行する．一方，被滴定物質の $E°$ 値が＞＋0.53 V の場合には上記の平衡反応が左側に進行し，I^- が還元剤として働いて（被滴定物質の物質量に対応した量の）I_2 が生成するので，これをチオ硫酸ナトリウム標準液で滴定すれば被滴定物質が定量できる．この方法を**ヨウ素還元滴定** iodometry という．なお，ヨウ素滴定の終点判定には，ヨウ素−デンプン反応による I_2 の検出が汎用されている．

1）ヨウ素酸化滴定

I_2 は水に溶けにくいが，I^- が共存すると三ヨウ化物イオン I_3^- となり，水に溶ける．

$$I_2 + I^- \rightleftharpoons I_3^-$$

そのため，ヨウ素液は I_2 をヨウ化カリウムの濃厚溶液に溶かして調製する．I_2 が消費されると I_3^- から I_2 が補われるので，結局 I_3^- の水溶液は I_2 自体の水溶液とみなすことができる．

また，調製したヨウ素標準液の標定は，以前は三酸化二ヒ素（As_2O_3）を標準物質とする直接法で行われていたが，有害試薬の使用を回避する観点から，日本薬局方では第15改正より（三酸化二ヒ素の代わりに）チオ硫酸ナトリウム液を用いる間接法での標定に改められている．

a）ヨウ素による直接滴定

ヨウ素標準液を酸化剤として用い，還元性の有機化合物を定量する例として，アスコルビン酸の定量（日局17）がある．この滴定では，アスコルビン酸（ビタミンC）をメタリン酸溶液に溶かして，ヨウ素標準液で滴定する（指示薬：デンプン試液）．アスコルビン酸はメタリン酸溶液中では安定である．この滴定においてアスコルビン酸は I_2 により酸化されるため，下図2.23の反応は右側から左側へ進み，デヒドロアスコルビン酸になる．

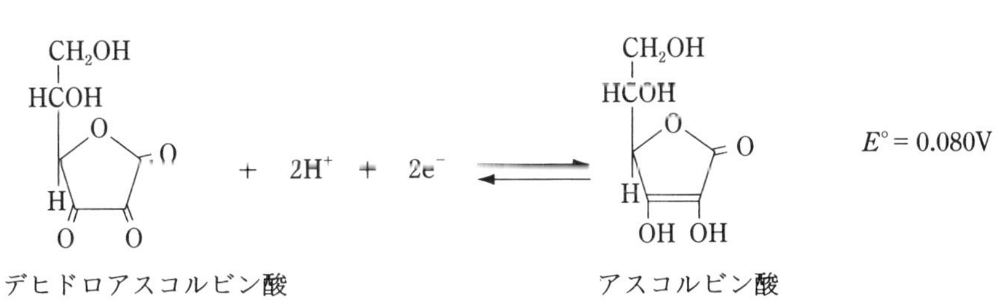

デヒドロアスコルビン酸　＋　$2H^+$　＋　$2e^-$　⇌　アスコルビン酸　　　$E° = 0.080$ V　　（2.39）

図2.23　アスコルビン酸の酸化還元反応と標準酸化還元電位

すなわち，アスコルビン酸1モルが2モルの電子を放出するから，ヨウ素酸化滴定におけるアスコルビン酸とヨウ素は1:1のモル比で反応する．

b）過量のヨウ素の逆滴定

試料液に一定過量の標準液を加えて反応させ，その過剰分を他の標準液で滴定する方法を**逆滴定** back titration という．直接滴定では反応が遅い場合や，指示薬の変色が鋭敏でない場合などに用いられる．

例えばホルマリンの定量（日局 17）では，一定過量のヨウ素液を加えて試料を酸化し，残存するヨウ素をチオ硫酸ナトリウム液で逆滴定する．指示薬にはデンプン試液を用いる．ホルマリンはホルムアルデヒド HCHO を 35.0〜38.0 %含む．この定量ではまず，ヨウ素 I_2 はアルカリ性水溶液で次亜ヨウ素酸イオン IO^- となり，これが次式のように HCHO をギ酸イオン $HCOO^-$ に酸化する．

$$I_2 + 2OH^- \longrightarrow I^- + IO^- + H_2O$$

$$HCHO + IO^- + OH^- \longrightarrow HCOO^- + I^- + H_2O$$

この反応において，I_2 と HCHO はモル比 1：1 で反応する．このとき反応しなかった過量の I_2（すなわち IO^-）量を以下の滴定で求めれば，上式で反応した HCHO 量が定量できる．すなわち，上式において反応しなかった過量の IO^- は，次式のように速やかに IO_3^- に変化するが，

$$3\,IO^- \longrightarrow 2I^- + IO_3^-$$

溶液の液性を酸性にすれば IO_3^- が I^- を酸化して I_2 が再生成される．この（過量の IO^- に相当する）再生成した I_2 量を，チオ硫酸ナトリウム $Na_2S_2O_3$ 液で滴定する．このとき還元剤として働くチオ硫酸イオンの半反応は，

$$1/2\,S_4O_6^{2-} + e^- \rightleftharpoons S_2O_3^{2-} \qquad E° = +0.09\,V \qquad (2.40)$$

であり，チオ硫酸イオン 1 モルが 1 モルの電子を放出するから，下式のとおり，I_2 と $Na_2S_2O_3$ はモル比 1：2 で反応する．

$$I_2 + 2Na_2S_2O_3 \longrightarrow 2NaI + Na_2S_4O_6$$

2）ヨウ素還元滴定

酸化剤を含む溶液に一定過量のヨウ化物イオンを加えると，その酸化剤に対応する量の I_2 が生成する．この I_2 を（濃度既知の）チオ硫酸ナトリウム液で滴定すれば，初めに存在した酸化剤を定量することができる．

この方法の応用例として，サラシ粉中の有効塩素の定量（日局 17）がある．サラシ粉中の有効成分は Ca(OCl)Cl であるが，他に $Ca(OH)_2$ や $CaCl_2$ も含まれる．サラシ粉に酸を加えて発生する塩素を有効塩素といい，通常は 30 %以上含まれる．有効塩素量の定量に際しては，サラシ粉を水に溶かしてヨウ化カリウムと希塩酸を加え，遊離したヨウ素をチオ硫酸ナトリウム液で滴定する．指示薬にはデンプン試液を用いる．

$$Ca(OCl)Cl + 2HCl \longrightarrow CaCl_2 + Cl_2 + H_2O$$

$$Cl_2 + 2KI \longrightarrow I_2 + 2KCl$$

$$I_2 + 2Na_2S_2O_3 \longrightarrow 2NaI + Na_2S_4O_6$$

Cl_2 は酸化性が強く，

$$Cl_2 + 2e^- \rightleftarrows 2Cl^- \qquad E° = +1.36\,\text{V} \qquad (2.41)$$

I^- を酸化して I_2 とする．Cl_2 1 モルから I_2 1 モルが遊離するため，Cl_2 と $Na_2S_2O_3$ の対応のモル比は 1：2 となる．

一方，上記の定量とは逆に，既知量の酸化剤を含む溶液に一定過量のヨウ化物イオンを加えて I_2 を生成させ，この I_2 を（ファクター不明の）チオ硫酸ナトリウム液で滴定すれば，チオ硫酸ナトリウム液の標定が可能となる．日本薬局方のチオ硫酸ナトリウム液の標定（日局 17）では，既知量のヨウ素酸カリウム KIO_3（酸化剤，標準試薬）を水に溶かしてヨウ化カリウムと希硫酸を加え，遊離したヨウ素をチオ硫酸ナトリウム液で滴定する．指示薬にはデンプン試液を用いる．

$$KIO_3 + 5KI + 3H_2SO_4 \longrightarrow 3K_2SO_4 + 3H_2O + 3I_2$$
$$I_2 + 2Na_2S_2O_3 \longrightarrow 2NaI + Na_2S_4O_6$$

この反応において，KIO_3 1 モルから I_2 3 モルが遊離し，I_2 1 モルは $Na_2S_2O_3$ 2 モルと反応するため，KIO_3 と $Na_2S_2O_3$ の対応のモル比は 1：6 となる．

C. 臭素化滴定

臭素はフェノール性水酸基のオルト位とパラ位に置換する．この反応は日本薬局方医薬品の定量にも利用されており，過量の臭素液を加えてブロモ体を生成した後，余剰の臭素をヨウ化カリウムと反応させ，生じた酸化体のヨウ素をチオ硫酸ナトリウム液によって滴定する．

例えば，フェノールは，下図 2.24 のように臭素化によってトリブロモ体を生成するため，フェノール 1 モルは臭素 3 モルと反応する．

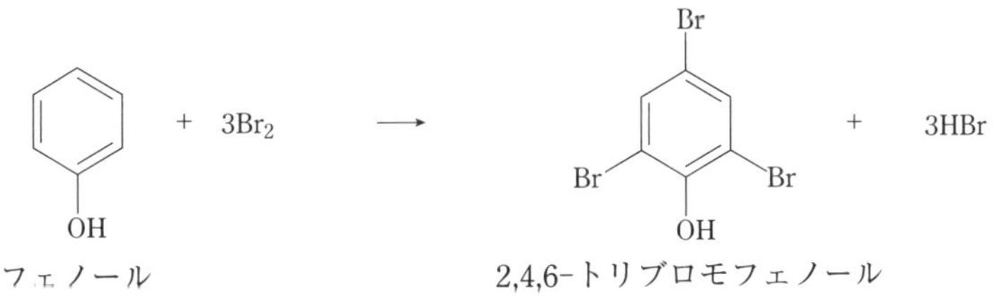

図 2.24 フェノールの臭素化滴定における反応式

その他の医薬品では，チモール 1 モルは臭素 2 モルと，フェノールスルホフタレイン 1 モルは臭素 4 モルと，フェニレフリン 1 モルは臭素 3 モルと反応する．

第3章 定性分析と重量分析

　定性分析の目的は試料中の測定対象成分の確認や同定であり，化学分析による方法と機器分析による方法がある．医薬品を試料とした定性分析を化学分析による方法で行う場合，測定対象のイオン，分子，あるいは官能基を特異的に確認できる化学反応が利用される．具体的には，第1章の化学平衡で扱った，酸塩基反応，沈殿反応，錯生成反応，酸化還元反応などが主なものとなる．

　実際，日本薬局方では，医薬品又は医薬品中に含有される主成分などを同定するための確認試験や，不純物の混入の限度を規定するための純度試験において，酸塩基反応，沈殿反応，錯生成反応，酸化還元反応などに基づく定性分析が多く適用されており，本章ではその概要について記す．一方，目的成分の質量を秤量することによって定量を行う重量分析では，沈殿反応や錯生成反応が利用されており，これらに基づく重量分析の概要についても述べる．

1　定性反応

　日本薬局方医薬品の確認試験は，医薬品各条において各々の試験対象が記されているが，多くの医薬品で試験の対象となっている無機イオンと有機酸塩及び芳香族第一アミンについては，一般試験法の定性反応が適用されている．定性反応では，無機イオン，有機酸塩，芳香族第一アミンを確認するために沈殿，錯生成，酸化還元反応による沈殿の生成・溶解，呈色，ガス発生を単独あるいは組合せた試験が行われている．例えば，銀塩においては，次の（1）～（3）の試験を行うことが規定されている．

(1) 銀塩の溶液に希塩酸を加えるとき，白色の沈殿を生じ，この一部に希硝酸を追加しても沈殿は溶けない．また，他の一部に過量のアンモニア試液を追加するとき，沈殿は溶ける．

(2) 銀塩の溶液にクロム酸カリウム試液を加えるとき，赤色の沈殿を生じ，希硝酸を追加するとき，沈殿は溶ける．
(3) 銀塩の溶液にアンモニア試液を滴加するとき，灰褐色の沈殿が生じる．さらにアンモニア試液を滴加して沈殿を溶かし，ホルムアルデヒド液1～2滴を加えて加温するとき，器壁に銀鏡を生じる．

また，銅塩，第二においては，次の(1)～(4)の試験を行うことが規定されている．
(1) 第二銅塩の塩酸酸性溶液によく磨いた板状の鉄を入れるとき，その表面に赤色の金属の膜を生じる．
(2) 第二銅塩の溶液に少量のアンモニア試液を加えるとき，淡青色の沈殿を生じ，過量のアンモニア試液を追加するとき，沈殿は溶け，液は濃青色を呈する．
(3) 第二銅塩の溶液にヘキサシアノ鉄(Ⅱ)酸カリウム試液を加えるとき，赤褐色の沈殿を生じ，この一部に希硝酸を追加しても沈殿は溶けない．また，他の一部にアンモニア試液を追加するとき，沈殿は溶け，液は濃青色を呈する．
(4) 第二銅塩の溶液に硫化ナトリウム試液を加えるとき，黒色の沈殿を生じる．沈殿を分取し，この一部に希塩酸，希硫酸又は水酸化ナトリウムを加えても溶けない．また，他の一部に熱希硝酸を加えるとき，溶ける．

他のイオンまたは塩の確認のために行われる定性反応の概要とその化学反応式について表3.1に示した．

表3.1 日本薬局方一般試験法の定性反応の概要

イオン又は塩	定性反応の概要とその化学反応式
亜鉛塩	(1) 亜鉛塩の中性～アルカリ性溶液＋硫化アンモニウム試液又は硫化ナトリウム試液 ⟶ 帯白色の沈殿（希酢酸に不溶，希塩酸に可溶） $Zn^{2+} + S^{2-} \rightleftharpoons ZnS \downarrow$ （帯白），$ZnS + 2H^+ \rightleftharpoons Zn^{2+} + H_2S$ (2) 亜鉛塩の溶液にヘキサシアノ鉄(Ⅱ)酸カリウム試液 ⟶ 白色沈殿（希塩酸に不溶，水酸化ナトリウム試液に可溶） $2Zn^{2+} + K_4[Fe(CN)_6] \rightleftharpoons 4K^+ + Zn_2[Fe(CN)_6] \downarrow$ （白） $3Zn_2[Fe(CN)_6] + K_4[Fe(CN)_6] \rightleftharpoons 2Zn_3K_2[Fe(CN)_6]_2 \downarrow$ （白） $Zn_3K_2[Fe(CN)_6]_2 + 12OH^- \rightleftharpoons 2[Fe(CN)_6]^{4-} + 6H_2O + 3[ZnO_2]^{2-} + 2K^+$ (3) 亜鉛塩の中性～弱酸性溶液にピリジン＋チオシアン酸カリウム試液 ⟶ 白色沈殿 $Zn^{2+} + 2SCN^- + 2C_5N_5N \longrightarrow Zn(NCS)_2(C_5N_5N)_2 \downarrow$ （白）
亜硝酸塩	(1) 亜硝酸塩の溶液＋希硫酸 ⟶ 黄褐色のガス，特異臭 $NO_2^- + H^+ \rightleftharpoons HNO_2$ $3HNO_2 \rightleftharpoons HNO_3 + 2NO + H_2O$ $2NO + O_2 \rightleftharpoons 2NO_2 \uparrow$ （黄褐色） $xFeSO_4 + yNO \rightleftharpoons xFeSO_4 \cdot yNO$ （暗褐色）

(第17改正日本薬局方解説書，廣川書店より一部改変して引用)

表3.1 つづき

イオン又は塩	定性反応の概要とその化学反応式
	(2) 亜硝酸塩＋ヨウ化カリウム試液＋希硫酸 ⟶ 液は黄褐色，次に黒紫色の沈殿 ⟶ ＋クロロホルム ⟶ クロロホルム層は紫色 $2NO_2^- + 2I^- + 4H^+ \rightleftharpoons I_2 + 2NO + 2H_2O$ (3) 亜硝酸の溶液＋チオ尿素試液＋希硫酸＋塩化鉄(Ⅲ)試液→液は暗赤色 ⟶ ＋ジエチルエーテル ⟶ ジエチルエーテル層は赤色 $HNO_2 + CS(NH_2)_2 \rightleftharpoons N_2 \uparrow + HSCN + 2H_2O$ $Fe^{3+} + 3SCN^- \rightleftharpoons Fe(SCN)_3$ （赤）
亜ヒ酸塩	(1) 亜ヒ酸塩の塩酸酸性溶液＋硫化ナトリウム試液 ⟶ 黄色沈殿（塩酸に不溶，炭酸アンモニウム試液に可溶） $AsO_3^{3-} + 6H^+ \rightleftharpoons As^{3+} + 3H_2O$, $2As^{3+} + 3S^{2-} \rightleftharpoons As_2S_3 \downarrow$ （黄） $As_2S_3 + 3(NH_4)_2CO_3 \rightleftharpoons 6NH_4^+ + 3CO_2 + [AsS_3]^{3-} + [AsO_3]^{3-}$ (2) 亜ヒ酸塩の微アルカリ性溶液＋硝酸銀試液 ⟶ 黄白色沈殿（アンモニア試液，希硝酸に可溶） $[AsO_3]^{3-} + 3Ag^+ \rightleftharpoons Ag_3AsO_3 \downarrow$ （黄白） $Ag_3AsO_3 + 6NH_3 \rightleftharpoons [AsO_3]^{3-} + 3[Ag(NH_3)_2]^+$ $Ag_3AsO_3 + 3H^+ \rightleftharpoons H_3AsO_3 + 3Ag^+$ (3) 亜ヒ酸塩の微アルカリ性溶液＋硫酸銅(Ⅱ)試液 ⟶ 緑色沈殿 ⟶ ＋水酸化ナトリウム試液 $\xrightarrow{煮沸}$ 赤褐色 $[AsO_3]^{3-} + Cu^{2+} + H^+ \rightleftharpoons CuHAsO_3 \downarrow$ （緑） $2CuHAsO_3 + 6NaOH \rightleftharpoons Na_3AsO_3 + Na_3AsO_4 + 4H_2O + CuO_2 \downarrow$ （赤）
亜硫酸及び亜硫酸水素塩	(1) 亜硫酸塩又は亜硫酸水素塩の酢酸酸性溶液＋ヨウ素試液 ⟶ 試液は脱色 $SO_2 + I_2 + 2H_2O \rightleftharpoons H_2SO_4 + 2HI$ (2) 亜硫酸塩又は亜硫酸水素塩の溶液＋等容量の希塩酸 ⟶ 二酸化硫黄臭，液は混濁しない【チオ硫酸塩との区別】 ⟶ ＋硫化ナトリウム試液 ⟶ 液は白濁し，徐々に淡黄沈殿に変わる $SO_3^{2-} + 2H^+ \rightleftharpoons HSO_3^- + H^+ \rightleftharpoons H_2SO_3 \rightleftharpoons H_2O + SO_2 \uparrow$ $SO_2 + 2H_2S \rightleftharpoons 2H_2O + 3S \downarrow$ （白～黄）
アルミニウム塩	(1) アルミニウム塩の溶液＋塩化アンモニウム＋アンモニア試液 ⟶ 白色のゲル状沈殿（過量のアンモニア試液に不溶） $Al^{3+} + 3OH^- \rightleftharpoons Al(OH)_3 \downarrow$ （白） (2) アルミニウム塩の溶液＋水酸化ナトリウム試液 ⟶ 白色のゲル状沈殿（過量の水酸化ナトリウム試液に可溶） $Al(OH)_3 + OH^- \rightleftharpoons [Al(OH)_4]^-$ (3) アルミニウム塩の溶液＋硫化ナトリウム試液 ⟶ 白色のゲル状沈殿（過量の硫化ナトリウム試液に可溶） $Na_2S + H_2O \rightleftharpoons 2Na^+ + OH^- + HS^-$, $Al^{3+} + 3OH^- \rightleftharpoons Al(OH)_3 \downarrow$ （白）

表 3.1 つづき

イオン又は塩	定性反応の概要とその化学反応式
	(4) アルミニウム塩+白色のゲル状沈殿が生じるまでアンモニア試液 ⟶ +アリザリンレッドS試液 ⟶ 沈殿が赤色に変わる $Al(OH)_3$ + アリザリン S ⟶ 赤色レーキ
安息香酸塩	(1) 安息香酸塩の濃溶液+希塩酸 ⟶ 白色の結晶性沈殿 ⟶ 沈殿の融点測定 $C_6H_5COO^- + H^+ \rightleftarrows C_6H_5COOH \downarrow$ (白) (2) 安息香酸塩の中性溶液+塩化鉄(Ⅲ)試液 ⟶ 淡黄赤色沈殿 ⟶ +希塩酸 ⟶ 白色沈殿* *生じた鉄錯塩の沈殿 ($C_6H_5COO[(OH)_2Fe_3(C_6H_5COO)_6]$ 淡黄赤色) は,希塩酸によって分解し,安息香酸が遊離する.
アンチモン塩,第一	(1) 第一アンチモン塩+少量の塩酸 ⟶ 水で薄める ⟶ 白濁 ⟶ +硫化ナトリウム ⟶ 橙色沈殿(硫化ナトリウム試液,水酸化ナトリウム試液に可溶) $SbCl_3 + 2HCl \rightleftarrows H_2[SbCl_5]$ $H_2[SbCl_5] + H_2O \rightleftarrows 4H^+ + 4Cl^- + SbOCl \downarrow$ (白) $2SbOCl + 3S^{2-} + 2H_2O \rightleftarrows 2Cl^- + 4OH^- + Sb_2S_3 \downarrow$ (橙色) $Sb_2S_3 + 2OH^- \rightleftarrows [SbOS]^- + [SbS_2]^- + H_2O$ $Sb_2S_3 + 3S^{2-} \rightleftarrows 2[SbS_3]^{3-}$ (2) 第一アンチモン塩の塩酸酸性溶液+わずかに沈殿が生じるまで水 ⟶ +チオ硫酸ナトリウム→沈殿は溶ける $\xrightarrow{加熱}$ 赤色沈殿 $2Sb^{3+} + 3S_2O_3^{2-} + 3H_2O \rightleftarrows 3SO_4^{2-} + 6H^+ + Sb_2S_3 \downarrow$ (赤)
アンモニウム塩	アンモニウム塩+過量の水酸化ナトリウム試液 $\xrightarrow{加温}$ アンモニア臭,このガスは潤した赤色リトマス紙を青変 $NH_4^+ + OH^- \rightleftarrows H_2O + NH_3 \uparrow$
塩化物	(1) 塩化物の溶液+硫酸+過マンガン酸カリウム $\xrightarrow{加熱}$ 塩素ガス発生,このガスは潤したヨウ化カリウムデンプン紙を青変 $10Cl^- + 2KMnO_4 + 8H_2SO_4 \rightleftarrows 2MnSO_4 + K_2SO_4 + 5SO_4^{2-} + 8H_2O + 5Cl_2$ $Cl_2 + 2I^- \rightleftarrows 2Cl^- + I_2$ (でんぷん紙を青変) (2) 塩化物の溶液+硝酸銀試液 ⟶ 白色沈殿(希硝酸に不溶,過量のアンモニア試液に可溶) $Cl^- + AgNO_3 \rightleftarrows NO_2^- + AgCl \downarrow$ (白) $AgCl + 2NH_3 \rightleftarrows Cl^- + [Ag(NH_3)_2]^+$
塩素酸塩	(1) 塩素酸塩の溶液+硝酸銀試液 ⟶ 沈殿を生じない ⟶ +亜硝酸ナトリウム試液+希硝酸 ⟶ 白色沈殿(アンモニア試液に可溶) $ClO_3^- + 3NO_2^- \rightleftarrows Cl^- + 3NO_3^-$,$Cl^- + Ag^+ \rightleftarrows AgCl$ $AgCl + 2NH_3 \rightleftarrows Cl^- + [Ag(NH_3)_2]^+$ (2) 塩素酸塩の中性溶液+淡青色を呈するまでインジゴカルミン試液 ⟶ 希硫酸+亜硫酸水素ナトリウム ⟶ 液の青色が脱色

表3.1 つづき

イオン又は塩	定性反応の概要とその化学反応式
過酸化物	(1) 過酸化物の溶液＋等容量の酢酸エチル＋二クロム酸カリウム試液＋希硫酸 ─→ 酢酸エチル層は青色 $2H_2O_2 + HCrO_4^- + H^+ \rightleftharpoons 3H_2O + CrO_5$（青） (2) 過酸化物の硫酸酸性溶液＋過マンガン酸カリウム試液 ─→ 液は脱色，O_2 ガス発生 $2MnO_4^- + 5H_2O_2 + 6H^+ \rightleftharpoons 2Mn^{2+} + 8H_2O + 5O_2\uparrow$
過マンガン酸塩	(1) 過マンガン酸塩の溶液は赤紫色を呈する． (2) 過マンガン酸塩の硫酸酸性溶液＋過量の過酸化水素試液 ─→ 液は脱色 $2MnO_4^- + 5H_2O_2 + 6H^+ \rightleftharpoons 2Mn^{2+} + 8H_2O + 5O_2\uparrow$ (3) 過マンガン酸塩の硫酸酸性溶液＋過量のシュウ酸試液 $\xrightarrow{\text{加温}}$ 脱色 $2MnO_4^- + 5H_2C_2O_4 + 6H^+ \rightleftharpoons 2Mn^{2+} + 8H_2O + 10CO_2\uparrow$
カリウム塩	(1) 炎色反応：淡紫色を呈する． (2) カリウム塩の中性溶液＋酒石酸水素ナトリウム試液 ─→ 白色の結晶性沈殿（アンモニア試液，水酸化ナトリウム試液，炭酸ナトリウム試液に可溶） $K^+ + HC_4H_4O_6^- \rightleftharpoons KHC_4H_4O_6\downarrow$（白） $KHC_4H_4O_6 + OH^- \rightleftharpoons K^+ + C_4H_4O_6^{2-} + H_2O$ (3) カリウム塩の酢酸酸性溶液＋ヘキサニトロコバルト(Ⅲ)酸ナトリウム試液 ─→ 黄色沈殿 $2K^+ + Na_3[Co(NO_2)_6] \rightleftharpoons 2Na^+ + K_2Na[Co(NO_2)_6]\downarrow$（黄） (4) カリウム塩＋過量の水酸化ナトリウム試液 $\xrightarrow{\text{加温}}$ アンモニア臭しない【アンモニウム塩との区別】
カルシウム塩	(1) 炎色反応：黄赤色を呈する． (2) カルシウム塩の溶液＋炭酸アンモニウム試液 ─→ 白色沈殿 $Ca^{2+} + (NH_4)_2CO_3 \rightleftharpoons 2NH_4^+ + CaCO_3\downarrow$（白） (3) カルシウム塩の溶液＋シュウ酸アンモニウム試液 ─→ 白色沈殿（希酢酸に不溶，希塩酸に可溶） $Ca^{2+} + (NH_4)_2C_2O_4 \rightleftharpoons 2NH_4^+ + CaC_2O_4\downarrow$（白） $CaC_2O_4 \rightleftharpoons Ca^{2+} + C_2O_4^{2-}$, $C_2O_4^{2-} + H^+ \rightleftharpoons HC_2O_4^-$ (4) カルシウム塩の中性溶液＋クロム酸カリウム試液 $\xrightarrow{\text{加熱}}$ 沈殿を生じない【ストロンチウム塩との区別】
銀塩	(1) 銀塩の溶液＋希塩酸 ─→ 白色沈殿（希硝酸に不溶，過量のアンモニア試液に可溶） $Ag^+ + HCl \rightleftharpoons H^+ + AgCl\downarrow$（白） $AgCl + 2NH_3 \rightleftharpoons [Ag(NH_3)_2]^+ + Cl^-$ (2) 銀塩の溶液＋クロム酸カリウム試液 ─→ 赤色沈殿（希硝酸に可溶） $2Ag^+ + K_2CrO_4 \rightleftharpoons 2K^+ + Ag_2CrO_4\downarrow$（赤） $Ag_2CrO_4 + 2H^+ \rightleftharpoons H_2CrO_4 + 2Ag^+$

表 3.1 つづき

イオン又は塩	定性反応の概要とその化学反応式
	(3) 銀塩の溶液＋アンモニア試液 ⟶ 灰褐色の沈殿（アンモニア試液に可溶）⟶ ＋ホルムアルデヒド液 ⟶ 器壁に銀鏡 $2Ag^+ + 2NH_3 + H_2O \rightleftharpoons 2NH_4^+ + Ag_2O \downarrow$（灰褐色） $Ag_2O + 4NH_3 + H_2O \rightleftharpoons 2OH^- + 2[Ag(NH_3)_2]^+$ $2[Ag(NH_3)_2]^+ + HCHO + H_2O \rightleftharpoons HCOO^- + 3NH_4^+ + NH_3 + 2Ag \downarrow$（銀鏡）
クエン酸塩	(1) クエン酸塩＋ピリジン/無水酢酸混液 $\xrightarrow{放置}$ 赤褐色（Fürth 法による呈色反応） (2) クエン酸塩の中性溶液＋等容量の希硫酸＋過マンガン酸カリウム $\xrightarrow{脱色するまで加熱}$ ＋臭素試液 ⟶ 白色沈殿 $HO-C(COOH)(CH_2COOH)_2 + O \longrightarrow O=C(CH_2COOH)_2 + CO_2 + H_2O$ $O=C(CH_2COOH)_2 + 5Br_2 \longrightarrow 2CO_2 + 5HBr + O=C(CBr_3)CHBr_2 \downarrow$（白） (3) クエン酸塩の中性溶液＋過量の塩化カルシウム $\xrightarrow{煮沸}$ 白色の結晶性沈殿（水酸化ナトリウム試液に不溶，希塩酸に可溶）
グリセロリン酸塩	(1) グリセロリン酸塩の溶液＋塩化カルシウム試液 $\xrightarrow{煮沸}$ 沈殿* *熱時加水分解によって遊離する H_3PO_4 が，$Ca_3(PO_4)_2$ となって沈殿する． (2) グリセロリン酸塩の溶液＋七モリブデン酸六アンモニウム試液 $\xrightarrow{煮沸}$ 黄色沈殿 遊離した $PO_4^{3-} + 12MoO_4^{2-} + 3NH_3 + 24H^+$ $\rightleftharpoons 6H_2O + (NH_4)_3PO_4 \cdot 12MoO_3 \cdot 6H_2O \downarrow$（黄） (3) グリセロリン酸塩＋等量の硫酸水素カリウム $\xrightarrow{直火で加熱}$ アクロレイン臭 $CH_2OHCH(OH)CH_2OH \longrightarrow 2H_2O + CH_2=CHCHO \uparrow$
クロム酸塩	(1) クロム酸塩の溶液は黄色を呈する（CrO_4^{2-}：黄）． (2) クロム酸塩の溶液＋酢酸鉛(II)試液 ⟶ 黄色の沈殿（酢酸に不溶，希硝酸に可溶） $CrO_4^{2-} + (CH_3COO)_2Pb \rightleftharpoons 2CH_3COO^- + PbCrO_4 \downarrow$（黄） $PbCrO_4 + 2HNO_3 \rightleftharpoons Pb(NO_3)_2 + H_2CrO_4, \; H_2CrO_4 \rightleftharpoons H^+ + HCrO_4^-$ $2HCrO_4^- \rightleftharpoons H_2O + Cr_2O_7^{2-}$（黄赤） (3) クロム酸塩の硫酸酸性溶液＋等容量の酢酸エチル＋過酸化水素試液 $\xrightarrow{放置}$ 酢酸エチル層は青色 $HCrO^- + 2H_2O_2 + H^+ \rightleftharpoons 3H_2O + CrO_5$（青）
酢酸塩	(1) 酢酸塩＋薄めた硫酸 ⟶ 酢酸臭 $CH_3COO^- + H^+ \rightleftharpoons CH_3COOH \uparrow$ (2) 酢酸塩＋硫酸及び少量のエタノール(95) ⟶ 酢酸エチル臭 $CH_3COOH + C_2H_5OH \xrightarrow{硫酸} H_2O + CH_3COOC_2H_5 \uparrow$ (3) 酢酸塩の中性溶液＋塩化鉄(III)試液 ⟶ 液は赤褐色を呈する $\xrightarrow{煮沸}$ 赤褐色沈殿（塩酸に可溶，液は黄色に変わる*） $3CH_3COO^- + Fe^{3+} \rightleftharpoons (CH_3COO)_3Fe$（冷時赤褐色） $(CH_3COO)_3Fe + 2H_2O \rightleftharpoons 2CH_3COOH + CH_3COOFe(OH)_2 \downarrow$（赤褐色） *塩酸の添加によって，$Fe^{3+}$（黄）が解離する．

表3.1 つづき

イオン又は塩	定性反応の概要とその化学反応式
サリチル酸塩	(1) サリチル酸塩＋過量のソーダ石灰 ⟶ フェノール臭 　　HO-C₆H₄-COOH $\xrightarrow{\text{NaOH + CaO}}$ C₆H₅OH ＋ CO₂ (2) サリチル酸塩の濃溶液＋希塩酸 ⟶ 白色の結晶性沈殿 ⟶ 沈殿の融点測定 　　HO-C₆H₄-COO⁻ ＋ H⁺ ⟶ HO-C₆H₄-COOH ↓（白） (3) サリチル酸の中性溶液＋希塩化鉄（Ⅲ）試液 ⟶ 液は赤色を呈する ⟶ ＋希塩酸 　　⟶ 液の色は紫に変わり，その後脱色する*． 　　*FeCl₃ によってトリサリチレイト鉄(Ⅲ)酸（[Fe(OC₆H₄COO)₃]H₃：赤）を生成し，次いでジサリチレイト鉄(Ⅲ)酸のFe(Ⅲ)塩（[Fe(OC₆H₄COO)₂]₃Fe：紫）に変わり，さらに酸性を強くすると解離してサリチル酸を遊離する．
シアン化物	(1) シアン化物の溶液＋過量の硝酸銀試液 ⟶ 白色沈殿（希硝酸に不溶，アンモニア試液に可溶） 　　2CN⁻ ＋ AgNO₃ ⇌ NO₃⁻ ＋ [Ag(CN)₂]⁻ 　　[Ag(CN)₂]⁻ ＋ Ag⁺ ⇌ 2AgCN ↓（白） (2) シアン化物の溶液＋硫酸鉄(Ⅱ)試液＋希塩化鉄(Ⅲ)試液＋水酸化ナトリウム試液 　　⟶ ＋希硫酸 ⟶ 青色沈殿 　　6CN⁻ ＋ Fe²⁺ ⇌ [Fe(CN)₆]⁴⁻ 　　[Fe(CN)₆]⁴⁻ ＋ Fe³⁺ ＋ Na⁺ ⇌ NaFeᴵᴵᴵ[Feᴵᴵ(CN)₆] ↓（青）
臭化物	(1) 臭化物の溶液＋硝酸銀試液 ⟶ 淡黄色沈殿（希硝酸に不溶）⟶ ＋アンモニア水(28) ⟶ 分離した液に希硝酸を加えて酸性にすると白濁 　　Br⁻ ＋ AgNO₃ ⇌ NO₃⁻ ＋ AgBr ↓（淡黄） 　　AgBr ＋ 2NH₃ ⇌ [Ag(NH₃)₂]⁺ ＋ Br⁻ $\xrightarrow{\text{硝酸}}$ 2NH₃ ＋ AgBr ↓ (2) 臭化物の溶液＋塩素試液 ⟶ 黄褐色（クロロホルムを加えるとクロロホルム層は黄褐〜赤褐色，フェノールを加えると白色沈殿を生じる） 　　Br⁻ ＋ Cl₂ ⇌ 2Cl⁻ ＋ Br₂ 　　3Br₂ ＋ C₆H₅OH ⟶ 3HBr ＋ C₆H₂(OH)Br₃ ↓（白）
重クロム酸塩	(1) 重クロム酸塩の溶液は黄赤色を呈する． (2) 重クロム酸塩の溶液＋酢酸鉛(Ⅱ)試液 ⟶ 黄色沈殿（酢酸(31)に不溶，希硝酸に可溶） 　　Cr₂O₇²⁻ ＋ 2(CH₃COO)₂Pb ＋ H₂O ⟶ 2CH₃COOH ＋ 2CH₃COO⁻ ＋ 2PbCrO₄ ↓（黄） 　　PbCrO₄ ＋ 2H⁺ ⟶ Pb²⁺ ＋ H₂CrO₄【クロム酸塩(2)を参照】 (3) 重クロム酸塩の硫酸酸性溶液＋等容量の酢酸エチル＋過酸化水素試液 $\xrightarrow{\text{放置}}$ 酢酸エチル層は青色【クロム酸塩(3)を参照】
シュウ酸塩	(1) シュウ酸塩の硫酸酸性溶液＋温時過マンガン酸カリウム試液 ⟶ 試薬は脱色 　　5C₂O₄²⁻ ＋ 2MnO₄⁻ ＋ 16H⁺ ⇌ 10CO₂ ＋ 2Mn²⁺ ＋ 8H₂O (2) シュウ酸塩の溶液＋塩化カルシウム試液 ⟶ 白色沈殿（希酢酸に不溶，希塩酸に可溶） 　　C₂O₄²⁻ ＋ CaCl₂ ⟶ 2Cl⁻ ＋ CaC₂O₄ ↓（白）

表 3.1 つづき

イオン又は塩	定性反応の概要とその化学反応式
臭素酸塩	(1) 臭素酸塩の硝酸酸性溶液＋硝酸銀試液 ⟶ 白色沈殿（加熱により溶ける）⟶ ＋亜硝酸ナトリウム ⟶ 淡黄色沈殿 $BrO_3^- + Ag^+ \rightleftarrows AgBrO_3 \downarrow$（白） $AgBrO_3 + 3NO_2^- \rightleftarrows 3NO_3^- + AgBr \downarrow$（淡黄） (2) 臭素酸塩の硝酸酸性溶液＋亜硝酸ナトリウム試液 ⟶ 液は黄～赤褐色＋クロロホルムを加えて振り混ぜるとクロロホルム層は黄～赤褐色 $2BrO_3^- + 6NO_2^- \rightleftarrows 6NO_3^- + Br_2$
酒石酸塩	(1) 酒石酸の中性溶液＋硝酸銀試液 ⟶ 白色沈殿（硝酸に可溶）⟶ ＋アンモニア試液 $\xrightarrow{加温}$ 沈殿は溶け，器壁に銀鏡を生じる $C_4H_4O_6^{2-} + 2Ag^+ \longrightarrow Ag_2C_4H_4O_6 \downarrow$（白）　この沈殿をアンモニア試液に溶かして加温すると，Ag^+ が還元され金属 Ag が生じる（銀鏡反応）． (2) 酒石酸塩の溶液＋酢酸(31)＋硫酸鉄(II)試液＋過酸化水素試液＋過量の水酸化ナトリウム試液 ⟶ 液は赤紫～紫色 (3) 酒石酸の溶液＋［硫酸＋レソルシノール溶液＋臭化カリウム溶液］$\xrightarrow{加熱}$ 濃青色 $\xrightarrow{冷却}$ ＋水 ⟶ 赤～赤橙色
硝酸塩	(1) 硝酸塩の溶液＋等容量の硫酸 $\xrightarrow{冷却}$ ＋硫酸鉄(II)試液を層積 ⟶ 接界面に暗褐色の輪帯 $NO_3^- + 3Fe^{2+} + 4H^+ \rightleftarrows NO + 3Fe^{3+} + 2H_2O$ $xFeSO_4 + yNO \rightleftarrows xFeSO_4 \cdot yNO$（暗褐色） (2) 硝酸塩の溶液＋ジフェニルアミン試液 ⟶ 液は青色 $2\ C_6H_5\text{-}NH\text{-}C_6H_5 \xrightarrow{NO_3^-} C_6H_5\text{-}NH\text{-}C_6H_4\text{-}C_6H_4\text{-}NH\text{-}C_6H_5$ $\xrightarrow{NO_3^-} C_6H_5\text{-}^+NH = C_6H_4 = C_6H_4 = {}^+NH\text{-}C_6H_5$（青） (3) 硝酸塩の硫酸酸性溶液＋過マンガン酸カリウム試液 ⟶ 試液の赤紫色は退色しない【亜硝酸塩との区別*】 * NO_2^- には酸化作用と還元作用があるが，NO_3^- には酸化作用しかない．
水銀塩，第一	(1) 第一水銀塩の水溶液＋銅板 ⟶ 紙または布でこする ⟶ 銀白色 $Hg_2^{2+} + Cu \rightleftarrows Cu^{2+} + 2Hg \downarrow$ (2) 第一水銀塩またはその溶液＋水酸化ナトリウム試液 ⟶ 液は黒色 $Hg_2^{2+} + 2OH^- \rightleftarrows H_2O + HgO$（黄）＋ Hg（黒，微粉状） (3) 第一水銀塩の溶液＋希塩酸 ⟶ 白色沈殿 ⟶ ＋アンモニア試液 ⟶ 黒変 $Hg_2^{2+} + 2Cl^- \rightleftarrows Hg_2Cl_2 \downarrow$（白） $Hg_2Cl_2 + 2NH_3 \rightleftarrows NH_4Cl + Hg(NH_2)Cl \downarrow$（白）＋ Hg ↓（黒） (4) 第一水銀塩の溶液＋ヨウ化カリウム ⟶ 黄色沈殿 $\xrightarrow{放置}$ 緑色沈殿（ヨウ化カリウム試液をさらに添加すると黒変） $Hg_2^{2+} + 2I^- \rightleftarrows Hg_2I_2 \downarrow$（黄）$\xrightarrow{加熱＋光} Hg_2I_2 + Hg$ $Hg_2I_2 + 2I^- \rightleftarrows [HgI_4]^{2-} + Hg \downarrow$（黒）

表3.1 つづき

イオン又は塩	定性反応の概要とその化学反応式
水銀塩, 第二	(1)【水銀塩, 第一(1)と共通】 $Hg^{2+} + Cu \rightleftarrows Cu^{2+} + Hg \downarrow$ (2) 第二水銀塩の溶液+少量の硫化ナトリウム試液 ⟶ 黒色沈殿（過量の硫化ナトリウム試液に可溶）⟶ +塩化アンモニウム試液 ⟶ 黒色沈殿 $Hg^{2+} + S^{2-} \rightleftarrows HgS \downarrow$（黒），$HgS + S^{2-} \rightleftarrows [HgS_2]^{2-}$（溶解，無色） $[HgS_2]^{2-} + 2NH_4^+ \rightleftarrows H_2S + 2NH_3 + HgS \downarrow$（黒） (3) 第二水銀塩の中性溶液+ヨウ化カリウム ⟶ 赤色沈殿（過量のヨウ化カリウム試液に可溶） $Hg^{2+} + 2I^- \rightleftarrows HgI_2 \downarrow$（赤），$HgI_2 + 2I^- \rightleftarrows [HgI_4]^{2-}$（溶解，無色） (4) 第二水銀塩の塩酸酸性溶液+少量の塩化スズ(Ⅱ) ⟶ 白色沈殿（過量の塩化スズ(Ⅱ)の添加によって沈殿は灰黒色に変わる） $2HgCl_2 + SnCl_2 \rightleftarrows SnCl_4 + Hg_2Cl_2 \downarrow$（白）， $Hg_2Cl_2 + SnCl_2 \rightleftarrows SnCl_4 + 2Hg \downarrow$（灰黒）
スズ塩, 第一	(1) 第一スズ塩の塩酸酸性溶液を，水を入れた試験管底部に付着させ，ブンゼンバーナーの無色炎中に入れる ⟶ 試験管の底部が青色の炎で包まれる（スズ塩特有の炎色試験）． (2) 第一スズ塩の塩酸酸性溶液+亜鉛粒 ⟶ 灰色の海綿状物質が析出 $Sn^{2+} + Zn \rightleftarrows Zn^{2+} + Sn \downarrow$（灰色，海綿状） (3) 第一スズ塩の溶液+ヨウ素・デンプン試液 ⟶ 液が脱色 $Sn^{2+} + I_2 \rightleftarrows Sn^{4+} + 2I^-$（$I_2$脱色） (4) 第一スズ塩の塩酸酸性溶液+アンモニア試液（わずかに沈殿（$Sn(OH)_2$）が生じるまで）+硫化ナトリウム試液 ⟶ 暗褐色沈殿（硫化ナトリウム試液を更に添加しても不溶【第二スズ塩との区別】）⟶ +多硫化アンモニウム（$(NH_4)_2S_n$）試液に可溶 $Sn^{2+} + Na_2S \rightleftarrows 2Na^+ + SnS \downarrow$（暗褐色），$SnS + 2S^{2-} \rightleftarrows [SnS_3]^{2-}$
スズ塩, 第二	(1)【スズ塩，第一(1)と共通】 (2)【スズ塩，第一(2)と共通】 (3) 第二スズ塩の塩酸酸性溶液+鉄粉 —放置→ —ろ過→ ろ液+ヨウ素・デンプン試液 ⟶ 液が脱色 $Sn^{4+} + Fe \rightleftarrows Fe^{2+} + Sn^{2+}$，$Sn^{2+} + I_2 \rightleftarrows Sn^{4+} + 2I^-$（$I_2$脱色） (4) 第二スズ塩の塩酸酸性溶液+アンモニア試液（わずかに沈殿（$Sn(OH)_4$）が生じるまで）+硫化ナトリウム試液 —煮沸→ 淡黄色沈殿（硫化ナトリウム試液をさらに添加すると可溶 ⟶ +塩酸（再び淡黄色沈殿を生じる） $Sn^{4+} + 2Na_2S \rightleftarrows 4Na^+ + SnS_2 \downarrow$（淡黄），$SnS_2 + S^{2-} \rightleftarrows [SnS_3]^{2-}$ $[SnS_3]^{2-} + 2H^+ \rightleftarrows H_2S + SnS_2 \downarrow$（淡黄）
セリウム塩	(1) セリウム塩+酸化鉛(Ⅳ)+硝酸 —煮沸→ 液は黄色（Ce^{3+}がPbO_2とHNO_3によって酸化され，黄色のCe^{4+}が生成）

表 3.1 つづき

イオン又は塩	定性反応の概要とその化学反応式
	(2) セリウム塩の溶液＋過酸化水素試液＋アンモニア試液 ⟶ 黄〜赤褐色沈殿 $2Ce^{3+} + H_2O_2 + 6OH^- \rightleftarrows 2Ce(OH)_4$ $Ce(OH)_4 + H_2O_2 \rightleftarrows H_2O + Ce(OH)_3O_2H \downarrow$（黄〜赤褐）
炭酸塩	(1) 炭酸塩＋希塩酸 ⟶ ガス発生（水酸化カルシウム試液にこのガスを通じると白色沈殿が生じる）【炭酸水素塩(1)と共通】 $CO_3^- + 2H^+ \rightleftarrows H_2O + CO_2 \uparrow$, $CO_2 + OH^- \rightleftarrows HCO_3^-$, $HCO_3^- + OH^- \rightleftarrows H_2O + CO_3^{2-}$, $CO_3^{2-} + Ca^{2+} \rightleftarrows CaCO_3 \downarrow$（白） (2) 炭酸塩の溶液＋硫酸マグネシウム ⟶ 白色沈殿（希酢酸に可溶） $4CO_3^{2-} + 4Mg^{2+} + H_2O \rightleftarrows CO_2 + Mg(OH)_2 \cdot 3MgCO_3 \downarrow$（白） (3) 炭酸塩の冷溶液＋フェノールフタレイン試液 ⟶ 液は赤色を呈する【炭酸水素塩との区別】
炭酸水素塩	(1) 炭酸水素塩＋希塩酸 ⟶ ガス発生（水酸化カルシウム試液にこのガスを通じると白色沈殿が生じる）【炭酸塩(1)と共通】 $HCO_3^- + H^+ \rightleftarrows H_2O + CO_2 \uparrow$ (2) 炭酸水素塩の溶液＋硫酸マグネシウム $\xrightarrow{\text{煮沸}}$ 白色沈殿 $2HCO_3^- \rightleftarrows H_2O + CO_2 \uparrow + CO_3^{2-}$, $CO_3^{2-} + Mg^{2+} \rightleftarrows MgCO_3 \downarrow$（白） (3) 炭酸水素塩の冷溶液＋フェノールフタレイン試液 ⟶ 液は赤色を呈しないか，又は赤色を呈しても極めて薄い【炭酸塩との区別】
チオシアン酸塩	(1) チオシアン酸塩の溶液＋過量の硝酸銀試液 ⟶ 白色沈殿（希硝酸に不溶，アンモニア水に可溶） $SCN^- + AgNO_3 \rightleftarrows NO_3^- + AgSCN \downarrow$（白） $AgSCN + 2NH_3 \rightleftarrows SCN^- + [Ag(NH_3)_2]^+$ (2) チオシアン酸塩の溶液＋塩化鉄（Ⅲ）⟶ 液は赤色（塩酸を加えても色は消えない）　$3SCN^- + Fe^{3+} \rightleftarrows Fe(SCN)_3$（赤）
チオ硫酸塩	(1) チオ硫酸塩の酢酸酸性溶液＋ヨウ素試液 ⟶ 試薬は脱色 $2S_2O_3^{2-} + I_2 \rightleftarrows S_4O_6^{2-} + 2I^-$（$I_2$ 脱色） (2) チオ硫酸塩の溶液＋等容量の希塩酸 ⟶ 二酸化硫黄臭，液は白濁から黄色に変わる $S_2O_3^{2-} + 2HCl \rightleftarrows H_2S_2O_3 + 2Cl^-$, $H_2S_2O_3 \rightleftarrows H_2O + S \downarrow + SO_2 \uparrow$ (3) チオ硫酸塩の溶液＋過量の硝酸銀試液 ⟶ 白色沈殿が黒色に変わる $3S_2O_3^{2-} + 2AgNO_3 \rightleftarrows 2NO_3^- + [Ag_2(S_2O_3)_3]^{4-}$ $[Ag_2(S_2O_3)_3]^{4-} + 4AgNO_3 \rightleftarrows 4NO_3^- + 3Ag_2S_2O_3 \downarrow$（白） $Ag_2S_2O_3 + H_2O \rightleftarrows H_2SO_4 + AgS$（黒）
鉄塩，第一	(1) 第一鉄塩の弱酸性溶液＋ヘキサシアノ鉄（Ⅲ）酸カリウム試液 ⟶ 青色沈殿（希塩酸に不溶） $Fe^{2+} + K_3[Fe(CN)_6] \rightleftarrows 2K^+ + KFe^{II}[Fe^{III}(CN)_6] \downarrow$（タンブル青）

表3.1 つづき

イオン又は塩	定性反応の概要とその化学反応式
	(2) 第一鉄塩の溶液＋水酸化ナトリウム試液 ⟶ 灰緑色のゲル状沈殿 ⟶ ＋硫化ナトリウム試液 ⟶ 黒色沈殿（希塩酸に可溶） $Fe^{2+} + 2NaOH \rightleftarrows 2Na^+ + Fe(OH)_2 \downarrow$（灰緑） $Fe(OH)_2 + S^{2-} \rightleftarrows 2OH^- + FeS \downarrow$（黒） (3) 第一鉄塩の中性又は弱酸性溶液＋1,10 フェナントロリン一水和物のエタノール溶液 ⟶ 濃赤色の錯塩を生成
鉄塩，第二	(1) 第二鉄塩の弱酸性溶液＋ヘキサシアノ鉄(Ⅱ)酸カリウム試液 ⟶ 青色沈殿（希塩酸に不溶） $Fe^{3+} + K_4[Fe(CN)_6] \rightleftarrows 3K^+ + KFe^{Ⅲ}[Fe^{Ⅱ}(CN)_6] \downarrow$（ベルリン青） (2) 第二鉄塩の溶液＋水酸化ナトリウム ⟶ 赤褐色のゲル状沈殿 ⟶ ＋硫化ナトリウム試液 ⟶ 黒色沈殿（希塩酸に可溶，白濁する） $Fe^{3+} + 3NaOH \rightleftarrows 3Na^+ + Fe(OH)_3 \downarrow$（赤褐） $2Fe(OH)_3 + 3S^{2-} \rightleftarrows 6OH^- + Fe_2S_3 \downarrow$（黒） $Fe_2S_3 + 6HCl \longrightarrow 2FeCl_3 + 3H_2S$, $2FeCl_3 + H_2S \longrightarrow 2FeCl_2 + 2HCl + S \downarrow$（白濁） (3) 第二鉄塩の弱酸性溶液＋スルホサリチル酸試液 ⟶ 紫色の錯塩を生成
銅塩，第二	(1) 第二銅塩の塩酸酸性溶液＋よく磨いた板状の鉄 ⟶ 表面に赤色の金属膜 $Cu^{2+} + Fe \rightleftarrows Fe^{2+} + Cu \downarrow$（赤） (2) 第二銅塩の溶液＋少量のアンモニア試液 ⟶ 淡青色沈殿 ⟶ ＋過量のアンモニア試液 ⟶ 液は青色 $Cu^{2+} + 2OH^- \rightleftarrows Cu(OH)_2 \downarrow$（淡青） $Cu(OH_2) + 4NH_3 \rightleftarrows 2OH^- + [Cu(NH_3)_4]^{2+}$（濃青） (3) 第二銅塩の溶液にヘキサシアノ鉄(Ⅱ)カリウム試液 ⟶ 赤褐色沈殿（希硝酸に不溶，アンモニア試液に可溶（液は濃青色）） $2Cu^{2+} + K_4[Fe(CN)_6] \rightleftarrows 4K^+ + Cu_2[Fe(CN)_6] \downarrow$（赤褐色） $Cu_2[Fe(CN)_6] + 8NH_3 \rightleftarrows 2[Cu(NH_3)_4]^{2+} + [Fe(CN)_6]^{4-}$ (4) 第二銅塩の溶液＋硫化ナトリウム試液 ⟶ 黒色沈殿（希塩酸，希硫酸又は水酸化ナトリウム試液に不溶，熱希硝酸に可溶） $Cu^{2+} + S^{2-} \rightleftarrows CuS \downarrow$（黒） $3CuS + 8HNO_3 \rightleftarrows 2NO + 4H_2O + 3S + 3Cu(NO_3)_2$（溶解，青）
ナトリウム塩	(1) 炎色反応：黄色を呈する． (2) ナトリウム塩の中性又は弱アルカリ性濃溶液＋ヘキサヒドロキシアンチモン(V)酸カリウム試液 ⟶ 白色結晶性沈殿 $2Na^+ + K_2H_2Sb_2O_7 \rightleftarrows 2K^+ + Na_2H_2Sb_2O_7 \downarrow$（白）
鉛塩	(1) 鉛塩の溶液＋希硫酸 ⟶ 白色沈殿（希硝酸に不溶，水酸化ナトリウム試液及び酢酸アンモニウム試液に可溶）

表 3.1 つづき

イオン又は塩	定性反応の概要とその化学反応式
	$Pb^{2+} + H_2SO_4 \rightleftarrows 2H^+ + PbSO_4 \downarrow$ （白）
	$PbSO_4 + 4OH^- \rightleftarrows SO_4^{2-} + 2H_2O + [PbO_2]^{2-}$
	$PbSO_4 + 2CH_3COO^- \rightleftarrows SO_4^{2-} + (CH_3COO)_2Pb$
	(2) 鉛塩+水酸化ナトリウム試液 ⟶ 白色沈殿（過量の水酸化ナトリウム試液に可溶）⟶ +硫化ナトリウム試液 ⟶ 黒色沈殿
	$Pb^{2+} + 2OH^- \rightleftarrows Pb(OH)_2 \downarrow$ （白），$Pb(OH)_2 + 2OH^- \rightleftarrows [Pb(OH)_4]^{2-}$
	$[Pb(OH)_4]^{2-} + S^{2-} \rightleftarrows 4OH^- + PbS \downarrow$ （黒）
	(3) 鉛塩の希酢酸酸性溶液+クロム酸カリウム試液 ⟶ 黄色沈殿（アンモニア試液に不溶，水酸化ナトリウム試液に可溶）
	$Pb^{2+} + K_2CrO_4 \rightleftarrows 2K^+ + PbCrO_4 \downarrow$ （黄）
	$PbCrO_4 + 4OH^- \rightleftarrows [Pb(OH)_4]^{2-} + CrO_4^{2-}$
乳酸塩	(1) 乳酸塩の硫酸酸性溶液+過マンガン酸カリウム試液 $\xrightarrow{加熱}$ アセトアルデヒド臭
	$2CH_3CH(OH)COOH + O_2 \longrightarrow 2CO_2 + 2H_2O + 2CH_3CHO \uparrow$
バリウム塩	(1) 炎色反応：持続する黄緑色を呈する．
	(2) バリウム塩の溶液+希硫酸 ⟶ 白色沈殿（希硝酸に不溶）
	$Ba^{2+} + H_2SO_4 \rightleftarrows 2H^+ + BaSO_4 \downarrow$ （白）
	(3) バリウム塩の酢酸酸性溶液+クロム酸カリウム ⟶ 黄色沈殿（希硝酸に可溶）
	$Ba^{2+} + K_2CrO_4 \rightleftarrows 2K^+ + BaCrO_4 \downarrow$ （黄）
ヒ酸塩	(1) ヒ酸塩の中性溶液+硫化ナトリウム試液 ⟶ 沈殿を生じない ⟶ +塩酸 ⟶ 黄色沈殿（炭酸アンモニウム試液に可溶）
	$AsO_4^{3-} + 4S^{2-} + 4H_2O \rightleftarrows [AsS_4]^{3-} + 8OH^-$
	$2[AsS_4]^{3-} + 6H^+ \rightleftarrows 3H_2S + As_2S_5 \downarrow$ （黄）
	$As_2S_5 + 3(NH_4)_2CO_3 \rightleftarrows 6NH_4^+ + 3CO_2 + [AsS_4]^{3-} + [AsO_3S]^{3-}$
	(2) ヒ酸塩の中性溶液+硝酸銀試液 ⟶ 暗赤褐色沈殿（希硝酸，アンモニア試液に可溶）
	$AsO_4^{3-} + 3AgNO_3 \rightleftarrows 3NO_3^- + Ag_3AsO_4 \downarrow$ （暗赤褐色）
	$Ag_3AsO_4 + 3H^+ \rightleftarrows H_3AsO_4 + 3Ag^+$
	$Ag_3AsO_4 + 6NH_3 \rightleftarrows AsO_4^{3-} + 3[Ag(NH_3)_2]^+$
	(3) ヒ酸塩の中性又はアンモニアアルカリ性溶液+マグネシア試薬 ⟶ 白色結晶性沈殿（希塩酸に可溶）
	$AsO_4^{3-} + NH_4^+ + Mg^{2+} + 6H_2O \rightleftarrows MgNH_4AsO_4 \cdot 6H_2O \downarrow$ （白）
ビスマス塩	(1) ビスマス塩+少量の塩酸+水 ⟶ 白濁 ⟶ +硫化ナトリウム試液 ⟶ 暗褐色
	$BiCl_3 + 2H_2O \rightleftarrows 2HCl + Bi(OH)_2Cl \downarrow$ （白）
	$Bi(OH)_2Cl \longrightarrow H_2O + BiOCl \downarrow$ （白）
	$2BiOCl + 3S^{2-} + 2H_2O \rightleftarrows 2Cl^- + 4OH^- + Bi_2S_3 \downarrow$ （暗褐色）
	(2) ビスマス塩の塩酸酸性溶液+チオ尿素試液 ⟶ 液が黄色*

表 3.1 つづき

イオン又は塩	定性反応の概要とその化学反応式
	*チオ尿素 $CS(NH_2)_2$ は多くの金属イオンと着色した沈殿をつくる. (3) ビスマス塩の希硝酸溶液又は希硫酸溶液＋ヨウ化カリウム試液 ⟶ 黒色沈殿 ⟶ ＋ヨウ化カリウム試液 ⟶ 沈殿は溶け，液が橙色を呈する $Bi^{3+} + 3I^- \rightleftarrows BiI_3 \downarrow$（黒），$BiI_3 + I^- \rightleftarrows [BiI_4]^-$（橙色）
フェリシアン化物	(1) フェリシアン化物の溶液は黄色を呈する. (2) フェリシアン化物の溶液＋硫酸鉄(Ⅱ) ⟶ 青色沈殿（希塩酸に不溶） 【鉄塩，第一(2)を参照】
フェロシアン化物	(1) フェロシアン化物の溶液＋塩化鉄(Ⅲ) ⟶ 青色沈殿（希塩酸に不溶） 【鉄塩，第二(1)を参照】 (2) フェロシアン化物の溶液＋硫酸銅(Ⅱ) ⟶ 赤褐色沈殿（希塩酸に不溶） 【銅塩，第二(3)を参照】
フッ化物	(1) フッ化物の溶液＋クロム酸・硫酸試液 $\xrightarrow{加熱}$ 液は試験管内壁を一様にぬらさない* $F^- + H_2SO_4 \rightleftarrows HSO_4^- + HF \uparrow$ *HFによってガラスが腐食し，試液が滴状にはじかれる. (2) フッ化物の中性又は弱酸性溶液＋アリザリンコンプレキソン試液：酢酸–酢酸カリウム緩衝液（pH 4.3）：硝酸セリウム（1：1：1）⟶ 青紫色* *アリザリンコンプレキソン，F^-，Ce^{3+} は 1：1：1 の結合比で青紫色のキレートを生成する.
芳香族アミン，第一	(1) 芳香族第一アミンの酸性溶液＋亜硝酸ナトリウム試液 ⟶ ＋アミド硫酸アンモニウム試液 ⟶ ＋N,N-ジエチル-N'-1-ナフチルエチレンジアミンシュウ酸塩試液 ⟶ 赤紫色 $R-C_6H_4-NH_2 + HNO_2 + H^+ \longrightarrow R-C_6H_4-N^+\equiv N + 2H_2O$ $R-C_6H_4-N^+\equiv N + C_{10}H_7NHC_2H_4N(C_2H_5)_2$ $\longrightarrow H^+ + R-C_6H_4-N=N-C_{10}H_7NHC_2H_4N(C_2H_5)_2$（赤紫）
ホウ酸塩	(1) ホウ酸塩＋硫酸＋メタノール ⟶ 緑色の炎をあげて燃える $H_3BO_3 + 3CH_3OH \xrightarrow{点火} 3H_2O + B(OCH_3)_3 \uparrow$ (2) ホウ酸塩の塩酸酸性溶液で潤したクルクマ紙を加温 ⟶ 赤色（＋アンモニア試液 ⟶ 青色） HBO_2 ＋クルクミン ⟶ ロゾシアニン（ホウ酸キレート（赤褐色），アルカリ性で青〜暗緑色）
マグネシウム塩	(1) マグネシウム塩の溶液＋炭酸アンモニウム試液 $\xrightarrow{加温}$ 白色沈殿 ⟶ ＋塩化アンモニウム試液 ⟶ 溶解 ⟶ ＋リン酸水素二ナトリウム試液 ⟶ 白色結晶性沈殿 $4Mg^{2+} + 4CO_3^{2-} + H_2O \rightleftarrows CO_2 + Mg(OH)_2 \cdot 3MgCO_3 \downarrow$（白） $CO_3^{2-} + NH_4^+ \rightleftarrows NH_3 + HCO_3^-$ アンモニウム塩の共存により CO_3^{2-} 濃度が低くなるので，沈殿が溶ける. $Mg^{2+} + NH_3 + HPO_4^{2-} + 6H_2O \rightleftarrows MgNH_4PO_4 \cdot 6H_2O \downarrow$（白）

表 3.1 つづき

イオン又は塩	定性反応の概要とその化学反応式
	(2) マグネシウム塩の溶液 + 水酸化ナトリウム ⟶ 白色のゲル状沈殿（過量の水酸化ナトリウムに不溶，又は + ヨウ素試液 ⟶ 沈殿が暗褐色（$Mg(OH)_2$ に I_2 が吸着） $Mg^{2+} + 2OH^- \rightleftharpoons Mg(OH)_2 \downarrow$（白）
マンガン塩	(1) マンガン塩の溶液 + アンモニア試液 ⟶ 白色沈殿（+ 硝酸銀試液 ⟶ 黒色沈殿，又は放置 ⟶ 沈殿の上部が褐色） $Mn^{2+} + 2OH^- \longrightarrow Mn(OH)_2 \downarrow$（白） $Mn^{2+} + 2AgNO_3 + 4OH^- \longrightarrow 2NO_3^- + 2H_2O + MnO_2 \downarrow + 2Ag \downarrow$（黒） $Mn(OH)_2 \xrightarrow{空気酸化} MnO \longrightarrow Mn_3O_4 \longrightarrow Mn_2O_3 \longrightarrow MnO_2$（褐色） (2) マンガン塩の希硝酸酸性溶液 + 三酸化ナトリウムビスマス ⟶ 液が赤紫色 $2Mn^{2+} + 5BiO_3^- + 14H^+ \rightleftharpoons 5Bi^{3+} + 7H_2O + 2MnO_4^-$（赤紫）
メシル酸塩	(1) メシル酸塩 + 水酸化ナトリウム $\xrightarrow{加熱}$ 冷後 ⟶ + 水 + 希塩酸 $\xrightarrow{加湿}$ 気体を発生 ⟶ ヨウ素酸カリウムデンプン紙を青変 $CH_3SO_3H + 3NaOH \longrightarrow Na_2SO_3 + CH_3ONa + 2H_2O$ $Na_2SO_3 + 2HCl \longrightarrow SO_2 \uparrow + 2NaCl + H_2O$ $5SO_2 + 2KIO_3 + 4H_2O \longrightarrow I_2 + K_2SO_4 + 4H_2SO_4$，$I_2$ + デンプン ⟶ 青色 (2) メシル酸 + 硝酸ナトリウムと無水炭酸ナトリウム ⟶ 加熱（$-SO_3H$ 基を $-SO_4$ 基へ酸化）⟶ + 希塩酸で溶解 ⟶ + 塩化バリウム ⟶ 白色沈殿（$BaSO_4$）
ヨウ化物	(1) ヨウ化物の溶液 + 硝酸銀試液 ⟶ 黄色沈殿（希硝酸又はアンモニア水に不溶） $I^- + AgNO_3 \rightleftharpoons NO_3^- + AgI \downarrow$（黄） (2) ヨウ化物の酸性溶液 + 亜硝酸ナトリウム試液 ⟶ 黄褐〜黒紫色沈殿 ⟶ + デンプン試液 ⟶ 液が濃青色 $2I^- + 2NaNO_2^+ + 4H^+ \rightleftharpoons 2Na^+ + 2NO \uparrow + 2H_2O + I_2 \downarrow$（黒紫）
リチウム塩	(1) 炎色反応：持続する赤色を呈する． (2) リチウム塩の溶液 + リン酸水素二ナトリウム試液 ⟶ 白色沈殿（希塩酸に可溶） $3Li^+ + Na_2HPO_4 \rightleftharpoons 2Na^+ + H^+ + Li_3PO_4 \downarrow$（白） (3) リチウム塩の溶液 + 希硫酸 ⟶ 沈殿しない【ストロンチウム塩との区別】
硫化物	(1) 硫化物 + 希塩酸 ⟶ 硫化水素を発生 ⟶ 潤した酢酸鉛(II)を黒変 $S^{2-} + 2H^+ \rightleftharpoons H_2S \uparrow$，$Pb^{2+} + S^{2-} \rightleftharpoons PbS \downarrow$（黒）
硫酸塩	(1) 硫酸塩の溶液 + 塩化バリウム試液 ⟶ 白色沈殿（希硝酸に不溶） $SO_4^{2-} + BaCl_2 \rightleftharpoons 2Cl^- + BaSO_4 \downarrow$（白） (2) 硫酸塩の中性水溶液 + 酢酸鉛(II)試液 ⟶ 白色沈殿（酢酸アンモニウム試液に可溶）【鉛塩(1)を参照】 (3) 硫酸塩の溶液 + 等容量の希塩酸 ⟶ 白濁しない・二酸化硫黄のにおいを発しない【チオ硫酸塩・亜硫酸塩との区別】

表 3.1　つづき

イオン又は塩	定性反応の概要とその化学反応式
リン酸塩（正リン酸塩）	(1) リン酸塩の中性溶液＋硝酸銀試液 ⟶ 黄色沈殿（希硝酸又はアンモニア試液に可溶） $PO_4^{3-} + 3Ag^+ \rightleftharpoons Ag_3PO_4 \downarrow$（黄色） (2) リン酸塩の希硫酸酸性溶液＋七モリブデン酸六アンモニウム試液 $\xrightarrow{加温}$ 黄色沈殿（水酸化ナトリウム試液又はアンモニア試液に可溶） $PO_4^{3-} + 12MoO_4^{2-} + 3NH_3 + 24H^+$ $\rightleftharpoons 6H_2O + (NH_4)_3PO_4 \cdot 12MoO_3 \cdot 6H_2O \downarrow$（黄色） (3) リン酸塩の中性又はアンモニアアルカリ性溶液＋マグネシア試液 ⟶ 白色の結晶性の沈殿（希塩酸に可溶） $PO_4^{3-} + NH_4^+ + Mg^{2+} + 6H_2O \rightleftharpoons MgNH_4PO_4 \cdot 6H_2O \downarrow$（白）

2　純度試験

　純度試験は，医薬品中の混在物を試験するために行うものであり，化学反応を利用した化学分析による方法が多く利用されている．類縁物質が試験対象の場合は液体クロマトグラフィーなどの機器分析による方法が主に利用される．純度試験では，その医薬品の製造過程や保存の際に混在が予想されるもの，または有害なもの（例えば重金属，ヒ素など）が試験の対象となり，混在物の種類及びその量の限度が規定されている．

　日本薬局方の医薬品の純度試験は，医薬品各条において各々の試験対象が記されているが，アンモニウム塩，塩化物，重金属，鉄，ヒ素，硫酸塩，硫酸呈色物の混在を対象とする純度試験は，その試験の内容が日本薬局方一般試験法において各々記載されている．以下に，日本薬局方一般試験法で規定されているアンモニウム試験法，塩化物試験法，重金属試験法，鉄試験法，ヒ素試験法，硫酸塩試験法，硫酸呈色物試験法の概要を述べる．

2-1　アンモニウム試験法

　医薬品中に混在するアンモニウム塩を規定するための限度試験である．試料及びアンモニウム標準液を別々の蒸留フラスコに取り，酸化マグネシウムを加えてアルカリ性とした後に加熱蒸留する．留出するアンモニアをホウ酸溶液に吸収させ，インドフェノール反応で生成する青色色素をネスラー管で比較液を対照として試験する．本法の呈色反応機構は次のように考えられている．

$$Na_2[Fe(CN)_5NO] + 2NaOH \longrightarrow Na_4[Fe(CN)_5ONO] + H_2O$$

$$NH_3 + OCl^- \xrightarrow[\text{ペンタシアノニトロシル鉄(Ⅲ)ナトリウム}]{Na_4[Fe(CN)_5ONO]} NH_2Cl + OH^-$$

$$2NH_2Cl + \text{〔C}_6H_4\text{〕}-OH \longrightarrow O=\text{〔C}_6H_4\text{〕}=N-Cl + NH_4Cl + 2H^+$$

$$O=\text{〔C}_6H_4\text{〕}=N-Cl + \text{〔C}_6H_4\text{〕}-OH \longrightarrow O=\text{〔C}_6H_4\text{〕}=N-\text{〔C}_6H_4\text{〕}-OH + HCl$$

インドフェノール（青色）

　医薬品各条には，アンモニウム（NH_4^+として）の限度をパーセント（％）で括弧内に付記している．

2-2　塩化物試験法

　医薬品中に混在する塩化物を規定するための限度試験である．試料に混在する可溶性塩化物に硝酸銀試液を加え，生成した塩化銀の混濁をネスラー管で比較液を対照として試験する．医薬品各条には，塩化物（Clとして）の限度をパーセント（％）で括弧内に付記している．

2-3　重金属試験法

　医薬品中に混在する重金属を規定するための限度試験である．この試験で対象となる重金属とは，酸性で硫化ナトリウム試液によって呈色する金属性混在物である．日局ではpH 3.0～3.5で黄色～褐黒色の不溶性硫化物を生成するBi，Cd，Cu，Hg，Pb，Sb，Snなどの有害性重金属を対象とし，試料に硝酸ナトリウム試液を加えて生じる不溶性硫化物の色をネスラー管で比較液を対照として試験する．医薬品各条には，重金属（Pbとして）の限度をppmで括弧内に付記している．

2-4　鉄試験法

　医薬品中に混在する鉄を規定するための限度試験である．試料に酢酸-酢酸ナトリウム緩衝液（pH 4.5）を加えて検液とし，アスコルビン酸を加えてFe^{3+}をFe^{2+}に還元させた後に，2,2′-ビピリジルを加えると濃赤色のキレートが生成する．A法ではネスラー管で比較液を対照として試

験する．B 法では A 法で生成したキレートに，2,4,6-トリニトロフェノールを加えることで生成する Fe(II)・ビピリジル・2,4,6-トリニトロフェノール三元錯体を 1.2-ジクロロエタンに抽出し，同様に処理した比較液を対照として試験する．医薬品各条には，鉄（Fe として）の限度を ppm で括弧内に付記している．

$$Fe^{2+} + 3\text{ (bipy)} \longrightarrow [Fe(\text{bipy})_3]^{2+} \text{ (赤色)}$$

2-5 ヒ素試験法

医薬品中に混在するヒ素を規定するための限度試験である．試料中の As(V) は As(III) に比べて還元されにくいので，初めに亜硫酸，ヨウ化カリウム，酸性塩化スズ(II)と反応させて As(III) に還元する．ヒ素化合物を亜鉛と塩酸で還元し，ヒ化水素 AsH_3 にする．AsH_3 と N,N-ジエチルジチオカルバミド酸銀（$C_5H_{10}AgNS_2$）との反応で生成する遊離コロイド状銀の赤紫色を比較液を対照として試験する．医薬品各条には，ヒ素（As_2O_3 として）の限度を ppm で括弧内に付記している．

$$AsO_4^{3-} + SO_3^{2-} \longrightarrow AsO_3^{3-} + SO_4^{2-}$$
$$AsO_4^{3-} + 2I^- + 2H^+ \longrightarrow AsO_3^{3-} + I_2 + H_2O$$
$$AsO_4^{3-} + Sn^{2+} + 2H^+ \longrightarrow AsO_3^{3-} + Sn^{4+} + H_2O$$
$$AsO_3^{3-} + 3Zn + 9H^+ \longrightarrow AsH_3 \uparrow + 3Zn^{2+} + 3H_2O$$
$$AsH_3 + C_5H_{10}AgNS_2 \longrightarrow 遊離コロイド状銀（赤紫色）$$

2-6 硫酸塩試験法

医薬品中に混在する硫酸塩を規定するための限度試験である．試料に混在する硫酸塩に塩化バリウム試液を加え，生成した硫酸バリウムの混濁をネスラー管で比較液を対照として試験する．医薬品各条には，硫酸塩（SO_4 として）の限度をパーセント（%）で括弧内に付記している．

2-7 硫酸呈色物試験法

医薬品中に含まれる微量の不純物で硫酸によって容易に着色する物質を試験する．試料中の混

在物が硫酸呈色物用硫酸によって炭化されて生じる色を，医薬品各条で規定する色の比較液と側方から観察して比色する．

3 重量分析

　重量分析法は，定量しようとする目的成分をそのままの形か，または，これと一定の質量比となる純粋な化合物として分離後に質量を測定するか，あるいは秤量に便利な化合物（秤量形）にした後に質量を測定することで，目的成分の含有量を求める定量法である．本法は，化学天秤で質量を測定するので，試料から目的成分を分離するための前処理操作や質量の測定が煩雑なので，迅速性に劣る．しかし，測定結果を有効数字6〜7桁で表すことができるので，非常に精度の高い分析法である．重量分析で定量を行う日本薬局方収載医薬品の品目数は少ないが，医薬品中の不純物（水分，結晶水，揮発性物質，無機物など）を測定する試験として多く採用されている．

　重量分析法は，分離法の違いにより，揮発重量法，抽出重量法，沈殿重量法，電解重量法などに分類される．また，質量の測定で基本となる「恒量」は，日本薬局方通則では「引き続き更に1時間乾燥又は強熱するとき，前後の秤量差が前回に量った乾燥物又は強熱した残留物の質量の0.10％以下であること」と定義されている．

3-1　揮発重量法

　固体試料を乾燥又は強熱したときに揮発する成分量を測定する手法であり，水分，二酸化炭素，ケイ素などの定量に利用される．試料を乾燥又は強熱するときの前後の秤量値の差から測定する減量法と，生成した揮発成分を吸収剤に吸収させて質量を測定する吸収法がある．

　日本薬局方の一般試験法に採用されている減量法として，乾燥減量試験法，強熱減量試験法，強熱残分試験法がある．乾燥減量試験法は，試料を乾燥してその減量を秤量する方法であり，乾燥によって失われる水分，結晶水及び揮発性物質などの量を測定できる．強熱減量試験法は，試料を強熱した後に，その減量を秤量する方法であり，強熱によって揮発する水分や無機物などの量を測定できる．強熱によってその構成成分の一部又は混在物を失う無機薬品について用いる．強熱残分試験法は，試料を硫酸存在下で強熱するとき，揮発せずに残留する物質の質量を秤量する方法であり，有機物中に不純物として含まれる無機物の量を測定できる．

3-2 抽出重量法

　有機溶媒を用いて固体あるいは溶液試料から目的物質を抽出し，溶媒を留去して得た残留物の質量を測定する方法である．日本薬局方注射用フェニトインナトリウムの抽出重量法では，溶液試料に希塩酸を加え，フェニトインとしてジエチルエーテルで抽出する．ジエチルエーテルを蒸発，乾燥して得た残留物の質量を量り，フェニトインナトリウムを定量する．

3-3 沈殿重量法

　沈殿剤を加えて目的成分を難溶性の化合物として沈殿させ，そのままか，またはほかの物質に変えて秤量する方法である．このとき沈殿の化学種を沈殿形，秤量するときの化学種を秤量形という．沈殿形と秤量形は同じである場合が多い．例えば，硫酸カリウムの場合，塩化バリウムを加えて硫酸バリウムとして沈殿させ，恒量になるまで強熱した後に沈殿として得られた硫酸バリウムを秤量する．また，沈殿形と秤量形が異なる場合がある．例えば，酸化チタンの場合，酸化チタンを二硫酸カリウムと融解して溶性の硫酸チタンに変え，鉄を除去後，クペロン塩として沈殿させる．沈殿をろ取し，強熱して灰化すると残る酸化チタンを秤量する．

第4章 電気化学分析

1 総論

電気分析，あるいは**電気化学分析** electrochemical analysis というのは，電解質溶液と接している電極表面で生じる反応（電極反応）に関連する現象及び電解質溶液中のイオンの移動に関連する現象に基づく分析法である．ここで電極反応というのは，電極表面を介して物質が電子を授受する過程を指し，その結果として物質は酸化あるいは還元される．従って一般にその反応は，

$$\text{酸化体（Ox）} + n\,e^- \rightleftharpoons \text{還元体（Red）} \tag{4.1}$$

のように表される．

計測の基本を，図4.1のような2本の電極，電源，電流計および電圧計から組立てられた簡

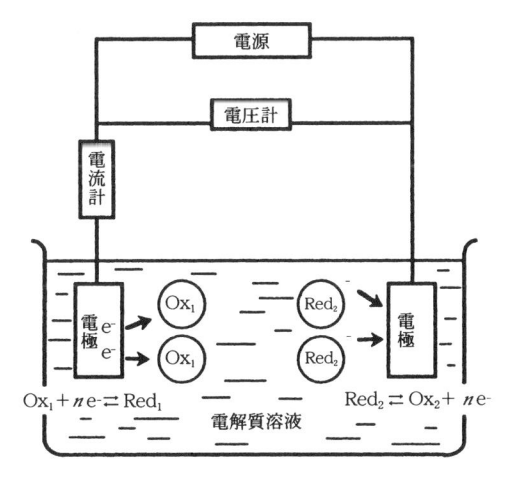

図 4.1 電気化学的測定装置

表 4.1 電気分析法の分類

Ⅰ. 電極反応を考慮する必要がない方法
  導電率測定, 導電率滴定　など
Ⅱ. 電極反応が関与する方法
 A. ファラデー電流が流れない場合
  電位差測定（ポテンシオメトリー），電位差滴定
  イオン電極法, pH 測定　など
 B. ファラデー電流が流れる場合
  電流測定（アンペロメトリー），電流滴定
  ボルタンメトリー
  ポーラログラフィー
  電量分析法（クーロメトリー），電量滴定　など

単な装置から考えてみよう．いま，電極に電圧をかけて物質 Ox_1 が還元，Red_2 が酸化されて式（4.1）の電子授受反応が生ずるとき，それに伴って電子の流れ，すなわち電流が計測されることになる．電気分析法では，このような電流以外に，電位，電気量，時間，抵抗などをその測定量とし，そのための装置や実験条件を異にする多くの方法が知られている．主な電気分析法を表 4.1 に示した．Ⅰのグループに属するのは，電極反応が起こっているか否かを考慮する必要がない方法である．溶液内のイオンの移動などが測定の対象になるのであって，導電率測定などが含まれる．Ⅱのグループに属するのは，電極反応が関与する分析法である．電子授受反応に由来する電流を**ファラデー電流** faradaic current と称するが，ここではファラデー電流が流れないか，流れるかによって，更にAとBに区別される．Aでは式（4.1）の反応が平衡状態にある場合であり，電極電位に関して *Nernst* の式が成り立つ．これに基づいて電位差測定，pH 測定などがなされる．Bのファラデー電流が流れる場合には，電位と電流の関係から電極反応物質の定性や定量を行う**ボルタンメトリー** voltammetry や，反応生成物の量と電気量との関係（*Faraday* の法則）を基本とする**電量分析法（クーロメトリー）** coulometry などが含まれる．

2　電位差分析

電極電位の測定を利用して溶液内のイオン濃度を決定するのが**電位差分析（ポテンシオメトリー）** potentiometry である．

2-1 電極電位

電極電位 electrode potential は（4.1）式のような酸化還元系における電子放出の傾向を示す尺度である．例えば図 4.2 のように，亜鉛イオンを含む溶液に金属の亜鉛板を入れたとすると，亜鉛原子はイオンとなって溶液に入り，金属表面上に電子が残る．一方，亜鉛イオンは電子を得て，金属表面上に亜鉛原子として析出しようとする．これらの過程は，次の電極反応として表すことができ，やがて平衡に達する．

$$Zn^{2+} + 2e^- \rightleftharpoons Zn \tag{4.2}$$

このとき，金属亜鉛の表面は負に帯電し，その界面の溶液は正に帯電するので，金属と溶液の境界面に電位差が生じる．これが電極電位 E である．このような金属と金属イオンの系は単極あるいは半電池と呼ばれている．

電極電位とイオン濃度の関係を考えてみよう．電極反応を式（4.1）で表すとき，E は次の Nernst の式で与えられる．

$$E = E° + \frac{RT}{nF} \ln \frac{a_{Ox}}{a_{Red}} \tag{4.3}$$

ここで，$E°$ は**標準電極電位** standard electrode potential（標準酸化還元電位 standard redox potential），R は気体定数，T は絶対温度，n は反応に関与する電子数，F はファラデー定数，a_{Ox} と a_{Red} はそれぞれ酸化体と還元体の活量を表す．25℃で，希薄溶液について得られる E は次式で表される．

$$E = E° + \frac{0.059}{n} \log \frac{[Ox]}{[Red]} \tag{4.4}$$

これが，電位差分析法による定量の根拠となる関係であり，電位と濃度の対数が比例することを示している．

図 4.2 電極電位の発生
単極（半電池）：Zn ｜ Zn^{2+}

2-2 電位差測定

A. 電位差測定

電位差測定（ポテンシオメトリー）potentiometry では，試料溶液内に入れた二つの電極間の電位差を測定する．このとき測定対象の単極の電極電位は単独には測定できないので，もう一つの単極と組合せて電池を構成し，また平衡を乱さないように内部抵抗の高い電位差計を用いて計測することとなる．電極には，測定対象物質の濃度に依存する電位を示す**指示電極** indicator electrode と，一定の電位を示す**参照電極** reference electrode を用いる．電位差測定装置の構成の例を図 4.3 に示している．

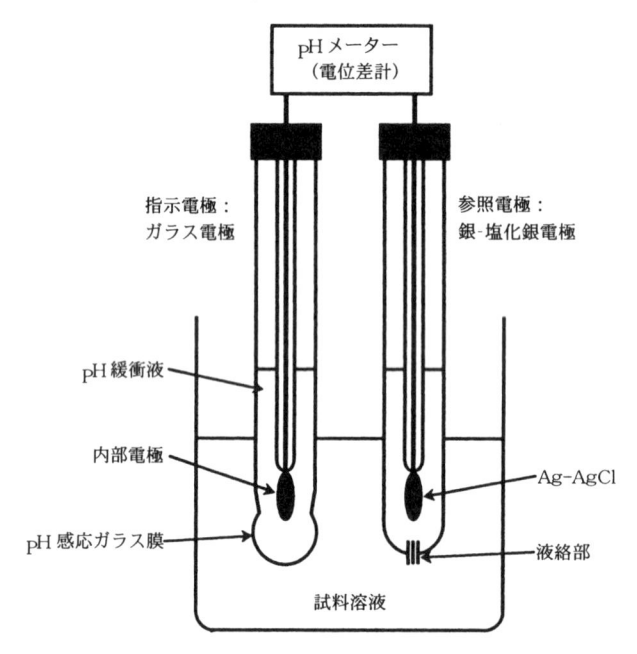

図 4.3 電位差測定装置の構成
実際には pH 測定装置として示している．

B. 電極

1) 標準水素電極

標準水素電極 standard hydrogen electrode（SHE，NHE と略記した文献もある）は図 4.4 のように，水素イオンの活量が 1 の塩酸溶液に白金電極を浸し，その表面に 1 気圧の水素ガスが接するようにしたものである．この電極反応，

$$2H^+ + 2e^- \rightleftharpoons H_2 \tag{4.5}$$

による電位が，電極電位の基準としてすべての温度で 0 V であると定められている．このため標準電位をはじめとして，電位が標準水素電極に対して（vs. SHE）表されていることが多い．し

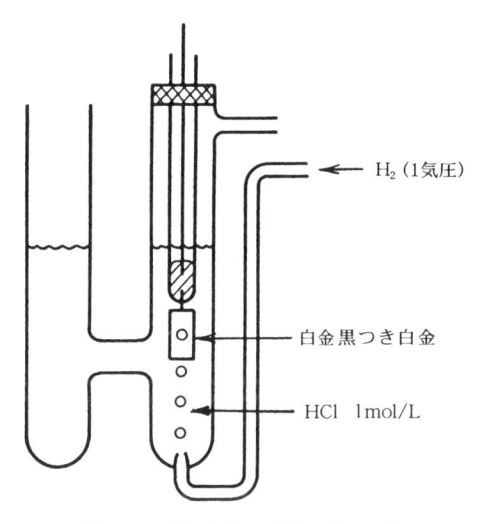

図 4.4 標準水素電極（SHE）

かしながら，実用上の参照電極としてはほとんど使っていない．

2）参照電極

参照電極は，温度が一定の条件下であれば一定の電位を示す電極であり，銀-塩化銀電極（図 4.5 a）や飽和カロメル電極（図 4.5 b）が実用されている．

銀-塩化銀電極は，銀のまわりに塩化銀の層を付け，これを塩化カリウム溶液に浸した電極である．その構成は

$$\text{Ag} \mid \text{AgCl}, \text{Cl}^- \tag{4.6}$$

であり，電極電位は次の式で表される．

$$E = E°(\text{Ag/AgCl}) - 0.059 \log[\text{Cl}^-] \tag{4.7}$$

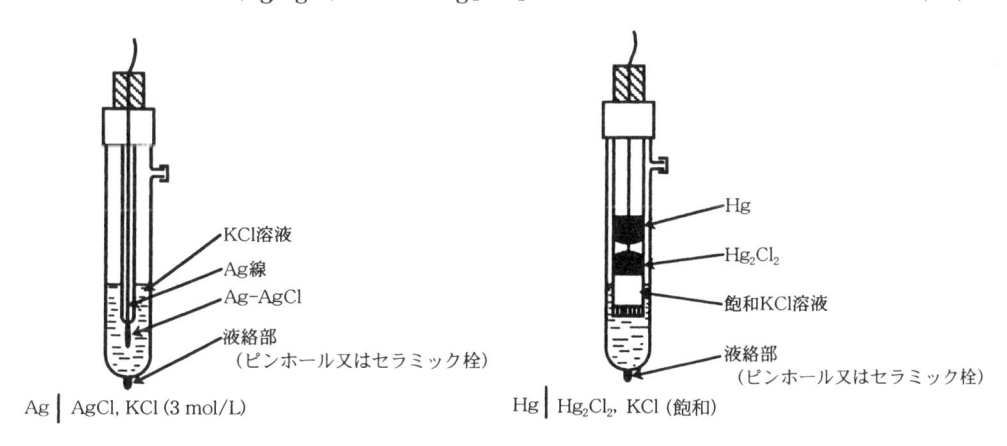

(a) 銀-塩化銀電極
Ag ∣ AgCl, KCl (3 mol/L)

(b) 飽和カロメル電極（SCE）
Hg ∣ Hg$_2$Cl$_2$, KCl（飽和）

図 4.5 参照電極

難溶性の AgCl ができているために Cl^- の濃度によって電位が決まる．従って一定温度で一定濃度の KCl 溶液（通常は 3 mol/L，あるいは 1 mol/L を用いる）であれば，一定の参照電極の電位を示すこととなる．25 ℃において 1 mol/L KCl 溶液の場合，0.222 V vs. SHE，3 mol/L KCl 溶液を用いている場合，0.199 V vs. SHE である．飽和カロメル電極は，SCE とも略称され，水銀と接触した塩化第一水銀を飽和の塩化カリウム溶液中に浸した電極である．25 ℃において，0.244 V vs. SHE である．

これらの参照電極に対して表示された電極電位は相互に換算できる．例えば，任意の電位 x V vs. SCE の場合では，

$$x \text{V vs. SCE} = (x + 0.244) \text{V vs. SHE} \tag{4.8}$$
$$= (x + 0.244 - 0.199) \text{V vs. Ag-AgCl}(3 \text{ mol/L KCl}) \tag{4.9}$$

となる．

3）指示電極

a）金属電極

白金電極は，酸化体と還元体が溶液に溶けるような酸化還元系の電位測定に用いられ，特に酸化還元滴定における指示電極に用いられている．銀電極はハロゲン化物イオンの沈殿滴定における指示電極に利用される．

b）ガラス電極

ガラス電極 glass electrode は，水素イオン濃度測定のための指示電極で，pH 測定に繁用されている．図 4.6 に示すように水素イオンに感応する薄いガラス膜でできており，その内側に pH 緩衝液が入っている．ガラス薄膜の表面層に水素イオンが親和性を示すので，

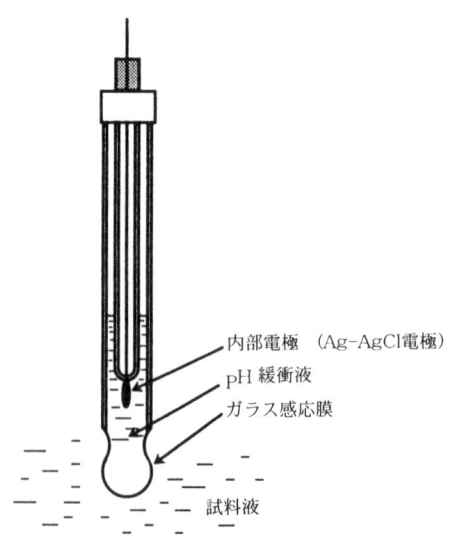

図 4.6　ガラス電極

$$\text{H}^+(試料液) + \text{e}^- \rightleftharpoons \text{H}(ガラス上) \tag{4.10}$$

による電位を生じている.

Nernst の式に基づくように,実際に pH 1 ～ 10 の領域では電位と pH が比例するが,これより低い pH では酸誤差が,高い pH ではアルカリ誤差がみられる.

c) イオン選択性電極

イオン選択性電極 ion selective electrode は,溶液中に存在する特定イオンに高い感受性を示す電極である.構造から,ガラス電極,固体膜電極,液膜電極,ガラス感応電極などに分類されている.図 4.7 にその例を示している.ガラス電極には,H^+ や Na^+ 測定用がある.固体膜型電極は,難溶性無機塩の膜が感応膜として用いられており,Cl^-,Br^-,I^-,S^{2-},Ag^+,Cd^{2+} 測定用などがある.液膜電極には,Ca^{2+},Cu^{2+},Pb^{2+},NO_3^- などに用いられているイオン交換液膜型と,K^+ がバリノマイシンの環状構造内に包接されて一種の錯体を形成するようなニュートラルキャリヤー型とがある.ガス感応膜電極には,CO_2,NH_3,SO_2 などの電極が知られており,ガス透過性の疎水性ポリマーの隔膜を通過したガスを内部液に吸収し,これにより変化した pH などを内部電極で測定する構造となっている.

イオン電極法による測定においては,電極によって共存イオンの影響を受けやすい場合がある.例えば,Cl^- 電極は,Br^- あるいは S^{2-} や I^- の共存により測定の妨害を受けやすい.

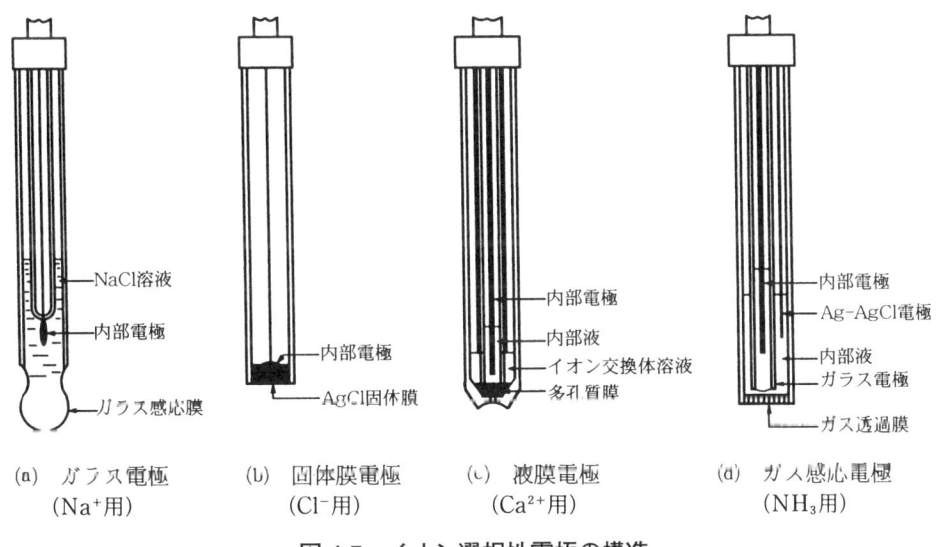

図 4.7 イオン選択性電極の構造

(a) ガラス電極 (Na^+ 用)
(b) 固体膜電極 (Cl^- 用)
(c) 液膜電極 (Ca^{2+} 用)
(d) ガス感応電極 (NH_3 用)

C. 電位差測定の応用

電位差測定は,pH 測定,イオン電極法,酸化還元電位の測定,電位差滴定,酸化還元平衡などの熱力学的な解析などに応用されている.このうち,pH 測定と電位差滴定は日本薬局方の一般試験法の中に含まれ,汎用されている.

イオン電極法は，衛生試験法環境試験法において，Cl^-, F^-, CN^-, NO_3^-, Na^+, K^+ などの測定に用いられている．

2-3 pHの測定

A. 実用的なpHの定義

1909年，Sørensenによって定義されたpHは，

$$pH = -\log[H^+] \tag{4.11}$$

であった．その後，pH測定に用いられる電池の起電力は，水素イオンの活量a_{H^+}と関係することから，pHの定義は

$$pH = -\log a_{H^+} = -\log[H^+]f_{H^+} \tag{4.12}$$

と改められた．

しかしながら，単一イオン種の活量を正確に実測することはできない．そこで，測定に用いる次のような電池の起電力によってpHを定義するのが，実用的な定義となっている．

$$\text{ガラス上のH} \mid H^+ \text{（試料中の濃度）} \parallel Cl^-, Ag \mid AgCl \tag{4.13}$$
（ガラス電極）　　　　　　　　　　　（参照電極）

ガラス電極を用いた電池の起電力をEとすると，

$$E = E° + \frac{2.3RT}{F} \log \frac{a_{AgCl}\, a_{\text{ガラス上のH}}}{a_{H^+} a_{Ag} a_{Cl^-}}$$

$$= E° - \frac{2.3RT}{F} \log a_{H^+} a_{Cl^-}$$

$$= k + 0.059\,\text{pH}\ (25℃) \tag{4.14}$$

ここで，$E°$は$a_{H^+}=1$, $a_{Cl^-}=1$のときの電池の起電力，kは電池によって異なる定数である．従って，

$$pH = \frac{E - k}{0.059} \tag{4.15}$$

定数kはpH標準液を用いて見積もることになるので，このことを含めた25℃における実用的なpHの定義は次式で表される．

$$pH = pH_s + \frac{E - E_s}{0.059} \tag{4.16}$$

ここで，pH_sはpH標準液のpH，E_sはpH標準液の起電力である．このような定義で表されたpHは，希薄な溶液ではSørensenによって定義された値とよく一致する．

B. pHの測定

測定では，図4.3のような測定装置を用いて，ガラス電極と参照電極を試料溶液に浸し，それ

らがつくる電池の起電力をpHメーターで測定する．実際には，まずpH標準液を用いてpHメーターの目盛りを調整し，続いて試料溶液を用いてpHメーター上のpH値として読みとっている．pH標準液（表4.2）は規格化されたpH緩衝液を用いる．

表4.2　pH標準液のpH値

温　度	シュウ酸塩 pH標準液	フタル酸塩 pH標準液	リン酸塩 pH標準液	ホウ酸塩 pH標準液	炭酸塩 pH標準液	水酸化カルシウム pH標準液
5℃	1.67	4.01	6.95	9.39	10.25	13.21
10℃	1.67	4.00	6.92	9.33	10.18	13.00
15℃	1.67	4.00	6.90	9.27	10.12	12.81
20℃	1.68	4.00	6.88	9.22	10.07	12.63
25℃	1.68	4.01	6.86	9.18	10.02	12.45
30℃	1.69	4.01	6.85	9.14	9.97	12.30
35℃	1.69	4.02	6.84	9.10	9.93	12.14

2-4　電位差滴定

電位差滴定 potentiometric titration は，容量分析である滴定の終点決定のために電位差測定を利用する方法である．試料溶液に容量分析用標準液を滴加しながら電位を測定して，電位差滴定曲線を得て，その電位変化が最も大きな点から終点を決定する．この方法は，酸塩基滴定，沈殿滴定，キレート滴定，酸化還元滴定などに適用できるが，表4.3のような適当な指示電極を選択する必要がある．滴定装置には図4.8に示すように，指示電極と参照電極を試料溶液中に浸し，ビュレットから容量分析用標準液を滴加してマグネチックスターラーでかき混ぜて反応させる．両電極間の電位差を測定して，滴定曲線を描く．

表4.3　電位差滴定に用いられる指示電極と参照電極

滴定の種類	指示電極	参照電極
酸塩基滴定（中和滴定，pH滴定）	ガラス電極	銀-塩化銀電極
非水滴定 （過塩素酸滴定，テトラメチルアンモニウムヒドロキシド滴定）	ガラス電極	銀-塩化銀電極
沈殿滴定 （硝酸銀によるハロゲンイオンの滴定）	銀電極	銀-塩化銀電極 （参照電極と被滴定溶液との間に飽和硝酸カリウム溶液の塩橋を使用）
酸化還元滴定 （ジアゾ滴定など）	白金電極	銀-塩化銀電極

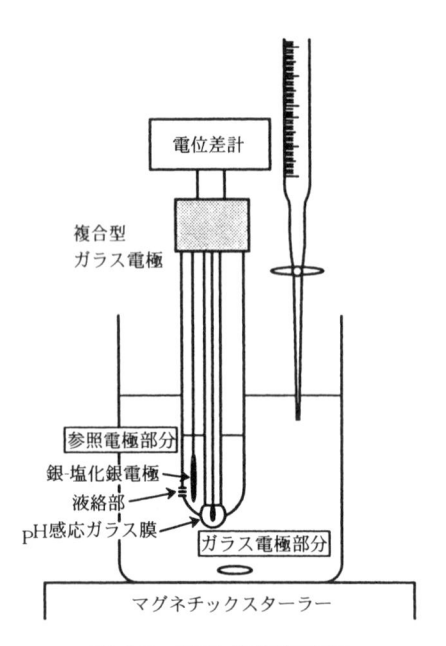

図 4.8　電位差滴定装置
この場合にはガラス電極と参照電極（銀-塩化銀電極）の二電極が
一体形となった複合型ガラス電極を用いている．

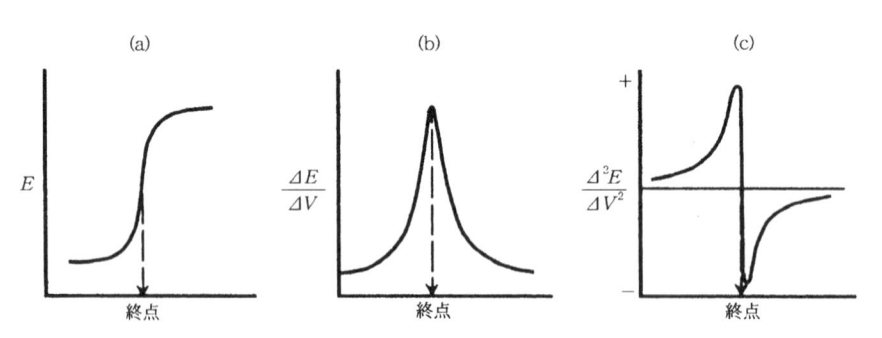

図 4.9　電位差滴定曲線とその滴定終点

図 4.9 には滴定曲線の例を示す．終点は滴定曲線の変曲点（図 4.9 a）から求める．変曲点が明確でないときには，滴加量 ΔV に対する起電力 ΔE の比 $\Delta E/\Delta V$ を滴加量に対してプロットして得た一次微分滴定曲線（図 4.9 b）の頂点，あるいは二次微分値の零となる点（図 4.9 c）から終点を求める．

電位差滴定は，適当な目視指示薬がない場合や着色試料などにも有用であり，多塩基酸などの滴定や，弱酸や弱塩基の解離定数の測定にも利用できる．日本薬局方一般試験法には，**滴定終点検出法**の中に**電位差滴定法**として採用されており，収載医薬品の非水滴定にこれを利用するものが多い．

3 ボルタンメトリー

　電極表面で酸化あるいは還元反応が進行しているときの電極電位と電流の関係に着目した電気分析法をボルタンメトリーと呼んでいる．通常電流-電位曲線（ボルタモグラム）を得，この波形に基づいて，電極反応の解析や定量・定性分析を行う．着目している反応を行わせる電極を作用電極という．作用電極の種類，電位のかけ方，測定信号の処理の仕方などにより異なった，サイクリックボルタンメトリー，ポーラログラフィー，ノーマルパルスボルタンメトリー，ディファレンシャルパルスボルタンメトリー，アノーデックストリッピングボルタンメトリーなどの方法が知られている．本節では，ボルタンメトリーの基本，ポーラログラフィー及びサイクリックボルタンメトリー，ボルタンメトリー検出器，電流滴定について概説する．

3-1 電気分解

A. ガルバニセルと電解セル

　金属イオンを含む溶液に金属を入れた系は，単極あるいは半電池と呼ばれている．図 4.10 a のように二つの半電池を組合せて電極を導線で結ぶと，**ガルバニセル** galvanic cell ができあがる．一般的にこのセルからは電気エネルギーを取り出すことができることで知られている．例えば

$$Zn \,|\, Zn^{2+}(1\,mol/L) \,\|\, Cu^{2+}(1\,mol/L) \,|\, Cu \tag{4.17}$$

(a) ガルバニセル　　　　(b) 電解セル

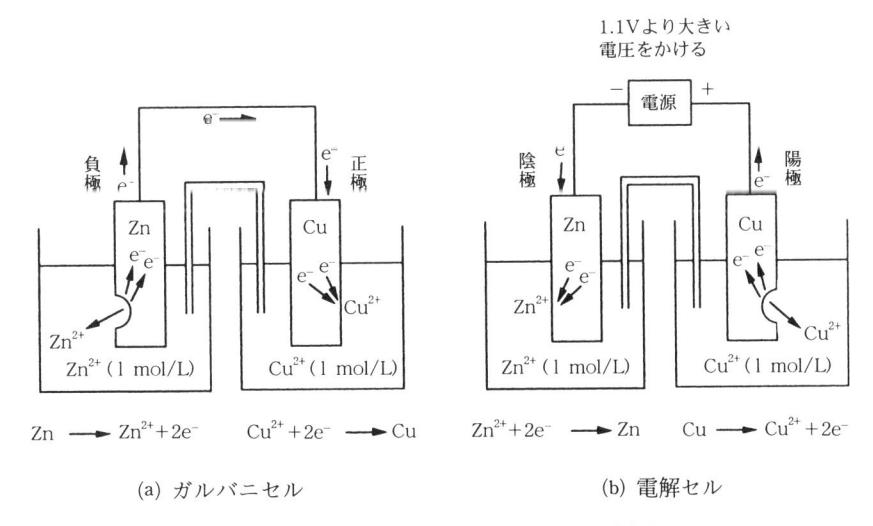

図 4.10　電解セルとガルバニセルの対比

と表される図4.10 a の条件において，セル反応は

$$Zn + Cu^{2+} \rightleftarrows Zn^{2+} + Cu \tag{4.18}$$

により左から右に自発的に進み，このとき起電力は 1.1 V である．

一方，図 4.10 b のように，電源の負極を Zn 電極に，正極を Cu 電極につないで，セルに外部から 1.1 V より大きい電圧をかけたとき，(4.18) 式の反応は右から左に進むことになる．すなわち，電極反応はガルバニセルとは反対方向に進むことになり，Zn^{2+} は還元されて Zn に，Cu は酸化されて Cu^{2+} になる．このように，外部から電圧が加えられて電極反応が自発的方向と逆に進むように強制されている場合を**電解セル** electrolytic cell と呼び，このときに電極界面で起こる化学変化を**電気分解** electrolysis という．実際に電気分解を行うときには，ある程度の電解電流を得るには，理論的に *Nernst* の式を用いて計算される電極電位の差よりも余分な電圧（過電圧）を必要とすることが多い．電解が始まる最小の電圧は分解電圧と呼ばれる．

B. *Faraday* の電気分解の法則

電気分解を定量に利用するにあたって基本となるのは，*Faraday* の電気分解の法則である．

$$Q = F \cdot \frac{nW}{M} \tag{4.19}$$

ここで，Q は電気量であり，電解電流と電解時間の積分値で求められる．電子 1 mol のもつ電気量は，96,500 クーロン（C）で，これをファラデー定数といい，F で表す．n は電解の反応に関与する電子数，W は電解の反応物質又は生成物質の質量，M はその物質の分子量（又は原子量）である．物質 1 グラム当量（電子 1 mol の関与する酸化あるいは還元反応に要する物質の量）の化学変化を起こすに必要な電気量は $1F$ である．これより流れた電気量は，電気分解によって変化する物質の当量数に比例することが分かる．

3-2 電極反応を構成する過程

図 4.11 は，電極界面における単純な還元反応の過程を簡単に示したものである．基本の過程は，$Ox + ne^- \longrightarrow Red$ のような反応で表現される電子授受（電子移動）と，Ox が電極表面にまで到達するような物質移動の過程である．物質移動には泳動，拡散，対流の三つの現象が関与している．泳動とは，電場にある電荷をもつ物質が反対符号の電荷の電極に向かって移動する現象，拡散とは，物質が濃度の高い部分から低い部分に移動して均一になる現象，対流とは，加熱や撹拌のような溶液の物理的なかきまぜを称している．

Ox の還元反応について考えてみよう．分解電圧よりも大きな電圧がかけられる．いい換えれば分解電圧よりも負電位では Ox の電子授受（還元）に相当する電流が流れる．電極表面で消費された Ox を溶液内にある Ox の移動で補える限り，電流は負電位になるほど大きくなる．更に負電位になって電子授受の速度が十分大きくなると，電流は物質移動速度に支配されるようにな

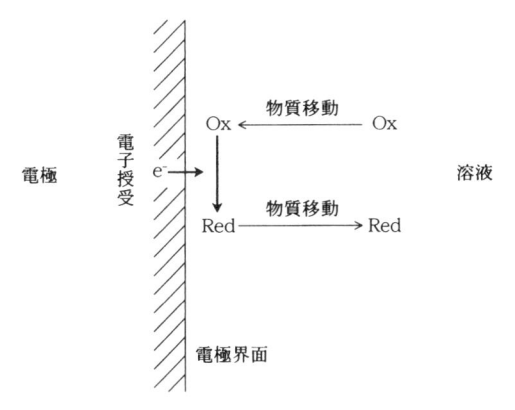

図 4.11 電極界面における電極過程（還元反応）
Ox, Red 共に溶液中に溶ける場合.

り，電圧をそれ以上大きくしても電流はさらに増加することなく一定値を示すこととなる．このように，電極反応においては物質移動と電子授受過程が重要となる．通常のボルタンメトリーでは，多量の支持電解質を添加し，かつ振動を避けた恒温下で行うなど泳動と対流の影響を除いた条件で行い，拡散によってのみ物質の補給を図っている．

有機化合物の電極反応においては，電子授受反応の前後に化学反応を伴うなど複雑な電極反応の過程を経るものも多く知られている．

3-3 ポーラログラフィー

ポーラログラフィー polarography では，作用電極として滴下水銀電極という微小電極を用い，支持電解質溶液中で目的物質を電気分解して，**ポーラログラム** polarogram を記録する．この方法は創始者であるチェコスロバキアの *Heyrovsky* とわが国の志方益三によってその名が与えられ，今日のボルタンメトリーの礎となっている．

物質の拡散速度に支配された拡散電流は，次に示す *Ilkovič* の式で表される．これより，拡散電流が濃度に比例するという定量の基本が示される．

$$i_d = 607\, nD^{1/2} c\, m^{2/3} t^{1/6} \tag{4.20}$$

ここで，i_d は拡散電流（μA），n は電極反応に関与する電子数，D は物質の拡散係数（$cm^2\, s^{-1}$），c は物質の濃度（mmol/L），m は水銀の流出量（$mg\, s^{-1}$），t は滴下時間（s）である．

ポーラログラムにおいて拡散電流の半分の電流を与える電位を半波電位 $E_{1/2}$ という．*Nernst* の式において，酸化体と還元体の濃度を電流値に置き換えると，25 ℃ で電極電位は，

$$E = E° + \frac{0.059}{n} \log \frac{i_d - i}{i} \tag{4.21}$$

これより，電流値が拡散電流の半分のときの電位，すなわち半波電位は，標準電極電位に等しいということになる．

3-4 ボルタンメトリー

ボルタンメトリーの作用電極には，グラッシーカーボンのような炭素電極，白金，金などが繁用されており，その形状は円盤状，円柱状，板状，線状，また単一細胞計測用の極微小から数 cm^2 程度の表面積まで，形と大きさも様々な電極が用いられている．図 4.12 には，電解セル，電位制御部及びボルタモグラムの記録部から構成されるボルタモグラム測定装置を示した．

試料として Red を含む電解質溶液中で作用電極の電位をまず E_1 に設定し，続いて正電位の方向に十～数百 mV/s 程度の速度で電位を直線的に変化させ，E_2 で負電位方向に電位を反転させて E_1 の電位に戻して，サイクリックボルタンメトリーを行うとしよう．Red と Ox は電極反応速度が大であって単純な電子授受反応が行われるとすれば，まず正電位方向に電位の掃引において，試料の中の Red は酸化されて酸化電流が流れる．このとき作用電極表面付近には Ox が蓄積される．この Ox が，電位を負の方向に掃引するとき，還元されるために還元電流が現れ，それらの結果，酸化ピーク i_{pa} と還元ピーク i_{pc} を示すサイクリックボルタモグラムを描く．i_{pa} と i_{pc} の大きさは等しくなり，ピーク電位 E_{pa} と E_{pc} の差は $60/n(mV)$ となり，i_{pa} は Red の濃度に比例する．このようにボルタモグラムの形から，電極反応の性質や定量など情報を得ることができるので，サイクリックボルタンメトリーは，種々の電気化学的測定法の中で電極反応を最も直感的に知ることのできる方法の一つといわれており，電極反応の初期診断法として利用されている．

(a) 電解セル

(b) サイクリックボルタモグラム

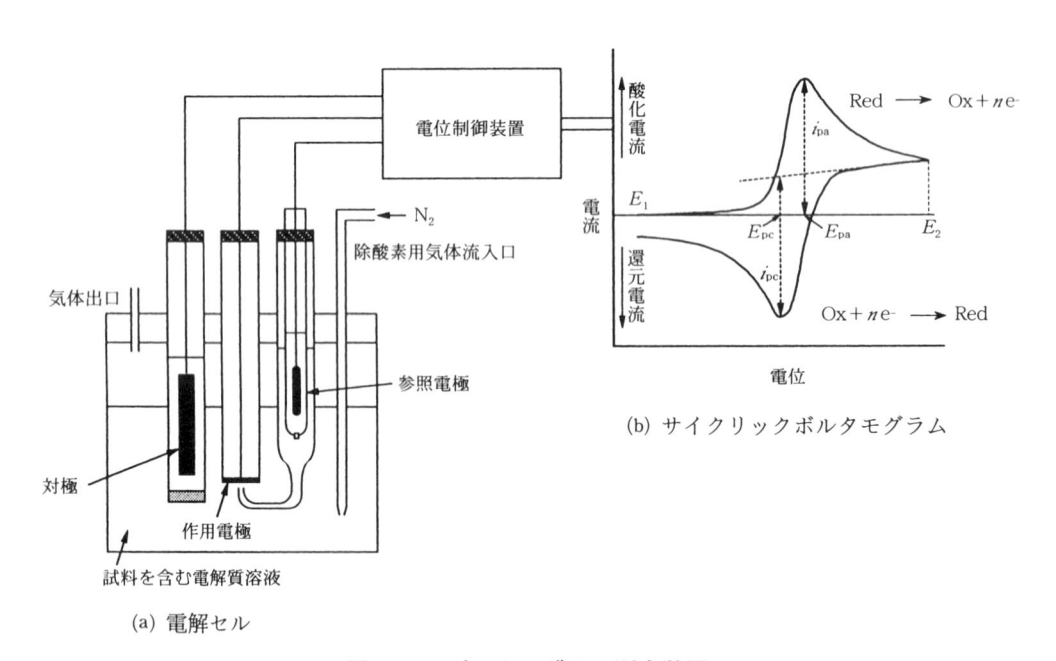

図 4.12 ボルタモグラム測定装置

3-5 ボルタンメトリック検出器

　高速液体クロマトグラフィーやフローインジェクション分析の検出部分にボルタンメトリーが利用され，図 4.13 に概略を示すような構成で，ボルタンメトリック（アンペロメトリック）検出器が使われている．この検出器の場合には，電極表面を溶液が移動しながら電極反応が行われて電流を測定するので，得られた電流と電位の関係は，ハイドロダイナミックボルタモグラムと呼ばれている．高速液体クロマトグラフィーの分離カラムから溶出してきた目的物質が，任意の電位をかけた作用電極表面で酸化あるいは還元され，このとき得られる電流がクロマトグラム上のピークとして検出される．薬学領域ではカテコールアミン類などの分離定量に使われる．

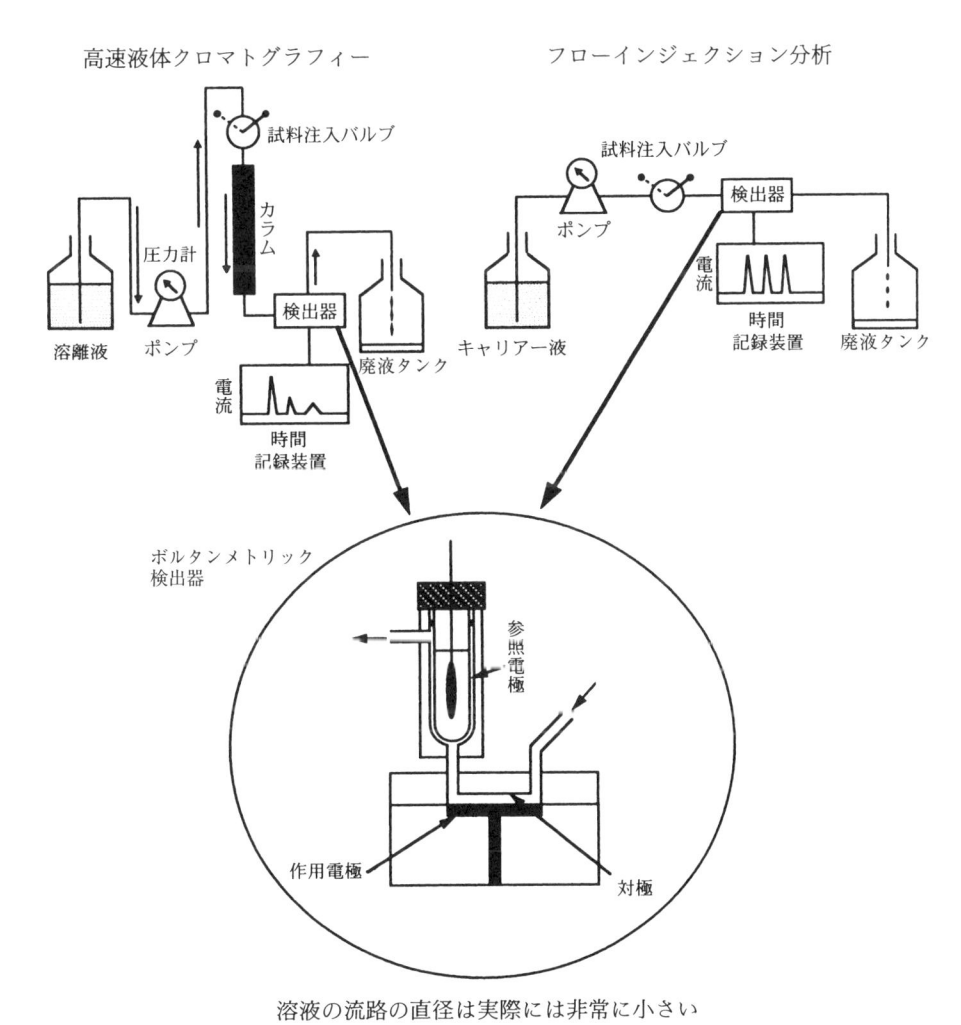

図 4.13　ボルタンメトリック検出器

3-6 電流滴定

電流滴定 amperometric titration は，被滴定溶液を入れた滴定用の容器に作用電極を挿入し，電位をかけて，被滴定物質あるいは滴定剤の酸化あるいは還元に由来する電流を測定する．このとき得た電流と滴加量の関係，すなわち電流滴定曲線の変化から滴定終点を決定する方法である．

電流滴定には種々の方法があるが，日本薬局方一般試験法において，**滴定終点検出法**の中の**電流滴定法**，ならびに**水分測定法（カールフィッシャー法）** の中の**容量滴定法**では，定電圧分極電流滴定法が採用されている．定電圧分極電流滴定法の測定では，図 4.14 a のように，1 対の小さな白金電極を指示電極として，被滴定溶液内に浸し，これらの電極間に 20 ～ 200 mV の小さな電圧をかける．溶液中に酸化される物質と還元される物質が同時に存在するときにのみ，一方の白金電極は陽極として，他方は陰極として働き回路に電流が流れる．このような電流の変化から滴定の終点を求める．電解される物質の種類とその反応速度に応じて滴定曲線の形状が異なる（図 4.14 b 参照）．

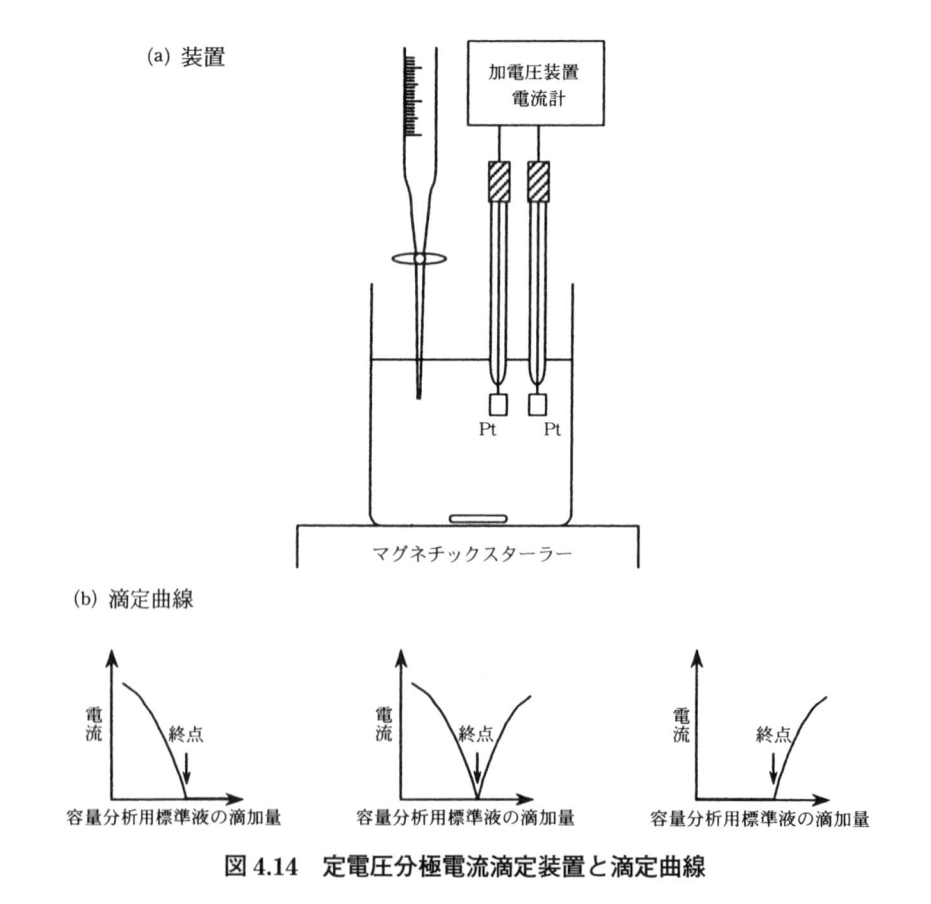

図 4.14 定電圧分極電流滴定装置と滴定曲線

4 電量分析法

4-1 電量分析法

電量分析法 coulometric analysis は，試料の電気分解を行い，このときに要した電気量から Faraday の法則に基づいて，試料中の目的成分の量を求める方法である．クーロメトリーとも呼ばれ，定量分析において，検量線を必要としない絶対測定が可能な点が特徴である．

電量分析法には，定電位電量分析と定電流電量分析がある．定電位電量分析では，電解槽に陰極と陽極のほかに参照電極を入れ，着目した電極の電位を一定に保って電解を行うものである．これは，クーロメトリック検出器として高速液体クロマトグラフィーの検出部分にも利用されている．多孔質の炭素などの電極表面で効率よく測定対象物質が電解されるので，ボルタンメトリック検出器よりも更に高感度な定量が可能である．定電流電量分析は，電量滴定法に利用されている．

4-2 電量滴定法

電量滴定法は，容量分析用標準液をビュレットから滴下して加える代わりに，定電流電解によって発生電極表面で滴定剤を発生させて，電解セル内で滴定反応を行い，終点までに要した電気量から目的物質を定量する方法である．装置の概略を図 4.15 に示す．日本薬局方一般試験法に

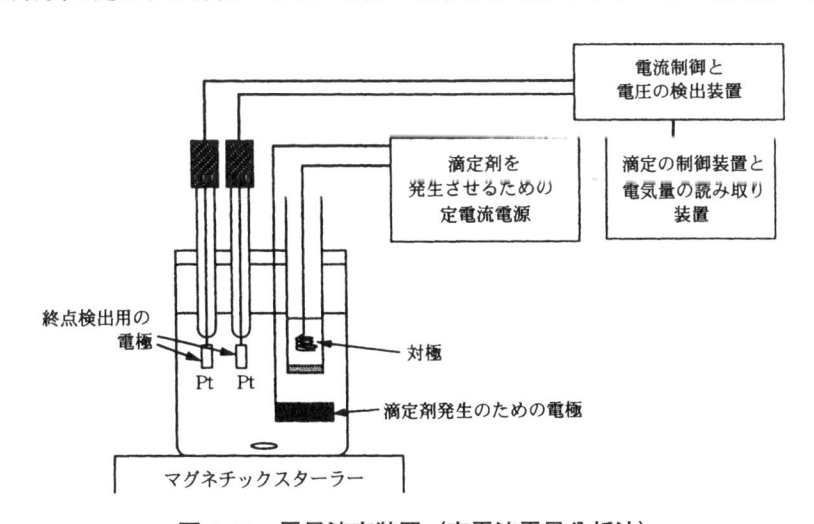

図 4.15 電量滴定装置（定電流電量分析法）

おける**水分測定法（カールフィッシャー法）**として，容量滴定法とともに**電量滴定法**が採用されている．カールフィッシャー法では水が I_2 と定量的に反応することを利用するが，滴定剤の発生電極において，滴定槽中に入れてある I^- を酸化して I_2 を発生させ，生じた I_2 が滴定反応を行う．過剰の I_2 が生じる点を滴定終点として検出できた時点で，発生電極に供給されていた電流を止め，ここまでに流れた電気量より消費された I_2 を求めて水分を算出する．電量滴定法では，容量滴定法に比べて微量の試料の水分が測定できる．

5 導電率測定法

導電率測定法 conductometry は，試料溶液中の導電率（電気伝導率）を測定することにより，試料中のイオンの濃度を測定する方法であり，日本薬局方精製水などの医薬品の導電率の測定，製薬用水などの水質監視やイオンクロマトグラフィーにおける検出などに利用されている．日本薬局方の一般試験法には，導電率測定法として掲載されている．

5-1 溶液の導電率

溶液の導電率（あるいは電気伝導率）κ（S・m^{-1}）は，抵抗率 ρ（Ω・m）の逆数により定義され，溶液の電気の通しやすさを示す量である（S：ジーメンス，Ω：オーム）．抵抗率は単位面積，単位長さ当たりの電気抵抗を意味し，抵抗率 ρ，断面積 A（m^2），長さ l（m）とするとき，抵抗 R（Ω）は，次式で表される．

$$R = \rho(l/A) \tag{4.22}$$

したがって，導電率 κ は，

$$\kappa = 1/\rho = (1/R)(l/A) \tag{4.23}$$

で表され，l/A が既知であれば，抵抗 R またはコンダクタンス（電気伝導度）G（$= R^{-1}$）を測定することにより求めることができる．国際単位系（SI）によれば，導電率の単位は S・m^{-1} であるが，通例，溶液の導電率は μS・cm^{-1} で，抵抗率はΩ・cm で表される．

装置の概略を図 4.16 に示す．導電率計又は抵抗率計により，導電率測定用セルの二つの白金電極間に挟まれた液柱の電気抵抗又はコンダクタンスを測定する．導電率測定用セルのセル定数は，通常，塩化カリウム標準液を用いた測定により求めている．図 4.16 の浸漬形セルの他に，高純度水製造装置における水質の連続モニターなどには流路系セルが用いられる．

溶液の導電率は，その溶液に含まれる各成分による導電率の和に等しく，溶液中のイオンが多くなれば導電率は大きくなる．溶液中における電解質の導電性は，モル濃度 c の溶液について，

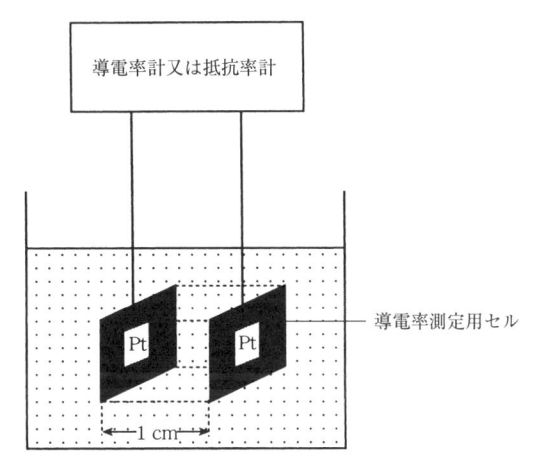

図 4.16 導電率測定装置

表 4.4 イオンの極限モル導電率
($S\ cm^2\ mol^{-1}$)（25 ℃）

陽イオン	λ_+	陰イオン	λ_-
H^+	350	OH^-	198
Li^+	39	Cl^-	76
Na^+	50	Br^-	78
K^+	74	I^-	77
NH_4^+	74	NO_3^-	71
Ag^+	62	HCO_3^-	45
$1/2Mg^{2+}$	53	$CHCOO^-$	41
$1/2Fe^{2+}$	54	$1/2CO_3^{2-}$	72
$1/3Fe^{3+}$	68	$1/3PO_4^{3-}$	69

モル導電率 $\varLambda$（$S\ cm^2\ mol^{-1}$）を次式で定義できる．

$$\varLambda = 1000\kappa/c \tag{4.24}$$

$\varLambda$は電解質濃度の増加につれて減少するが，その変化の様子は，電解質の性質を反映し，電離度の異なる強電解質と弱電解質では違いが見られる．電解質の無限希釈におけるモル導電率$\varLambda_0$は，それから生じる陽イオンと陰イオンのモル導電率の和で与えられ，この関係はイオン独立移動の法則と呼ばれる．

$$\varLambda_0 = \lambda_+ + \lambda_- \tag{4.25}$$

ここで，λ_+及びλ_-は無限希釈における陽イオン及び陰イオンのモル導電率（極限モル導電率）である．主なイオンのλ_+とλ_-を表 4.4（2 価あるいは 3 価のイオンについては化学式の前に 1/価数を記し，λ/価数の値を示した．従来の当量導電率に対応する）に示す．H^+のλ_+とOH^-のλ_-が他のイオンに比較して著しく大きい．このことは，H^+とOH^-のイオンの移動度が大きいこ

とを意味しており，このために酸塩基滴定に導電率滴定が利用される．

5-2 導電率滴定

導電率滴定 conductometric titration は，試料溶液に滴定用標準液を滴加しながら導電率を測定し，当量点の前後の導電率の急激な変化から終点を決定する方法である．この方法は，沈殿滴定やキレート滴定にも用いられるが，特に酸塩基滴定に有用である．

強酸を強塩基で滴定する場合として，塩酸の水酸化ナトリウム溶液による滴定では，

$$\text{HCl} + \text{NaOH} \longrightarrow \text{NaCl} + \text{H}_2\text{O} \tag{4.26}$$

の中和反応の当量点に至るまでは，H^+ が消費され，それに等しい量の Na^+ が加わる．H^+ の導電率は Na^+ より大きいので，滴定の進行につれて溶液の導電率が減少する．当量点を過ぎると，Na^+ と OH^- が増加することになり導電率は増大して，滴定曲線はV字形となる（図 4.17 a）．この屈曲点から終点を決定する．図 4.17 b には更に弱い酸を強塩基で滴定する場合，図 4.17 c には強酸と弱酸の混合溶液を強塩基で滴定する場合の滴定曲線の例を示した．

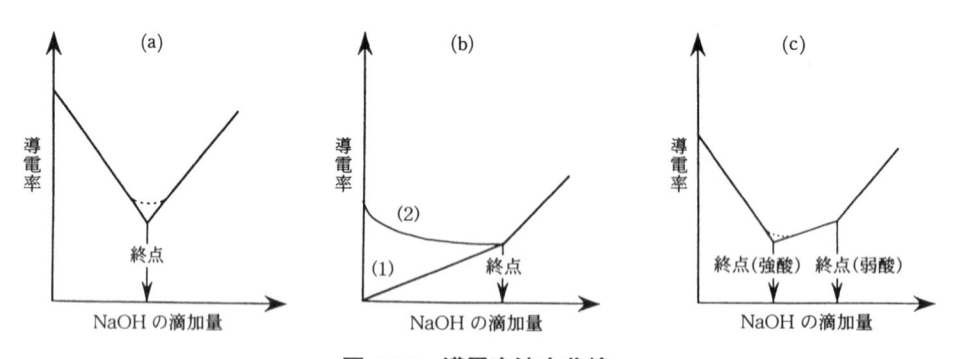

図 4.17 導電率滴定曲線
(a) 強酸を強塩基で滴定する場合（HCl と NaOH の中和反応を例として）
(b) 弱酸を強塩基（NaOH）で滴定する場合：(1) 非常に弱い酸，(2) 中程度の弱酸
(c) 強酸と弱酸の混合溶液を強塩基（NaOH）で滴定する場合

6 センサー

濃度，温度，圧力などの測定において，測定した量を迅速に電気信号に変換できる小型の計測器を**センサー** sensor という．化学センサーは，化学物質を測定の対象とし，多くの物質の中から特定の物質を識別，検知し，その情報を電気信号に変換する機能をもつ．化学物質のタイプに応じて，イオンセンサー，ガスセンサー，バイオセンサーと呼ばれている．

6-1　イオンセンサー

2節でイオン選択性電極において述べたように，図 4.7 a のガラス電極，b の固体模型電極，c の液膜型電極は，それぞれ Na^+，Cl^-，Ca^{2+} を選択的に検知し電位差の信号に変換できる機能を持っており，イオンセンサーの1種である．血清中の Na^+，K^+，Cl^- 測定のための臨床分析機器には，イオンセンサーが利用されている．

6-2　ガスセンサー

図 4.7 d のガス感応電極は，隔膜型ガスセンサーである．隔膜によって試料液中に溶存しているアンモニアガス成分のみを透過させて内部液の pH を変化させ，この変化をガラス電極で検知する仕組みとなっている．ガスセンサーの検出素子には半導体や固体電解質も使われている．半導体表面にある種のガス分子が吸着すると電気伝導性に変化が生じる．プロパン，メタン，硫化水素などの検出にこのタイプが利用されている．また衛生試験法において環境計測用に，定電位電解式一酸化炭素測定器，ガルバニ電池式酸素計などガスセンサーが採用されている．

6-3　バイオセンサー

生体物質の中には優れた分子識別機能をもつものがある．酵素はある特定の物質（基質）を識別し，その基質の反応に対して触媒作用を示す．また抗体はそれに対応する抗原に特異的に結合する．酵素や抗体などの生体物質を使って，特定の化学物質を選択的に検出するために作られた化学センサーをバイオセンサーと総称している．これには，分子識別機能物質やその反応に応じて名付けられた酵素センサー，微生物センサー，免疫センサーなどが知られている．

酵素センサーの基本構成は，図 4.18 に示すように，酵素を取り付けた酵素膜（固定化酵素膜），酵素反応により生じた物質を測定する内部電極，電気信号検出部から成っている．電気信号として電位を検出する場合には，ガラス電極の表面には酵素膜が被せてあり，試料中の被測定物質が酵素反応を経て生じた H^+ などによる pH の変化を測定する．電流検出型では，内部電極である白金作用電極と参照電極の表面を覆うように酵素膜が取り付けてあり，酵素反応を経て生じた過酸化水素の還元電流などをとらえている．

血糖値センサーとして電流検出型グルコースセンサーが汎用されている．フェリシアン化カリウムとグルコースオキシダーゼを含む酵素膜において，血液中のグルコースが次の反応により酸化される．

$$\text{グルコース} + [Fe(CN)_6]^{3-} \longrightarrow \text{グルコン酸} + [Fe(CN)_6]^{4-} \tag{4.27}$$

生じたフェロシアン化カリウムの酸化反応

$$[Fe(CN)_6]^{4-} \longrightarrow [Fe(CN)_6]^{3-} + e^- \tag{4.28}$$

による電流値からグルコースが定量される．

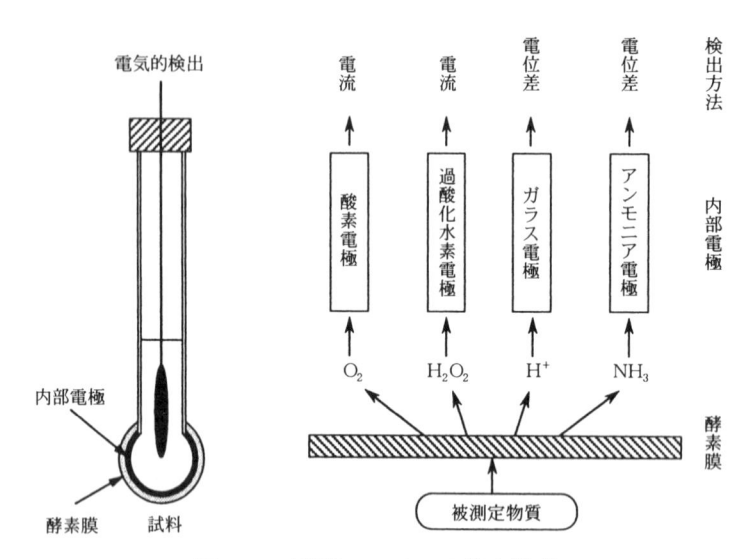

図 4.18 酵素センサーの基本構成

第5章 光分析

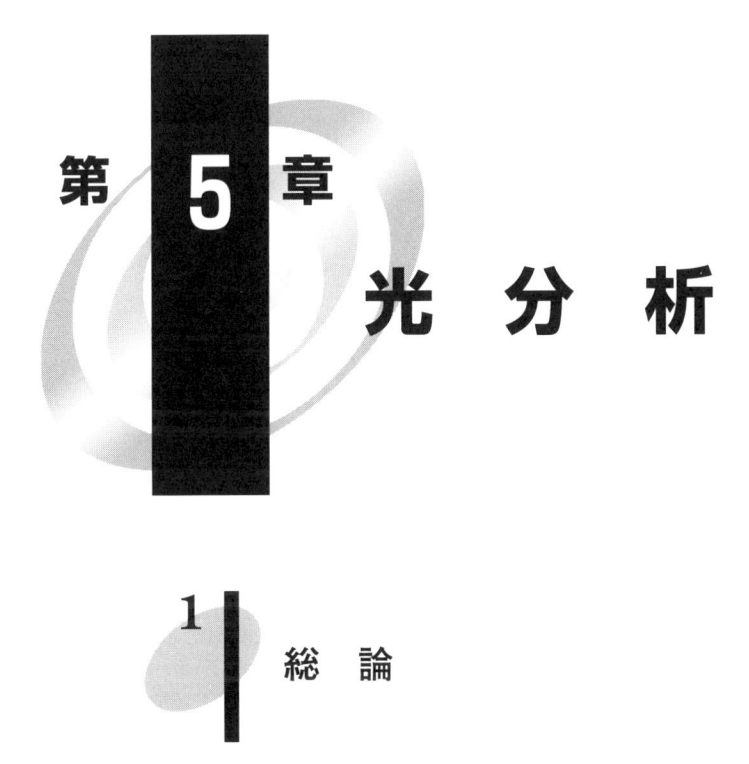

1 総論

　物質に光を照射すると，物質による光の吸収や発光の物理現象が生じる．このことを物質と光の相互作用と呼び，光分析は物質と光の相互作用に基づく応答を検出する分析方法である．吸収又は発光される光の波長が物質に固有であることから定性分析が可能である．また，その吸収又は発光される光の量が物質の濃度や量に依存するため，定量分析を行うこともできる．第5章では，紫外線及び可視光線を利用した光分析を概説する．

1-1　電磁波

　電磁波は，ラジオ波，赤外線，紫外線，可視光線などの種類があり，エネルギーと運動量を持った粒子性（光量子）を示すと同時に，空間を伝播する波動性を示す．図5.1のように波の一周期の距離を**波長** wavelength と呼び，記号 λ で表す．また，単位時間当たりにある一定点を通過する一周期の波の数を**振動数** frequency と呼ぶ．伝播していく波の速さを光速度 c とすると，真空中において波長と振動数 ν には次式が成り立つ．

$$\nu = \frac{c}{\lambda} \tag{5.1}$$

また光を粒子とする考え方により，光子1個のエネルギー E は電磁波の波長又は振動数と関連づけられる．

$$E = h\nu = \frac{hc}{\lambda} \tag{5.2}$$

図 5.1　電磁波の波動性

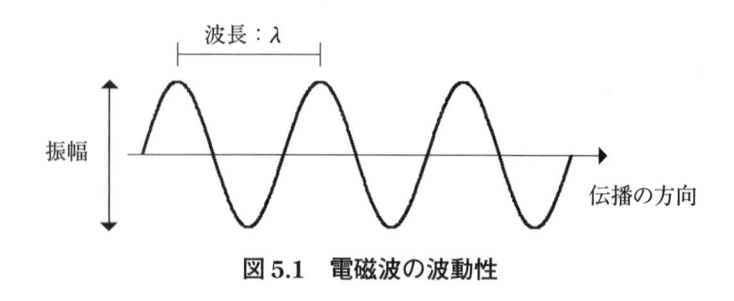

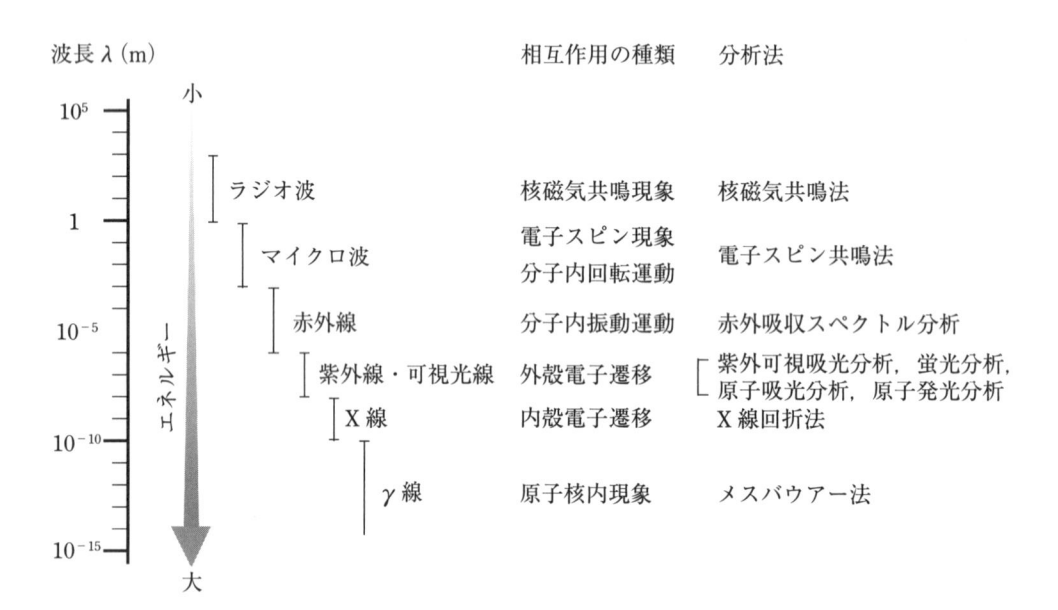

図 5.2　電磁波の種類と光分析法

ここで h はプランク定数で 6.63×10^{-34} Js である．電磁波の持つエネルギーの大きさは，波長や振動数によって決定される．波長が短いほど，あるいは振動数が大きいほどエネルギーが大きくなる．電磁波は図 5.2 のように波長や振動数の領域によって，ラジオ波，マイクロ波，赤外線，可視光線，紫外線，X 線，γ 線などに分類される．電磁波のエネルギーは波長に反比例するため，X 線や γ 線は高エネルギーの電磁波であり，ラジオ波やマイクロ波は低エネルギーの電磁波である．

1-2　電磁波と物質の相互作用

　物質は，内部エネルギーが最も低い安定な基底状態から外部エネルギーを得て高エネルギー状態である励起状態になる．物質の内部エネルギーの準位が変化することを遷移すると呼ぶ．電磁波を物質に照射するとき，内部エネルギーの差，つまり基底状態と励起状態のエネルギー準位の

差に等しいエネルギーに相当する一定波長の電磁波が吸収される．光分析では，物質の振動状態，回転状態，電子状態の変化など，観測したい物理現象に応じた電磁波の種類が用いられる（図5.2）．遷移過程のエネルギー準位を比べると，回転＜振動＜電子遷移である．回転遷移は非常に低いエネルギーを有するマイクロ波や遠赤外領域の電磁波で起こる．また，振動遷移はこれらのエネルギーよりも高い近赤外領域のエネルギーを必要とする．回転及び振動遷移を観測する光分析法が赤外吸収スペクトル分析であり，主に有機化合物の構造解析で利用されている（第6章）．外殻電子をより高いエネルギー準位へ遷移させるには，振動及び回転エネルギーよりも高いエネルギーを有する紫外可視領域の電磁波を分子に照射させる必要がある．

1-3 紫外及び可視光を利用した光分析法

紫外及び可視領域の電磁波を利用した光分析法は，相互作用の種類に基づいて分類できる．物質（分子やそのイオン，原子）が紫外及び可視領域の電磁波を吸収する物理現象を観察する光分析に**紫外可視吸光分析** ultraviolet and visible absorption spectrometry や**原子吸光分析** atomic absorption spectrophotometry などがある．これらは，電磁波のエネルギーによる基底状態から励起状態への電子遷移を観察している．紫外線の波長領域は 10 〜 400 nm であり，200 nm 以下の遠紫外線による電子遷移は，気体の酸素分子や窒素分子が吸収性を示すため，真空中でなければ観測できない．そのため通常は，200 〜 400 nm の近紫外線が主に光分析に利用される．一方，可視光線はヒトの眼が色として感じられる光で，400 〜 800 nm に相当し，すべての可視領域の電磁波が吸光分析で利用されている．紫外及び可視領域の電磁波は物質に吸収され，その吸収強度が物質の量に比例することから，高感度な定量分析が可能になる．

外部エネルギーを吸収して励起状態に遷移した分子やそのイオンあるいは原子は不安定であり，電磁波エネルギー，熱あるいは振動，回転運動などのエネルギー（無輻射遷移），化学反応エネ

表 5.1 光分析法の分類

	測定対象物質	
	分子やそのイオン	原子
a）基底→励起を観測	紫外可視吸光分析	原子吸光分析
b）励起→基底を観測	蛍光光度法 （光励起）	原子発光分析 （熱的励起）
	化学発光分析 （化学反応励起）	

ルギーとして，平均寿命 10^{-8} 秒程度の時間内でエネルギーを外部に放出する．それにより分子やそのイオンあるいは原子はエネルギー準位の低い安定な状態ないし基底状態に戻る．一方，エネルギーが光として放出される場合もある．励起された化学種が基底状態に戻る際に放出される電磁波を観測する光分析には，**蛍光分析** fluorescence spectrophotometry，**原子発光分析** atomic emission spectrometry や**化学発光分析** chemiluminometry がある．これらの光分析では，分子や原子を励起させるための手段が異なる．蛍光分析では電磁波のエネルギーにより分子やそのイオンを励起させ，原子発光では熱エネルギーにより原子を励起させる．また，化学発光では化学反応により生じるエネルギーで分子を励起させる．発光の強度は物質の量に依存するため，定量分析に広く利用されている．一般に，電磁波の吸収を利用した光分析よりも高感度に物質を定量できる．

電磁波と物質との相互作用に相互作用に基づく光分析の中でも，電磁波の吸収を伴わない光分析として，光学活性物質又はその溶液の偏光面を回転する角度を測定する**旋光度法** optical rotation determination がある．光学活性物質の絶対配置や不斉分子の立体配座に関する情報が得られるだけでなく，偏光面の回転角度が物質の量に依存することを利用して定量分析にも応用されている．

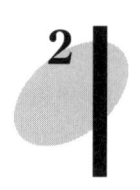

2 紫外可視吸光分析

紫外可視吸光分析法では定性分析だけでなく，光吸収の度合いが物質の量に依存するため，化合物の定量分析にも利用できる．日本薬局方では，紫外可視吸光度測定法として収載されている．また，液体クロマトグラフィー（第7章）の検出器としても汎用されている．

2-1　光吸収と *Lambert-Beer* の法則

溶液中に入射した光がある分子またはそのイオンに吸収されるとき，入射光の強度と比較して透過光の強度は減少する．このとき，入射光の強度 I_0 に対する透過光 I の比率を**透過度** transmittance (t) として表し，透過度の百分率を**透過率** percent transmission (T) と呼ぶ（図 5.3）．

$$t = \frac{I}{I_0} \tag{5.3}$$

$$T = t \times 100 = \frac{I}{I_0} \times 100 \tag{5.4}$$

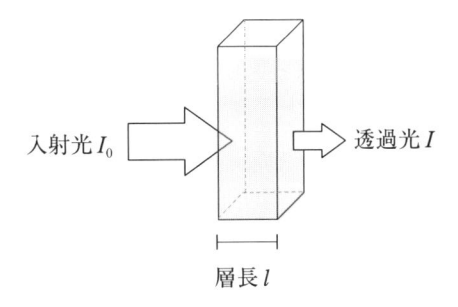

図 5.3 吸光性分子の溶液を通過する光

A. *Lambert* の法則

吸光性分子の溶液中に強度 I_0 の単色光を入射させると，液層の長さ（層長）に依存して単色光が吸光性分子と相互作用して入射光が吸収され，透過光の強度（透過度）が減少する．吸光性物質の溶液が入っている層長 1 cm のセルに，強度 I_0 の入射光を照射したとき，$1/2\,I_0$ の強度の入射光が吸光性物質に吸収されるとすれば，透過度は 1/2 となる．吸光性物質の濃度を変えずに，層長をさらに 1 cm 長くすると，透過度は $1/2 \times 1/2 = (1/2)^2 = 1/4$ となる．さらに層長を 1 cm 長くすると $1/2 \times 1/2 \times 1/2 = (1/2)^3 = 1/8$ になる．つまり，層長 l と透過光の強度 I は図 5.4 のように指数曲線になる．このように *Bouguer*（1729）や *Lambert*（1760）は，吸光性の分子又はイオンの溶液中を透過する光強度が，層長に対して指数関数的に減少することを見出した．これを *Lambert* の法則という．透過光強度 I は次式のように表される．

$$I = I_0 \cdot 10^{-k_1 l} \tag{5.5}$$

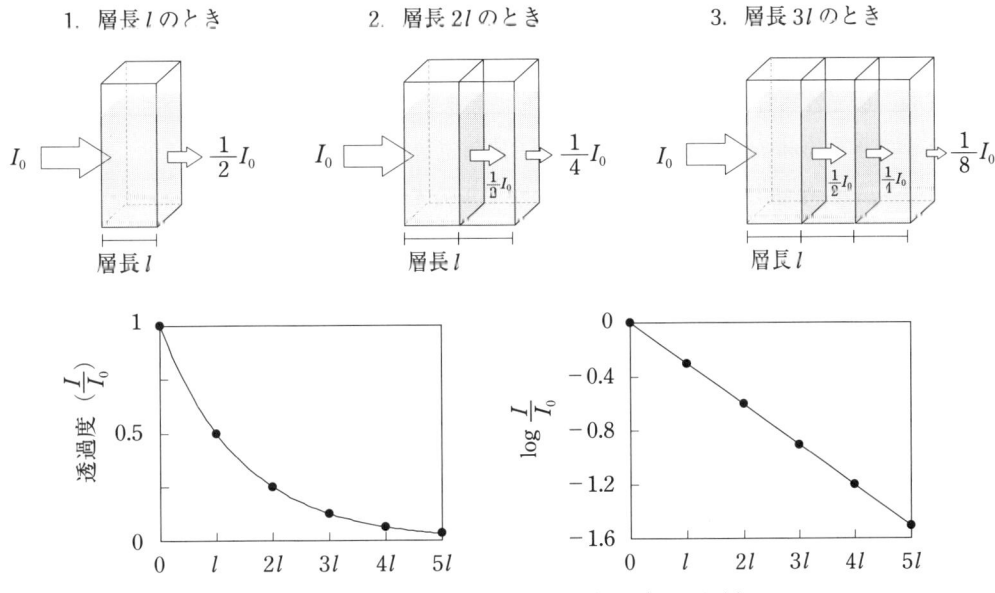

図 5.4 光吸収と液層の長さ（層長）の関係

ここで，l は液層の長さである．I_0 に対する I の比の対数を縦軸に，層長 l を横軸にプロットすると，直線関係が得られ，次式によって表される．

$$\log \frac{I}{I_0} = -k_1 l \tag{5.6}$$

B. *Beer* の法則

吸光性物質の溶液に入射光を当てるとき，液層の長さが一定であれば，吸光性分子の濃度が高いほど単色光と相互作用する分子の数が増すために，透過度 t は小さくなる．1852 年に *Beer* は，液層の長さが一定の場合，透過度 t が吸光性分子の濃度 c に対して，指数関数的に減少することを見出した．

$$I = I_0 \cdot 10^{-k_2 c} \tag{5.7}$$

対数形式で表す次式のようになる．

$$\log \frac{I}{I_0} = -k_2 c \tag{5.8}$$

C. *Lambert-Beer* の法則

Lambert の法則および *Beer* の法則を組み合わせると，入射光強度 I_0 及び透過光強度 I の比を吸光性物質の濃度 c と層長 l（cm）に関連付けることができる．

$$I = I_0 \cdot 10^{-kcl} \tag{5.9}$$

この関係式を対数形式で表示すると，次式になる．

$$A = -\log \frac{I}{I_0} = kcl \tag{5.10}$$

吸光度 absorbance は透過度の逆数の常用対数と定義され，吸光度 A は無次元で単位はない．吸光度 A は，吸光性物質の濃度と層長に比例して大きくなる．この関係は，式（5.10）のように表すことができ，*Lambert-Beer* の法則という．比例定数 k は物質固有の値であり，層長 l を cm，濃度 c をモル濃度（mol/L）で表したときの k が**モル吸光係数** molar absorption coefficient（ε）である．つまり，モル吸光係数は，層長 1 cm，濃度 1 mol/L に換算したときの吸光度 A であり，単位は L mol^{-1} cm^{-1} となる．一方，**比吸光度** specific absorption（$E_{1\,cm}^{1\%}$）は層長 1 cm，濃度 c が 1 w/v ％ のときの吸光度 A である．日本薬局方では，比吸光度が主に用いられている．

$$A = \varepsilon cl \tag{5.11}$$
$$A = E_{1\,cm}^{1\%} cl \tag{5.12}$$

吸光性分子の分子量が既知であれば，モル吸光係数 ε と比吸光度 $E_{1\,cm}^{1\%}$ は次式により相互に換算できる．

$$E_{1\,cm}^{1\%} = \frac{\varepsilon \times 10}{分子量} \tag{5.13}$$

2-2　電子遷移と吸収スペクトル

　光量子は分子の電子系と衝突（相互作用）するが，この衝突確率は分子の大きさに比例する．光量子と衝突した分子は定められた遷移確率で光を吸収する．モル吸光係数 ε の大きさは，アボガドロ数個（6.02×10^{23} 個）の分子のうち，実際に分子が光を吸収する確率を表している．吸収波長と吸収強度は，分子内の特定の原子団，結合，官能基に起因し，吸収波長とその強度はその種類に依存する．そのため，横軸に測定波長，縦軸に吸光度をプロットして得られる吸収スペクトルから分子構造の情報を取得することができる．

A. 電子遷移

　紫外および可視領域の光を分子が吸収すると，よりエネルギー準位の高い電子軌道に遷移して励起状態になる（図 5.5）．いい換えると，紫外及び可視領域の光吸収の現象は，これらの波長領域の光と電子の相互作用である．紫外及び可視領域の光と相互作用する電子は結合性軌道である σ 及び π 軌道，非結合性軌道の n 軌道の電子である．分子を構成する原子間の結合に関与しない内殻電子は，原子核に強く拘束されている．そのため，電磁波と相互作用するのに非常に高い励起エネルギーを必要とし，紫外可視領域の吸収に内殻電子は関与しない．また共有単結合に関わる σ 電子は，200 nm より短い遠紫外領域の波長の光と相互作用する．この波長領域の光は窒素や酸素により吸収されるため，通常では紫外可視吸光光度法で利用されない．π 軌道は二重又は三重結合に関与する電子であり，n 軌道は N，O，S，ハロゲンのような外殻非共有電子対である．これらの軌道の電子は σ 電子ほど強く原子核に拘束されていないため，200 〜 800 nm の紫外及び可視領域の光と相互作用できる．紫分子には反結合性軌道と呼ばれる空軌道を持っており，紫

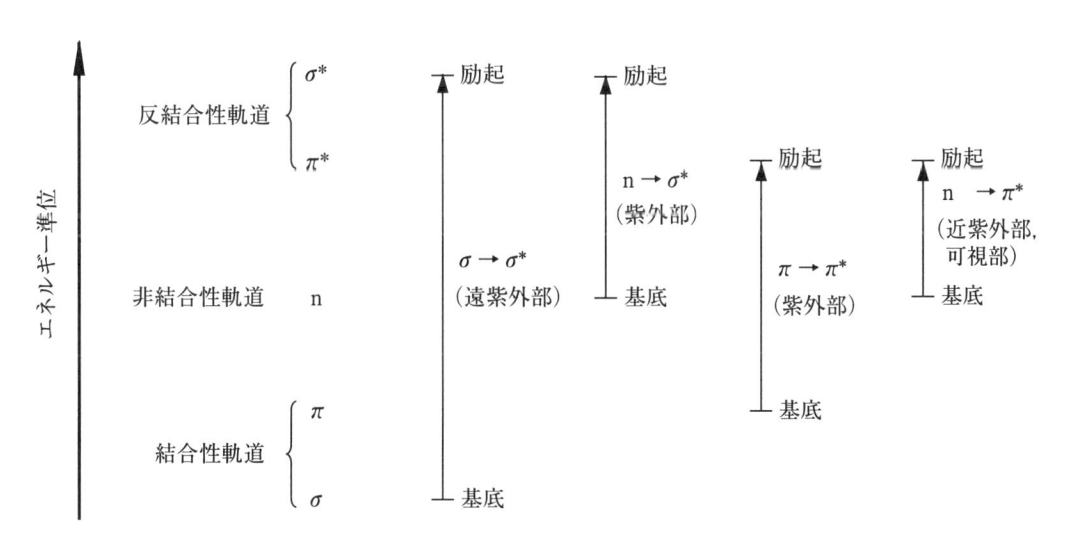

図 5.5　電子のエネルギー準位と電子遷移

外及び可視領域の光と相互作用したπ軌道及びn軌道の電子は反結合性軌道であるπ*軌道に遷移する．これらの遷移はπ→π*，n→π*遷移のように表される．通常，π→π*遷移は電子遷移の確率が高いため，モル吸光係数が1000～100000である．一方，n→π*遷移ではモル吸光係数が1000以下となる．

B. 吸収スペクトル

物質が光を吸収する度合いは電磁波の波長によって異なる．連続的に波長を変化させて，各波長における吸光度Aを測定すると紫外可視吸収スペクトルが得られる（図5.6）．**紫外可視吸収スペクトル** ultraviolet-visible absorption spectrum の縦軸の吸光度Aは電子遷移の確率を示しており，横軸の波長はその電子遷移に必要なエネルギーの大きさを表している．紫外可視吸収スペクトルを**電子スペクトル** electronic spectrum とも呼ぶ．紫外可視吸収スペクトルから，その物質の吸収の**極大吸収波長** maximum wavelength（λ_{max}）と**極小吸収波長** minimum wavelength（λ_{min}）が得られる．また，モル吸光係数は極大吸収波長で最も高い値を示し，このときのモル吸光係数（ε_{max}）は，その物質の吸光分析における特性値として用いられる．

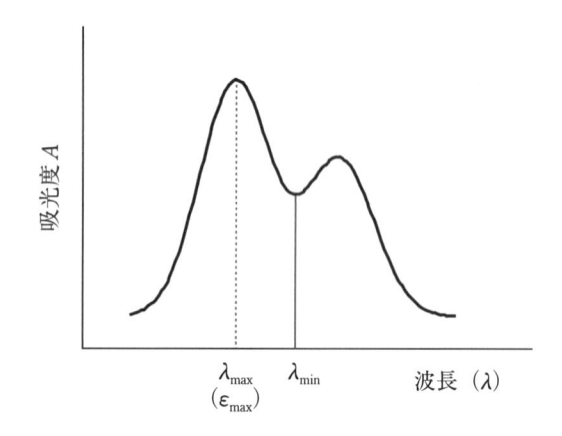

図5.6 吸収スペクトル

分子は主軸のまわりを回転しながら，分子内の原子あるいは原子団は互いに振動及び回転している．そのため，分子の内部エネルギーは回転エネルギー，振動エネルギー，電子遷移エネルギーから成り立つ．また，これら内部エネルギーは，それぞれ不連続な値である．分子は電磁波を吸収すると，分子の内部エネルギーが増加し，より高い回転，振動，電子エネルギー準位へ遷移する．不連続な電子遷移エネルギーは，回転と振動遷移の上に重なり，様々なエネルギー準位の遷移が起こる．そのため，個別の吸収波長はあまりに多数であり，ピークとして分離できず，スペクトルは幅広いものとなる．このようなスペクトルを**連続スペクトル** continuous spectrum という．低温条件下で光励起が起こる場合を想定したときの，エネルギー遷移と吸収スペクトルの関係を図5.7に示した．

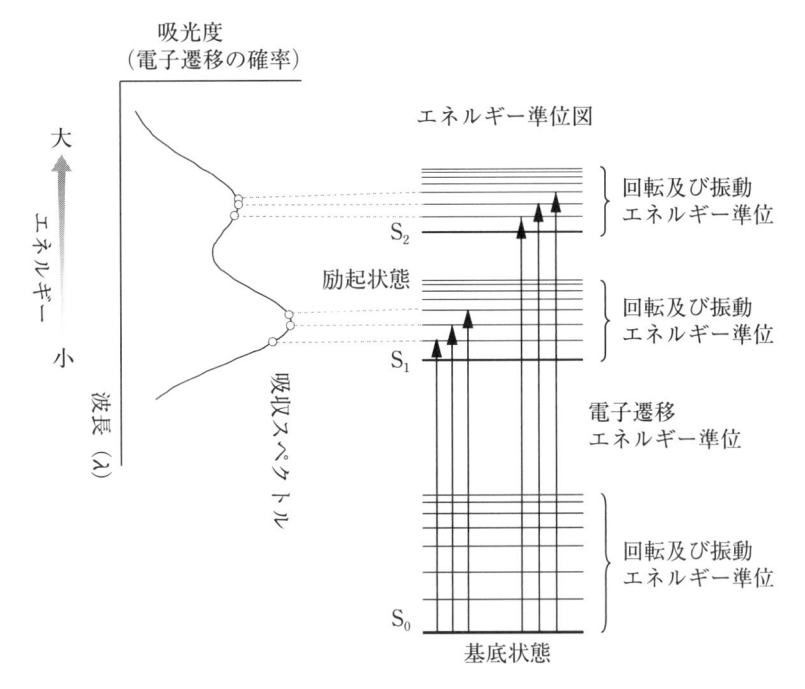

図 5.7　エネルギー遷移と吸収スペクトルの関係

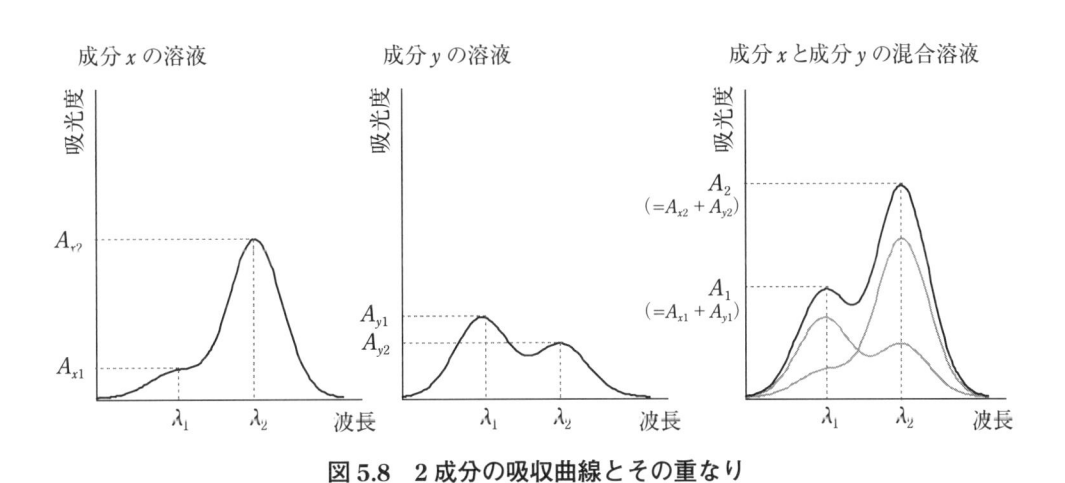

図 5.8　2 成分の吸収曲線とその重なり

また，2 種類以上の吸光性化学種が溶液中で混在し，これらの化学種の間に相互作用がなく，それぞれのスペクトルに差がある場合，ある波長における全吸光度はすべての化学種の吸光度の和に等しい．つまり，それぞれの吸収スペクトルを x 曲線と y 曲線とすれば，混合物の吸収スペクトルは各スペクトルの和となる（図 5.8）．

1）有機化合物の吸収スペクトル

有機分子内の紫外可視吸収は**発色団** chromophore と**助色団** auxochrome によって決まる．発色

団とは光を吸収する官能基のことであり，n軌道電子やπ軌道電子を含む原子団を示す．二重又は三重結合に関与するπ軌道電子は紫外可視領域の電磁波でもっとも励起されやすく，C＝C，C＝N，C＝O，C≡N，N＝N，N＝Oなどが該当する．これら多重結合がそれぞれ単結合のみで隔てられている場合，それらの結合は共役しているという．その非局在π電子は，共役2重結合の全領域にわたって自由に運動する．分子内の共役系が増加すると，電子が自由に運動できる範囲がより広がるため，基底状態から励起状態のエネルギー準位の幅も狭くなる．つまり，エネルギーは電磁波の波長に反比例することから，共役結合の増加とともに吸収スペクトルは長波長側にシフトすることが理解できる．このように吸収帯を長波長のほうへ移動させて，物質の色を深くする現象を**深色効果** bathochromic effect または**レッドシフト** red shift という．逆に吸収帯の位置を短波長のほうへ移動させて色を浅くする現象を**浅色効果** hypsochromic effect または**ブルーシフト** blue shift という．また共役結合が増加することは発色団の数が増加することを意味しており，光吸収の度合いが大きくなる．光吸収の度合いを増加させる，つまりモル吸光係数εを増加させる現象を**濃色効果** hyperchromic effect といい，逆にモル吸光係数εを減少させる現象を**淡色効果** hypochromic effect という．一方，自身は紫外可視光の電磁波を吸収しないものの，発色団と結合することで発色団の吸収を大きくしたり，吸収波長をシフトさせたりする原子団もある．この原子団を**助色団** auxochrome といい，ヒドロキシ基，アミノ基，ハロゲン，チオール基などがある．一般に発色団に置換基を導入すると，π電子系の分布の片寄りが増大したり，分子の大きさが増大するので，濃色効果が観測されることが多い．

2) 金属錯体の吸収スペクトル

遷移金属錯体による紫外可視光の吸収は，d-d遷移に基づく金属イオンの励起，有機配位子の励起，金属イオンと配位子間で生じる電荷移動に基づく遷移に起因する．

a) d-d吸収帯

遷移金属イオンと配位子との結合によって，縮退していた金属イオンのd軌道準位が分裂し，複数のd軌道間でエネルギー差を生じる．この金属錯体に光を照射するとd軌道電子が励起され，分裂したd軌道間で電子遷移が生じる．このときの励起エネルギーに対応する波長の光が吸収される．多くの錯体は可視部に吸収帯をもっているが，そのモル吸光係数は0.1～数百と小さく，この吸収による吸光分析は低濃度の定量には適さない．

b) 配位子吸収帯

配位子吸収帯は有機配位子自身の$\pi \rightarrow \pi^*$，$n \rightarrow \pi^*$遷移によって生じる．金属イオンとの錯体形成により，吸収波長や強度が変化することが多い．この変化はわずかなものであることが多く，その場合には配位子自身の吸収帯と錯体の吸収帯が重なる．配位子吸収帯のモル吸光係数は10^4～10^5と比較的大きく，定量分析にも用いることができるが，高感度に定量したい場合には錯体

と遊離状態の配位子を分離する必要がある．

c）電荷移動吸収帯

　紫外部に吸収を示す配位子が金属イオンに配位するとd-d吸収帯や配位子吸収帯とも異なる強い吸収帯が現れることがある．配位子のσ，π軌道の電子が光エネルギーを吸収して金属イオンの空の反結合性軌道へ遷移するか，あるいは逆に金属イオンのσ軌道などから配位子の空のσ^*，π^*軌道へ遷移することに起因する．このよう遷移が起こるときは，実際には酸化還元反応が起こっており，通常，金属イオンは還元され配位子は酸化される．紫外領域でも可視領域でも**電荷移動吸収帯** charge-transfer absorption band が観測され，この吸収帯に対応するモル吸光係数は$10^4 \sim 10^5$ L^{-1} mol cm^{-1}に達する．また，配位子の共役度が増すにつれて大となる．このタイプの金属錯体は高い吸光性のため，微量濃度の金属の検出や測定の目的に利用されている．

2-3　装　置

　吸光度測定に利用されている分光光度計は，① 測定に必要な波長の光を発する連続スペクトル光源，② 連続スペクトル光源の光から狭い波長領域の光（単色光）を取り出す分光部，③ 試料部，④ 光エネルギーを電気エネルギーに変換する検出部および検出部の応答を読み取る記録計からなる．図5.9では，光源の光を分光してから試料部に入射しているが（前分光），分光部を試料部の後ろに設置することもできる（後分光）．

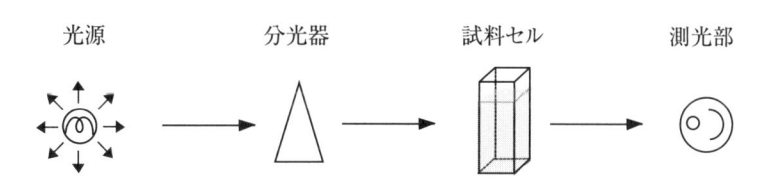

図5.9　紫外可視吸光光度計の概略

A.　光　源

　紫外可視吸光光度計で利用する光源としては，これらの波長全般にわたって十分な強度の光を発する連続スペクトル光源が望ましい．しかしながら，全波長にわたって一定以上の光強度を発する光源はない．可視領域の波長で吸光度を測定する際には，タングステンランプ又はハロゲンタングステンランプが用いられる．光源から照射される光の波長は350 nmから3 μmまであるため，十分に可視部における吸光度測定に用いることができる．一方，紫外領域では重水素放電管が光源として用いられる．およそ185〜375 nmの波長領域における吸光度測定に利用できる．

B. 分光部

　紫外可視吸光光度法では連続スペクトル光源を使用するため，単色光を取り出す分光器が必須となる．この目的で**プリズム** prism や**回折格子** diffraction grating が利用されている（図 5.10）．また様々な光学フィルターも特定波長を取り出すのに用いられる．プリズムの材質の屈折率は空気とは異なるため，電磁波はプリズムを通過するときに屈折する．屈折率は波長によって異なり，短波長ほど大きく屈折するため，白色光が分散される．一方，回折格子はアルミニウムなどよく研磨された表面に 1 cm 当たりおよそ 15000〜30000 本の等間隔で平行な溝（格子）を刻んだものである．回折格子は一定の入射角に対して，波長ごとに回折する角度が異なることを利用して，白色入射光を分散させることができる．

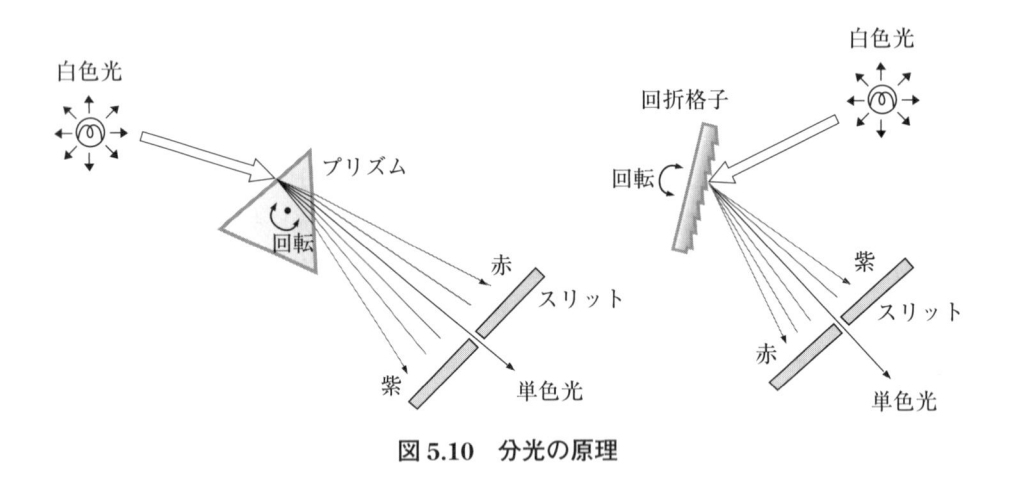

図 5.10　分光の原理

C. 試料部

　通常，層長 1 cm の角形セルが試料セルに用いられる．また，試料セルは吸光度の測定波長に対して光吸収性を示さないことが望ましい．紫外及び可視領域で物質の吸光度を測定する際には，石英セルを使用する．石英は紫外及び可視領域の光を吸収しにくい．一方，ガラスセルは紫外領域の光を吸収するため，紫外部における吸光度測定には適さず，可視部における吸光度測定に限って使用する．

D. 検出部

　最も一般的なのは**光電子増倍管** photomultiplier（フォトマル）で，電磁波のエネルギーは電気信号に変換される．その際，光量に応じた光電流が発生する．また，光量は電気的に増幅されるために感度が高い．**ダイオードアレイ** diode array 検出器は，全波長の吸光度を同時に記録する分光分析法で用いられる．ダイオードアレイは，一つのシリコン結晶またはチップ上に一列に並

べられた数百個のフォトダイオードからできている．それぞれのフォトダイオードは，光子がフォトダイオードに衝突した際に生じる光電流を捕集する貯蔵用蓄電素子であり，それらを順番に放電させることでアレイ全体に照射した光量を検出する．分光器で分散された電磁波がフォトダイオードに衝突してスペクトルが記録される．

2-4　分析化学への応用

A. 紫外可視吸光光度法で使用する溶媒

　紫外可視吸光光度計を利用した定性分析や定量分析では，吸光度測定に使用する溶媒を適切に選択することが重要である．測定波長領域に強い光吸収を有するものは溶媒として適さず，特に可視領域よりも紫外領域で問題となる．水，メタノール，アセトニトリル，ヘキサン等がよく使用される．また物質の吸収スペクトルの形状やモル吸光係数は，使用する溶媒の極性や共存物質，pHなどにより影響を受けるので，注意が必要である．

B. 分光測定誤差

　吸光度は入射光強度と透過光強度の比，つまり透過度から導き出される．そのため，入射光に対して透過光がごくわずかしか減少しない場合は，吸光度の相対的な誤差が大きくなる．一方，入射光のほとんどが吸収されるため，透過光が入射光に対して著しく減少する場合は，微弱な光強度をバラツキが少なく計測できる機器が必要となる．吸光度は透過度の逆数の常用対数として表されるので，透過度の相対誤差が一定であっても，吸光度の相対誤差は変化する．透過率に1％の一定の誤差を含んでいると仮定した際における透過度に対する吸光度の相対誤差を図5.11

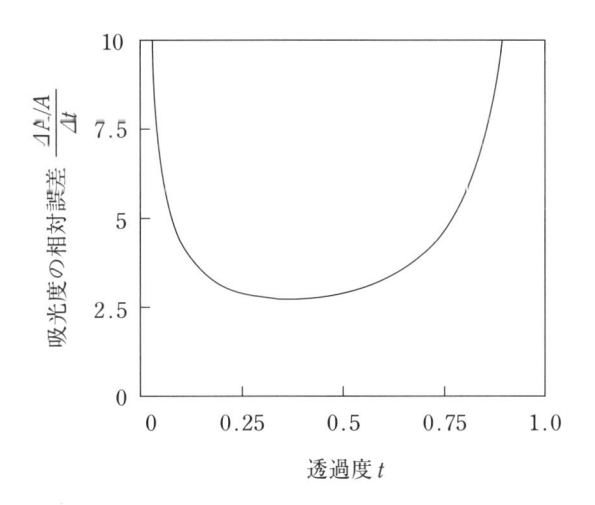

図5.11　吸光度の相対誤差

に示した．透過度 $t = 0.368$，つまり吸光度が $A = 0.434$ のとき吸光度の相対誤差が最小となる．光電管や光電子増倍管を測光部として使用する場合，絶対誤差は全ての透過率に対して一定でなく，透過度が 0.136 のとき最小誤差になる（吸光度は 0.87）．定量における精度の高い吸光分析を行う場合には，相対誤差が最小となる範囲内で吸光度測定を行うことが重要である．より高い精度で吸光度の測定を行う際には，得られる透過度が 0.1 〜 0.8（吸光度が 0.1 〜 1）の範囲で測定できるように，試料濃度を調節したほうがよい．

C. 定性分析と構造解析

分子の化学構造の違いにより，吸収スペクトルの形状が変化する．つまり，標準品と試料の吸収スペクトルの形状やモル吸光係数を比較することで定性分析できる．未知化合物の構造を決定することは困難であるものの，代表的な発色団の吸収バンドの位置が明らかにされているため，試料の吸収スペクトルから化学構造に関する情報を得ることができる．しかしながら，紫外可視吸収スペクトルは線幅が広いため，赤外吸収スペクトルと比較して定性分析の精度は高くない．

D. 定量分析

吸光光度法では，Lambert-Beer の法則を利用して物質を定量分析できる．その際，モル吸光係数あるいは比吸光度が大きな値であるほど，より低濃度で大きな吸光度の値が得られるため，より高感度に目的成分を定量できる．物質を定量する方法として，分析対象となる目的成分の純物質（標準品）を用いる検量線法および目的成分の試料溶液と標準溶液の吸光度の比較による方法がある．また，モル吸光係数や比吸光度が既知である場合，試料液の吸光度を測定するだけで目的成分の濃度を算出できる（絶対吸収法）．

1) 検量線法

様々な濃度の標準溶液の吸光度を測定し，横軸に標準溶液の濃度，縦軸に吸光度をプロットす

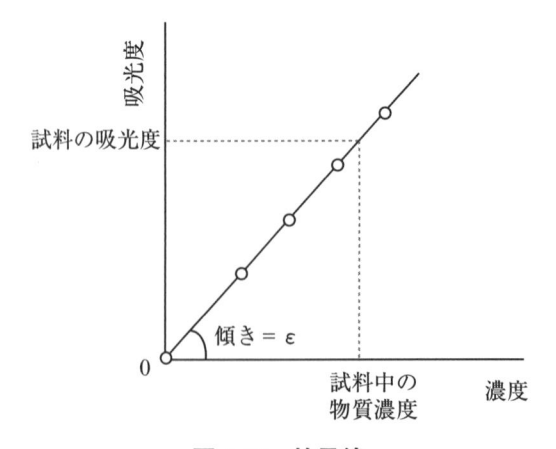

図 5.12　検量線

る．吸光度は濃度と比例するため（Beer の法則），実験値に対して回帰直線を引くと図 5.12 のように直線関係が得られる．この標準濃度と吸光度の関係を示したグラフが検量線である．濃度が未知の試料溶液の吸光度の値を，あらかじめ作製した検量線と照らし合わせることで，目的物質の濃度を算出することができる．検量線の傾きが大きいほど，測定感度が高いことを意味する．吸光度を測定する際に，層長 1 cm の試料セルを使用したのであれば，横軸にモル濃度，縦軸に吸光度をプロットして得られた検量線の傾きはモル吸光係数を示すことになる．つまり，十分な測定感度を得るためには，モル吸光係数が最も高い極大吸収波長で検量線を作製すればよい．実際の紫外可視吸光分析では，モル吸光係数が 10^4 L mol^{-1} cm^{-1} 程度の値であることが一般的であり，10^5 L mol^{-1} cm^{-1} 以上であれば極めて高感度に定量できる．

　一方，精度の高い定量分析を行う際には，分光測定誤差に注意しなければならない．この他にも，濃度に対して，吸光度が常に直線関係になるとは限らないことに注意することも重要である（Beer の法則のずれ）．図 5.13 に示したように，Beer の法則からのずれは，化学的および装置上の因子の結果として生じる．多くの Beer の法則からのずれは見かけ上のずれである．化学的因子の原因により非直線性の検量線が得られる例として，試料中に複数の化学種が存在する場合が挙げられる．弱酸性物質や弱塩基性物質を緩衝作用のない水に溶解した場合，化合物の濃度に依存して分子形とイオン形の存在比の平衡状態が変化する．分子形とイオン形でモル吸光係数が大きく異なる際には，検量線の直線性から明らかなずれが生じることになる．また，同様のことは金属イオン錯体にも当てはまる．溶液中の錯形成試薬が過剰でない場合，錯形成試薬の濃度が希薄になるにつれて，錯体の解離度が増加する．そのため，Beer の法則からずれが生じる．さらに，物質の二量体形成が Beer の法則のずれの原因となることがある．例えば，メチレンブルーでは，濃度が高くなるにつれて溶液中で二量体を形成するようになる．メチレンブルーの吸光度は，会合体形成により低い値を示すようになる．これらの化学的因子による Beer の法則からのずれは，適切な pH 緩衝溶液で物質を溶解すること，錯形成試薬を過剰に添加すること，イオン強度を調節することで最小限に抑えることができる．一方，装置による Beer の法則からのずれは，連続

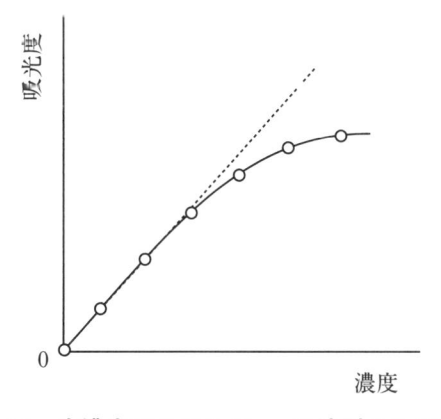

図 5.13　高濃度における Beer の法則からのずれ

光源から単色光を取り出すことが難しいことに起因する．一般的な分光器で分光したスペクトルの線幅は 0.01 nm 程度である．波長が異なればモル吸光係数の値が異なる．そのため，試料の濃度が高く，吸光度が大きな値を示す場合に，Beer の法則からのずれが生じる．分光測定誤差や Beer 則のずれを考慮すると，検量線を作製する際には，標準溶液の吸光度が 0.1 ～ 1 の範囲に収まるように標準溶液の濃度を調節することが重要となる．

2) 試料溶液と標準溶液の吸光度の比較による方法

定量したい物質の濃度と吸光度との間に原点を通る比例関係が成立するのであれば，試料溶液から得られた吸光度と既知の濃度で調製された標準溶液で得られた吸光度の比から，目的物質を定量することができる．この方法では，定量するごとに検量線を作成する必要はない．試料溶液と標準溶液を同じ条件で調製することが重要である．

3) 絶対吸収法

目的成分の純物質のモル吸光係数や比吸光度が既知である場合，標準溶液で検量線を作製しなくても定量することができる．指定された波長における試料液の吸光度を測定すれば，次式で試料液中の目的成分の濃度を求めることができる．

$$c \text{ (mol/L)} = \frac{A}{\varepsilon l} \tag{5.14}$$

$$c \text{ (w/v \%)} = \frac{A}{E_{1\,cm}^{1\,\%} l} \tag{5.15}$$

このとき，吸収極大波長のモル吸光係数や比吸光度を利用すれば，測定感度は最も高くなる．検量線法と同様に，一定以上の測定精度を保つには，0.1 ～ 1 の範囲内で試料溶液の吸光度を測定することが望ましい．また，モル吸光係数や比吸光度は常に一定であるわけでなく，溶媒，共存物質，pH，濃度などにより影響を受けてしまうことに注意すべきである．この方法は，単一成分のみからなる医薬品等の定量に適しており，この絶対吸収法で用いられるのは，比吸光度である．

4) 多成分の同時定量

2 種類の吸光性化学種が相互作用せずに溶液中で混在しており，しかもそれらの吸収スペクトルに差がある場合，それぞれの化学種を単離しなくても同時に定量できる．混合溶液の吸光度はそれぞれの化学種の吸光度の和となる（図 5.8）．成分 x の波長 λ_1 におけるモル吸光係数を ε_{X1}，波長 λ_2 におけるモル吸光係数を ε_{X2}，とし，同様に，成分 y の波長 λ_1 におけるモル吸光係数を ε_{Y1}，波長 λ_2 におけるモル吸光係数を ε_{Y2} とする．x と y の混合溶液の λ_1 および λ_2 の吸光度を A_1，A_2 とし，x および y の濃度をそれぞれ c_X，c_Y とすると次式が成立する．

$$A_1 = \varepsilon_{X1} + c_X + \varepsilon_{Y1} \cdot c_Y \tag{5.16}$$

$$A_2 = \varepsilon_{X2} + c_X + \varepsilon_{Y2} \cdot c_Y \tag{5.17}$$

波長 λ_1 および λ_2 における x と y のモル吸光係数が既知であれば，連立方程式からそれぞれの濃度 c_X と c_Y を求めることができる．

3 蛍光分析

　光吸収によって励起状態に遷移した分子は，急速にエネルギーを失ってもとの安定な基底状態に戻る．このとき，ある種の構造を有する分子は，エネルギーを光として外部に放出する．放出される光を**蛍光** fluorescence と呼ぶ．蛍光分析法は，化合物の定性分析，定量分析を行うことが可能であり，蛍光光度法と称して日本薬局方でも採用されている．また，液体クロマトグラフィーの検出器としても利用されている．蛍光強度は照射する光（励起光）の強度に比例するため，検出器の感度や光源の強度を増大させることにより，高感度分析が可能となる．

3-1　蛍光と Stokes 則

　室温の分子は一般にすべての電子が対になっている基底一重項状態にある．分子は光のエネル

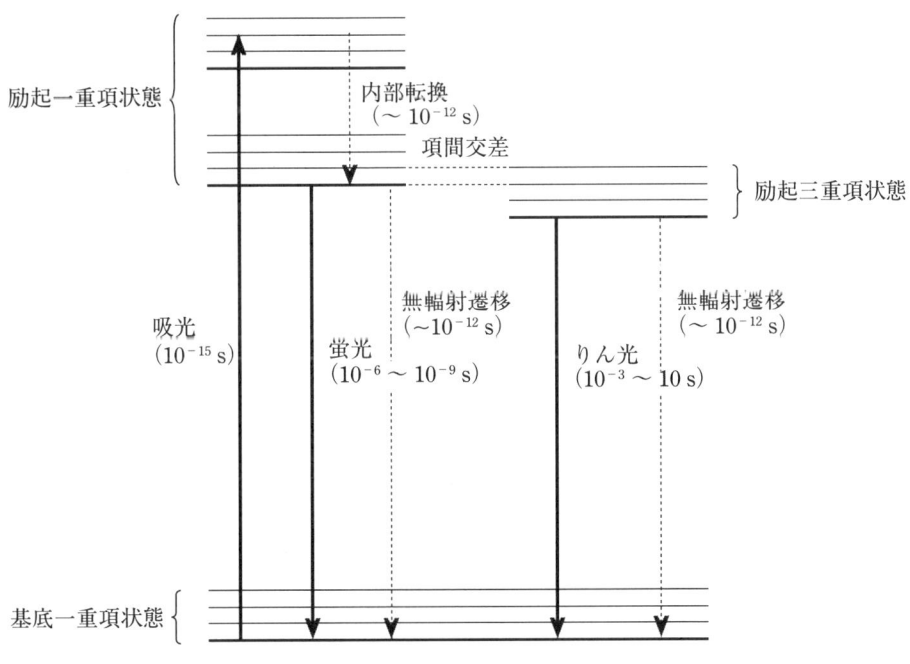

図 5.14　分子の電子遷移と蛍光，りん光

ギーを吸収すると，最外殻の非結合性軌道（n 軌道）や結合性軌道（π 軌道）の電子がよりエネルギー準位の高い反結合性軌道（π^* 軌道）へ遷移し，励起一重項状態になる．吸収したエネルギーの一部は，分子の衝突過程や分子内の振動および回転運動エネルギーで消費され，分子は最低励起準位に遷移する（内部転換）．この最低励起一重項の分子は，蛍光を発することでエネルギーを外部に放出し，安定な基底一重項状態に遷移する．しかし，すべての分子が蛍光を発するわけでなく，励起された分子が他の分子や溶媒分子にエネルギーを与えたり，分子内の振動および回転運動でエネルギーが消費されて，基底状態に達するものもある（無輻射遷移）．一般には，5～10％ほどの分子が蛍光を発するにすぎない．また，励起一重項状態から電子スピンの反転が起こり，電子が同じ向きのスピンを持つ三重項状態を経て，基底一重項状態に戻ることがある．このとき放出される光がりん光である．図 5.14 からも分かるように吸収したエネルギーに比べて，蛍光のエネルギーは小さく，りん光のエネルギーはさらに小さくなる．電磁波のエネルギーは波長の長さに反比例するため，励起光，蛍光，りん光の順に波長が長くなる．励起波長よりも蛍光波長が長くなることを **Stokes 則** *Stokes' law* という．一般に，分子が励起されてから 10^{-6}～10^{-9} 秒の極めて短い時間スケールで蛍光放射が起こる．一方，りん光は蛍光の寿命よりも長く，10^{-4}～10 秒程度であり，励起光の照射を止めても，りん光の残光を目で認知できることが多い．

3-2 分子構造と蛍光

　光エネルギーによって励起された後，すべての化合物が基底状態に戻る過程で蛍光を発するわけではない．蛍光を発するのに理想的な構造は，芳香族化合物でかつ共役系が長く平面性であるものである．例えば，pH 指示薬として利用されているフェノールフタレインは無蛍光性であるのに対して，フルオレセインは強力な蛍光を発する．両者は非常によく似た構造ではあるが，フルオレセインでは，フェノールフタレインの共役系が -O- 結合により平面構造になっている（図 5.15）．この平面構造により，回転や振動運動が制限されるため，強烈な蛍光を発光することで外部にエネルギーを放出する．また，$-NH_2$, $-OH$, $-OCH_3$ などのような電子供与基は蛍光を増強させる置換基として知られており，逆にハロゲン，$-CN$, $-NO_2$, $-COOH$ などの電子吸引基は蛍光を減少させる．

3-3 スペクトル

　分子を励起状態に遷移させるための励起光の波長と，励起分子が基底状態に戻る際に放出される蛍光の波長を適切に設定することで，物質の蛍光を観測できる．これらの波長は，蛍光分子の励起スペクトルや蛍光スペクトルを観測することで設定できる．

フルオレセイン
（蛍光性）

フェノールフタレイン
（無蛍光性）

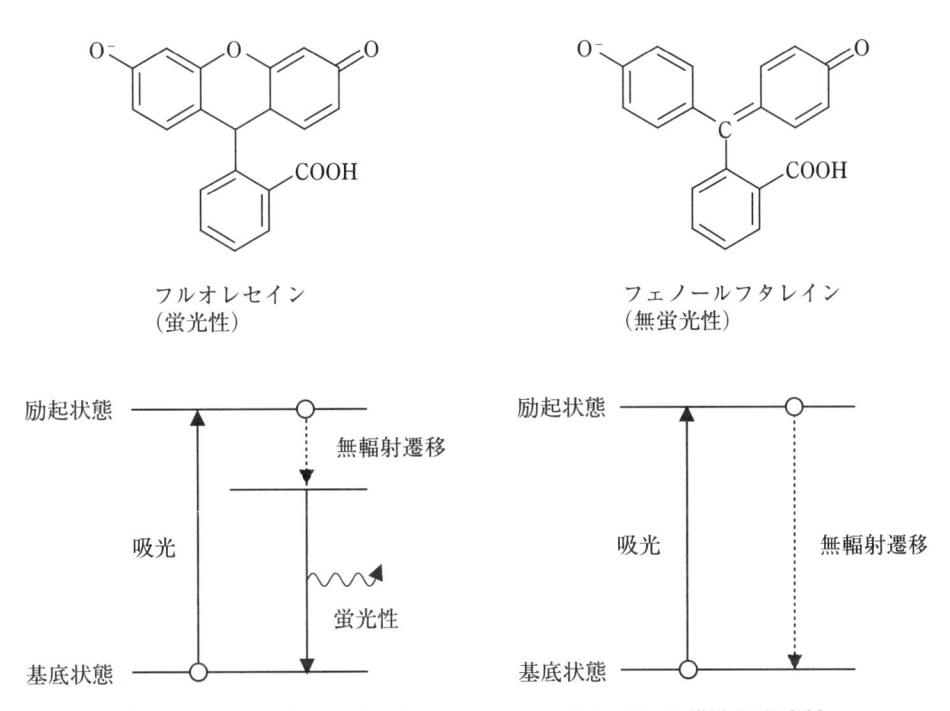

図 5.15　フルオレセインとフェノールフタレインの構造と蛍光性

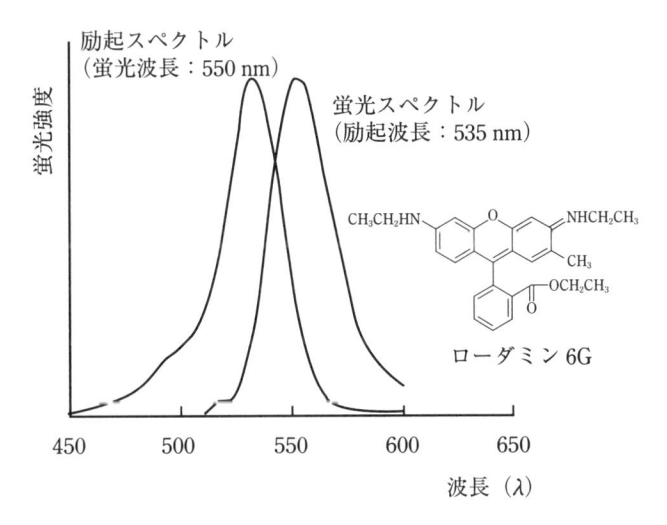

図 5.16　励起スペクトルと蛍光スペクトル

1) 励起スペクトル

励起波長に対して蛍光強度をプロットして得られた曲線が励起スペクトルである．蛍光波長を固定しておき，励起光の波長を変化させて試料溶液の蛍光強度を測定することで得ることができる（図 5.16）．必ずしもというわけではないが，通常では励起スペクトルは吸収スペクトルと一致する．励起スペクトルを観測することで，化合物の蛍光を計測するために必要な励起光の波長

がわかる．最も，高い強度の蛍光を観測することができる励起波長を，極大励起波長という．

2）蛍光スペクトル

様々な波長における蛍光強度をプロットして得られた曲線が蛍光スペクトルである．励起波長を適当な波長に固定しておき，様々な波長における蛍光強度を測定することで蛍光スペクトルを得ることができる．通常，図5.16のように，蛍光スペクトルは励起スペクトルよりも長波長側に現れる（Stokes 則）．これらスペクトルの形状は中心部の重なったところに対し，左右対称に近い形で虚像関係にある場合が多い．化合物が発する蛍光のうち，最も強度が高い波長を極大蛍光波長という．蛍光スペクトルを観測することでその波長が分かる．

3-4　蛍光強度

1）溶液の蛍光強度

溶液が十分に希薄であるとき，蛍光強度 F は溶液中の蛍光物質の濃度 c および層長 l に比例する．

$$F = kI_0 \phi \varepsilon c l \tag{5.18}$$

ここで，k は比例定数，I_0 は励起光の強さ，ε は励起光の波長におけるモル吸光係数である．また，ϕ は**蛍光量子収率** fluorescent quantum yield と呼ばれる比例定数であり，吸収した励起光量子に対する発光した蛍光量子の数の比で表される．量子収率が大きいほど蛍光強度が大きくなる．これらが一定の条件下で，蛍光強度は濃度に直接比例する．

蛍光強度は溶液の温度，濃度，pH，溶媒の種類などの外部環境に影響を受けることがある．外部環境により，蛍光強度が減少する現象を**消光** quenching という．例えば，蛍光分子は溶液の温度が高くなるほど，分子間衝突が激しくなり吸収したエネルギーが不活性化される．そのため，蛍光を発する分子数が減少し，結果として溶液全体の蛍光強度は弱くなる．逆に，溶液の粘度が上昇すると，分子運動が制限されるために蛍光強度は増加する．また，蛍光分子が高濃度であるほど，分子間の衝突により蛍光強度は低下する．このことを濃度消光という．しばしば共存物質により消光することがある．例えば，蛍光性分子であるカルセインに塩化コバルトを添加すると消光することが知られている．消光作用のある物質を**消光剤** quencher と呼ぶ．共存物質による消光はエネルギー移動による場合と電子移動による場合がある．

3-5　装　置

蛍光分析を行うには，光源，試料セル，測光部の位置関係が重要である．光源から発する励起光は，試料セル内の溶液を直進する．一方，蛍光はあらゆる方向に放射される（図5.17）．吸光光度計のように，光源，試料セル，測光部を直線上に位置すると，測光部で検出されるのは蛍光

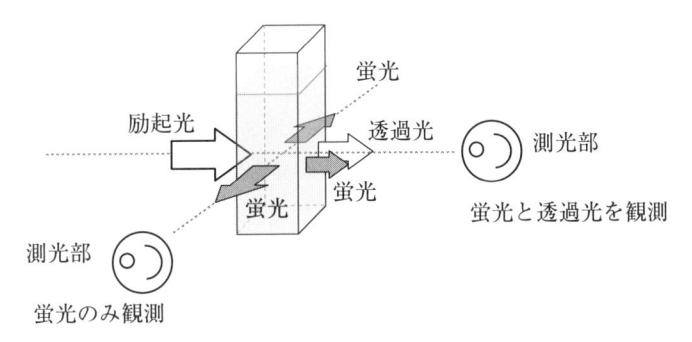

図 5.17　光源と測光部の位置関係

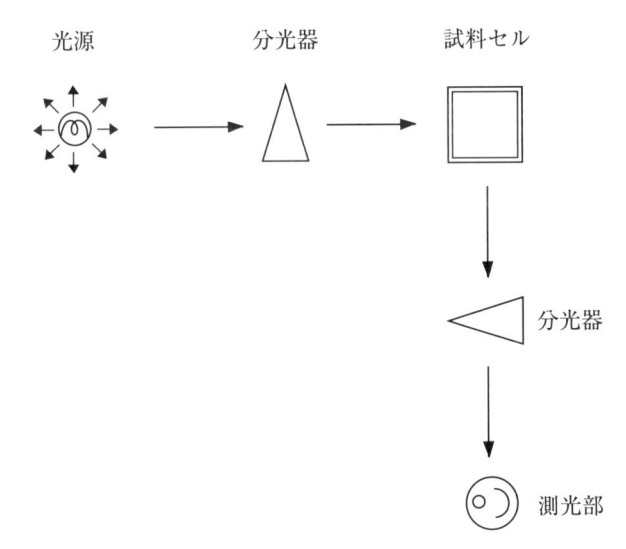

図 5.18　蛍光光度計の概略

及び励起光である．蛍光測定では，励起光と蛍光を分離することが必要となる．試料セルに対して光源と測光部を直交させることで，励起光を含まずに蛍光のみを検出することができる．また蛍光は本来，空間の全方向に放射されるため，測光部で検出する光は蛍光のほんの一部である．簡単な蛍光光度計の概略図を図 5.18 に示した．

A. 光　源

励起光及び蛍光は 200 〜 800 nm の紫外及び可視領域の電磁波が対象となる．また，蛍光強度は励起光強度に比例するため，強度の強い光を発光する光源が蛍光分析に適している．一般的に用いられている光源はキセノンランプであり，130 nm の紫外部から可視部にまたがって強い連続光を放出する．内部に高圧の Xe ガスが封入された放電管である．

B. 分光部

　光源としてよく利用されているキセノンランプは，様々な波長の光が連続的に交じり合った白色光源である（連続スペクトル）．また，蛍光分子が発光する蛍光も波長幅の広い光であるのに加えて，実際には散乱光が交じり合う．蛍光を観測するには励起光と蛍光を単波長に分光することが必要であり，励起光側と蛍光を検出する測光部側にそれぞれ分光器が設置されている．励起や蛍光スペクトルを検出する際には，励起光を分光する回折格子と蛍光を分光する回折格子の一方を固定し，他方をモーターで回転させて波長の走査ができるようにしている．

C. 試料セル

　光源と測光部が試料セルに対して直交しているため，蛍光分析で用いる試料セルは四面透明でなければならない．また，材質は無蛍光性の石英セルが使用される場合が多い．

D. 測光部

　紫外可視吸光光度計と同様に光電子増倍管が放射される蛍光を検出するのに利用されることが多い．

3-6　分析化学への応用

　蛍光分析により，定性定量分析が可能である．蛍光分析を行うにあたって，重要なことは外部環境を一定条件に保つことである．蛍光測定時には，高濃度では濃度消光が生じること，溶液自身が蛍光を吸収する場合があること（**内部フィルター効果** inner filter effect），溶媒自身の**レイリー散乱** *Rayleigh* scattering や**ラマン散乱** *Raman* scattering など光散乱が生じる場合があることに注意すべきである．

A. 定性分析

　励起スペクトル及び蛍光スペクトルは物質固有であり，その形状，波長から試料の同定を行うことができる．分子が蛍光を発するには，まず光を吸収することが必要であり，励起スペクトルは吸収スペクトルと同様に化合物の化学構造に関する情報が含まれる．さらに励起スペクトルに加えて，蛍光スペクトルからも物質の化学構造に関する情報が得られる．蛍光分析では，励起スペクトルと蛍光スペクトルの両方を化合物の同定に用いることで，吸光光度法よりも選択性の高い定性分析を行うことができる．しかしながら，蛍光分析法による定性分析は，蛍光性を有する化合物に限るため，吸光光度法よりも適用範囲が限定される．

B. 定量分析

　蛍光性を有する分子は蛍光分析法で定量可能である．一方，蛍光性を示さない分子であっても，蛍光性試薬と無蛍光性の目的成分を反応させることで，目的成分に蛍光性を持たせて定量する方法がある．この方法は分離技術と併用されることが多い．また，分析目的成分に無蛍光性の試薬を添加することで，目的成分を蛍光性の化合物に変換し，定量する方法がある．いずれの方法においても，あらかじめ検量線を作成して試料中の目的成分を定量することが多い．検量線の作製及び試料溶液の蛍光を測定する際には，極大励起波長で分子を励起して，極大蛍光波長で蛍光強度を観測すると，高感度に目的成分を定量できる．蛍光分析法による定量分析は，吸光光度法と比較して適用範囲は限られるが，非常に高感度である．吸光光度法では，入射光と透過光の比を測定するため，光源の光量の増加や検出器の高感度化によって，吸光度が変化することはない．一方，蛍光分析法では光源の光量の増加や検出器の感度向上により，極微量の蛍光性分子を計測できるようになる．一般に，蛍光分析法は吸光光度法よりも約1000倍感度がよい．しかしながら，蛍光強度は溶媒の種類，温度，pH など，外部の環境で大きく変化することがあるので，検量線の作製と試料溶液の蛍光測定を一定条件下で行うことが重要である．高濃度では，濃度消光が起こるため蛍光強度が濃度に対して比例しなくなり，定量分析が難しくなる．

1) 蛍光性を有する分子の定量法

　有機化合物には本来，蛍光性の構造を有するものが多い．濃度が十分に低い希薄溶液では，分子の蛍光強度は濃度に比例する．一方，濃度だけでなく，励起光の強度にも比例して蛍光強度が増大する．様々な波長における励起光の強度（光源の強度）や検出器の応答の違いを補正することが難しいことから，蛍光分析法では検量線法による定量分析が一般的である．様々な濃度の標準溶液の蛍光強度を測定し，横軸に標準溶液の濃度，縦軸に蛍光強度をプロットして検量線を作製する．濃度未知の試料溶液中の分子の濃度は，試料の蛍光強度を測定し，検量線から算出する．

2) 蛍光誘導体化法

　蛍光性発色団に分析目的物質と反応しうる官能基を導入した，いわゆる蛍光誘導体化試薬を用いる方法がある（図5.19）．試薬自身が蛍光性であるため，生成物との分離が必須であり，高速液体クロマトグラフィー法など，分離手段との併用が一般的である．誘導体化後の蛍光強度から目的成分を定量する．

3) 発蛍光反応法

　試薬自身は無蛍光性であるものの，目的成分との反応によって生じる蛍光性の生成物を測定することで，定量分析を行う方法がある．無機化合物自身が蛍光性であるものは極めて少ない．ウラニウム塩，タリウム塩や希土類元素が蛍光性を有している程度である．錯体を形成すると蛍光

図 5.19　蛍光誘導体化の例

図 5.20　蛍光性キレート試薬

性を有するようになる発蛍光性キレート試薬を用いることで，無機化合物を蛍光分析法により定量できる．例えば，Al や Be に対してモリン，Al や Ga に対してオキシンなどがある（図 5.20）．

4　化学発光分析

　吸光及び蛍光は，物質に光を照射するとき，その物質が光エネルギーを吸収する，あるいは光エネルギーを放射する現象である．これに対し，**化学発光** chemiluminescence は化学反応によって分子が励起された後，再び基底状態に戻る際にそのエネルギーを光として放出する現象である．**化学発光分析** chemiluminometry は化学発光を利用して分子を定量する分析法である．この分析法は蛍光法よりもさらに高感度な分析法になり得る．また，化学反応により分子やそのイオンを励起するので，光源が不要である．なお，ホタルなどの生物による発光は**生物発光** bioluminescence と呼ばれるが，本質的には化学発光である．

4-1　化学発光物質と反応機構

現在までに多くの化学発光が見出されており，その反応機構の多くは酸化反応である．化学発光は，化合物そのものが発光する系と，共存する蛍光物質が発光する系に分類される．

A. 化合物そのものが発光する系

ルミノール系，アクリジン系，アダマンチルジオオキセタン系が代表的な化学発光試薬である．ルミノール luminol（5-amino-2,3-dihydro-1,4-phthaladinedione）が最もよく利用される化学発光試薬であり，その発光機構を図5.21に示した．ルミノールはアルカリ性の環境下で，酵素あるいは過酸化水素の共存下で様々な触媒により酸化され，3-アミノフタレートイオンの励起状態を生じる．これが基底状態に戻るとき，発光を生じる．

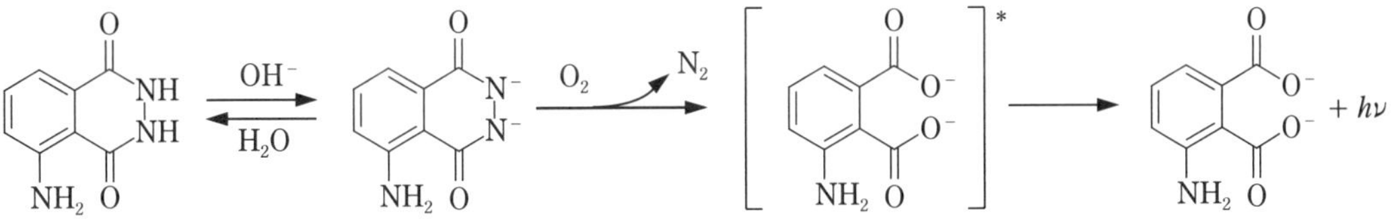

図5.21　ルミノールによる化学発光機構

B. 共存する蛍光物質が発光する系

シュウ酸エステル系 oxalate ester が代表的な系である．シュウ酸オキサレートあるいはシュウ酸オキサミドは過酸化水素とよく反応して，高エネルギー中間体を生成する．この中間体は微弱な発光を示すのみであるが，ここに蛍光物質を添加すると強い発光を生じる．これは中間体が蛍光物質との間に電荷移動錯体を形成し，中間体のエネルギーが蛍光物質に移動し，蛍光物質が励起状態に遷移することに基づくと考えられている．励起状態の蛍光物質は基底状態に戻るとき，

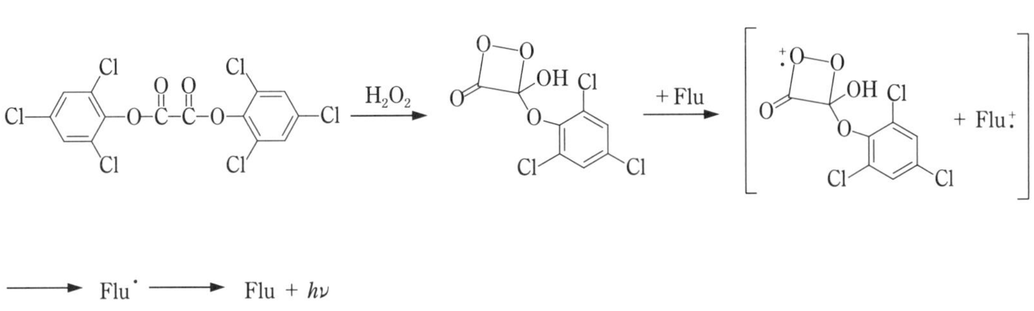

⟶ Flu* ⟶ Flu + $h\nu$

図5.22　TCPO による化学発光機構

光を発光する．得られる発光スペクトルは蛍光スペクトルとよく一致する．代表的なシュウ酸エステルであるビス(2,4,6-トリクロロフェニル)オキサート（TCPO）の化学発光機構を図5.22に示す．

4-2　化学発光強度

化学発光強度は**化学発光量子収率** chemiluminescence quantum yield に大きく依存しており，量子収率が大きいほど発光強度も大きくなる．一般に化学発光量子収率は次式で表される．

$$\phi_{CL} = \phi_C \cdot \phi_E \cdot \phi_F \tag{5.19}$$

ここで，ここ ϕ_C は化学反応収率，は ϕ_E は励起状態分子の生成収率，は ϕ_F は励起分子の蛍光収率である．

4-3　定量分析への応用

化学発光反応は，蛍光と同様にpHや溶媒の影響を受ける．それだけでなく，発光試薬，蛍光試薬，酸化剤，金属，触媒など，様々な共存物質の影響を受ける．このことを利用して，これらの物質を化学発光で測定することができる．

例えば，前述のルミノールは，アルカリ性条件下で過酸化水素の共存下で金属イオンのような触媒と反応して発光を生じる．そこで，ルミノールを用いて金属イオンや過酸化水素を高感度に定量することが可能である．また，グルコースや尿酸などのように酵素反応により過酸化水素を生成する基質あるいは酵素の定量，アミノ酸や核酸関連物質などの蛍光誘導体化が可能な生体分子など，多数の測定系がある．

化学発光分析では，化学反応により分子やイオンを励起することから光源が不要であるため，光源に由来する迷光や光源の変動が原因で生じるノイズの影響がない．そのため，検出器の感度を向上させることで，蛍光分析法よりも高感度な分析法を設計することが可能になる．測定系によっては，検出限界が 10^{-18} mol から 10^{-21} mol に達することもある．

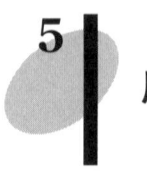

5　原子吸光分析

基底状態の原子蒸気に特定波長の光を照射すると，その原子が光量子を取り込んで吸収する現象が見られる．この現象を利用する光分析法を**原子吸光分析** atomic absorption spectrophotometry という．原子吸光分析法は微量金属ならびに一部の非金属元素の定量法として普及し，日本薬局

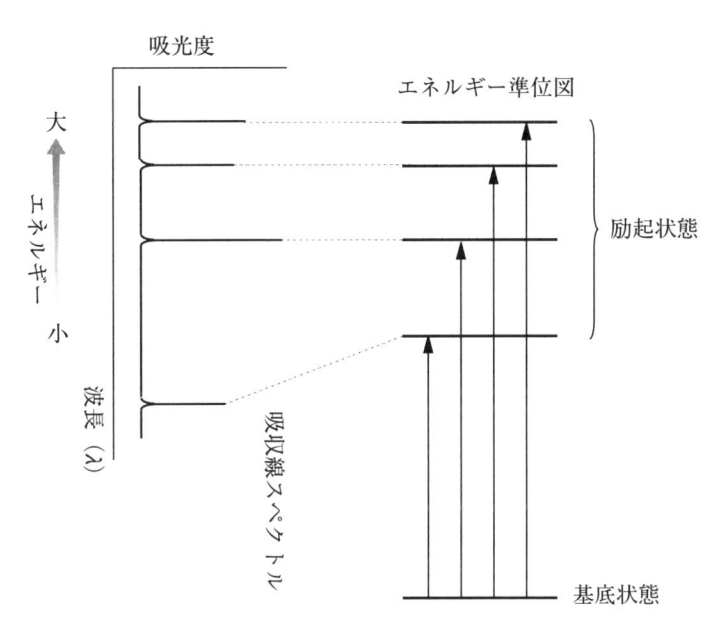

図 5.23 原子のエネルギー遷移とスペクトルの関係

方でも原子吸光光度法と称して一般試験法で利用されている．原子吸光分析は ppm ～ ppb レベルの金属イオンの定量分析が可能である．また原理的に定性分析法へ応用することは難しい．

5-1 原子による光吸収

原子吸光分析法は，蒸気の原子が光吸収により，基底状態から励起状態へ遷移する物理現象を観測するものであり，この点に関しては紫外可視吸光光度法と一致する．しかしながら，分析対象物質が原子と分子であることが大きく異なる．原子は分子のような振動運動や回転運動エネルギーは存在しない．したがって，吸収スペクトルは主に電子励起に基づくため，分子の紫外可視吸収スペクトルのように幅広のスペクトルでなく，0.001 ～ 0.004 nm 程度の線幅の極めて狭い線スペクトルを示す．実際に原子の吸収スペクトルを計測することは難しいが，概念図としてエネルギー遷移と吸収波長の関連性を図 5.23 に示した．電子遷移エネルギーは不連続な値であり，基底状態から励起状態の遷移に必要なエネルギーに相当する波長の光のみが吸収されるため，吸収線スペクトルになる．

5-2 装　置

原子吸光分析装置では，紫外可視吸光光度計と似た構成となっており，光源部，試料原子化部，分光器及び測光部からなる（図 5.24）．主に光源として利用される**中空陰極ランプ** hollow cathode lamp は輝線スペクトル光源であり，原子化部で吸収される波長を含む輝光を放射する．光源の

図 5.24　原子吸光光度計の概略

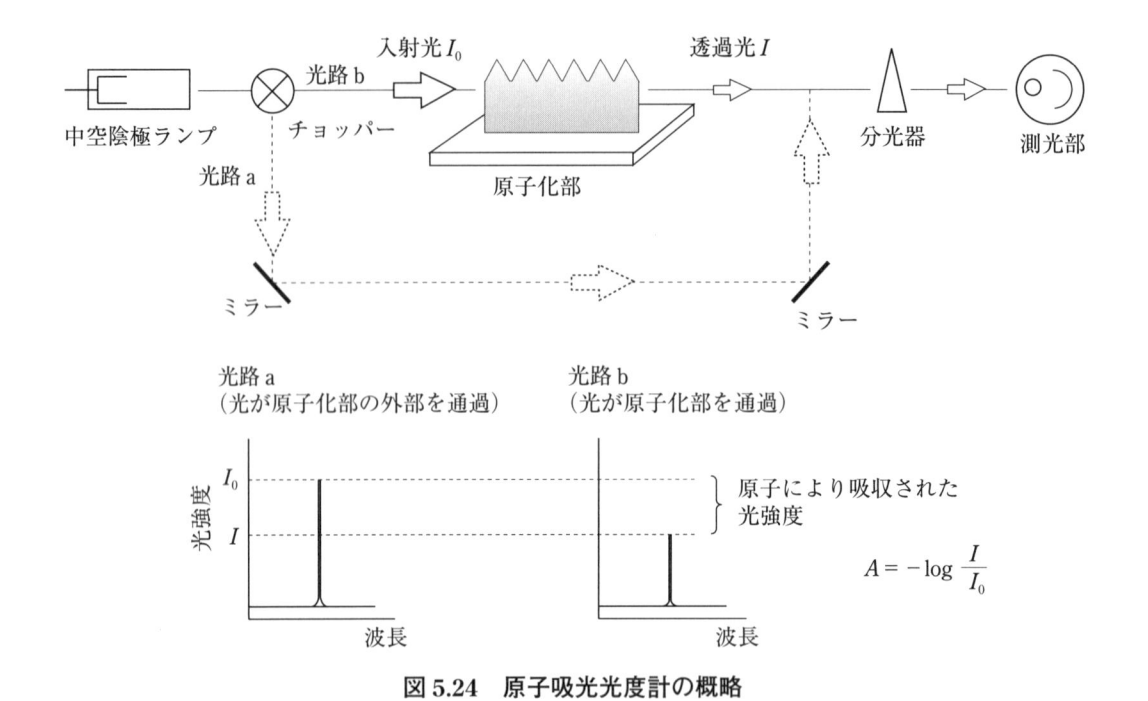

　光は，原子化部と原子化部の外部を通過するようになっており，分光器を経た後に測光部でこれらの光を交互に検出する．原子化部（光路b）の外部（光路a）を通過した光は吸収されない．そのため，この光強度が入射光強度I_0に相当する．また，原子化部を通過した場合，光源により放出される発光線が原子により吸収される．このとき，測光部で検出されるのは透過光Iに相当する．吸光度は，透過度の逆数の常用対数として計測される．

A. 光源

　原子の吸収線は 0.001 〜 0.004 nm 程度の極めて狭い線幅となる．一方，分光器の波長分解能は 0.01 nm 程度である．そのため原子吸光分析では，紫外可視吸光光度計で用いられる連続スペクトル光源は使用できない．例えば，波長幅 0.01 nm の光を原子化部に入射したとき，原子により 0.001 nm の線幅の光が 90 % 吸収されたと仮定すると，検出器に入る光量はわずかに 9 % 減少するにすぎない．つまり，このときの透過度は 0.91 であり，吸光度はおおよそ 4.1×10^{-2} である．一方，波長幅 0.001 nm の光を光源として使用すれば，透過度は 0.1 となり，吸光度は 1.0 に相当する（図5.25）．このように，紫外可視吸光光度計や蛍光光度計で用いられるような連続スペクトル光源では，高い検出感度を期待することができない．高感度に吸光度を測定するためには，光源の光の線幅が吸収線の線幅よりも狭いことが必須条件である．

　原子の吸収スペクトルは，分子とは異なり回転や振動エネルギーが存在しないために，線幅の狭い吸収線スペクトルになる．さらに，吸光と発光で同じ基底準位と励起準位の間で遷移することがある．これは，励起状態にある原子が基底状態に戻るとき，回転や振動運動でエネルギーが

a) 光源の波長幅：0.001 nm

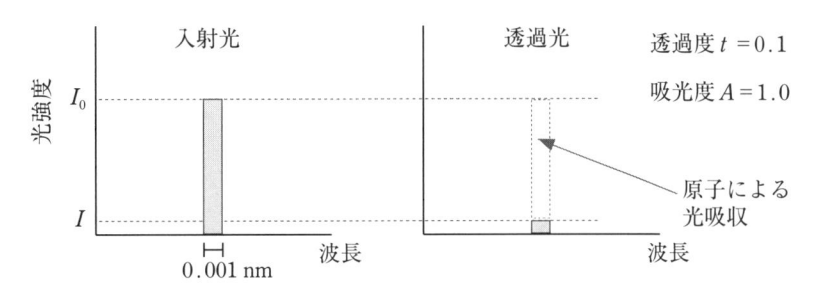

図 左：入射光（幅0.001 nm、強度 I_0）、右：透過光（強度 I）、透過度 $t = 0.1$、吸光度 $A = 1.0$、原子による光吸収

b) 光源の波長幅：0.01 nm

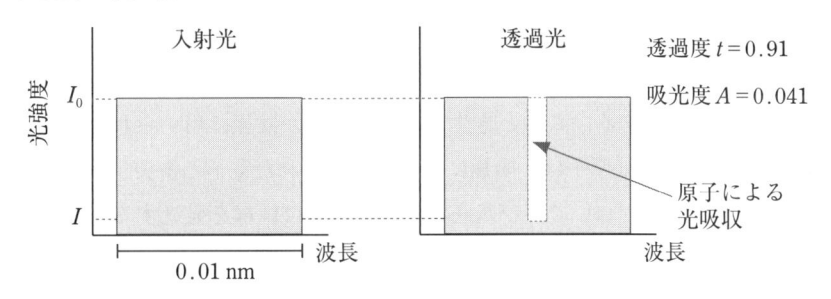

図 左：入射光（幅0.01 nm、強度 I_0）、右：透過光、透過度 $t = 0.91$、吸光度 $A = 0.041$、原子による光吸収

図5.25　波長幅の異なる光源による吸光度の違い

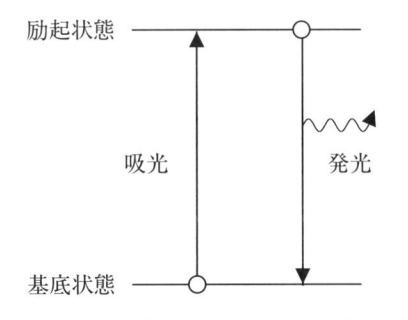

励起状態 — 基底状態間のエネルギー遷移（吸光・発光）

図5.26　共鳴線におけるエネルギー遷移

消費されず，吸収したエネルギーのすべてを光として外部に放出するからである（図5.26）．この場合，吸光と発光波長は等しくなる．この波長を**共鳴線** resonance line と呼ぶ．原子吸光分析では，この共鳴線を光源として利用することが多い．つまり，測定対象となる元素を発光させ，この発光線を光源として使用する．原子の発光線は輝線スペクトルであり，吸収線の幅よりも狭く，発光強度が高い．

　元素を発光させるために用いられる光源が**中空陰極ランプ** hollow cathode lamp である（図5.27a）．中空陰極ランプの陰極は分析対象となる金属単体又は合金である．そのため，分析元素ごとに中空陰極ランプを交換する必要がある．一方，陽極には，タングステンが用いられている．

a) 装置図　　　　　　　　　　　　　　　　b) 発光に伴うエネルギー遷移

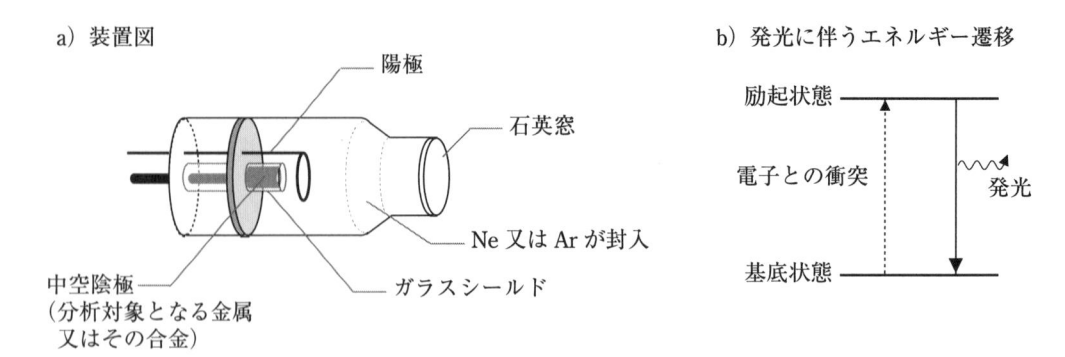

図 5.27　中空陰極ランプと発光に伴うエネルギー遷移

中空陰極ランプでは，電極間に直流電圧をかけると，ランプ内に封入されている希ガス（He，Ne または Ar）により放電する．このとき生じた陽イオンが陰極に用いられた金属に衝突し，原子状に飛散させる．この蒸気原子は，陽極によって加速された電子と衝突することで励起状態となり，極めて短い時間（10^{-8} s）で再び基底状態に戻る際に輝線を発光する．つまり，中空陰極ランプでは，分析対象となる金属原子が励起状態から基底状態に戻る際に放射される光を光源として使用する（図 5.27b）．分析には，共鳴線が利用されることがあり，光源から放射される光は，分光せずに原子化部に入射される．

B. 原子化部

試料中の金属イオンを原子蒸気基底状態にすることを原子化するという．試料の原子化は，加熱することが基本であり，炎を用いるフレーム方式と黒鉛炉などの加熱体を用いるフレームレス方式がある．一定温度における基底状態と励起状態の相対分布比は *Boltzmann* 分布に従う．3000 ℃程度の温度であれば，ほとんどの原子において，励起状態の原子数は基底状態の原子数に対して無視できるほど小さい．容易に励起されるナトリウムでさえ，プラズマで得られるような 10000 K を除き，ほとんどが基底状態の原子である．また，必ずしも原子化するのに加熱が必須であるわけでない．常温で気体として存在する水銀では，冷蒸気方式で原子化される．この原子化法もフレームレス方式に分類される．

1) フレーム方式

最も広く用いられている方法で，圧縮空気などの助燃ガスにより試料溶液を化学フレーム（炎）中に霧状にして送り込む方式である．噴霧器によって霧状となった試料溶液が可燃性ガス及び助燃性ガスと混合されてバーナー部に送られ，フレーム中で試料は遊離原子に解離され，原子化が行われる．バーナーとして予混合式バーナーが主に用いられる．その構造を図 5.28 に示す．可燃性（燃料）ガスおよび支燃性（助燃）ガスの組合せは試料や元素ごとに選択されるが，大部分の元素には，アセチレン－空気のフレーム（約 2300 ℃）が用いられる．アルミニウム，バリ

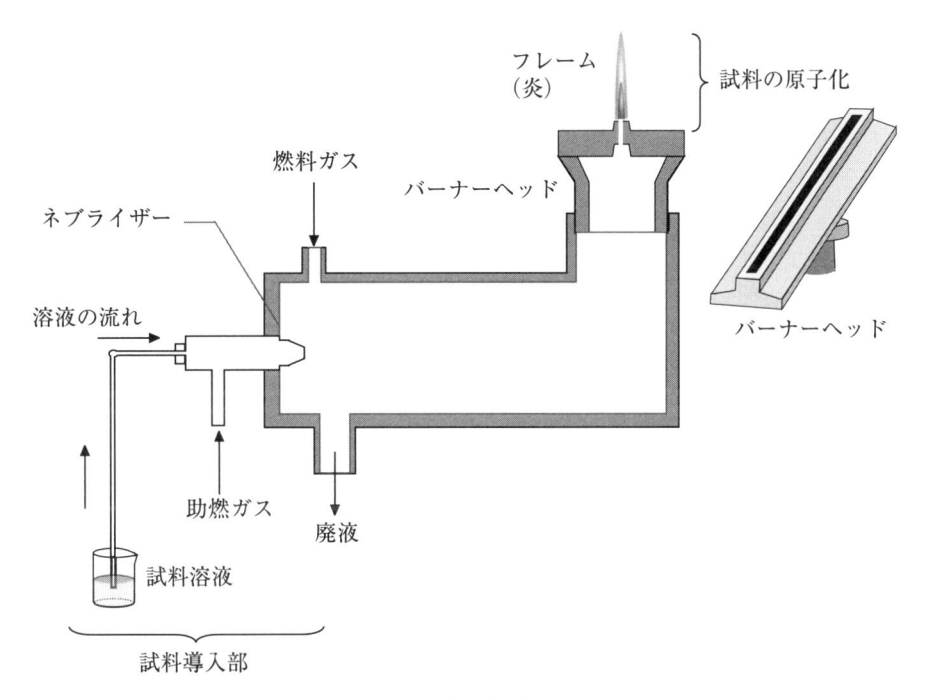

図 5.28　予混合バーナー

ウム，チタンなどは，フレーム中で原子に解離しない耐火性化合物をつくるので，さらに高温のフレームを得るためにはアセチレン–亜酸化窒素フレーム（約 3000 ℃）を使用する．

2）フレームレス方式

a) 電気加熱方式

電気炉を急速に加熱して原子化を行う方法である．加熱炉としては，黒鉛炉が多く用いられている（図 5.29）．微少量の試料溶液（数 μL 〜 100 μL）を黒鉛のチューブ内に注入し，100 ℃前後で溶媒を蒸発させて乾燥し，400 〜 900 ℃で灰化，2000 〜 2800 ℃で急速に加熱して原子化を行う．フレーム方式と比較して試料溶液が微少体積で分析を行うことができる．

b) 冷蒸気方式

水銀の原子吸光に用いられる方法であり，還元気化法と加熱気化法がある．例として，図 5.30 に還元気化法の概略を示す．水銀イオン（Hg^+）を含む試料溶液に還元剤として塩化第一スズ（$SnCl_2$）を加えると，次の反応により水銀イオンは金属水銀に還元される．

$$Hg^{2+} + Sn^{2+} \longrightarrow Hg^0 + Sn^{4+}$$

ここで，反応中に窒素ガスや空気を吹き込むと，水銀は常温でも水銀イオンとして気体中に出てくるので，石英製の吸収セルに導入され，水銀の原子吸光を測定することができる．

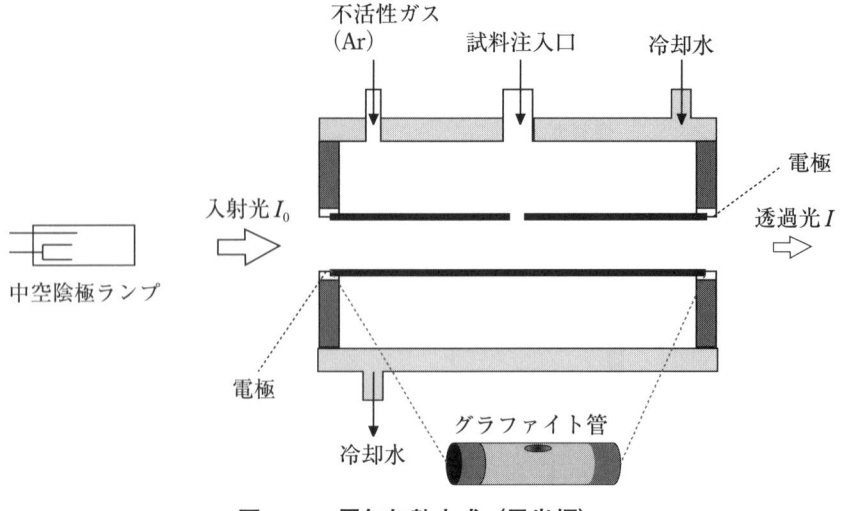

図 5.29　電気加熱方式（黒炎炉）

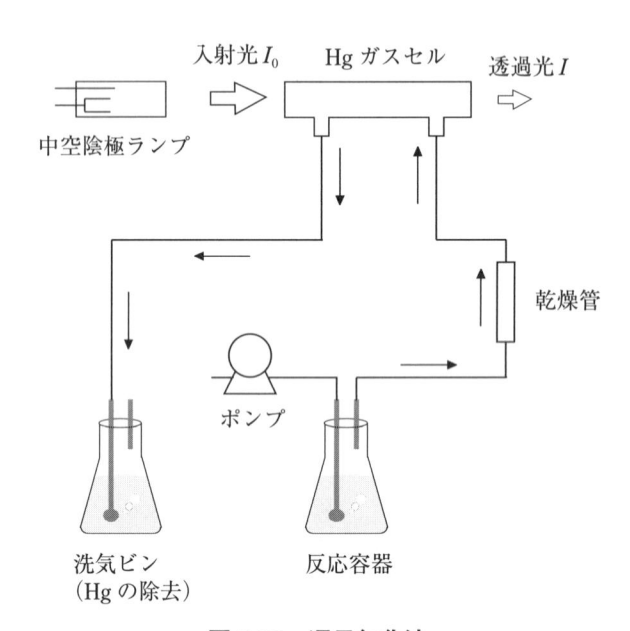

図 5.30　還元気化法

C. 分光部

　光源ランプから放射される輝線スペクトルのうち，分析線のみを分離して取り出すのに分光器が必要となる．また，原子化部で観測される分析線以外の発光成分を除去することも必須となる．これらのことから，分光部は，原子化部の後方に設置される．一般に中空陰極ランプからの光源は不連続な輝線スペクトルであり，スペクトル線相互の間隔は十分に離れているので，大部分の

元素については高分解能の分光器を必要としない．

5-3　分析化学への応用

　吸光度 A は原子蒸気層に存在する基底状態の原子数に比例する．溶液試料が原子化部に導入されるとき，原子化部の基底状態の原子数は，溶液中の分析元素の濃度 c に比例する．つまり，吸光度 A と分析元素の濃度 c は比例関係にある．原子吸光分析においても，紫外可視吸光分析と同様に，*Lambert-Beer* の法則が成立する．原子吸光分析では，被検元素と同じ元素の発光線を光源に用いるため，選択性に優れた定量分析が可能である．一方，試料中に存在する元素の種類がわかっている場合の分析に限られるため，定性分析は難しい．

A．測定法

1）試料の調製

　測定試料は，通常，溶液が用いられる．溶媒には，水又は可燃性の有機溶媒が用いられる．電気加熱方式や冷蒸気方式では，固体試料のままでも測定できる．試料によっては，有機物を分解しなければならないことがある．このための前処理法としては，電気炉などで加熱分解する乾式灰化法，高周波を用いる低温灰化法，硝酸，硫酸，過酸化水素などを用いる湿式灰化法などがある．試料中の金属濃度が低い場合には濃縮が必要となる．この目的でキレート剤と有機溶媒を用いる溶媒抽出法がよく利用されている．

2）フレームの選択

　フレームの温度が必要以上に高くなると，励起原子やイオンの生成が多くなるため，原子蒸気の生成効率が低下する．これを防ぐには，被検元素の性質に応じたフレームを選択する必要がある．

3）光源ランプと分析線の選択

　原子吸光分析では，被検元素に応じてその共鳴線を放射するランプを用いる必要がある．分析線としては，試料中に共存する他の元素の影響を受けないような共鳴線を選択する．

B．定量分析への応用

　原子吸光分析により定量を行うには，検量線法，内標準法，標準添加法の3通りある．紫外可視吸光光度法で使用する試料セルとは異なり，フレームでは正確な層長は測定できない．そのため，原子吸光分析では絶対吸収法は適用されない．一般に，フレーム式よりも電気加熱方式の方が原子化効率は高く，高感度計測に適している．しかしながら，分析精度はフレーム式の方が優れている．

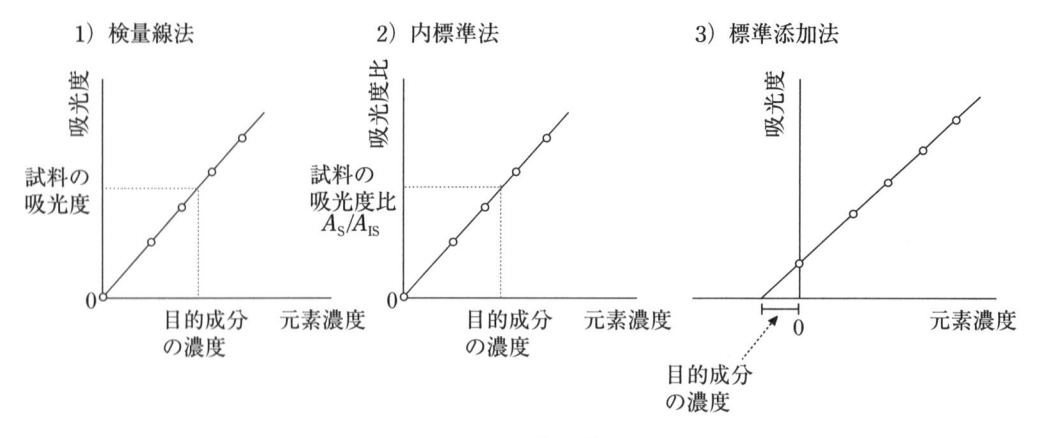

図 5.31　検量線

1) 検量線法

濃度の異なる標準液を調製し，これらの溶液の吸光度を測定し，濃度と吸光度の関係をプロットして検量線を作成する．検量線の濃度範囲で調製した試料溶液の吸光度を測定した後，検量線により被検元素量（濃度）を求める（図 5.31）．

2) 内標準法

濃度の異なる被検元素の標準液に，被検元素と性質の酷似した内標準元素を一定量添加し，これらの溶液について，二つの元素の吸光度を同一の条件下でそれぞれの波長で測定し，被検元素量（濃度）と内標準元素に対する吸光度の比をプロットして検量線を作成する．試料溶液に対する内標準元素を同量加えて，検量線を作成したときと同一の条件で吸光度を測定し，内標準元素に対する被検元素の吸光度比から検量線より被検元素量を求める（図 5.31）．

3) 標準添加法

試料溶液を一定の体積で分注し，それぞれに被検元素が段階的に含まれるように標準液を添加し，これらの吸光度を測定する．添加した標準液被検元素量と吸光度の関係をプロットして検量線を作成し，プロットから得られる回帰直線を延長し，吸光度 0 の外挿値を読み取り，試料中の被検元素量（濃度）を求める（図 5.31）．共存物質による化学干渉の除去に有効であり，共存成分が複雑な試料の分析に適している．

C. 干渉作用

原子吸光分析は，選択性の高い分析法ではあるが，共存する他の成分からの妨害（干渉 interference）が起こることがある．

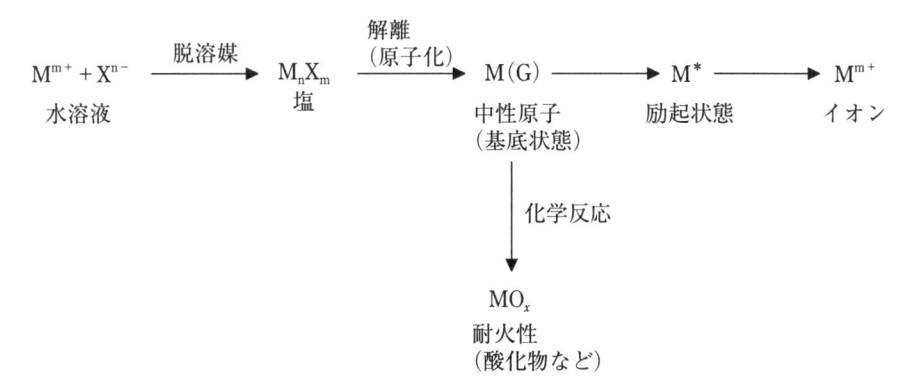

$M^{m+} + X^{n-}$ —脱溶媒→ M_nX_m —解離（原子化）→ $M(G)$ → M^* → M^{m+}
水溶液　　　　　　　　　塩　　　　　　　　　　中性原子　　励起状態　イオン
　　　　　　　　　　　　　　　　　　　　　　　（基底状態）
　　　　　　　　　　　　　　　　　　　　　　　　↓化学反応
　　　　　　　　　　　　　　　　　　　　　　　MO_x
　　　　　　　　　　　　　　　　　　　　　　耐火性
　　　　　　　　　　　　　　　　　　　　　　（酸化物など）

図 5.32　原子化部で生じる状態の変化

1) 物理干渉

試料溶液の粘度や表面張力など溶液の物性が異なると，原子化部の試料導入部で試料の吸い込み速度が変化する（図 5.28）．試料溶液の粘度や表面張力が高い場合，フレームに送り込まれる被検元素の量が減少し，吸光度が実際よりも低い値で検出される（マイナス誤差）．これを防ぐには，標準溶液と試料溶液の物性をできるだけ同じにする必要がある．

2) 化学干渉

原子吸光分析では中性原子のみが吸光に関与するので，フレームや電気加熱炉中で原子まで解離させる必要がある．しかし，ある種の元素は原子化過程で熱安定な化合物（耐引火性）を形成して原子まで解離できないために，吸光度が実際よりも低い値で検出され（マイナス誤差），分析が困難になることがある（図 5.32）．これを防ぐには高温フレームを用いる．

3) イオン化干渉

イオン化電位が低いアルカリ金属やアルカリ土類元素を定量するとき，高温フレームを用いると被検元素がイオン化して，原子吸光に関与する中性原子が相対的に減少する（図 5.32）．その結果，吸光度が実際よりも低い値で検出される（マイナス誤差）．これを防止するためには，プロパン－空気などの温度が低い低温フレームを用いることや，目的元素よりイオン化電位が低い元素（アルカリ金属）を過剰に加えることが有効である．

4) バックグラウンド吸収

共存成分が十分に原子化されないことによって生じる光散乱，あるいは未解離分子による吸収（分子吸収）に基づく干渉を**バックグラウンド吸収** background absorption という．原子の吸光度とバックグラウンドの吸光度が重なるため，吸光度が実際よりも高い値で検出される（プラス誤差）．バックグラウンド吸収による干渉を補正する方法には，連続スペクトル光源方式，偏光ゼーマン方式，非共鳴近接方式，自己反転方式がある．

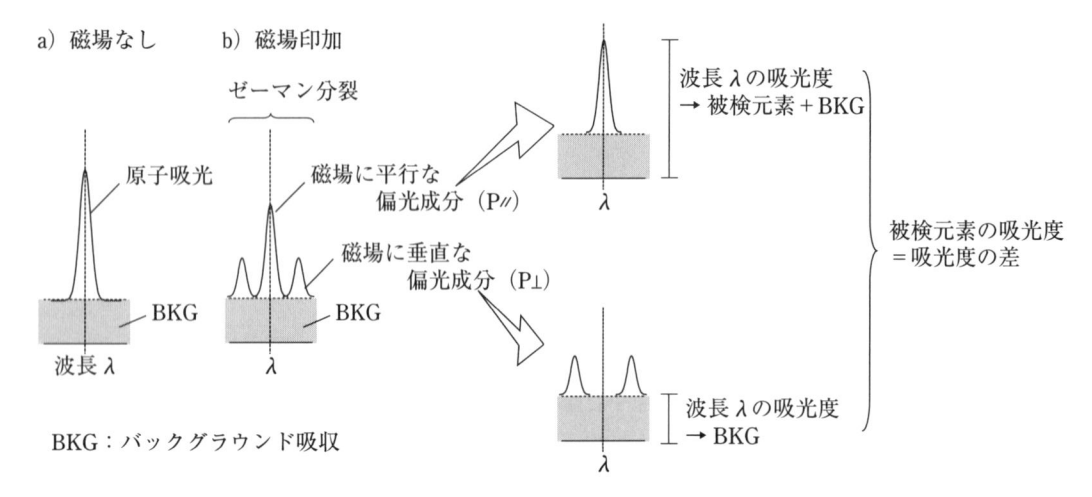

図 5.33　ゼーマン効果によるバックグラウンド補正の原理

a) 連続スペクトル光源方式

連続スペクトル光源として重水素ランプを用い，中空陰極ランプからの光と重水素ランプの光を交互に原子化部に入射させる．中空陰極ランプからの光では「被検元素による吸収＋バックグラウンド吸収」に基づく吸光度が得られる．一方，重水素ランプからの光では主に「バックグラウンド吸収」に基づく吸光度が得られる．中空陰極ランプを入射して得られた吸光度から，重水素ランプで得られた吸光度を差し引けば，被検元素の真の吸光度を得ることができる．

b) 偏光ゼーマン方式

磁場によってスペクトル線が分裂する現象を利用する．原子化部に磁石をセットし，原子蒸気に磁場を加えると，磁場に置かれた原子のエネルギー準位はゼーマン分裂を起こし，原子蒸気の吸収スペクトルが磁場に平行な偏光成分と垂直な偏光成分の二つに分裂する．いずれも偏光特性を示す．磁場に平行な偏光成分は，原子によって吸収され，垂直成分はごくわずかしか吸収されない．一方，バックグラウンド吸収は垂直偏光成分と平行偏光成分のいずれも吸収する．したがって，光路中に偏光子を入れて各偏光成分を測光すると，分析線の平行偏光成分では「被検元素による吸収＋バックグラウンド吸収」が，垂直偏光成分では「バックウグラウンド吸収」が得られるので，これらの吸光度の差から，被検元素原子による真の吸光度が得られる．

c) 非共鳴近接線方式

中空陰極ランプから放射される分析線の波長 λ_1 の輝線とは異なる波長 λ_2 の輝線（補正線）を選び，λ_1 及び λ_2 の二つの波長で吸光度を測定する．λ_1 の波長では「被検元素による吸収＋バックグラウンド吸収」が，λ_2 の波長では「バックグラウンド吸収」が得られるので，その差から被検元素原子による真の吸光度が得られる．

d) 自己反転方式

中空陰極ランプに高電流を流したときに生じる自己吸収したスペクトル線を利用する方法である．通常の点灯では幅の狭いスペクトル線が得られるが，点灯電流を大きくするに従って半値幅が広がり，やがて自己吸収が起こり，二つの波長がずれたスペクトル線に分かれる．通常点灯で「被検元素による吸収＋バックグラウンド吸収」が，高電流点灯で「バックグラウンド吸収」が得られるので，通常点灯と高電流点灯を短時間の間に繰り返し，これらの差から被検元素原子による真の吸光度を得ることができる．

6 原子発光分析

原子やイオンの外殻電子（原子価電子）は励起されると，最低エネルギー準位（基底状態）の軌道から，より高いエネルギー準位へ遷移する．この基底状態から励起状態の遷移を観測するのが原子吸光分析である．一方，この励起準位の寿命は $10^{-8} \sim 10^{-7}$ 秒程度と短く，吸収したエネルギーと等しい大きさのエネルギーを持つ特定波長の光を放出してもとの基底状態に戻る．この放出される光の波長は，元素ごとに異なる．**原子発光分析法** atomic emission spectrometry は原子の発光現象を利用する定性及び定量分析法である（図5.34）．炎色反応も発光分析法の一種である．原子発光分析では，熱エネルギーにより原子を励起し，基底状態へ戻るときに発光する発光線を観測する．励起される原子の割合は温度とともに増加する．

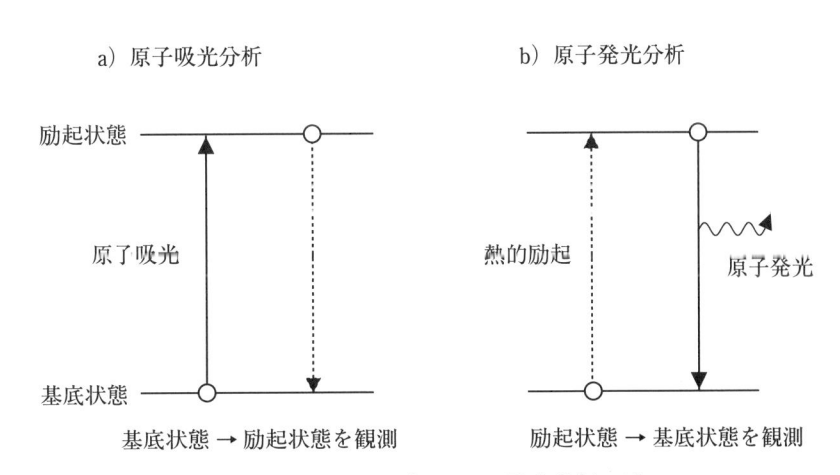

図5.34 原子吸光分析と原子発光分析の違い

6-1　原子発光分析の種類

励起源の種類により，**フレーム分析法** flame photometry や放電による発光分析及び**誘導結合プラズマ** inductively coupled plasma（ICP）を励起源とする **ICP 発光分析法** ICP atomic emission spectroscopy（ICP-AES）などに分類される．また，ICP は質量分析法（第 6 章）と組合せることで，さらに高感度で元素分析を行うことができる．日本薬局方では，誘導結合プラズマ発光分光分析法及び誘導結合プラズマ質量分析法が収載されている．

A. フレーム発光分析

フレーム発光分析では，フレーム（炎）の熱により，試料中の目的元素を原子化させる．空気－アセチレン，酸素－水素のような化学フレームを用いると，試料の原子化だけでなく，ごくわずかではあるが，励起状態への遷移が起こる．温度を高温にすることで原子吸光分析では無視できていた励起状態の原子数が増え，励起状態から基底状態へ戻る原子の発光を十分に観測できるようになる．一般に，300 nm 以下の波長で発光するような元素については，これらの波長において原子を励起するのに高い熱エネルギーを必要とする．一方，励起エネルギーの小さいアルカリ金属やアルカリ土類金属は，比較的低い温度のフレームで発光分析を行うことができる．フレーム中における原子の発光は，分光器で分光した後，測光部で検出される（図 5.35）．

図 5.35　フレーム原子発光の概略

フレーム発光に用いられるスペクトル線は共鳴線であるために，励起状態の原子から放出される光の一部は，フレーム内の基底状態の原子により吸収されることがある．これを**自己吸収** self absorption という．この現象はフレーム内の基底状態の原子数に左右されることになる．

B. 高周波誘導結合プラズマ inductively coupled plasma（ICP）

高周波誘導結合プラズマ発生装置では，アルゴンガスをプラズマ状態にすることで，励起温度が 6000 ～ 10000 K の高温になり，効率よく原子やイオンを励起させることができる．この装置で励起された原子又はイオンが基底状態に戻るときに，原子線又はイオン線が発光する．ICP 発光分析法では，これらの発光線により様々な無機元素を分析する．また高周波誘導プラズマの中では，ほとんどの元素をイオン化できるので，これをイオン源として質量分析装置と接続するこ

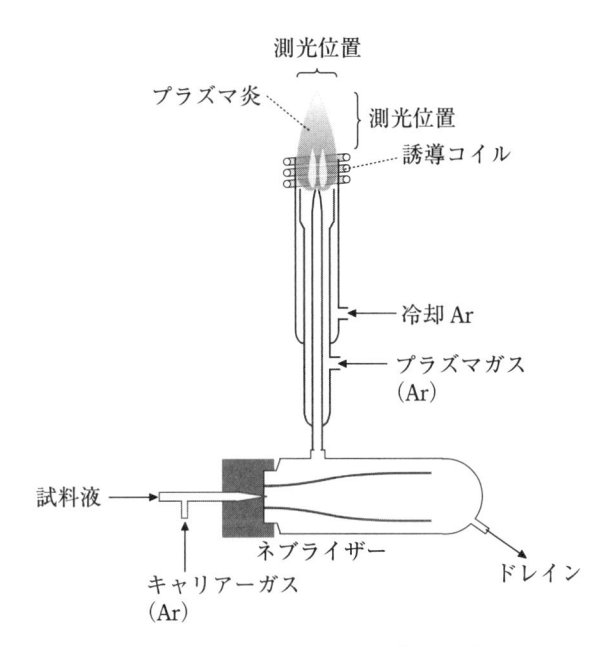

図 5.36　ICP トーチとネブライザー

とができる．これが ICP 質量分析法である．これらの元素分析法では，励起温度が高温であるため，紫外部に発光線を有する原子だけでなく，不活性ガス，ハロゲン，炭素，窒素，酸素を除く約 60 種類の元素の分析が可能となる．特に原子吸光分析に適さない希土類ランタノイド元素についても高感度分析ができる．

1) プラズマ発生部

図 5.36 に高周波誘導結合プラズマ発生装置の概略を示す．トーチの先端部分に取り付けられた誘導コイルに高周波（4 〜 50 MHz）を流すと高周波の磁界が誘導磁場になって発生する．ここでトーチの中を流れてきたアルゴンガスに数万ボルトの放電を加えると，一部のアルゴン原子が電離し，生じた電子が他のアルゴン原子と衝突して，アルゴンイオンと電子が生成する．この反応が繰り返されてプラズマが発生し，誘導コイルの周りにドーナツ型のアルゴンプラズマが形成される．試料溶液はネブライザーにより噴霧され，プラズマ中心部に導入される．プラズマ炎は 6000 〜 10000 K もの高温であるため，ほとんどの元素は 90 % 以上イオン化され，さらに励起されて元素固有の原子線やイオン線を発光する．基底状態の原子数が少ないため，発光線の自己吸収がほとんどない．

a) ICP 発光分析法

試料がプラズマ中心部に導入されると，すべての元素が原子あるいはイオンの状態で励起されるので，非常に多くの原子線やイオン線がプラズマから光として放出される．ICP 発光分析装置

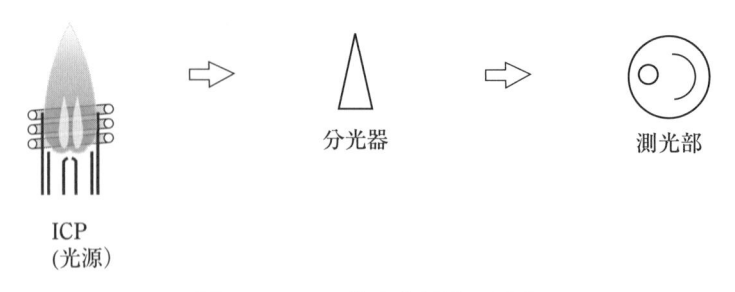

図 5.37　ICP 発光分析法の原理

では，プラズマ発生部に加えて，多数のスペクトル線を分離するための分光器とスペクトル線の強度を計測する測光部から構成される（図 5.37）．一つの元素から多数のスペクトル線が観測されるため，できるだけ高分解能の分光器が必須となる．分光器には波長掃引方式と多元素同時測定法式がある．波長掃引方式では，回折格子の角度とスリット移動により，波長の走査を行う．分光器の波長分解能が高いが，測定は一元素ごとになる．一方，多元素同時測定法式は回折格子やプリズムにより分光した光をダイオードアレイ検出器で同時に検出する．これにより，複数の元素を同時に分析できることができるが，波長分解能は劣る．

b) ICP 質量分析法

高周波プラズマの中でほとんどの元素が効率的にイオン化される．これらのイオンはサンプリングコーンやスキマーコーンと呼ばれる微細孔を通過して質量分析装置内に導入される．質量分析計としては，四重極型と二重収束型が主流となっている．図 5.38 に，質量分析計として四重極型を用いたときの ICP-MS の概略図を示す．多くの装置は四重極型であるが，二重収束型のほうがイオンの分解能が高い．また，飛行時間型質量分析計も利用されるようになっている．ICP 質量分析は多元素同時分析が可能である．

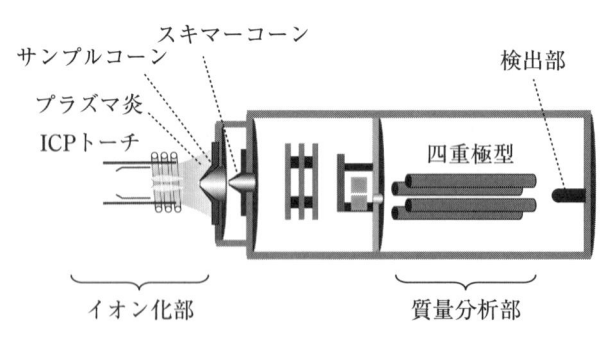

図 5.38　ICP-MS の概略図

6-2 分析化学への応用

　原子の発光スペクトルの波長は各元素に固有であるため，原子発光分析では発光波長をもとに定性分析を行うことができる．一方，励起状態の原子数が多いほど発光強度が大きくなる．そのため，より高温で原子を励起できるICP発光分析法はフレーム発光分析法よりも検出感度が高い．いずれの方法においても，定量分析を行うのに検量線法，内標準法，標準添加法が用いられる．フレーム発光やICPにおけるガス流量，試料噴霧速度，プラズマなどのゆらぎによる物理干渉は，内標準法を用いることで定量分析の精度を向上させることができる．物理干渉による干渉作用が，目的元素と内標準元素で同じであるとみなすことができるためである．共存主成分の影響により分析目的元素の信号強度が低下する際には，元素の定量に標準添加法が利用される．

A. 原子吸光分析法とフレーム発光分析法の検出感度

　一般に300 nm以下の波長の光を吸収する元素は，基底状態から励起状態への遷移に大きなエネルギーを必要とする．そのため，フレーム発光では励起状態の原子数が少なく，十分な発光強度を得ることができず，原子吸光分析のほうが検出感度は高い．一方，300〜400 nmの波長ではどちらもほぼ検出感度は等しい．基底状態から励起状態への遷移に，それほど大きなエネルギーを必要としない400 nm以上の可視領域では，励起状態の原子数が増加するためフレーム発光分析法の検出感度が高くなる．

B. 定量分析におけるICPの特徴

　フレーム発光とは異なり，ICPでは6000〜10000 K程度まで試料を高温に加熱でき，励起準位の原子数を飛躍的に増大できるようになった．そのため，原子発光よりもICPの感度が10〜100倍と飛躍的に向上した．また，基底準位の原子数が少ないため，自己吸収が起こりにくく，検量線の直線範囲が10^3〜10^5と広い．ICP質量分析法はほとんどの元素をpptレベルで検出することができ，検出感度はICP発光分析よりも1〜3桁高く，スペクトルの干渉がより少ない．

1) ICP発光分析で見られる干渉

　プラズマによる熱励起では，分子は解離しやすく，共存する未解離分子による干渉を受けにくい．6000 K以上では，化学種の再結合も起こりにくいため，化学干渉による影響は少ない．しかしながら，プラズマ全体を測光するICP発光分析では，試料中におけるNaやKなどのイオン化しやすい元素により，イオン化平衡のずれで生じる化学干渉が問題となることがある．ICP発光分析法で問題となるのは主に物理干渉と分光干渉である．一つの元素は多数の発光線を有するため，測定元素の発光線が試料中に存在する他の元素スペクトルと重なり，分析線の発光強度が変化する．このことを分光干渉という．Ar多価イオンに起因する発光線に起因する連続スペク

トル，水によるOHのスペクトル，窒素に起因するNOやNO$_2$のスペクトルなども分光干渉の原因となる．一方，物理干渉は，異なる溶液をアルゴンプラズマに導入する際，物性の違いによりネブライザーによる噴霧効率が変化することで，発光強度に影響を及ぼすことである．酸の存在や塩濃度が原因として挙げられる．検量線の作製や試料溶液の測定の際には，できるだけ溶液組成を一定にすることが重要である．

2）ICP質量分析で見られる干渉

ICP-MSでは，特に質量数が80以下の元素を測定する場合，アルゴンや窒素，主成分元素などに由来した多原子イオンなどが測定元素の質量数と重なることで，分析値の誤差となるスペクトル干渉が生じる．通常の四重極型のICP-MSは，質量分解能が低いためスペクトル干渉が生じやすい．また，試料の前処理で塩酸や硫酸を使用する際には，特に注意が必要である．また，主成分元素（マトリックス）の濃度が高い場合，測定元素のイオンカウント数が低下することがある．これをマトリックス効果と呼び，非スペクトル干渉に分類される．この影響はマトリックスの質量が大きく，測定元素の質量が小さいほど顕著になる．マトリックスの除去のため，イオン交換等の前処理分離や内標準法による定量分析が効果的である．

7 旋光度分析・円二色性

平面偏光が光学活性物質を通過するとき，その振動方向を回転させる性質を旋光性という．**旋光度** optical rotation の測定は，一般にナトリウムスペクトルのD線のような単色光から得られる偏光が用いられる．日本薬局方には旋光度測定法として収載されており，光学活性を示す医薬品の示性値あるいは適否の判断基準として用いられるだけでなく，定量分析にも応用されている．また旋光度や円二色性は，測定波長を変化させることにより，化合物の立体構造の関係に関する情報を得ることができる．特に円二色性スペクトルは，タンパク質の二次構造変化の解析によく利用されている．

7-1 平面偏光と円偏光

光は進行方向に対して電場と磁場が直交しており，これらが同じ位相で振動している．通常，単色光は進行方向に対して，電場の周期は等しいが，無数の振動方向の光が集まっている（図5.39）．単色光をニコルプリズムやポラロイド板に通した場合，電場がある特定方向を振動する光のみを得ることができる．このように，電場の振動面をそろえる光学素子を**偏光子** polarizer

偏光面　　　　　　　　　　　　　　偏光子　　　　　　　　　　偏光面

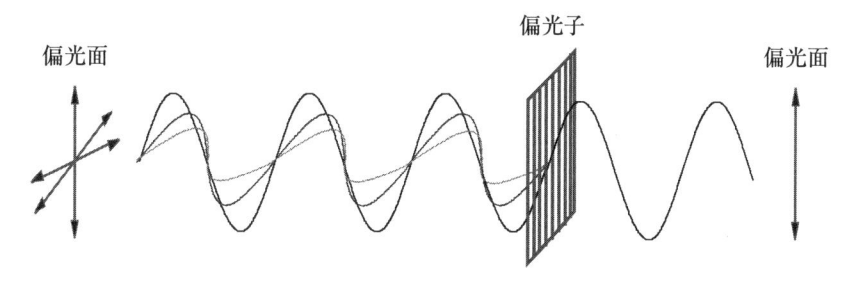

図 5.39　平面偏光

と呼び，ニコルプリズムやポラロイド板がこれにあたる．光の進行方向に対して，電場の振動方向が特定の平面上に存在する光を**直線偏光** linearly polarized light または**平面偏光** plane polarized light といい，電場を含む平面を**振動面** plane of vibration と呼ぶ．また，この振動面に垂直な磁場の振動方向と光の進行方向を含む平面を**偏光面** plane of polarization と呼ぶ．

一方，偏光面が回転しながら進行する偏光が存在し，これを**円偏光** circular polarized light という．偏光面の回転が進行方向から光源に向かって右回りであれば右円偏光といい，左回りであれば左円偏光という．ともに等しい周期と振幅の左円偏光と右円偏光の電場ベクトルの時間変化を図 5.40 に示す．これら左右円偏光のベクトルを重ね合わせると，右円偏光と左円偏光の和が平面偏光になる（図 5.40）．

a）平面偏光と円偏光　　　　　　　　　　　　b）円偏光の重ね合わせ

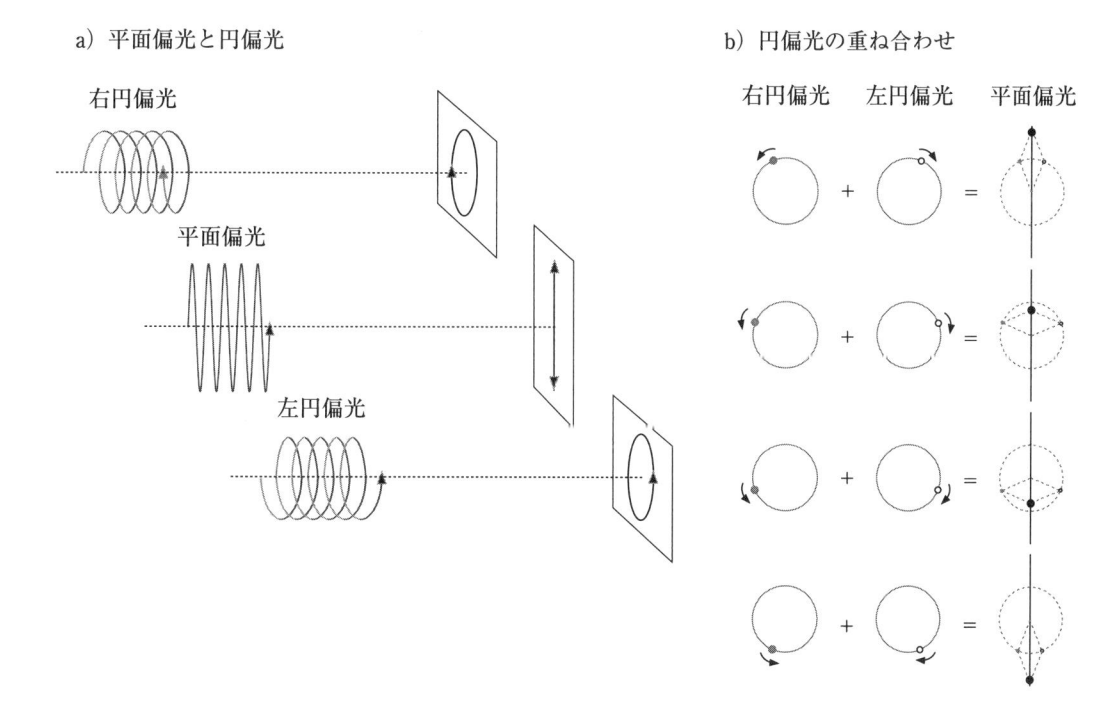

図 5.40　二成分の円偏光とそれらの合成

7-2 旋光度測定法

A. 旋 光

　光学活性物質の溶液に平面偏光を入射すると，溶液中を進行する右円偏光と左円偏光の屈折率が異なるために，左右円偏光の進行速度に差が生じる．そのため，溶液を通過した左右円偏光に位相のずれが生じる．光学活性体を含む溶液を通過した右円偏光と左円偏光のベクトルを重ね合わせると，入射した偏光面に対して透過してきた平面偏光が回転（旋光）することが理解できる（図 5.41）．偏光の進行方向に向き合って，右に回転することを**右旋性** dextrotatory，左に回転することを**左旋性** levorotatory という．また，偏光面の回転角度，すなわち旋光度 α は次式で表される．

$$\alpha = \frac{1}{2}\phi = \frac{\pi l}{\lambda}(n_L - n_R) \tag{5.20}$$

ここで，ϕ は光学活性溶液を通過した直後の左右円偏光の位相差，l は光学活性溶液の液層の長さ，λ は入射光の波長，n_L と n_R はそれぞれ左，右円偏光に対する屈折率である．$n_L > n_R$ のとき，α

a) 旋光の概略

b) 円偏光の重ね合わせ

c) 旋光度

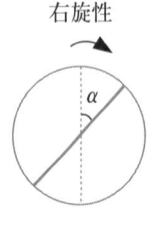

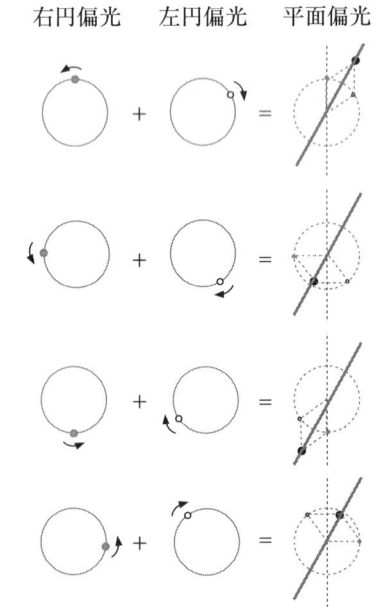

図 5.41 旋光が起こる原理

＞0 となり右旋性，$n_L < n_R$ のとき，$\alpha < 0$ となり左旋性を示す．また式（5.20）からも分かるように，測定波長で物質が光吸収性を示さない場合，旋光度は液層の長さ及び左右円偏光に対する屈折率の差に比例し，測定に用いた光の波長に反比例する．

一方，旋光度の値は，濃度や層長と関連づけることができる．旋光度は，濃度及び層長と比例し，次式によって示される．

$$[\alpha]_x^t = \frac{100\alpha}{cl} \tag{5.21}$$

ここで，$[\alpha]$ は**比旋光度** specific optical rotation であり，光学活性物質の固有な物性値である．旋光度は測定波長，温度，溶媒によって測定値が大きく変化するため，比旋光度の表示には，実験条件が記載されている．t は測定温度，x は測定に用いた単色光の名称となる．通常は，ナトリウム D 線が用いられており，D と表示されている．また，c は試料溶液の濃度（g/mL）で，l は層長であり，mm の単位を使用する．右旋性と左旋性を区別するために，回転角度を表す数値の前に記号＋または d（右旋性），－または l（左旋性）を付ける．日本薬局方では，ナトリウム D 線を用い，温度は 20 ℃，層長 100 mm の測定管で旋光度を測定することが規定されている．アミノ酸やステロイドのように同系列で分子量が異なる化合物を比較する場合，**モル旋光度** molar rotation が利用されることが多い．

$$[\phi]_x^t = \frac{M}{100}[\alpha]_x^t = \frac{M\alpha}{cl} \tag{5.22}$$

B. 装　置

旋光度は，一般に，図 5.42 に示すような旋光計（偏光計）により測定される．ナトリウムランプの D 線（589.0 nm および 589.6 nm）が用いられる．一方，旋光分散曲線を得る際には，連続スペクトル光源のキセノンランプが用いられ，分光器で単波長にする．光源の光を第一偏光子により平面偏光にする．第二偏光子（検光子）は偏光子に対して直角に配置すると，平面偏光が検光子を通過できず，測光部で光量を観測することができない．この状態で第一偏光子と検光子の間に光学活性体を含む試料溶液を設置すると，第一偏光子を通過した平面偏光の偏光面が傾く．そのため，回転した偏光面の角度に応じて，測光部で受光される光量が変化する．測光部で観測される光量が最小となるように，検光子を回転させることで，平面偏光の回転角度を計測することができる．このときの検光子の回転角度が偏光面の回転角度，すなわち旋光度 α となる（図 5.42）．旋光性により，検光子を通過する光量の変化を検出する方法として，平面偏光をプリズムにより二分し，肉眼で両方の明るさを調節する方法（半影像法）を利用した *Lippich* 旋光計や光電子増倍管を用いて光量を測定する装置がある．

a) 装置図

光源　偏光子　試料管　検光子　　検出器

b) 旋光度の測定原理

偏光子　直線偏光　検光子
光源　　　　　　　　光が通過しない
（偏光子に対して直交）

偏光面が回転　光が通過

光量が最小になるように検光子を回転

検光子の回転角度＝旋光度

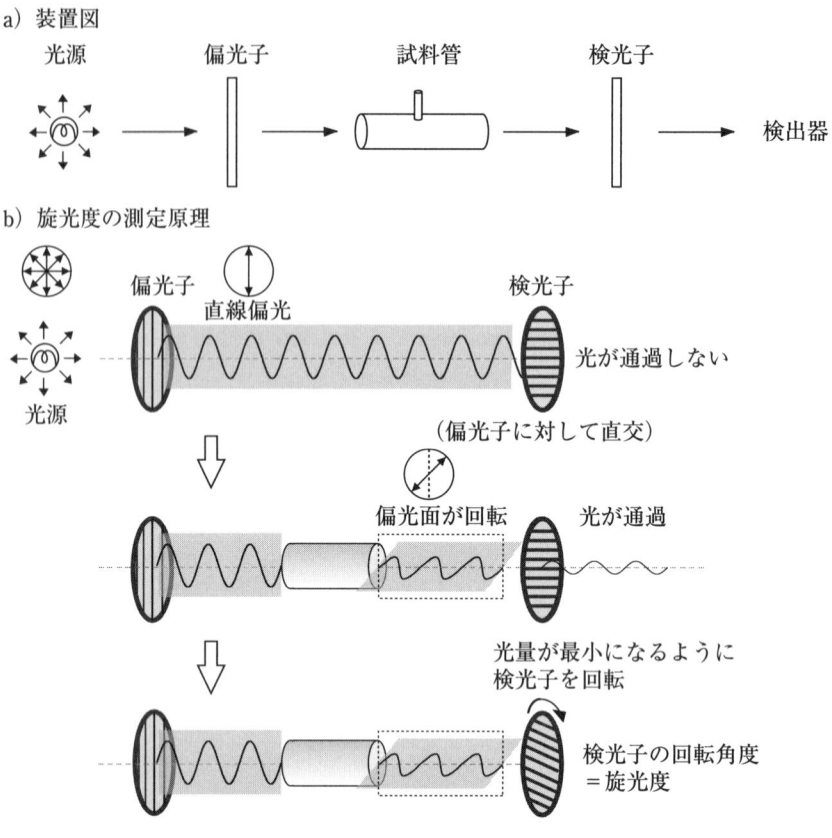

図 5.42　旋光計の装置図と測定原理

C. 分子構造と光学活性

1）光学活性体

　旋光性を示す物質は，分子構造に非対称性を示す有機化合物が多い．これらはアミノ酸のように分子内に不斉原子を含む化合物と，不斉原子は持たずに分子全体が非対称である**分子不斉** molecular asymmetry を示すものに分類される（図 5.43）．これらは，互いに鏡像関係にある二つの立体異性体が存在する．これを**対掌体** enantiomer といい，正負逆の大きさの旋光性を示す．このように旋光性を示すものを**光学活性体** optically active compound という．天然有機化合物の中にも光学活性を有する化合物は数多い．また，対掌体どうしの等量混合物をラセミ体といい，旋光度はゼロになる．

2）変旋光

　旋光度は化合物に固有の物性値であるが，溶液中で不斉炭素近傍の化学構造に変化が起こり互変異性体を生成することで，旋光度の値が変化する．この現象を**変旋光** mutarotation という．例えば，グルコースを水に溶解すると，時間の経過とともに旋光度は小さくなり，$[\alpha]_D = +52.7$ の値で平衡に達する．これは，グルコースには α 体（$[\alpha]_D = +112.2$）と β 体（$[\alpha]_D = +18.7$）

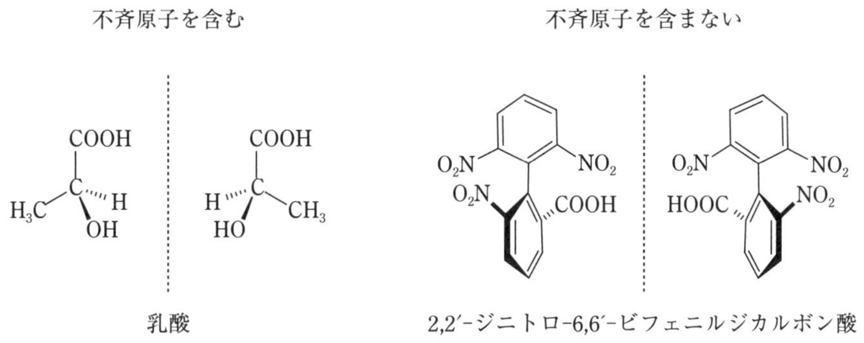

不斉原子を含む / 不斉原子を含まない

乳酸　　　　　　　2,2′-ジニトロ-6,6′-ビフェニルジカルボン酸

図 5.43　光学活性体の例

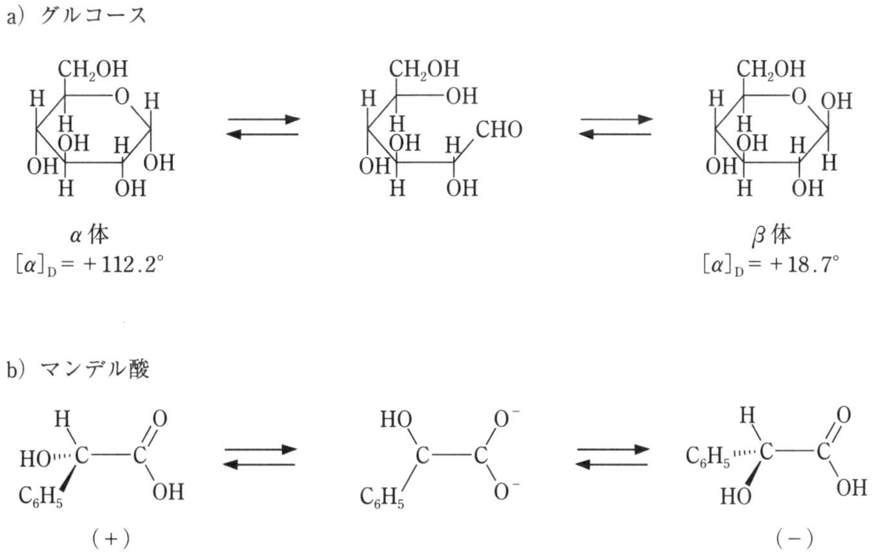

a) グルコース

α体
$[\alpha]_D = +112.2°$

β体
$[\alpha]_D = +18.7°$

b) マンデル酸

(+)　　　　　　　　　　　　　　　(−)

図 5.44　変旋光の原因となる互変異性の例

の互変異性体を形成することに基づく．結晶中ではα形が安定であることに対して，水溶液中ではβ形のほうが安定である（α形36％，β形64％）．変旋光の速度は酸性やアルカリ性で速くなることが知られており，日本薬局方では試料にアンモニアを加えて変旋光を平衡化させた後に，旋光度を測定することが規定されている（図5.44）．

D. 旋光分散

旋光度が波長によって変化する現象を旋光分散という．横軸に波長，縦軸に旋光度または非旋光度をとると旋光スペクトルが得られる．これを**旋光分散曲線** optical rotatory dispersion curve という（図5.45）．紫外可視部に吸収帯のない化合物では，長波長から短波長に向かって正又は負の値が単純に増大する単純曲線を示す．一方，紫外可視部に吸収を示す化合物の場合はその吸

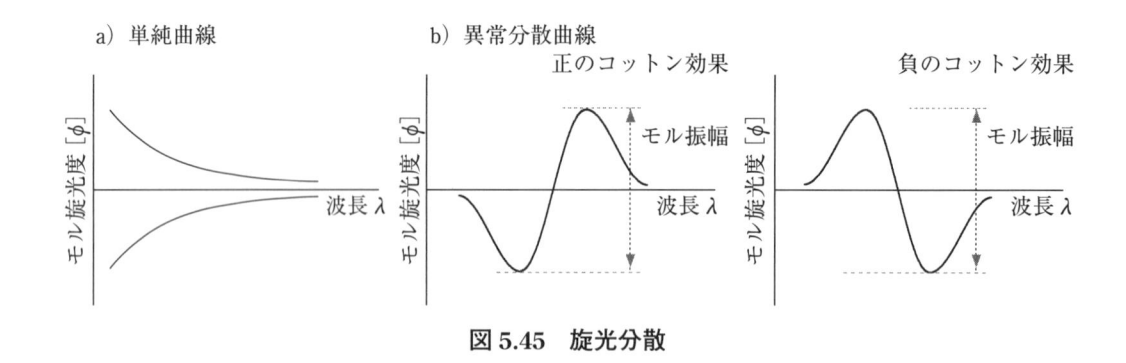

a) 単純曲線　　　　b) 異常分散曲線
　　　　　　　　　　　正のコットン効果　　　　　　　　　負のコットン効果

図 5.45　旋光分散

収帯付近で極大と極小を示す．この現象を**異常分散** anomalous dispersion あるいは**コットン効果** *Cotton* effect という．長波長側に極大を示す場合を正のコットン効果，その逆を負のコットン効果という．縦軸をモル旋光度で表した旋光分散曲線の長波長側の極値 $[\phi_1]$ と短波長側の極値 $[\phi_2]$ の差を 100 で割った値を**モル振幅** molar amplitude（a）という．

$$[a] = \frac{[\phi_1] - [\phi_2]}{100} \tag{5.23}$$

7-3　円二色性（CD）測定法

A. 円二色性

円二色性は右円偏光と左円偏光の吸光度の差（コットン効果）で示される．光は波動性を有しており，光強度波の振幅の二乗に比例する．平面偏光は，左右円偏光の光強度が等しい．いい換えると，左右円偏光で振幅が等しい．光学活性体を含む試料を透過した後，左右円偏光に対する吸光度に差が生じるため，左右の円偏光の振幅が異なってくる．図 5.46 で示したように，振幅が異なる左右円偏光のベクトルの和は楕円を描く．楕円の長軸の回転角を**楕円率** θ ellipticity（deg）とすると，その長軸 $E_R + E_L$ と短軸 $E_L - E_R$ の比が $\tan\theta$ となる．モル楕円率 $[\theta]$ は，層長 10 cm，10 mol/L 当たりの楕円率として定義されており，次式で表す．

$$[\theta] = 3300(\varepsilon_L - \varepsilon_R) \tag{5.24}$$

ここで，ε_L と ε_R はそれぞれ左回りと右回りの円偏光に対するモル吸光係数である．つまり，楕円率 θ は左右円偏光のモル吸光係数の差に比例する．

B. 装　置

円二色性は，図 5.47 に示すような円偏光二色光度計を用いて測定される．キセノンランプの光はモノクロメーターで分光され，偏光子で平面偏光にする．さらに，円偏光変調素子で左右の円偏光を交互に発生させ，試料に照射する．試料を通過した左右円偏光それぞれの光強度を光電

a) 旋光の概略

b) 円偏光の重ね合わせ

c) 円二色性

$$短軸 = E_L - E_R$$
$$長軸 = E_R + E_L$$

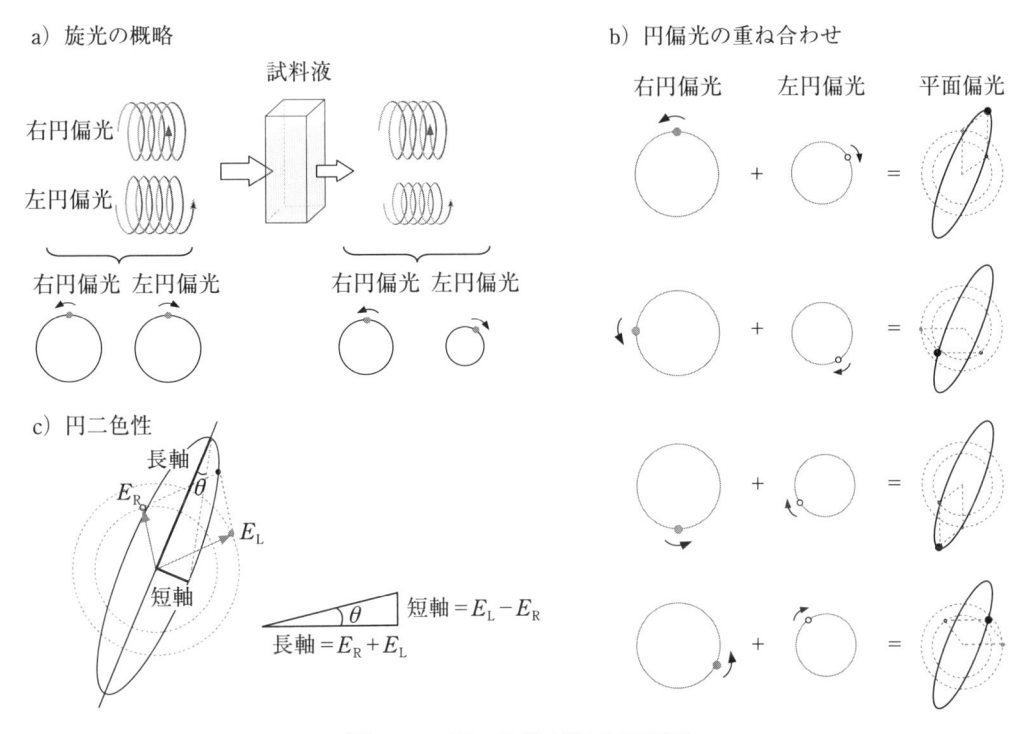

図 5.46 円二色性が起こる原理

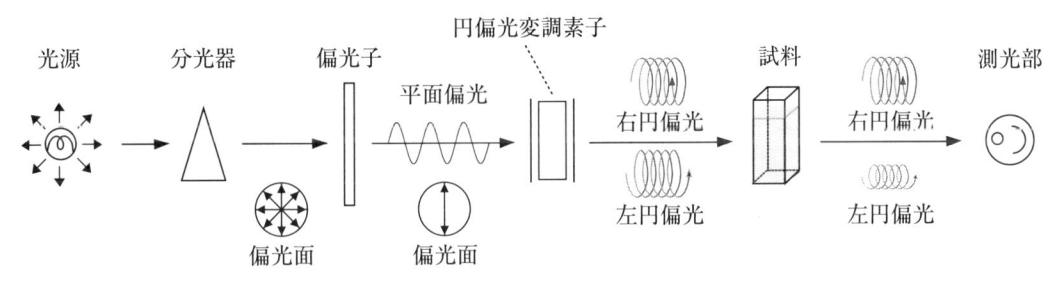

図 5.47 円偏光—色光度計の概略

子増倍管で計測する．

C. 円二色性曲線

円二色性は波長によって変化する．横軸に波長，縦軸にモル楕円率をとると円二色性スペクトルが得られる．コットン効果が正のときは，モル楕円率が正の値を示し，負のコットン効果では負のモル楕円率が得られる（図 5.48）．正のコットン効果により得られた CD スペクトルの極大波長や負のコットン効果における CD スペクトルの極小値は紫外可視吸収スペクトルの極大吸収

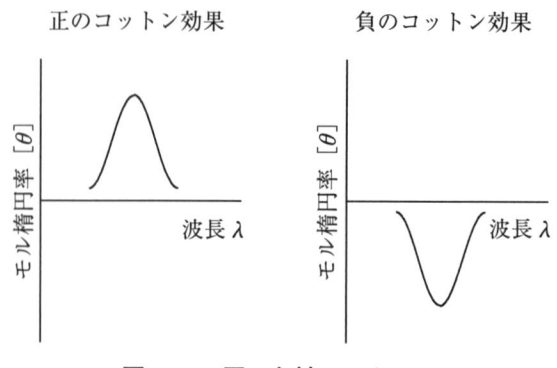

図 5.48　円二色性スペクトル

波長と一致する.

7-4　旋光分散と円二色性

　旋光分散と円二色性は円偏光と不斉分子との相互作用に基づいており，本質的には同一の現象を観測している．そのため，旋光性と円二色性は互いに独立しているわけでなく，*Kramers-Kronig* の式で関連付けることができる．

$$[\alpha(\lambda)] = \frac{2}{\pi} \int \frac{[\theta(\lambda)']\lambda'}{\lambda^2 - \lambda'^2} d\lambda' \tag{5.25}$$

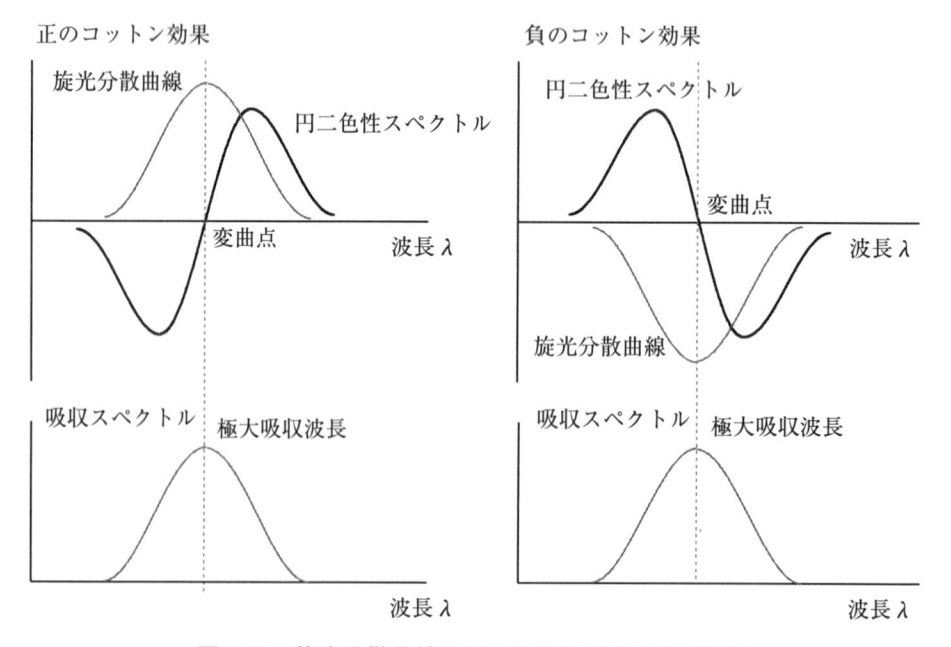

図 5.49　旋光分散曲線と円二色性スペクトルの関係

正のコットン効果では，旋光分散曲線の変極点がCDスペクトルの極大値と一致する．また，負のコットン効果では，旋光分散曲線の変極点がCDスペクトルの極小値と一致する．さらに，円二色性の極大あるいは極小の波長と紫外可視吸収スペクトルの極大吸収波長に対応しており，旋光分散の変曲点と一致する（図5.49）．試料の吸収強度が強いほど，発色団の間が近いほどコットン効果が強く現れる．

7-5　分析化学への応用

旋光分散や円二色性分散は，主に定性分析，定量分析，立体構造の解析で利用されている．旋光度は，グルコース，フルクトースやメントールなど，紫外可視部で光吸収性を示さない化合物を定性及び定量分析することができる．旋光分散曲線では，複数のコットン効果が接近しているため，それらが重なり，それぞれ単一のコットン効果を解析することは難しい．一方，円二色性曲線は，コットン効果の重なりの影響が少ないため，発色団の数の推定や立体科学の研究により適している．

A. 定性分析

光学活性を示し，かつ紫外部及び可視部に光吸収性を示す有機化合物は，旋光分散曲線にコットン効果が観測される．この際，旋光分散曲線は，化合物に特有で複雑な曲線となる．そのため，標準品と試料旋光分散曲線を比較することで定性分析が可能である．

B. 光学活性体の立体配置

医薬品や生理活性物質の中には，鏡像異性体で異なる薬理活性を示す化合物がある．旋光性や円二色性は，立体配置に関する情報を取得するのに有用な分析法ではあるが，化合物の旋光性や円二色性で観測されるコットン効果から，RS表示やDL表示の絶対立体配置を決定することは難しい．しかしながら，旋光分散曲線及び円二色性曲線と立体構造の関係を示すいくつかの経験則がある．例えば，**オクタント則** octant rule は，カルボニル基に隣接する置換基の立体配置のコットン効果に対する寄与を推定することができる．図5.50に示すように，シクロヘキサンのC=O結合の中点を減点とし，XY平面，XZ平面，YZ平面の3平面で区切ると，8つの空間ができる．シクロヘキサンのカルボニル酸素の側から見て，XY平面の後方の4空間を**後方オクタント** back octant，XY平面の手前の4空間を**前方オクタント** front octant という．ほとんどの有機化合物は後方オクタントに置換基を有する．シクロヘキサンの後方オクタントを投影し，置換基が右上と左下のオクタント空間にあるときは負のコットン効果を，左上と右下の空間にあるときは正のコットン効果を示す．境界平面上にある場合は，コットン効果に影響しない．オクタント則は，ステロイド化合物の立体配置の推定に有効であるが，すべての化合物に適用できるわけではない．

a) オクタント投影法

b) 後方オクタント

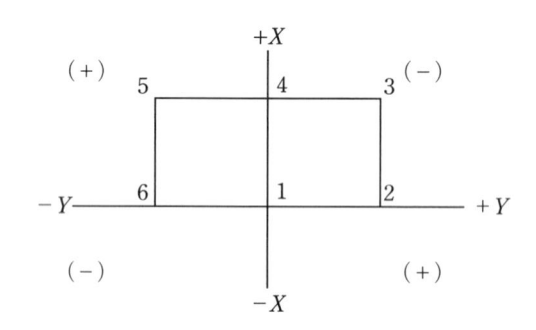

図 5.50 オクタント投影法 (a) と後方オクタント (b)

　一対の鏡像異性の関係にある分子同士では，旋光度と円二色性のそれぞれは絶対値が等しく逆の符号になる．つまり，対掌体どうしの等量混合物（ラセミ体）では，旋光度はゼロになる．立体配置が正しく決定された標準品があれば，標準品と立体配置が未知試料の旋光性や円二色性の正負の符号を比較することで，試料中の化合物の立体配置を決定することができる．また，試料の光学活性体の比旋光度を，純粋なエナンチオマーの比旋光度で除することで，光学活性体の純度測定を行うことができる．

C. 定量分析

　旋光度は，試料溶液に含まれる光学活性分子の数に比例して大きな値を示す．そのため，検量線を作製することで光学活性分子の濃度を定量することができる．しかしながら，旋光度と濃度の比例関係が成立するのは，限られた濃度範囲内である．光学活性分子の濃度によって分子間相互作用が変化することに起因する．通常，有機化合物では，0.5〜2％の範囲で測定することが多い．一方，目的成分の純物質の比旋光度が既知である場合，標準溶液で検量線を作製しなくても定量することができる．旋光度を測定した後，式 (5.26) を利用して試料液中の目的成分の濃度を求めることができる．日本薬局方で採用されている定量法である．実際に，旋光度を用いて

物質の定量を行う際には，光源の波長，温度，溶媒の種類，変旋光に注意する必要がある．

$$c \text{ (mg/L)} = \frac{100\alpha_\text{D}}{[\alpha]_x^t l} \tag{5.26}$$

D. 生体高分子の構造解析

　円二色性は高分子の立体構造変化に敏感であるため，タンパク質や核酸の構造研究に利用されている．特に円二色性スペクトルから，タンパク質の平均の二次構造を見積もるのに有用である．タンパク質やペプチドは，190 〜 230 nm 付近に特徴的なスペクトルが観測される．α-ヘリックスでは，ペプチド結合の $\pi \rightarrow \pi^*$ 遷移に基づく 190 nm 付近の強い正のバンドが観測される．また，ペプチド結合の $\pi \rightarrow \pi^*$ 遷移に基づく 208 nm の負のバンドと 222 nm にカルボニル基の n $\rightarrow \pi^*$ 遷移による負のバンドが見られる．β-シートの円二色性スペクトルでは，195 〜 200 nm 領域の正のバンドと，217 nm 付近の負のバンドが特徴である．円二色性スペクトルで観測される 208 nm 付近の負のモル楕円率は，α-ヘリックスと比べて β-シートやランダムコイルの寄与が小さい．そのため，タンパク質中の α-ヘリックスの含量を近似する目的で，208 nm のモル楕円率の値が利用されている．

第6章 分子の構造解析のための分析

1 総論

　分子やイオン，あるいはそれらの結晶等の構造や状態を知りたいとき，物質と電磁波との相互作用に基づく種々の分析法を利用することができる．物質に，ある波長の電磁波をあてて相互作用を観察すると，照射した電磁波のエネルギーに対応する構造や状態に関する情報を取り出すことができる．特に有機化合物の構造決定には，赤外吸収スペクトルや核磁気共鳴スペクトルの測定が汎用されている．これらのスペクトルを読解する上で，電磁波と物質との相互作用についての物理化学的現象の理解が基本となる．

　第5章に示されているように，電磁波と物質の相互作用を利用する分析法では，物質のどのような化学情報を取り出したいかによって，用いる電磁波のエネルギーが一意的に決定される．それらの分析法の中では電磁波の共鳴吸収と放射を取り扱う分光法の種類が最も多く，加えて電磁波の散乱を取り扱う分析法や，電磁波の波としての性質を利用する回折法もある．

　本章では，赤外領域の電磁波の吸収を取り扱う赤外吸収，近赤外や可視領域の電磁波の照射によって発生する散乱光を測定するラマン散乱，磁場中の原子核による電波（ラジオ波，マイクロ波）の共鳴吸収を取り扱う核磁気共鳴，同様に磁場中の不対電子によるマイクロ波の共鳴吸収を取り扱う電子スピン共鳴，内殻電子の遷移や放出によって生じた空孔への外殻の電子の遷移による特性X線の発生を取り扱う蛍光X線分析などの分光法を順に取り扱い，次いで，結晶によるX線の散乱光の回折を測定する粉末X線回折について触れる．加えて，構造決定の目的には非常に強力な，真空中で気体イオンを運動させて，その分離を取り扱う質量分析について概説する（図6.1）．

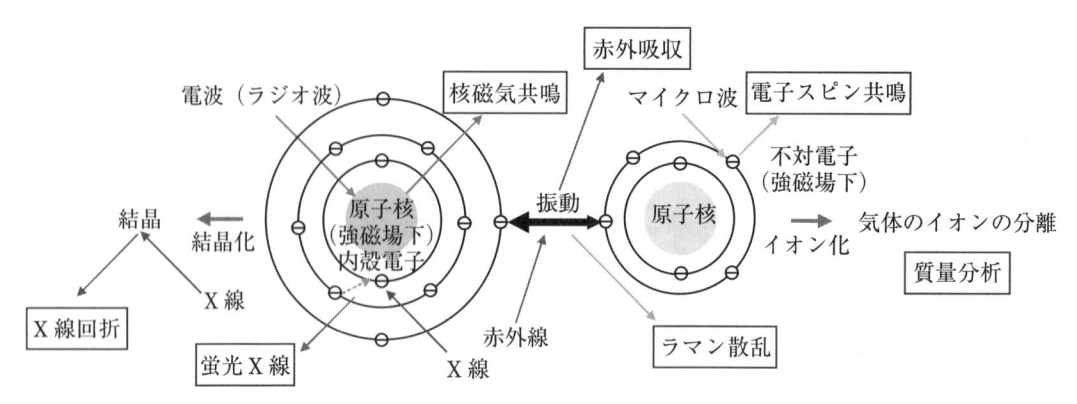

図 6.1 本章で取り扱う分子の構造解析のための分析法とその計測原理となる物理現象の概略

2 赤外吸収とラマン散乱

　赤外吸収は，紫外可視吸収と同様に赤外領域の電磁波の吸収を表す現象である．一方，ラマン散乱は入射光に対して波長の異なる散乱光の発生を示す現象であり，現象の概念としては蛍光に近く，区別される．しかし，両者は共に振動分光法と呼ばれ，その測定原理や装置について一緒に記載されることが多く，スペクトルから得られる情報も相補的であるので，本節でも同時に取り扱う．

2-1 原　理

　赤外吸収スペクトル（IRスペクトル）やラマンスペクトルを取り扱うための基本は，分子の振動運動である．分子や結晶内における原子やイオン間の化学結合は，伸び縮み（伸縮振動）や折れ曲がり（変角振動）などの振動をしている．質量m_1と質量m_2からなる二原子分子の振動は，それらがバネで繋がれた調和振動子として扱うことができる*．その振動数νは，古典力学でバネの伸びと力の関係を示すフックの法則から導出され，式（6.1）で表される．

$$\nu = \frac{1}{2\pi c}\sqrt{\frac{k}{\mu}} \tag{6.1}$$

ここで，cは真空中の光の速度，kは力の定数，μは式（6.2）で示される換算質量である．

---

* 厳密には，分子の振動は非調和振動子として扱うべきであるが，量子数が小さい準位では，調和振動子として扱ってよい．

$$\frac{1}{\mu} = \frac{1}{m_1} + \frac{1}{m_2} \tag{6.2}$$

このとき，振動エネルギーE_{vib}は量子化されており，式 (6.3) で表される．

$$E_{\text{vib}} = \left(v + \frac{1}{2}\right)h\nu \tag{6.3}$$

ここで，vは振動の量子数で，$v = 0, 1, 2, \cdots\cdots$の値をとる．$h$はプランク定数である．以上から，二原子分子の振動は，νの振動数（周波数）の光を吸収してvが一つ異なるエネルギー準位へと遷移することが分かる．その電磁波の波数はおよそ赤外領域に対応する*．

図6.2に，一般の赤外吸収ならびにラマン散乱におけるエネルギー準位の変化を示す．赤外吸収では，入射光を吸収してvの一つ異なる振動エネルギー準位へ遷移する．レイリー散乱では，入射光を吸収して最低振動エネルギー準位（$v = 0$）から仮想のエネルギー準位へと遷移し，散乱光を放出して$v = 0$へ戻る．振動エネルギー準位の変化を伴わないため，レイリー散乱は入射光に対する散乱光の波数の変化はない．一方，$v = 0$から仮想準位へ遷移して$v = 1$へ戻る場合，入射光よりも低波数の散乱光が放出され，このような散乱をストークスラマン散乱という．また，

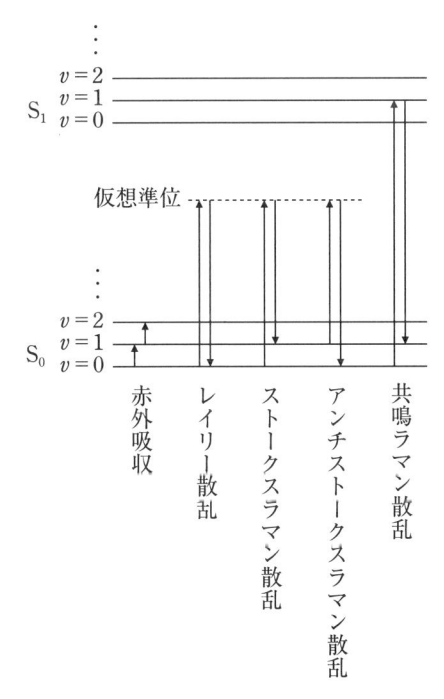

図6.2 赤外吸収とラマン散乱におけるエネルギー準位
S_0：基底電子状態，S_1：励起電子状態，v：振動の量子数

---

* 式 (6.1) に基づき，強い（kが大きい）結合の振動ほど高波数側に，また，重い（μが大きい）原子の結合の振動ほど低波数側に吸収が観察される．

$v=1$ から仮想準位へ遷移して $v=0$ へ戻るとき，入射光よりも高波数の散乱光が放出され，このような散乱をアンチストークスラマン散乱という．一般に，$v=1$ よりも $v=0$ の状態の分子の方が多いため，ストークスラマン散乱の方が光の強度が大きく，これを測定してラマンスペクトルを得る．入射光の波数が，測定対象の紫外可視吸収スペクトルの極大吸収付近の場合，ラマン散乱光の強度が1000倍程度増強されることが知られており，これを共鳴ラマン散乱という．

赤外吸収は定性分析に使われることが多いが，試料濃度が薄ければ Lambert-Beer の法則に従うため，定量分析にも利用可能である．なお，試料形態として気体，液体，固体，いずれの試料に対しても両スペクトルの測定が可能である．

A. 基準振動

一般に N 個の原子からなる分子の分子運動を記述するためには，3次元空間（x, y, z 軸）でのそれぞれの原子の位置を示す $3N$ 個の自由度が必要である．$3N$ 個の自由度は，並進，回転，振動の三つの分子運動に振り分けられる．図6.3に示すように，$N=1$ の単原子分子であれば，その自由度は並進運動の自由度のみの3である．$N=2$ の二原子分子であれば，並進運動の自由度は3，回転軸が3つあるので回転運動の自由度は本来3であるが，結合軸のまわりの回転は外見上の変化を伴わないので数えずに2，振動運動の自由度は1である．折れ線形の三原子分子の場合，並進運動の自由度は3，回転運動の自由度は3，振動運動の自由度は図6.4に示すように3である．並進，回転，振動の中で振動運動のみを考えるとき，N 原子分子がとりうるそれぞれの振動様式（振動モード）を基準振動と呼び，その数は $3N$ から並進運動の自由度の3と，回転運動の自由度の3を差し引き，$3N-6$ となる．ただし，直線型の N 原子分子であれば，二原子分子の例で述べたように，結合軸のまわりの回転運動を差し引かず，基準振動は $3N-5$ となる．具体例として，水蒸気（$3\times3-6=3$）と二酸化炭素（$3\times3-5=4$）の基準振動を図6.4に示す．

このとき，すべての基準振動が赤外線を吸収したり，ラマン散乱を引き起こすわけではない．双極子モーメントが変化する振動のみが赤外線を吸収（赤外活性）し，一方，分極率が変化する

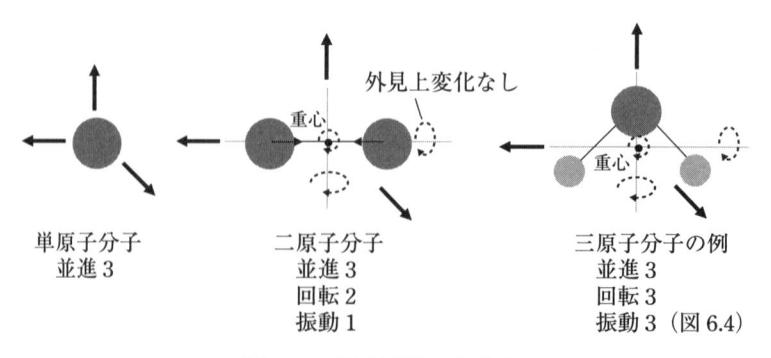

図6.3 分子運動の自由度

並進：→, 回転：⋯⋯▸, 振動：—▸

対称伸縮振動
3657 cm^{-1}

変角振動
1595 cm^{-1}

逆対称伸縮振動
3756 cm^{-1}

対称伸縮振動
1333 cm^{-1}

変角振動
667 cm^{-1}

逆対称伸縮振動
2349 cm^{-1}

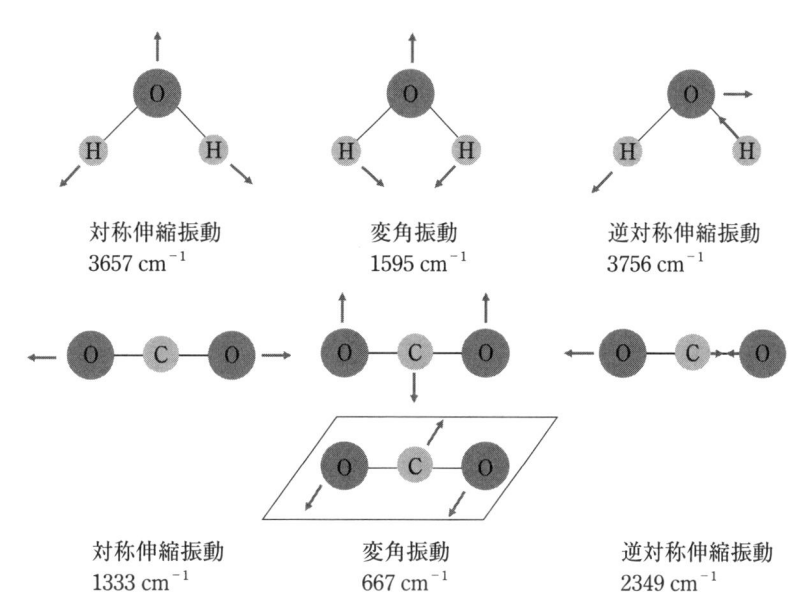

図 6.4 水蒸気（折れ線分子）と二酸化炭素（直線分子）の基準振動

振動のみがラマン散乱を引き起こす（ラマン活性）．水蒸気の場合，三つの基準振動すべてにおいて，双極子モーメントと分極率の変化が伴うため，赤外活性であり，同時にラマン活性である．一方，二酸化炭素の場合，対称伸縮振動は双極子モーメントの変化を伴わないが，分極率は変化するため，赤外不活性であるがラマン活性である．変角振動二つと逆対称伸縮振動では，双極子モーメントは変化するが，分極率は変化しないため，赤外活性であるがラマン不活性である．このように，二酸化炭素のような対称中心のある分子では，赤外活性な振動はラマン不活性であり，ラマン活性な振動は赤外不活性である．これを交互禁制律という．

B. 特性吸収帯

一般に IR スペクトルは，横軸に波数（cm^{-1}），縦軸に透過率（%）又は吸光度をとって表される．二酸化炭素の IR スペクトルを測定すると，図 6.4 に示した変角振動に対応する 667 cm^{-1} 付近と，逆対称伸縮振動に対応する 2349 cm^{-1} 付近に計 2 本の吸収ピークが観察される．もっと複雑な有機化合物の IR スペクトルでは，およそ 4000 ～ 1300 cm^{-1} の波数域に，分子内の他の原子団の影響をあまり受けずに特定の官能基（グループ）の基準振動の吸収が現れるので，この波数域をグループ振動数領域と呼ぶ．一方，より低波数側のおよそ 1300 ～ 400 cm^{-1} の波数域には複雑な吸収スペクトルが観察されるが，物質の同定には有用であるため，指紋領域と呼ばれる．どちらの領域においても，それぞれの官能基の示す吸収帯を特性吸収帯という．図 6.5 と表 6.1 に代表的な官能基の特性吸収帯の波数域を，図 6.7 に IR スペクトルの例を示す（p.202）．

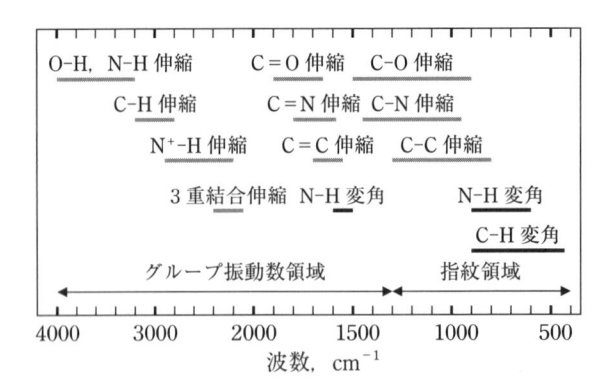

図 6.5 代表的な官能基の振動様式と特性吸収帯

表 6.1 代表的な官能基の特性吸収帯の波数域

官能基	特性吸収帯, cm^{-1}	官能基	特性吸収帯, cm^{-1}
O-H	3650〜3400	C=O	
N-H	3500〜3300	R-CO-Cl	1810〜1760
C-H		(R-CO)$_2$O	1810〜1760
−C≡C-H	3300	R-CO-R′	1730〜1720
芳香核 Ar-H	3030	Ar-CO-R	1695〜1660
−C=C-H	3100〜3020	R-CO-NH$_2$	1695〜1650
アルカン-C-H	2980〜2850	C=C	1670〜1650
C≡C	2260〜2100	芳香核 C=C	1600, 1500
C≡N	2260〜2210	C-O	1200〜1050
		C-N	1230, 1030

C. 得られる情報

IR スペクトルやラマンスペクトルを測定すると，分子がどのような振動をもっているかについての情報が得られる．測定対象が有機化合物であれば，IR スペクトルから定性的に官能基の識別を行うことができる．構造の分からない化合物の IR スペクトルを測定したとき，グループ振動数領域の特性吸収帯の吸収の有無から化合物の部分構造（官能基）を推定でき，指紋領域でその構造の確認を行う．産業分野では，製品に混入した異物分析などに威力を発揮している．日局では医薬品の確認試験に使われており，試料の IR スペクトルを，i) 同時に測定した標準品の IR スペクトル，ii) 局方の参照スペクトル，iii) 医薬品各条で定められている特性吸収帯の波数域，のいずれかと比較し，一致すれば同一医薬品であることが確認される．

2-2 測定装置と測定法

IRスペクトルの測定には，波数4000〜400 cm^{-1}（波長2.5〜25 μm）の赤外光を試料に入射し，透過光，又は反射光を測定する．一方，ラマンスペクトルの測定には，入射光として可視光（近赤外光の場合もある）を用いる．これは，ストークスラマン散乱（アンチストークスラマン散乱においても）で観察される散乱光の波数シフトは入射光の波数には依存しないこと，また，光の散乱強度は光の波数の4乗に比例するため，近赤外光より可視光を使う方が，散乱強度が大きくなるためである．赤外吸収とラマン散乱で利用する電磁波について，表6.2に示す．

表6.2 赤外吸収スペクトルとラマンスペクトルの測定のための入射光として利用する電磁波

電磁波（略称）	波 長*	波数，cm^{-1}	スペクトル	主な用途
可視（VIS）	400〜800 nm	25000〜12500	ラマンスペクトル	水溶液中の生体高分子の構造，材料
近赤外（NIR）	800〜2500 nm	12500〜4000	ラマンスペクトル 近赤外吸収スペクトル	プロセス解析工学（補足6.1参照）
赤外（IR）	2.5〜25 μm	4000〜400	赤外吸収スペクトル	官能基同定
遠赤外（FIR）	25〜1000 μm	400〜10	遠赤外吸収スペクトル	錯体の構造，気体の回転運動

* 波長による電磁波の区分は文献によって異なり，例えば，米国薬局方〈851〉Spectrophotometry and Light-scatteringにおける可視は380 to 780 nm，NIRは780 to 3000 nm，IRは2.5 to 40 μm（4000 to 250 cm^{-1}）である．

A. IRスペクトル測定装置と測定法

1）測定装置

IRスペクトルの測定装置は，分散形赤外分光光度計とフーリエ変換形赤外分光光度計（FTIR分光計）の二つに大別される．一般的な分散形の装置は，光源から出た赤外線を二つの光路に分け（複光束），対照セルと試料セルそれぞれに入射し，セルの後ろに配置した分光器で透過光の波数を走査し，検出器で波数毎の透過光強度を測定して，IRスペクトルを描くものである．一方，FTIR分光計は，光源，干渉計，試料室，検出器，制御及び記録部であるコンピュータから構成される単光束の装置で，光学系を含めた測定原理が分散形とは全く異なる．単光束なので，対照セルを用いるブランク測定が必要であるが，フーリエ変換を利用するので，測定域の全波数同時測定が可能であり，赤外光の波数の走査が必要ないため分散形より測定時間は短い．従来は分散形の装置が主流であったが，徐々にFTIR分光計に置き換わり，現在はFTIR分光計が主に使わ

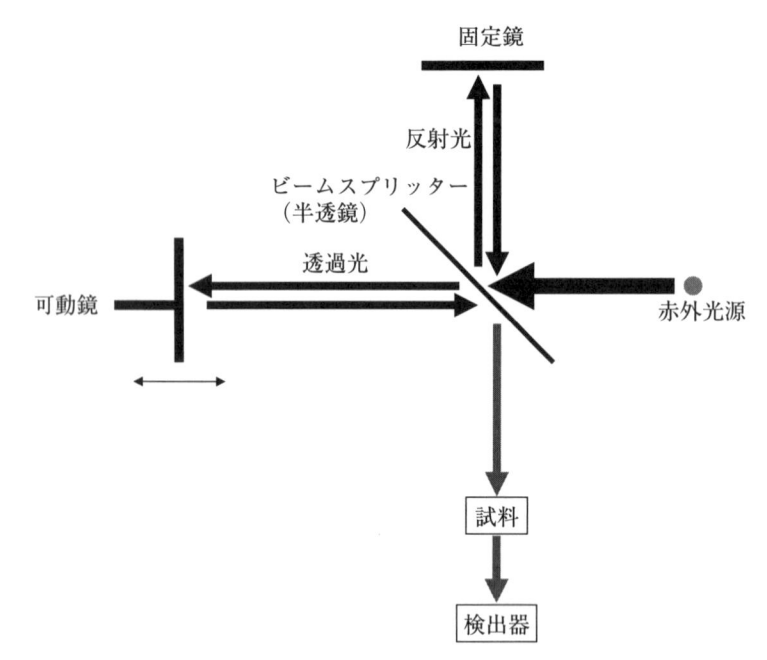

図 6.6　*Michelson* 干渉計における赤外線の分割と合成
赤外光源から発生した赤外線は，ビームスプリッターによって透過光と反射光に二分割される．反射光は固定鏡で反射され，ビームスプリッターに到達する．一方，透過光も可動鏡で反射され，ビームスプリッターに到達する．これらの光はビームスプリッターで再度分割を受け，固定鏡から来た光の透過光と，可動鏡から来た光の反射光が合成され，試料に入射される．可動鏡は一定速度で左右に動くので，固定鏡から来た光の透過光と可動鏡から来た光の反射光の光路差は変化し，合成された光の干渉パターンは光路差の関数として変化する．

れている．

　どちらの装置も赤外線の光源には，黒体放射に似た発光によって赤外領域の電磁波を発生するネルンスト灯（発光部は希土類元素の酸化物）やグローバー灯（発光部は炭化ケイ素）が用いられる．高感度測定のためには，グローバー灯等よりも赤外線の強度が 100 倍ほど大きい二酸化炭素レーザーも使われる．

　FTIR 分光計内部の干渉計（インターフェロメーター）として，*Michelson* 干渉計における赤外線の分割と合成を図 6.6 に示した．これによって，干渉パターンが変化する赤外線が得られる．この赤外線を試料に入射し，検出器で透過光（又は反射光）を測定すると，試料の吸収情報を含む，複雑なインターフェログラム（縦軸はシグナル強度，横軸は光路差）が描け，これをフーリエ変換すると IR スペクトルが得られる．

　赤外線の検出器としては，分散形では熱電対や重水素化硫酸トリグリシン（DTGS）検出器が用いられ，FTIR 分光計では DTGS 検出器や水銀カドミウムテルル（MCT）検出器が使われている．

2) 測定方法

赤外吸収の測定では，赤外領域に吸収をもつガラスや石英を試料部に使用できない．そのため，赤外領域に吸収の少ない KBr 等を種々の形態で利用する方法が開発されている．代表的な試料調製法を表 6.3 に示す．

表 6.3 IR スペクトル測定のための代表的な試料調製法

名　称	透過/反射	試料形態	セル，窓剤	特　徴
KBr 錠剤法	透過	固体（微粉末）	なし	KBr 粉末と粉末試料を混ぜて錠剤とし，測定する．
液膜法	透過	液体	単結晶板 KBr，NaCl 等	液体試料を 2 枚の単結晶板に挟み込み，測定する．
ペースト法（ヌジョール法）	透過	固体（微粉末）	単結晶板 KBr，NaCl 等	粉末試料を流動パラフィンに混ぜてペースト状とし，液膜法と同様に測定する．
溶液法	透過	固体，液体	赤外用液体セル	CCl_4 などの溶媒に試料を溶かし，液体セルに入れて測定する．
気体試料測定法	透過	気体	赤外用気体セル	気体セルに気体試料を導入し，測定する．
ATR 法	反射	固体，ペースト，粉	結晶性プリズム Ge, ZnSe, TlBr/TlI	試料をプリズムに密着し，反射スペクトル（エバネッセント波の吸収）を測定する．
拡散反射法	反射	固体（微粉末）	結晶性プリズム Ge, ZnSe, TlBr/TlI	KBr 等の粉末と粉末試料を混ぜ，ATR 測定用プリズム等に載せて反射スペクトルを測定する．

実測定の際は，装置の波数校正や分解能の確認をしておく必要がある．これらの方法は規格によって異なり，日本薬局方では，ポリスチレン膜の測定による分解能，透過率の再現性及び波数の再現性について規定されている．

B. ラマンスペクトル測定装置と測定法

1) 測定装置

ラマン分光光度計は，分散形とフーリエ変換形（FT ラマン分光計）の二つに大別される．分散形の装置は，光源から試料に可視光（近赤外光）を入射し，発生したラマン散乱光を集光し，分光器に導入するものである．レイリー散乱光等を除去するために，モノクロメーターを直列に二つ配置したダブルモノクロメーターが分光器としてよく使われている．一方，FT ラマン分光計では，試料の後ろにレイリー散乱光等を除去するための光学フィルターを配置し，フィルター

を通過したラマン散乱光を集光して干渉計に導入し，得られたインターフェログラムからラマンスペクトルを得る．

ラマン散乱光は微弱であり，入射光の強度を大きくするために，光源としては単色のレーザーが用いられることが多い．市販の装置には，可視レーザー（He-Ne，632.8 nm 又は Ar^+，488.0 nm，514.5 nm）や近赤外レーザー（Nd:YAG，1064 nm）が使われている．

検出器には，可視域ではフォトダイオードを組み込んだCCD（charge-coupled devise）検出器又は光電子増倍管が使われる．近赤外域では，SiGeやInGaAsを検出素子として組み込んだ検出器が使われている．

2）測定方法

赤外吸収の測定と異なり，ラマンスペクトルの測定では，ガラスや石英を試料容器として使用することができる．試料をガラス製のキャピラリー等に入れ，微小量の試料でも測定が可能である．また，水のラマン散乱は微弱であるので，水溶液の測定が可能であり，生体高分子の立体構造解析等への応用も行われている．ラマンスペクトルの測定例を，IRスペクトルとともに図6.7に示す．

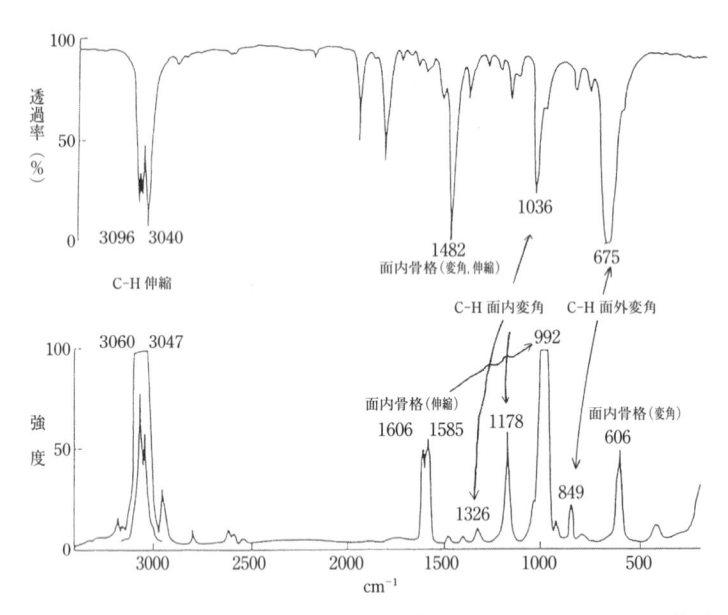

図6.7 ベンゼンのIRスペクトル（上）とラマンスペクトル（下）
（水島，島内：赤外線吸収とラマン効果，共立出版（1958）より引用）

> **補足 6.1　近赤外吸収スペクトルの測定**
>
> 　近赤外光（NIR）はおよそ 12500 ～ 4000 cm^{-1} の波数の電磁波であり，可視光と赤外線の間の波数域にあたる．本節の原理で述べたように，調和振動子の IR 吸収は振動の量子数 v が一つ異なるエネルギー準位へと遷移する際に観察される．一方，NIR 吸収は v が二つ，あるいは三つ異なるエネルギー準位への遷移（倍音，3 倍音）や，異なる振動モードの組み合わさったエネルギー準位への遷移（結合音）に対応する．従って，NIR スペクトルを測定すると，IR 吸収で観察される基準振動の倍音や結合音の吸収が観察される．しかし，それらの遷移が起こる確率は，v が一つ異なるエネルギー準位へと遷移する確率に比べて低いため，弱い吸収しか観察されない．このため NIR 領域の吸収強度は全体的に弱いが，1) NIR 領域には IR 領域で観察される基準振動の強い吸収が重ならない，2) 倍音や結合音の吸収も *Lambert-Beer* の法則に従うため，定量分析に利用可能であることから，特に産業界での利用が活発である．食品等の多成分からなる検体の NIR スペクトルを測定し，ケモメトリクスによって波形解析することによって，タンパク質，糖，脂肪，水分等の目的成分定量のための非破壊分析法として活用されている．日局では，15 局の第二追補から参考情報に近赤外吸収スペクトル測定法が記載されており，プロセス解析工学の活用の一つとして，製薬企業での医薬品製造のリアルタイム品質管理法としての利用が進んでいる．

3　核磁気共鳴

　磁場中に置かれた核スピンを有する原子核は，核スピンに応じた複数のエネルギー状態をとり，電波（ラジオ波，マイクロ波）領域の電磁波を共鳴吸収する．この現象を核磁気共鳴という．吸収されるラジオ波やマイクロ波のエネルギー（一般に周波数 v で表す）は原子核の化学的な環境の違いを反映するため，核磁気共鳴スペクトル（NMR スペクトル）からその原子核をもつ分子の構造に関する情報が得られる．

3-1　原　理

　核磁気共鳴が観察されるのは，核スピン量子数（核スピン）I を有する（0 でない）原子のみである（表 6.4）．核スピンは原子核に固有の値であり，陽子と中性子の両方又はどちらかが奇数の原子が I を有する．陽子と中性子の両方が奇数（原子番号が奇数で，質量数が偶数）の原子の核スピンは整数となり，どちらか片方が奇数（質量数が奇数）の原子の核スピンは半整数となる．陽子も中性子も偶数（原子番号と質量数が偶数）の原子は $I = 0$ となり核スピンを有さない．

表6.4 核スピンを有する原子と有さない原子

I	原 子	NMR
0	^{4}He ^{12}C ^{16}O ^{20}Ne ^{24}Mg ^{26}Mg ^{28}Si ^{32}S ^{40}Ar ^{40}Ca ^{48}Ti ^{52}Cr	観察されない
1/2	^{1}H ^{3}H ^{13}C ^{15}N ^{19}F ^{29}Si ^{31}P ^{57}Fe	観察できる
1 3/2 5/2 7/2	^{2}H (D) ^{14}N ^{7}Li ^{9}Be ^{11}B ^{23}Na ^{35}Cl ^{37}Cl ^{39}K ^{75}As ^{17}O ^{25}Mg ^{27}Al ^{55}Mn ^{45}Sc ^{51}V ^{59}Co	$I \geqq 1$の核は，核内の電荷が対称でなく，電気四極子モーメントをもつため，NMRのスペクトル線が幅広くなって高分解能NMRに適さない.

A. 共鳴周波数

核スピンIを有する原子を静磁場中に置くと，磁場と核磁気モーメントの相互作用によってスピンは量子化し，$2I+1$個の磁場方向成分をもつエネルギー準位に分裂（ゼーマン分裂）する. $I=1/2$の場合は，磁場の方向と同方向の成分をもつαと，逆向きの成分をもつβの二つの状態に分かれる（図6.8）. αとβとのエネルギー差のΔEに相当する電磁波を照射したとき，電磁波の共鳴吸収が起こり，αからβへ遷移する．この電磁波の周波数は，原子核の歳差運動の周波数と一致する．その周波数νは共鳴周波数（ラーモア周波数）と呼ばれ，外部磁場H_0と核固有の定数である磁気回転比とに依存し，式（6.4）で与えられる．

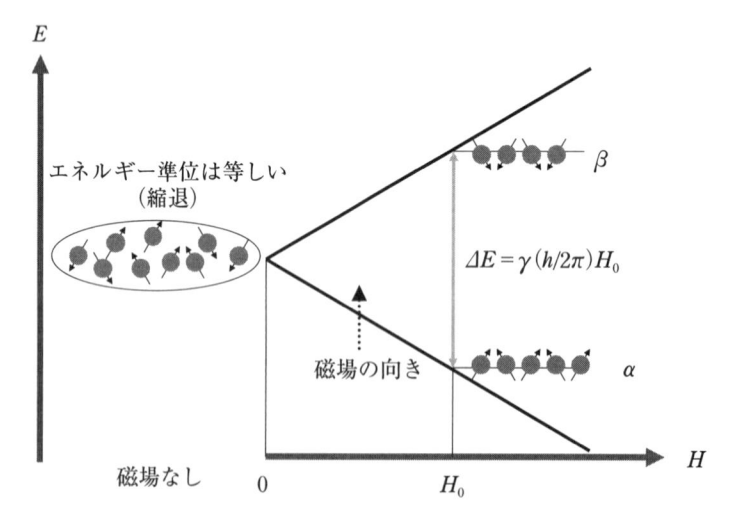

図6.8 $I=1/2$の原子核を磁場H_0に置いたときのエネルギー準位の分裂
磁場のない環境では縮退していた原子核を磁場に置くと，磁場の強さH_0と核固有の磁気回転比γに依存した$2I+1$個（この場合αとβの二つ）のエネルギー状態を示す．

$$\nu = \gamma \frac{H_0}{2\pi} \tag{6.4}$$

式 (6.4) から，ν 又は H_0 を固定し，他方を掃引すれば共鳴信号を観測できることが分かる．従来型の連続波NMR（CW-NMR）の装置は，この分析原理に基づくものであった．しかし，この方法は積算に時間がかかるため，近年は電磁波のパルス照射を行うパルスフーリエ変換NMR（FT-NMR）の装置が一般的となっている．

B. 自由誘導減衰と緩和

FT-NMRでは，特定周波数の電磁波を外部磁場中の試料にパルス照射し，得られる自由誘導減衰（FID）を時間の関数として観測し，それをフーリエ変換して，NMRスペクトルを得ている[*]．原子核の巨視的磁化が電磁波のパルス照射によって励起され，パルスを切った後の緩和でFIDが観測される過程を，節末の補足6.2に示す（p.214）．FIDには，パルス照射によって励起されたすべての核磁気モーメントに由来する共鳴周波数が重ね合わされており，フーリエ変換することによって，共鳴周波数毎のシグナル強度をスペクトルとして得ることができる（図6.9）．

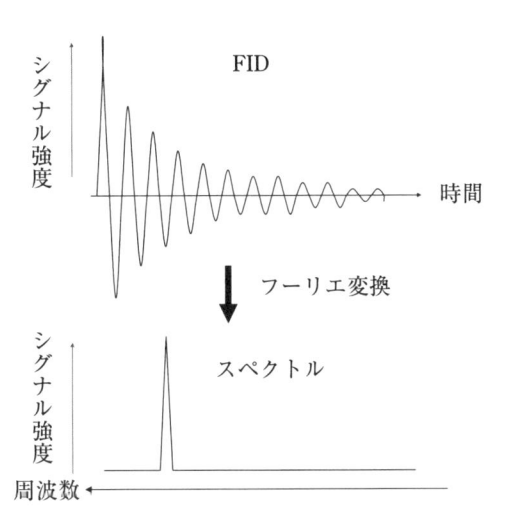

図6.9　FIDとスペクトル
T_2 緩和を時間-強度曲線（FID）として測定し，それをフーリエ変換して周波数-強度曲線（スペクトル）を得る（T_2 緩和については補足6.2参照）．

C. 化学シフトの定義

分子を構成する原子は通常電子をもっており，外部磁場中におくと，電子は外部磁場と反対向

---

[*] 特定の周波数の電磁波の照射しか行っていないのに，目的とする様々な共鳴周波数域をカバーできるのは，矩形（くけい）パルスにすることによって周波数成分が単一でなくなるためである．

きの磁場を分子内に誘導するように回転運動を始め，生じた内部磁場が外部磁場を打ち消す（遮蔽）．外部磁場と反対向きの磁場は H_0 に比例し，σH_0（σ は遮蔽定数）と表すことができる．H_0 から σH_0 を引くと，原子核が実際に感知する磁場の強さは $(1-\sigma)H_0$ と求まる．σ は，遮蔽に関わる反磁性項と，脱遮蔽に関わる常磁性項から構成される*．σ を用いて式（6.4）は次式で表せる．

$$\nu = \frac{\gamma}{2\pi}(1-\sigma)H_0 \qquad (6.5)$$

式（6.5）は，同一核種であっても置かれた化学的環境の違いによって σ が異なり，共鳴数波数に違いが生じることを示している．

共鳴周波数の違いは核磁気共鳴の観測によって得られる重要な情報の一つであるが，外部磁場に依存するため，装置の磁場の強さによって異なる．そこで外部磁場によらない量として，化学シフト δ が定義されている．日本薬局方に示されている定義を式（6.6）に示す．

$$\delta = \frac{\nu_S - \nu_R}{\nu_R} + \delta_R \qquad (6.6)$$

ここで，ν_S は試料核の共鳴周波数，ν_R は基準核の共鳴周波数，δ_R は基準核の化学シフトである．通例，化学シフトは基準核（基準物質の基準とする原子核）のシグナルの位置を 0 とした ppm 単位（10^6 をかける）で表す．ただし，基準核のシグナルを 0 とできない場合は，設定されているその基準核の化学シフト δ_R によって補正を行う．0 とできる場合，式（6.5）と式（6.6）から $\delta = (\sigma_R - \sigma_S)/(1-\sigma_R) \cong \sigma_R - \sigma_S$ となり，二つの原子核の遮蔽の相違を定量的に表していることが分かる．

D． 得られる情報

1） ^{1}H-NMR

一般に NMR スペクトルの横軸は化学シフト，縦軸はシグナル強度をプロットする（図6.10）．^{1}H-NMR では（^{13}C-NMR でも），化学シフトを求めるための基準物質として，テトラメチルシラン TMS を使用することが多い．^{1}H-NMR スペクトルを測定すると，化学シフト，スピン-スピン結合定数，シグナル面積強度，緩和時間などが得られ，これらの情報から目的物質の構造解析を行う．

a） 化学シフト

TMS を基準物質としたとき，^{1}H-NMR スペクトルの化学シフト（δ）の全幅はおよそ 10 ppm

---

* ^{1}H の場合は，σ は 10^{-5} 程度と小さく，また，遮蔽には s 軌道の電子が関与するので原子核周囲の電子密度の増加と共に σ は大きくなる．一方，原子番号の大きな原子では，原子番号の増加と共に σ は大きくなり，p 電子や d 電子をもつ原子になると常磁性項が支配的となり，電子密度の大小が σ に与える寄与は小さくなってくる．

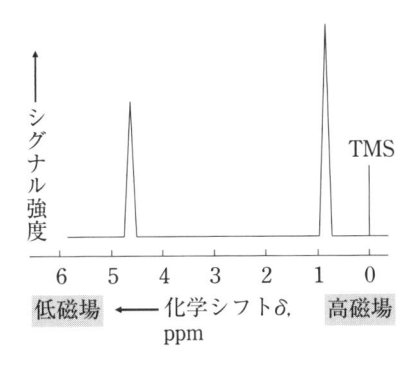

図 6.10　^{1}H-NMR スペクトルの模式図

式 (6.5) から，遮蔽の大きな ^{1}H ほど高磁場を加えないと共鳴しないので（高磁場側にピークが出現），化学シフトの値は小さくなる．TMS は基準物質として同時測定したテトラメチルシラン $Si(CH_3)_4$ のシグナルピークを示す．

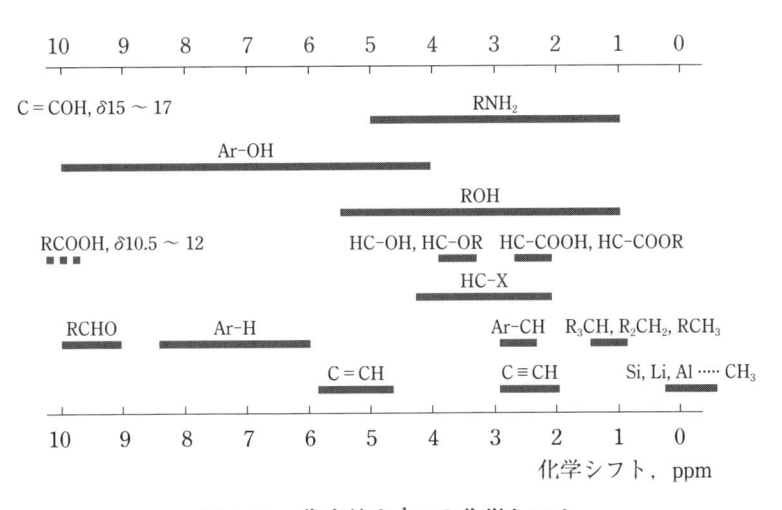

図 6.11　代表的な ^{1}H の化学シフト

程度であり，主な官能基の ^{1}H の化学シフトはこの範囲に収まる（図 6.11）．従って，得られた ^{1}H-NMR スペクトルのシグナルの化学シフトから，どのような基の ^{1}H があるかを予想できる．

^{1}H の化学シフトは，イ）置換基，ロ）隣接基のつくる誘導磁場，ハ）水素結合，共役系の有無など，様々な要因の組合せによって影響を受け，これらは構造解析のための情報となる．

イ）置換基の効果

置換基の電気陰性度が大きいと，置換基によって電子が求引されて ^{1}H 周囲の電子密度は小さくなり，化学シフトは低磁場側へシフトする．これによって，^{1}H の化学シフトの値が $CH_3F > CH_3Cl > CH_3Br > CH_3I > CH_4 > TMS > CH_3Li$ となることや，$CHCl_3 > CH_2Cl_2 > CH_3Cl > CH_4$ となることが説明される．

ロ）誘導磁場の効果

アルデヒドの場合，置換基の酸素原子の電気陰性度だけでは ^{1}H の化学シフトを説明できず，

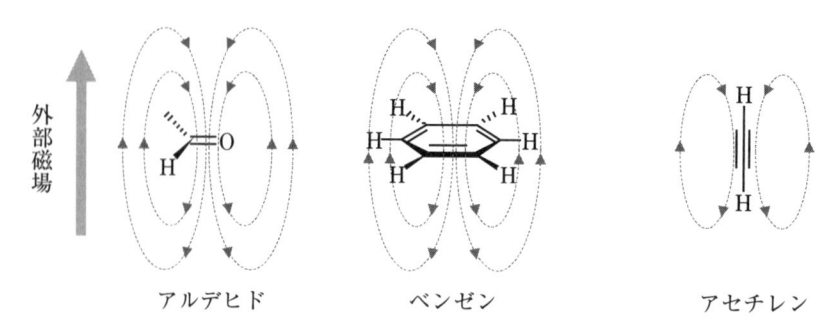

図 6.12　二重結合と三重結合の π 電子のつくる誘導磁場（点線矢印）

アルデヒドの ^{1}H は，C=O の π 電子のつくる誘導磁場が外部磁場と同じ向きの領域に位置しており，遮蔽が弱まる．ベンゼンの ^{1}H も同様の理由で，遮蔽が弱まる．アセチレンの ^{1}H は，三重結合の π 電子のつくる誘導磁場が外部磁場と逆向きの領域に位置しており，遮蔽は強まる．

C=O の電子のつくる誘導磁場によって遮蔽が弱まることが，低磁場側へのシフトの大きな要因である（図 6.12）．ベンゼンの ^{1}H も，同様の機構で低磁場側にシグナルを与える．また，エタン，エチレン，アセチレンの ^{1}H の化学シフトの値は，エチレン＞アセチレン＞エタンの順である．エチレン＞アセチレンの理由として，C≡C の π 電子のつくる誘導磁場によって ^{1}H の遮蔽が強まることが挙げられる（図 6.12）．

ハ）水素結合の効果

水素結合を形成した ^{1}H 周囲の電子密度は減少し，化学シフトは低磁場側にシフトする．

b）スピン-スピン結合定数

隣接する炭素に，化学的に等価な n 個の ^{1}H が結合しているとき，その影響が結合電子を介して伝えられ，シグナルを $n+1$ 個に分裂（$n+1$ 本の多重線となる）させる．分裂の大きさをスピン-スピン結合定数（J）といい，単位は Hz で表す*．NMR スペクトルのシグナルの分裂様式や J の値から，隣接する炭素に結合している ^{1}H 数等の構造情報が得られる．

シグナルの分裂は，隣接している磁気的に等価な核スピン I の原子核が化学結合を介して相互作用した結果，量子化してエネルギー準位が分裂するために起こる．外部磁場によって生じるゼーマン分裂とは異なり，外部磁場には依存しない．このようなスピン間の相互作用をスピン結合（J 結合，J カップリング，間接双極子-双極子相互作用などとも呼ばれる）という．

スピン結合の結果，^{1}H-NMR に限らずスペクトル線は $2nI+1$ 本（n は等価な原子核数）に分裂し，その強度比は二項係数によって与えられる．

図 6.13 にエタノールの ^{1}H-NMR スペクトルを示す．エタノールのメチル基の三つの ^{1}H は等

＊　400 MHz の装置を用いて測定した ^{1}H-NMR スペクトル上に 1.00 ppm と 1.01 ppm に分裂したシグナルが得られたとき，J は 1.01 ppm × 400 MHz − 1.00 ppm × 400 MHz = 4 Hz と求まる．

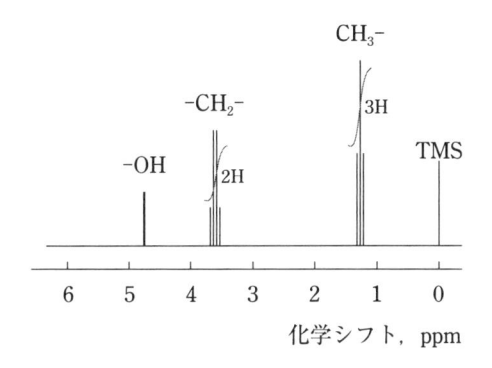

図 6.13 エタノールの ^{1}H-NMR スペクトルの模式図
メチル基は triplet(t), メチレン基は quartet(q) のピークを与える. ヒドロキシ基は, 300 MHz 程度の装置ではブロードな singlet(s) として観察されることが多い.

価であり，それらの合成スピンは，$-3/2$，$-1/2$，$1/2$，$3/2$ の四つの状態をとることができ，その強度比は $1:3:3:1$ になる[*1]．メチレン基の二つの等価な ^{1}H の合成スピンは，-1，0，1 の三つの状態をとることができ，その強度比は $1:2:1$ になる[*2]．この状態が隣接する ^{1}H に伝わり，メチレン基はメチル基によって 4 本，メチル基はメチレン基によって 3 本にシグナルが分裂する．

c) シグナル面積強度

NMR シグナルの積分強度は，試料中の原子核の濃度に比例する．これは，定量 NMR の基礎である．一般に ^{1}H-NMR スペクトルでは，図 6.13 中の積分曲線の横に示したように，シグナルの ^{1}H 数の比を求め，構造解析に利用する．

2) ^{13}C-NMR

^{12}C は $I = 0$ であるので NMR を観測できないが，$I = 1/2$ の ^{13}C は約 1.1 % の天然存在比があり，^{13}C-NMR を観測できる．同じ装置で測定する場合，一般に ^{1}H-NMR よりも多くの試料と積算回数を必要とするが，炭素骨格の情報が直接得られる利点をもつ．^{13}C-NMR スペクトルでは，一般にシグナルの数と化学シフトは解析に利用され，一方，シグナル積分強度は利用されない．

[*1] ^{1}H の核スピンは $-1/2$ と $1/2$ の二つの状態をとり，三つの ^{1}H すべてが $-1/2$ のときの合成スピンが $-3/2$，二つが $-1/2$ で一つが $1/2$ のときの合成スピンが $-1/2$，一つが $-1/2$ で二つが $1/2$ のときの合成スピンが $1/2$，三つの ^{1}H すべてが $1/2$ のときの合成スピンが $3/2$ と考える．$-3/2$ は $(-1/2, -1/2, -1/2)$ のみ，$-1/2$ は $(-1/2, -1/2, 1/2)(-1/2, 1/2, -1/2)(1/2, -1/2, -1/2)$ の三つ，$1/2$ は $(1/2, 1/2, -1/2)(1/2, -1/2, 1/2)(-1/2, 1/2, 1/2)$ の三つ，$3/2$ は $(1/2, 1/2, 1/2)$ のみなので，$-3/2:-1/2:1/2:3/2 = 1:3:3:1$ となる．

[*2] ^{1}H の核スピンは $-1/2$ と $1/2$ の二つの状態をとり，二つの ^{1}H 両方が $-1/2$ のときの合成スピンが -1，一つが $-1/2$ で一つが $1/2$ のときの合成スピンが 0，両方が $1/2$ のときの合成スピンが 1 と考える．-1 は $(-1/2, -1/2)$ のみ，0 は $(-1/2, 1/2)(1/2, -1/2)$ の二つ，1 は $(1/2, 1/2)$ のみなので，$-1:0:1 = 1:2:1$ となる．

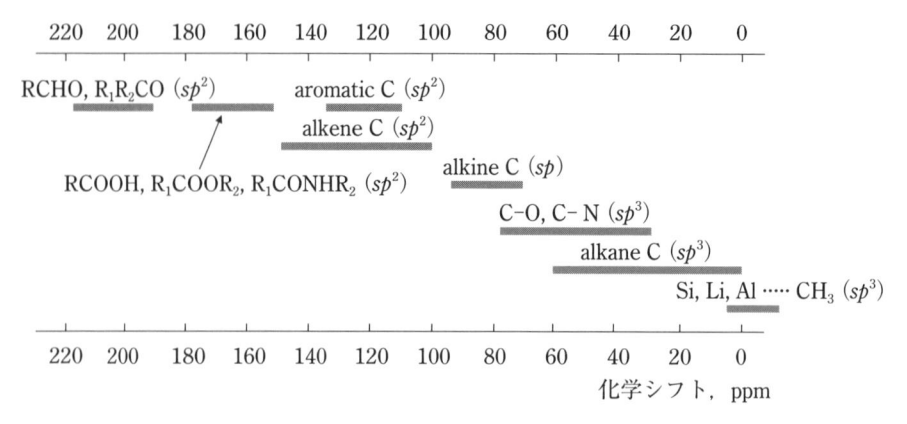

```
       220  200  180  160  140  120  100   80   60   40   20    0
       ├────┼────┼────┼────┼────┼────┼────┼────┼────┼────┼────┤

    RCHO, R₁R₂CO (sp²)        aromatic C (sp²)
                               ▬▬▬▬▬▬▬▬▬▬
                                alkene C (sp²)
                                 ▬▬▬▬▬▬▬▬
    RCOOH, R₁COOR₂, R₁CONHR₂ (sp²)
                                     alkine C (sp)
                                      ▬▬▬▬▬
                                        C-O, C-N (sp³)
                                         ▬▬▬▬▬▬▬
                                           alkane C (sp³)
                                             ▬▬▬▬▬▬▬▬▬
                                              Si, Li, Al ⋯⋯ CH₃ (sp³)
                                                       ▬▬▬

       220  200  180  160  140  120  100   80   60   40   20    0
       ├────┼────┼────┼────┼────┼────┼────┼────┼────┼────┼────┤
                                           化学シフト，ppm
```

図 6.14　代表的な ^{13}C の化学シフト

a) シグナルの数と化学シフト

^{13}C-NMR スペクトルの測定でも，TMS を基準物質とすることが多く，化学シフトの全幅は 200 ppm 以上に及ぶ．非等価な炭素原子一つにつき，一つのシグナルが得られるので，^{13}C-NMR スペクトルのシグナルの本数から測定対象の非等価な炭素数が推定できる．^{13}C-NMR スペクトルのシグナルの化学シフトから，おおよそ sp 炭素，sp^2 炭素，sp^3 炭素を区別できる（図 6.14）．

b) なぜシグナル積分強度を利用しないのか

^{13}C-NMR スペクトルでは，^{13}C-^{13}C 間のスピン結合はほとんど考慮する必要がない．一方，^{13}C-^{1}H 間のスピン結合は J_{CH} の値が 150 Hz 程度で起こり，^{13}C シグナルを多重線化して解析を困難にする．そのため，通常の測定では電磁波パルス照射後の FID の観測中は，^{1}H の全共鳴周波数域の電磁波を照射し続け，図 6.7 に示した ^{1}H の α と β の速い遷移のために両者を区別できなくさせ，^{13}C-^{1}H 間のスピン結合の影響を消失させている．これを広帯域デカップリングという．一方，FID 観測後から次のパルス照射までの時間には，^{1}H の共鳴周波数の電磁波を弱く照射し，核オーバーハウザー効果（NOE）を起こしている．NOE は，磁気双極子間で直接（化学結合を介さずに）相互作用をしているスピン間で磁化の移動（分極移動ともいう）が起こる現象の一つである．この場合は ^{1}H に共鳴周波数の電磁波を照射することによって，相互作用している ^{13}C の磁気共鳴の強度が増加する．以上から，一般の ^{13}C-NMR スペクトルは，^{1}H の広帯域デカップリングを行いながら測定し，^{13}C シグナルは singlet（一重線）となるとともに，NOE によって 4 級炭素以外の炭素のシグナル強度が増加する．しかし，^{13}C の化学的環境の違いによって NOE の程度は異なるため，^{13}C-NMR スペクトルのシグナル積分強度は単純に試料核の濃度を反映しなくなり，測定モードを変更しない限り ^{13}C 数の比などの解析には利用されない．

c) DEPT 測定 ―1 級, 2 級, 3 級, 4 級炭素の判別―

従来は，デカップリングを弱めて ^{13}C-NMR スペクトルの測定を行い，炭素に結合している水

素の数を求めていた．現在は，スピン結合している ^{13}C と ^{1}H のスピン間の磁化の移動を，^{13}C と ^{1}H に対する複雑なパルスシークエンス*1 によって観測する DEPT（distortionless enhancement by polarization transfer）によって，1級，2級，3級，4級炭素の判別が行われる（補足 6.3）．

3-2 測定装置と測定法

磁場あるいは周波数を掃引する従来型の CW-NMR の装置では，^{1}H，^{19}F，^{31}P などの測定は行えたが，天然存在比が低く，磁気回転比も大きくない ^{13}C や ^{15}N などの測定は難しかった．これに対し，ハード面では超伝導マグネットの導入，ソフト面ではパルス法とフーリエ変換法の組合せの開発などがあり，超電導マグネットを搭載した FT-NMR の装置が一般的となった．これによって，一台の装置で測定可能な核種は増大した．

A. 測定装置

FT-NMR の装置は，外部磁場をつくる超伝導マグネット，電磁波の送受信を行う送信器/受信器，試料への電磁波の照射と試料からの FID の感知を行うプローブ，これらの駆動を制御しデータを解析するコンピュータの四つから構成される（図 6.15）*2．NMR の装置は超伝導マグネットで区別されることが多く，通常は ^{1}H の共鳴周波数で表し，300 MHz（磁場強度 7.0 T，^{13}C の共鳴周波数 75 MHz），500 MHz（磁場強度 11.7 T，^{13}C の共鳴周波数 125 MHz）の装置などと呼ぶ．

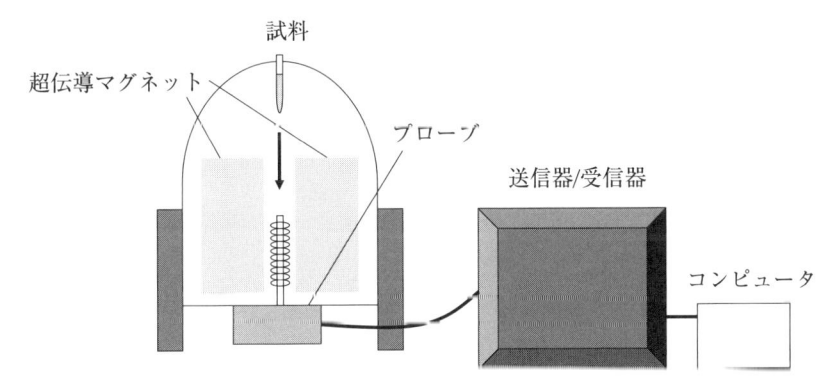

図 6.15 FT-NMR 装置図概要
超伝導マグネットは，液体ヘリウムで冷却されており，高温超伝導によって外部磁場をつくり出す．プローブは，試料への電磁波のパルス照射と試料からの FID の受信を，コイルを介して行う．送信器/受信器は，高周波パルスの発生と送信，試料からの高周波 FID の受信を行う．コンピュータは，信号のフーリエ変換等を含め，装置の制御とデータの処理，保存を担っている．

---

*1 パルスシークエンスは，1回の FID を観測する前に，設定した電磁波パルスを，設定した時間を置いて照射する一連のパルス列のことである．
*2 これらに加え，磁場の空間的な均一性を確保するために追加の磁場を加えるシム（コイル），長期的な磁場の変動を補正するためのフィードバック回路であるロックなどのシステムも重要である．

B. 測定方法

NMR 測定は，気体，液体，固体の試料に適用可能である．通常の有機化合物の測定は，高分解能のスペクトルを得るために，溶媒に溶かした状態で行う．^{1}H-NMR の溶媒は，溶媒由来の ^{1}H シグナルの出現を避けるために，重水素置換された重クロロホルム $CDCl_3$ や重水 D_2O などを用いる．種々の設定を行ってから，試料溶液（^{1}H-NMR は試料数 mg，^{13}C-NMR は試料数十 mg を 0.5 mL 程度の溶媒に溶かす）を試料管に入れて装置にセットし，ロック，シム調整，チューニング，90°パルスの決定などを行い，NMR スペクトルの測定を行う．

1) 二次元 NMR

これまで述べてきた ^{1}H-NMR や ^{13}C-NMR では，図 6.9 に示したように FID を観測するための時間軸が一つであり，FID をフーリエ変換して得られる周波数も一つの軸で表される．二次元 NMR では，1 回の FID を観測するまでのパルスシークエンスの特定のパルス間やパルス前後の時間を展開時間 t_1 とし，これをもう一つの時間軸として導入する．その結果，展開時間 t_1 を系統的に変化させて観測核の FID を得るとき，FID を観測している時間を t_2 とすると，二つの時間軸が得られる．このような二つの時間軸を与える単純な例として，^{1}H-^{1}H COSY のパルスシークエンスを図 6.16 に示す．t_1 及び t_2 の両時間軸でフーリエ変換すると，シグナル強度に対して周波数 F_1 及び F_2 が得られる．一般に二次元 NMR スペクトルは，横軸（F_2 軸，t_2 軸）に観測核の化学シフト，縦軸（F_1 軸，t_1 軸）に相関をとる核のパラメーター（化学シフト，スピン結合定数，拡散係数など）をとった平面上での点でシグナル強度を表す．二次元 NMR のシグナルは，両軸の交点に出現するので，クロスピーク（交差ピーク）と呼ばれる．^{1}H-^{1}H COSY の NMR スペクトルの例を図 6.17 に示す．なお，代表的な二次元 NMR について，その特徴を補足 6.4 にま

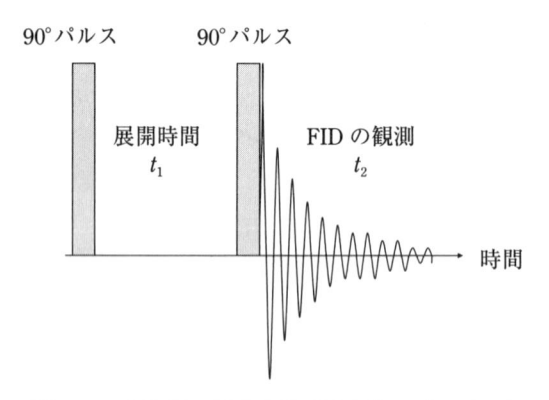

図 6.16　^{1}H-^{1}H COSY のパルスシークエンス
第 1 回目の 90°パルスで隣接する ^{1}H を 90°倒し，第 2 回目の 90°パルスまでの時間 t_1 を変化させて FID を観察すると，t_1 に応じた FID の変化が観察される．両時間軸でフーリエ変換すると，スピン結合している ^{1}H 間で交差ピークが観察される．90°パルスは補足 6.2 参照．

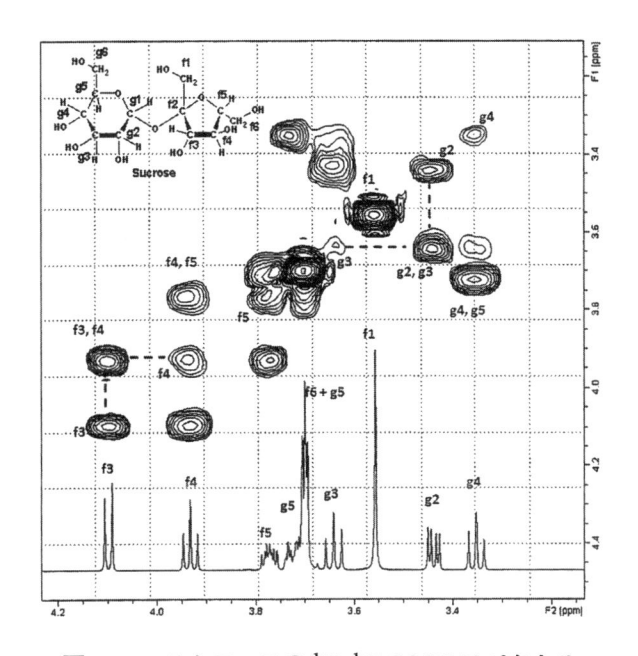

図 6.17　スクロースの ^{1}H-^{1}H COSY スペクトル
点線は，どの原子核同士がスピン結合しているかを示す.
（USP 1761：Applications of nuclear magnetic resonance spectroscopy, Fig.6 より）

とめた．

2）定量 NMR

　前述のように，^{1}H-NMR スペクトルのシグナル面積強度は，試料中の ^{1}H の濃度に比例する．濃度の分からない試料に，濃度とシグナルの帰属が既知の物質を内部基準物質として一定量加えて混合液を調製し，^{1}H-NMR スペクトルを測定すると，内部基準物質のシグナル面積強度と試料のシグナル面積強度の比較から，試料中の目的物質の定量が可能である．

　日局では，第十六改正の第二追補から一般試験法の生薬試験法の中に，「核磁気共鳴（NMR）法を利用した生薬及び漢方処方エキスの定量指標成分の定量」が収載されている．SI トレーサブルな内部基準物質の具体例として，有機溶媒用には 1,4-ビス（トリメチルシリル）ベンゼン-d_4 など，水系用には 3-（トリメチルシリル）-1-プロパンスルホン酸-d_6-ナトリウム塩などの物質が扱われている．

補足 6.2　巨視的磁化の励起と緩和

核磁気共鳴における励起（共鳴）と緩和は，巨視的磁化というベクトルモデルで説明されることが多い．図 6.8 の α と β の二つの状態をとる原子核数はほとんど等しいが，熱平衡状態では少しだけ α の状態をとる原子核の方が多いため，全体としては外部磁場の方向に磁化されていると考えることができる（巨視的磁化）．図 6.S1 に，巨視的磁化に電磁波（振動磁場）のパルス照射を行い，励起させた（磁化の方向を xy 平面に 90° 倒した）後にパルス照射を切り，元の熱平衡状態へ戻るまでの緩和の過程を示す．

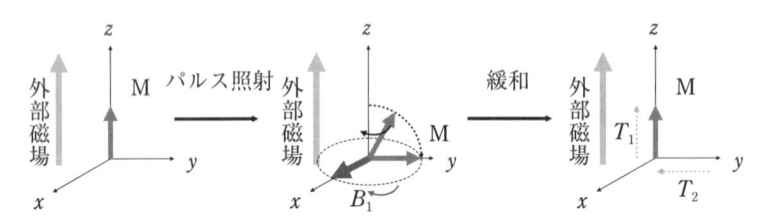

図 6.S1　巨視的磁化の励起と緩和

外部磁場の方向（z 軸方向）の巨視的磁化 M に対し，x 軸方向に $2B_1$ の振動磁場*をパルス照射すると，M は z 軸を中心に回転磁場の方向に回りながら倒れて行く．M を 90° 倒すのに必要なパルスを 90° パルスという．90° 倒れた時点でパルス照射を止めると，M は同じ方向に回転しながら元の状態に戻っていく．元の熱平衡状態に戻ることを緩和といい，二つの過程から構成される．外部磁場に直交した磁化（横磁化）が減衰して元に戻るまでの時間を横緩和時間（T_2，スピン-スピン緩和時間），0 になっていた z 軸方向の磁化が元に戻るまでの時間を縦緩和時間（T_1，スピン-格子緩和時間）といい，$T_1 \geq T_2$ が成り立つ．FID は，横磁化が共鳴周波数で振動しながら指数関数的に減衰していく経時変化を，試料の横に置いたコイルに磁気誘導で生じる交流電流として捉えたものであり，横緩和（T_2 緩和）を観測したものである．

＊この振動磁場は，外部磁場に垂直な面上（xy 平面上）を時計回りに回転する回転磁場 B_{1R} と，反時計回りに回転する回転磁場 B_{1L} の和と考えることができ，共鳴に関与するのは核スピンの回転方向と一致する B_{1R} のみなので，xy 平面上に時計回りの回転磁場 B_1 をかけたのと同じことになる．

補足 6.3　DEPT スペクトルの特徴

DEPT は直接結合している ^{1}H から ^{13}C への磁化の移動を観察しているので，4 級炭素のシグナルは出現しない．DEPT 45° では，1 級，2 級，3 級の炭素のシグナルが上向き，DEPT 90° では，3 級炭素のみが上向き，DEPT 135° では 1 級と 3 級が上向き，2 級炭素が下向きのシグナルを与える．45° などの角度は，^{1}H の巨視的磁化を倒す角度を示す．

補足 6.4　代表的な二次元 NMR の特徴

名　称	F_1 軸	F_2 軸	クロスピーク	特徴など
^{1}H-^{1}H COSY	^{1}H 化学シフト	^{1}H 化学シフト	スピン結合している ^{1}H 間	2～3本の結合を隔てたスピン結合が分かる.
^{13}C-^{1}H COSY	^{1}H 化学シフト	^{13}C 化学シフト	スピン結合している ^{13}C-^{1}H 間	^{13}C に直接結合した ^{1}H についての情報が得られるが, 感度は HSQC や HMBC にやや劣る.
TOCSY (HOHAHA)	^{1}H 化学シフト	^{1}H 化学シフト	同一のスピン系（スピン系がつながっている）にある ^{1}H 間	測定条件によって, 2個以上の ^{1}H を介して繋がっている ^{1}H 同士のクロスピークも観察できる.
NOESY	^{1}H 化学シフト	^{1}H 化学シフト	空間的に近接している ^{1}H 間	NOE を観察しているので, 立体配座に関する情報も得られる.
INADEQUATE	J_{CC}	^{13}C 化学シフト	スピン結合している ^{13}C 間	通常は部分的に ^{13}C 標識した測定対象に対して行う. 炭素骨格のつながりが分かる.
HMQC	^{13}C 化学シフト	^{1}H 化学シフト	直接結合している ^{1}H-^{13}C 間	HSQC よりもノイズは低めだが, ピーク幅が広くなりやすい.
HSQC	^{13}C 化学シフト	^{1}H 化学シフト	直接結合している ^{1}H-^{13}C 間	HMQC よりパルスシークエンスが複雑だが, ピーク幅は狭い. ^{1}H-^{15}N-HSQC は, ^{15}N 標識したタンパク質の主鎖アミドの観測に繁用される.
HMBC	^{13}C 化学シフト	^{1}H 化学シフト	2～3結合離れた ^{1}H-^{13}C 間	通常は, ^{1}H-C-^{13}C と ^{1}H-C-C-^{13}C 間にシグナルが出現する.

正式名称：COSY, correlation spectroscopy, TOCSY：total correlation spectroscopy, HOHAHA：homonuclear Hartmann-Hahn spectroscopy, NOESY：nuclear Overhauser effect spectroscopy, INADEQUATE：incredible natural abundance double quantum transfer experiment, HMQC：heteronuclear multiple quantum correlation spectroscopy, HSQC：heteronuclear single quantum correlation spectroscopy, HMBC：heteronuclear multiple-bond correlation spectroscopy.

4 電子スピン共鳴

磁場中に置かれた不対電子は，スピン状態に応じた二つのエネルギー準位に分裂し，マイクロ波領域の電磁波を共鳴吸収する．この現象を電子スピン共鳴（米国では電子常磁性共鳴（EPR）という場合が多い）という．電子スピン共鳴スペクトル（ESRスペクトル）を測定すると，測定対象の不対電子の定性，定量，不対電子の周囲の構造や状態などに関する情報が得られる．

4-1 原理

電子スピン共鳴が観測されるのは，不対電子をもつ分子やイオンなどである．三重項酸素や，NO，NO_2 などの奇電子分子，スーパーオキシドアニオンラジカルやヒドロキシラジカルなどの各種のラジカル，d 電子に不対電子をもつ常磁性の錯体，格子欠損のある半導体などが測定対象となる．原理的に（装置的にも），試料形態として気体，液体，固体，いずれの試料に対してもESRスペクトルの測定が可能である．

A. ESRの基本

ESRとNMRは，ともに磁場とスピンの相互作用に基づく磁気共鳴を利用しており，分析原理は類似している．電子のスピン量子数は1/2であるため，磁場中に置かれると図6.8に示したのと同様に量子化して二つのエネルギー準位に分裂（ゼーマン分裂）する．従って，ESRの共鳴条件となるエネルギーの分裂幅の ΔE は外部磁場 H_0 に依存しており，式（6.7）で与えられる．

$$\Delta E = g_e \beta_e H_0 \tag{6.7}$$

ここで，g_e は g 因子と呼ばれ，測定対象によって異なる無次元の定数である．β_e はボーア磁子と呼ばれる物理定数で，式（6.8）に示すように電子の磁気モーメントの単位である．

$$\beta_e = \frac{e\hbar}{2m} \tag{6.8}$$

ここで，e は電子の電荷，$\hbar$ は換算プランク定数（プランク定数 h を 2π で割ったもの），m は電子の質量である．式（6.7），式（6.8）及び $E = h\nu$ から，ν は H_0 に比例していることが分かる．従って，ν 又は H_0 を固定し，他方を掃引してマイクロ波の吸収を観測すれば，共鳴信号が得られる．連続波を用いるESR測定（CW-ESR法）はこの分析原理に基づくものであり，通常は ν を固定してマイクロ波を連続照射しながら H_0 を掃引し，試料による吸収を観測している．近年は，FT-NMRに相当し，マイクロ波のパルス照射を行い，パルスを切った後に得られるFIDをフーリエ変換するパルスESR法も開発され，同一装置で両法での測定を可能にしているものも

市販されている.

B. 得られる情報

ESR スペクトルは，一般に，横軸に磁場，縦軸に吸収の微分をプロットする．図 6.18 にメチルラジカルの ESR スペクトルの模式図を示す．

ESR スペクトルから得られる情報として，g 値と超微細結合定数 (A) がある．g 値は，式 (6.7) における g 因子のことであり，$\Delta E = h\nu$，β_e，照射したマイクロ波の周波数 ν，シグナルが観察された磁場強度 H_0 を式 (6.7) に代入すれば，計算によって求められる．g 値は物質に固有の値であり，物質の同定に利用される．

超微細結合定数は，NMR におけるスピン-スピン結合定数 (J) に相当するものである．不対電子と磁気的に等価な核スピン I の原子核が化学結合を介してスピン間で相互作用をすると，量子化してエネルギー準位が分裂する．分裂の大きさを表すのが超微細結合定数であり，単位は mT（ミリテスラ）である．エネルギー準位の分裂の結果，スペクトル線は $2nI + 1$ 本（n は等価な原子核数）に分裂し，その強度比は二項係数によって与えられる．

ESR スペクトルの信号強度は，不対電子をもつ物質の濃度に比例しており，定量に利用できる．後述のスピントラップ法は不安定なラジカルを定量できるほぼ唯一の方法である．

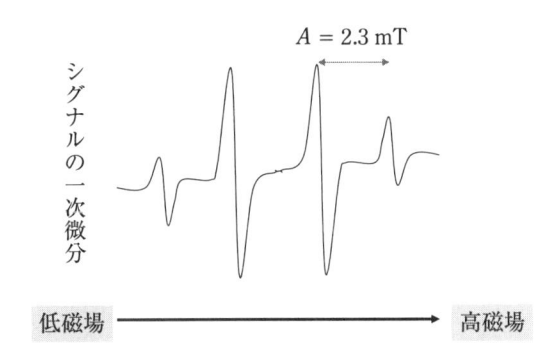

図 6.18　$CH_3\cdot$ の ESR スペクトルの模式図
A は超微細結合定数を示す．エタノールのメチル基の場合と同様に，メチルラジカル三つの ^1H は等価であり，それらの合成スピンは，$-3/2$，$-1/2$，$1/2$，$3/2$ の四つの状態をとることができ，その強度比は $1:3:3:1$ になる．これが，不対電子のスピンと核スピンの相互作用を介して伝わり，不対電子のシグナルが 4 本に分裂する．

4-2　測定装置と測定法

A. 測定装置

ESR の装置は，外部磁場をつくる電磁石，試料を入れた石英製の管を設置するキャビティー（空洞共振器），マイクロ波の発振器と検波器を搭載したマイクロ波ユニット，マイクロ波の吸収

を増幅して記録するデータシステム，これらの制御とデータ処理を行うコンピュータから構成される（図 6.19）．不対電子の磁気共鳴を観察するために必要な磁場の強度（0.33 T 程度がよく普及している）は，NMR に比べて小さくてもよく，普及機では超伝導状態を維持するための液体ヘリウムは必要ない．照射する電磁波は，X-バンドと呼ばれる周波数 9.5 GHz のマイクロ波がよく用いられる．ただし，パルス ESR 法の装置には超伝導マグネットを搭載し，電磁波は W-バンドの 95 GHz を用いるものがあり，二次元 NMR に相当する各種の二次元 ESR の測定が可能である．

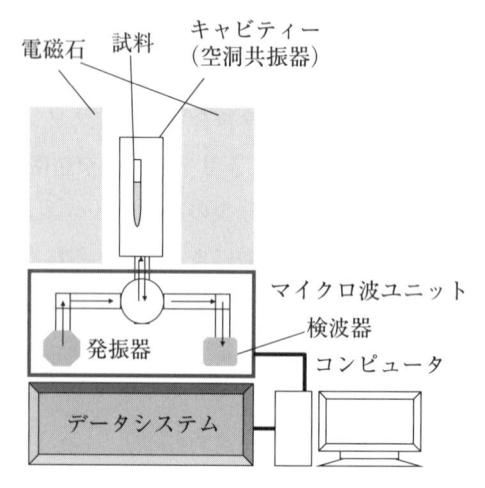

図 6.19　ESR 装置図概要

マイクロ波の発振器はガンダイオード＋周波数自動制御装置，検波器はショットキーダイオードなどが使われる．

B. 測定法

応用の観点から，スピンラベル法とスピントラップ法に簡単に触れる．

1) スピンラベル法

不対電子をもたない物質を ESR で解析したいとき，比較的安定なラジカルで標識してから測定を行う．生体高分子のほとんどは不対電子をもたないので，従来から，ニトロキシドラジカルなどを構造中にもつスピンラベル化剤での部位特異的な標識が行われてきた．部位特異的な標識として，Cys 特異的に反応するスピンラベル化剤は多く，また，タンパク質を合成するときに一次構造にスピンラベルしたアミノ酸誘導体を取り込ませる方法もある．ニトロキシドラジカルで生体高分子を標識して ESR を測定すると，溶液中での微細な構造変化や分子間相互作用が *in situ* で観察できる．

2) スピントラップ法

生体内外で発生するスーパーオキシドアニオンラジカルやヒドロキシラジカルなどは，反応性が高く寿命が短い化学種である．これらを定量できる唯一の方法として，スピントラップ法がある．ニトロン化合物やニトロソ化合物などのスピントラップ剤とラジカルを反応（トラップ）させて安定なアミノオキシドラジカルを生成させ，これを ESR 測定することによって，各種ラジカルの定性と定量を同時に行う．

5 蛍光 X 線分析と粉末 X 線回折

情報キャリアとしての X 線の有用性は高く，組成分析の範疇に入る蛍光 X 線分析 (XRF)，状態分析及び構造分析の方法である粉末 X 線回折，X 線光電子分光 (XPS, ESCA)，X 線吸収微細構造 (XAFS)，微小部分析法である電子プローブ X 線マイクロアナライザー (EPMA) などの分析法がある．本節では，これらのうち薬学領域においてよく使われる蛍光 X 線分析と粉末 X 線回折を主に取り扱う．

5-1　X 線と物質との相互作用

X 線は，およそ $10 \sim 0.01$ nm（$100 \sim 0.1$ Å）の波長域の電磁波である．X 線のエネルギー E は，$E = hc/\lambda$（h はプランク定数（$6.626070040 \times 10^{-34}$ Js － $4.135667662 \times 10^{-15}$ eVs），c は真空中の光の速度（299792458 ms^{-1}），λ は波長）から，およそ $0.124 \sim 124$ keV と求まる．このエネルギーは，内殻電子の結合エネルギー（束縛エネルギー）のレベルに相当する．そのため，物質に X 線を照射すると，一部は内殻電子と相互作用して吸収され，一次的には，発熱，光電子放出（光電効果），コンプトン散乱，電子対形成，二次的には，オージェ電子放出，特性 X 線発生などを引き起こし，一部はそのまま透過し，一部は種々の機構で散乱される．このときの透過 X 線強度を I，入射 X 線強度を I_0，密度を ρ（g cm^{-3}），物質層の厚さを x（cm），質量吸収係数を μ（cm^2 g^{-1}）とすると，次の関係が成り立つ．

$$\frac{I}{I_0} = e^{-\mu \rho x} \tag{6.9}$$

式 (6.9) は，入射 X 線と透過 X 線の間に，*Lambert-Beer* の法則が成立することを示している．

A. X 線の吸収

原子を構成する電子は原子核によって束縛されており，束縛エネルギーに相当するエネルギー

を電子が吸収すると，電子は原子核の束縛から離れ，電離が起こる．X線を入射光として使うと，K殻，L殻，M殻，N殻等の内殻の電子がX線を吸収し，更に運動エネルギーをX線から獲得し，原子核の束縛を離れて光電子として放出される（光電効果）．上記のXPSは，X線照射によって放出される光電子のエネルギーを測定する分光法で，固体表面の状態分析によく用いられる．

1) 空孔状態の表し方

X線照射等によって内殻電子が不在になると，原子には不安定な空孔状態が生じる．空孔状態は，表6.5に示すL_1，M_2のような分光記号で表す．分光記号と量子数（補足6.5）の関係については，節末の補足6.6に示した（p.232）．

表6.5 空孔状態の記号

空孔状態	K	L_1	L_2	L_3	M_1	M_2	M_3	M_4	M_5	N_1	N_2	N_3	N_4	N_5	N_6	N_7
n	1	2			3					4						
l	0	0	1	1	0	1	1	2	2	0	1	1	2	2	3	3
j	1/2	1/2	1/2	3/2	1/2	1/2	3/2	3/2	5/2	1/2	1/2	3/2	3/2	5/2	5/2	7/2
空孔の軌道	1s	2s	$2p_{1/2}$	$2p_{3/2}$	3s	$3p_{1/2}$	$3p_{3/2}$	$3d_{3/2}$	$3d_{5/2}$	4s	$4p_{1/2}$	$4p_{3/2}$	$4d_{3/2}$	$4d_{5/2}$	$4f_{5/2}$	$4f_{7/2}$
$2j+1$	2	2	2	4	2	2	4	4	6	2	2	4	4	6	6	8

nは主量子数，lは方位量子数（軌道角運動量量子数），jは全角運動量量子数，$2j+1$はjの多重度を表す．

2) X線吸収スペクトル

入射X線のエネルギーを横軸，吸光度を縦軸にプロットしてX線の吸収スペクトルを描くと，一般に入射X線のエネルギーの増加に伴って吸光度は徐々に減少する．この減少は，X線の散乱によるものである．X線のエネルギーが増加し，測定対象物質のある束縛エネルギーを超えると，急激な吸光度の増加が観察され，この吸光度ジャンプは吸収端と呼ばれている．吸収端は，内殻電子の光電吸収に基づき観察されるものなので，表6.5の空孔の形成に対応しており，表6.5で右側の空孔状態ほど，低エネルギー側に観察される．図6.20に，X線吸収スペクトルの模式図を示す．この場合，低エネルギー側からL_3吸収端，L_2吸収端，L_1吸収端の順に現れ，更に高エネルギー側にK吸収端が出現する．上述のXAFSは，吸収端付近のX線吸収挙動を詳細に解析するもので，X線吸収原子の電子状態や周囲の原子との距離や数に関する情報を得る分光法である．

B. X線の散乱

X線の散乱は，入射光と散乱光の波長が等しい弾性散乱と，入射光に対して散乱光の波長が変化する非弾性散乱に大分される．主に起こるのは弾性散乱で，入射X線によって物質中の電子

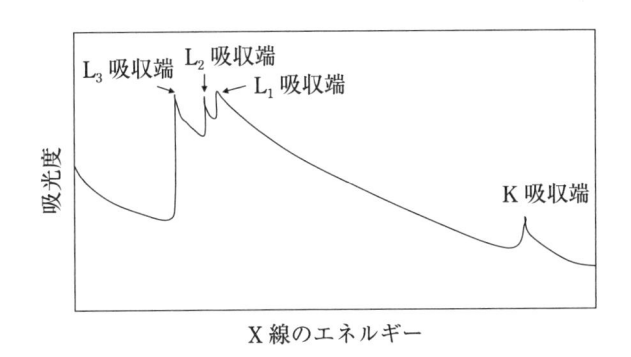

図 6.20　X 線吸収スペクトル

が強制振動し，それが四方八方に X 線を放射する（まわりに新たな振動電磁場をつくる）．X 線の弾性散乱の主なものは，電子が X 線に対してほとんど自由電子のようにふるまうことによって起こり，トムソン散乱と呼ばれる．トムソン散乱による散乱光の干渉は，後述する X 線回折に利用される．一方，非弾性散乱にはコンプトン散乱や X 線ラマン散乱などがある．コンプトン散乱では，X 線の吸収と散乱が起きており，入射 X 線が電子（自由電子として扱うことのできる電子）と衝突し，エネルギーと運動量の一部を与えてはねとばし（反跳電子），散乱 X 線として波長と方向を変えて出てくる．このとき，入射 X 線の波長を λ，散乱 X 線の波長を λ'，散乱角を θ とすると，波長の変化は式 (6.10) で表される．

$$\lambda' - \lambda = \frac{h}{mc}(1 - \cos\theta) \tag{6.10}$$

ここで，h はプランク定数，m は電子の質量，c は真空中の光の速度である．この式から，コンプトン散乱では散乱角が大きくなると，散乱 X 線の波長が長くなることが分かる．

5-2　蛍光 X 線分析の原理

蛍光 X 線分析 X-ray fluorescence (XRF) は，試料に一次 X 線を照射し，発生する二次 X 線を測定する非破壊の多元素同時分析法である．X 線の照射によって X 線が発生するので，発生する X 線を蛍光 X 線と呼ぶ．二次 X 線は，元素によってエネルギーが異なり，特性 X 線と呼ばれる．元素によるエネルギーの違いを定性分析（組成分析）に，また，特性 X 線の強度の違いを定量分析に利用する．

A.　特性 X 線の発生

加速した電子又は X 線を試料に照射すると，試料を構成する原子の内殻電子が放出され，不安定な空孔状態を生じる．この空孔を埋めるために，上位のエネルギー準位の電子が落ちてくる．エネルギーの差分は，特性 X 線として放出されるか，または，落ちてくる電子のエネルギー準位の他の電子に与えられ，オージェ電子として原子外へ放出される．特性 X 線の発生とオージ

ェ電子の放出は競合的に起こり,原子番号の大きい元素ほど特性X線の発生が優位になる(100%に近づく).ここでは特性X線の発生を取り扱う.

特性X線の発生で電子が落ちてくる過程には,量子力学的な三つの選択則がある(X線の吸収もこの選択則に従う).その選択則は量子数の変化によって表すことができ,1) $\Delta n > 0$, 2) $\Delta l = \pm 1$, 3) $\Delta j = 0$ 又は ± 1 である.全ての電子遷移でX線が生じるわけではなく,特性X線が発生する場合はこれらの1)〜3)を満たす.図6.21に,K殻の空孔へ電子が落ちて生じるK系列のX線と,L殻の空孔へ電子が落ちて生じるL系列のX線の主要な電子遷移を示す.これらの電子遷移は,すべて上記の選択則1)〜3)を満たしている.IUPACは,特性X線の分光記号としてK-L_3,L_3-M_5 など,電子遷移の起こる空孔の記号を使うことを1991年に決定した.しかし,本領域では長らくKα_1(K-L_3 に相当),Lα_1(L_3-M_5 に相当)など,図6.21では( )内に示したシーグバーン表記を利用してきた歴史があり,現代においてもなおシーグバーン表記が主流である.

個々の特性X線の周波数νと原子番号 Z の間には *Moseley* の法則が成り立つ.

$$\sqrt{\nu} = K(Z - s) \tag{6.11}$$

ここで K, s はスペクトル線の種類によって決まる定数である.式(6.11)から,特性X線の周波数は,各元素に固有であることが分かる.

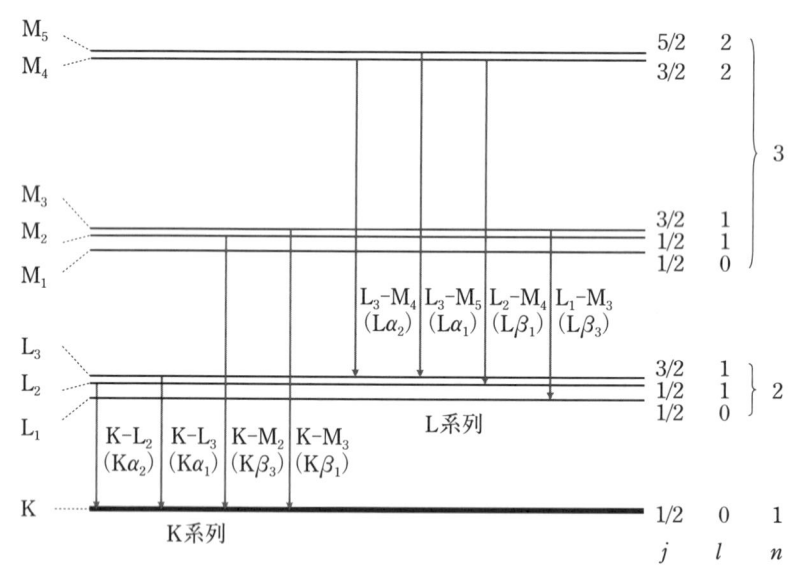

図 6.21 主要な K 系列及び L 系列の X 線の発光における電子遷移
j:全角運動量量子数,l:方位量子数(軌道角運動量量子数),n:主量子数

B. 連続 X 線の発生

X線を発生させる線源としては,X線管球が一般に使われる(図6.22).高真空のガラス管内

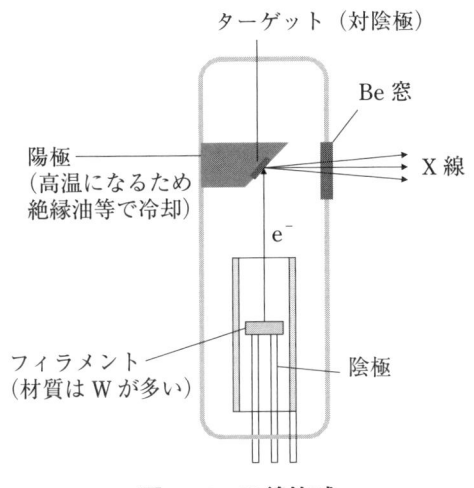

図 6.22 X 線管球

に配置された陰極のフィラメントに高電圧を印加すると，熱電子が放出される．熱電子（電子線）は陽極のターゲット（対陰極）の高純度金属に照射され，連続 X 線と特性 X 線が発生する．両者を合わせて，一次 X 線という．発生した X 線は，ベリリウム箔（Be 窓）から取り出される．

図 6.23 に X 管球のスペクトルの模式図を示す．線スペクトルである K-L_3（Kα_1），K-M_3（Kβ_1）などの特性 X 線と，連続スペクトルである連続 X 線が発生している．連続 X 線の発生は，制動放射に基づく．制動放射は，荷電粒子が強い電場を通過するとき，加速度を受けて放射する電磁波，又はその放射の機構をいう．この場合，熱電子がターゲットの原子と衝突して減速し，もっていたエネルギーのうち任意のエネルギーを失う．失われたエネルギーは連続的な値をとることができ，ほとんどは発熱に使われるが，一部が X 線として放出されるため，そのスペクトルは連続性を示す．

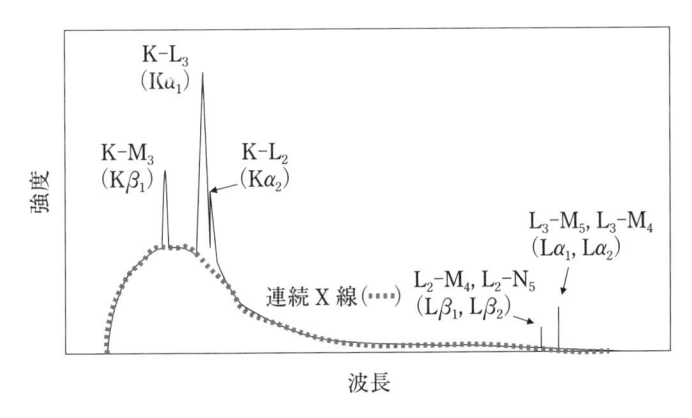

図 6.23 X 線管球のスペクトルの模式図

C. 得られる情報

蛍光X線分析では，X線管球を線源とした場合には一般に試料から連続X線は発生せず，シグナル-バックグラウンド比のよい蛍光X線スペクトルが得られる．通常，蛍光X線スペクトルは，横軸にX線のエネルギー（波長や，後述する検出器の分光結晶の回折角 2θ をとることもある），縦軸にX線の強度をとる．得られた蛍光X線スペクトルから，特性X線の波長（エネルギー）の違いを利用して，定性的に目的元素の存在を確認することができる．特性X線の発光強度から，元素毎の同時定量も行える．

5-3 蛍光X線分析測定装置と測定法

A. 測定装置

蛍光X線分析測定装置は，波長分散方式（WD）とエネルギー分散方式（ED）に大別される．両装置ともX線源としてはX線管球を用いることが多い．EDでは放射性核種を使う場合もある．蛍光X線分析用のX線管球のターゲットは測定対象によって異なり，Wが一般的であるものの，Rh，Mo，Crなども用いられている．WDとEDでは，一次X線を試料に照射した後，試料から発生する二次X線の分光と検出の方法が全く異なっている．

1) 波長分散方式蛍光X線分析（WD-XRF 又は WDX）

WD-XRFでは，試料からの二次X線をLiFなどでできた分光結晶に入射し，結晶面の原子を使って弾性散乱させる．各結晶面の散乱光は互いに干渉するので，分光結晶と検出器を回転させ

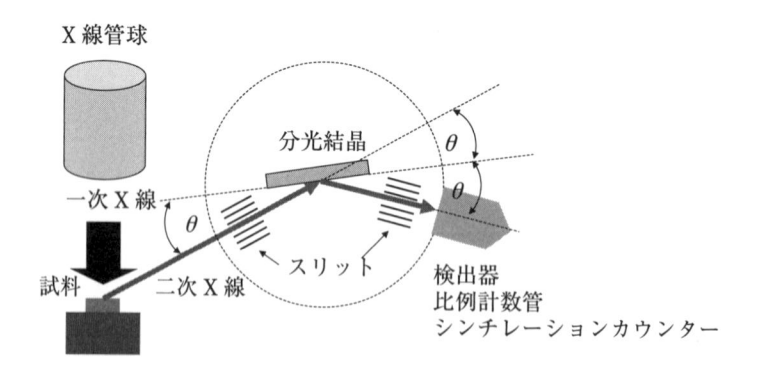

図 6.24 波長分散方式蛍光X線分析の装置図

試料から発生した二次X線のうち，スリットを通過した平行光が，X線と分光結晶のなす角度 θ で分光結晶に入射する．検出器は入射光に対して 2θ の位置に配置され，分光結晶が x 度回転すると検出器は $2x$ 度回転する．検出器は，X線の波長によって比例計数管とシンチレーションカウンターを使い分ける（シンチレーションカウンターは短波長のX線の検出に使用）．

ながら回折光を検出すると，ブラッグの条件（後述）から，様々な波長のX線を測定することができる．分光できる波長域は，分光結晶の面間隔によるので，目的に応じて分光結晶を選択する．WD-XRFの装置は分光結晶の駆動部などを必要とするので大型，かつ高価であるが，エネルギー分解能は10 eV程度であり，一般的なエネルギー分散方式の装置よりも15倍ほど高い．

2）エネルギー分散方式蛍光X線分析（ED-XRF又はEDX）

ED-XRFでは，二次X線のエネルギーの分散（分光）と検出を半導体検出器で行う．半導体検出器に組み込まれた半導体素子に電場をかけておくと，二次X線の入射に伴い，そのエネルギーに応じた電子と正孔の対を生成し，パルス電流を生じる．パルス電流をアンプで処理してから波高解析すると，二次X線のエネルギーを求めることができる．そのエネルギーを与えるパルスの回数からは，X線の強度が求まり，エネルギーに対して強度をプロットするスペクトルが描ける．検出素子として，SDDとSi-PINはペルチェ素子による冷却で働くことができるのに対し，Si(Li)SDDは使用していないときも液体窒素による冷却が必要であり，現在はSDDが主流になってきている．装置構成（図6.25）はシンプルであるため，小型化が可能であり，ハンディー蛍光X線分析装置も多く使われている．

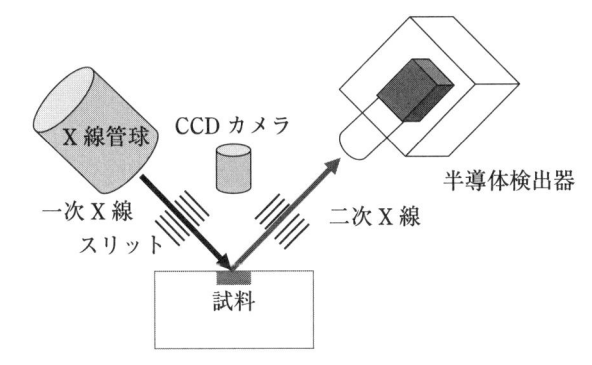

図 6.25　エネルギー分散方式蛍光X線分析の装置図
半導体検出器の検出素子には，SDD（シリコンドリフト検出器），Si-PIN，Si(Li)SDDが主に使われる．

B. 測定方法

試料の前処理は，基本的に不要である．試料は液体でも，固体でもよい．原子番号が5のホウ素から11のナトリウムまでは，特性X線が空気によって吸収されるので，真空又はHe雰囲気下，12のマグネシウムから92のウランまでは，空気中での全元素同時分析が可能である．定量は装置に内蔵されたプログラム（ファンダメンタルパラメーター法）を利用することもあるし，また，共存元素によるマトリックス効果が大きいときは，測定対象に近い成分比の標準試料を作製して，検量線をつくり定量する場合もある．

5-4　X線回折の原理

X線回折は，秩序構造を有する結晶性物資がX線の回折格子となり，個々の原子の相対位置と散乱能に依存した回折パターンを示すことを利用して，結晶性物質の同定や構造解析を行う分析法である．種々の分析法が開発されているが，ここでは粉末X線回折を中心に，単結晶X線回折に言及する．X線の波長は，化学的に結合した原子間の距離（〜3Å）に近く，それが本法を，結晶構造を可視化する分析法として卓越したものにしている基礎である．X線回折を修得するためには結晶学の理解が求められ，本節でも必要最小限を述べる．

A. 結晶の格子面

結晶は，空間的に周期的な原子配列をもった固体物質で，空間格子構造をもつ．空間格子の構造単位として選ばれた平行六面体を単位格子（単位胞）という．単位格子は，図 6.26 に一例を示すように3辺の長さを a, b, c，3辺のなす角を $\angle bc = \alpha$，$\angle ac = \beta$，$\angle ab = \gamma$ で表すことができる（$a, b, c, \alpha, \beta, \gamma$ を格子定数という）．その形から単位格子は七つの結晶系に分類される（表 6.6）．

結晶は単位格子の集まりであり，同時に，結晶は原子でつくられる面の集まりとみなすことも

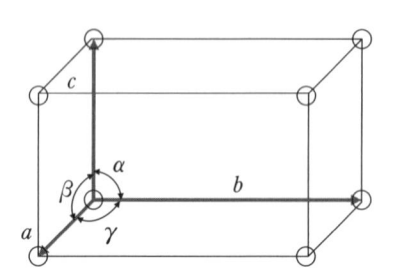

図 6.26　単位格子（斜方晶系）

表 6.6　結晶系の分類

結晶系	格子定数
三斜	$a \neq b \neq c$, $\alpha \neq \beta \neq \gamma$
単斜	$a \neq b \neq c$, $\alpha = \gamma = 90°$, $\beta > 90°$
斜方（直方）	$a \neq b \neq c$, $\alpha = \beta = \gamma = 90°$
三方（菱面体）	$a = b = c$, $\alpha = \beta = \gamma \neq 90°$
正方	$a = b \neq c$, $\alpha = \beta = \gamma = 90°$
六方	$a = b \neq c$, $\alpha = \beta = 90°$, $\gamma = 120°$
立方（等軸）	$a = b = c$, $\alpha = \beta = \gamma = 90°$

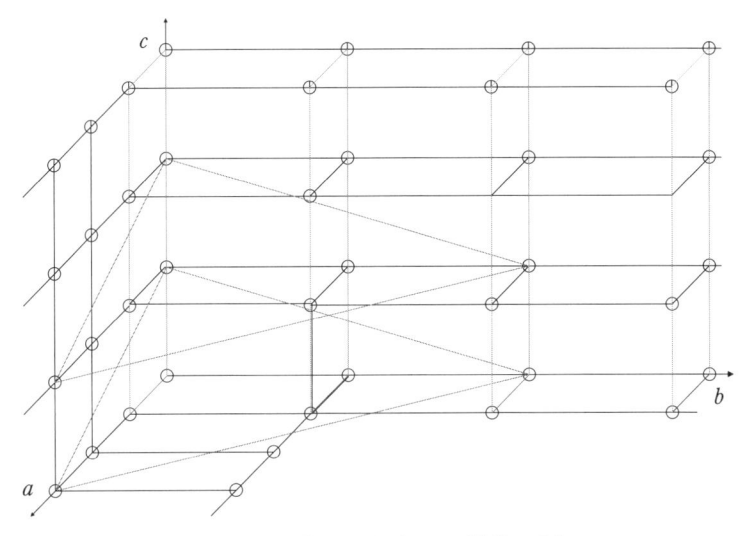

図 6.27 格子面とミラー指数の例

三角形で示す格子面は，a軸，b軸，c軸を，それぞれ 4, 2, 1 で切るため，その逆数は 1/4, 1/2, 1/1 となり，ミラー指数は（1 2 4）と求まる．ac平面に平行な四角で示す格子面は，b軸を 1 で切るため，その逆数は 1/∞, 1/1, 1/∞ と考え，（0 1 0）と求まる．

できる．一直線上にない任意の三つの格子点のつくる平面は，平面上の無数の格子点を含み，さらに結晶では，その面と互いに平行で等間隔の結晶面が無数に並んでいる．このような結晶面群を格子面といい，その方向と間隔はミラー指数によって規定される．本節で取り扱っているような3結晶軸の結晶系の場合，軸率を $a:b:c$ とし，任意の格子面が3軸を切る長さが a/h, b/k, c/l のとき，互いに素な3整数 h, k, l をその格子面のミラー指数といい，（$h\,k\,l$）で表す．格子面とミラー指数の例を図 6.27 に示す．

B. ブラッグ条件

格子面に入射された X 線は，格子面を構成する原子と相互作用し，一部は散乱される．図 6.28 に示すように，面間隔 d_{hkl} の格子面に，X 線と格子面の成す角度が θ_{hkl}（入射角の余角にあたる）で波長 λ の X 線が入射したとき，各面からの散乱光が干渉して強め合う条件は，n を整数として式（6.12）で表される．

$$n\lambda = 2d_{hkl}\sin\theta_{hkl} \tag{6.12}$$

これをブラッグ条件という．この条件を満たせば各格子面からの反射波が同位相になり，干渉して強め合うので，反射波の方向に回折が現れる．このとき，θ_{hkl} をブラッグ角という．式（6.12）は，波長 λ が既知の X 線を入射させて回折の起こる θ_{hkl} を測定すれば，面間隔 d_{hkl} が求められることを示しており，X 線結晶解析の基本となる式である．図 6.28 には三つの格子面を示したのみだが，実際は X 線が届く面まで反射波が生じる可能性があり，ミラー指数（$h\,k\,l$）の格子面による n 次の反射（特定の反射）を $nh\,nk\,nl$ と表し，これを反射指数と呼ぶ．

（$h\,k\,l$）面の面間隔 d_{hkl} は，上記の七つの結晶系で格子定数とミラー指数から一義的に定まる．

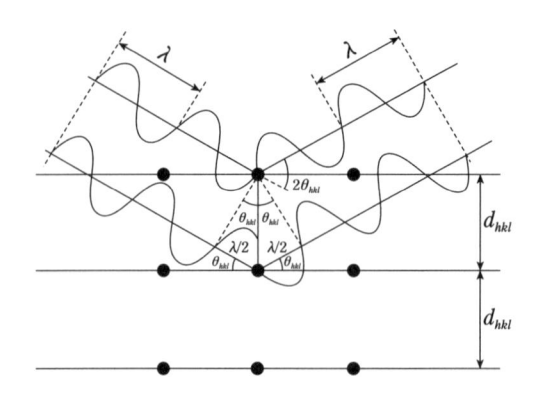

図 6.28　格子面による X 線の干渉
（第十七改正日本薬局方解説書, B-364, 廣川書店（2016）より）

これを，図 6.26 に示した斜方晶系を例に示す．3 軸を切る頂点が a/h, b/k, c/l の三角面から原点への距離が d_{hkl} であることを利用すると，次の関係式が導出される．

$$\frac{1}{d^2_{hkl}} = \frac{h^2}{a^2} + \frac{k^2}{b^2} + \frac{l^2}{c^2} \tag{6.13}$$

式（6.12）と式（6.13）から，$n = 1$ のとき，次式が成立する．

$$\sin\theta = \frac{\lambda}{2}\sqrt{\frac{h^2}{a^2} + \frac{k^2}{b^2} + \frac{l^2}{c^2}} \tag{6.14}$$

斜方晶系以外の結晶系でも，式は複雑になるが d_{hkl} を格子定数とミラー指数を使って表すことができ，ブラッグ条件に各結晶系の d_{hkl} を代入すれば，同様の関係式が得られる．得られた式をもとに，実験で得た θ_{hkl} から，d_{hkl} や格子定数の算出などが行われる．

C. 構造因子

　物質の構造単位による散乱波の散乱振幅を表す因子を，構造因子という．X 線回折の場合，ミラー指数（$h\,k\,l$）の格子面の個々の原子からの散乱波の合成波の振幅を表す結晶構造因子 $F(h\,k\,l)$ は，次式で定義される．

$$F(hkl) = \sum_{n=1}^{N} f_n \exp\{2\pi i(hx_n + ky_n + lz_n)\} \tag{6.15}$$

このとき，f は各原子の X 線の散乱能を表す原子散乱因子であり，f_n は単位格子の中に散乱能 f_n をもつ N 個の原子が座標（x_n, y_n, z_n）にあることを示す．i は，虚数単位である．X 線回折の実際の測定では，ブラッグ角とともに回折強度 $I(h\,k\,l)$ が得られる．$I(h\,k\,l)$ と $F(h\,k\,l)$ との間には，$I(h\,k\,l) = k\,|F(h\,k\,l)|^2$ の関係（k は定数）があり，実験的に求めた $I(h\,k\,l)$ から，$|F(h\,k\,l)|$ が求まる．しかし，$F(h\,k\,l)$ は一般に複素数であるので，原子の位置情報を得るためには，何らかの手段によって $F(h\,k\,l)$ に含まれる散乱波の位相を求める必要がある．これを位相問題という．単結晶 X 線回折の場合は，原子の位置情報から結晶構造を解析することが目的であるので，位

相問題に対処する必要があり，直接法や重原子法と呼ばれる方法によって，位相の推定が行われている．

D. 得られる情報

1）粉末X線回折

　結晶性物質の粉末試料は，あらゆる方向を向いた微結晶の集まりである．これに一定波長の特性X線を照射すると，微結晶の中でブラッグ条件を満たすものによって，2θ だけ曲がった方向に強く反射されて出てくる．これは，主にトムソン散乱されたX線の干渉によるものである．反射波（回折波）は三角錐の母線に沿って進み，フィルムにあてると図 6.29 右上に示すような環状の像が得られ，これをデバイ-シェラー環という．実際の粉末X線回折の測定結果は，回折角 2θ を横軸に，回折強度 I を縦軸にとり，粉末X線回折パターンとして表す（図 6.29）．結晶構造をもたない非晶質の粉末X線回折パターンは，回折ピークをもたないブロードな曲線を示す．粉末X線回折パターンを測定すると，回折ピークの位置（回折角 2θ）から結晶格子（d_{hkl}）の特性，回折強度 I から結晶学的な単位格子の内容（原子の種類と位置），回折線の形状から結晶格子の完全性や結晶の大きさなどに関する情報が得られる．これらを組み合わせることによって様々な解析を行うことができ，いわゆる定性分析では，実測した粉末X線回折パターンをデータベース上の既知物質の粉末X線回折パターンと比較し，I の強度比や θ の一致から，未知物質の同定を行う．定量分析では，複数の結晶相の混合物を分析したとき，回折ピークの積分比などから各結晶相の割合を求めることができる．

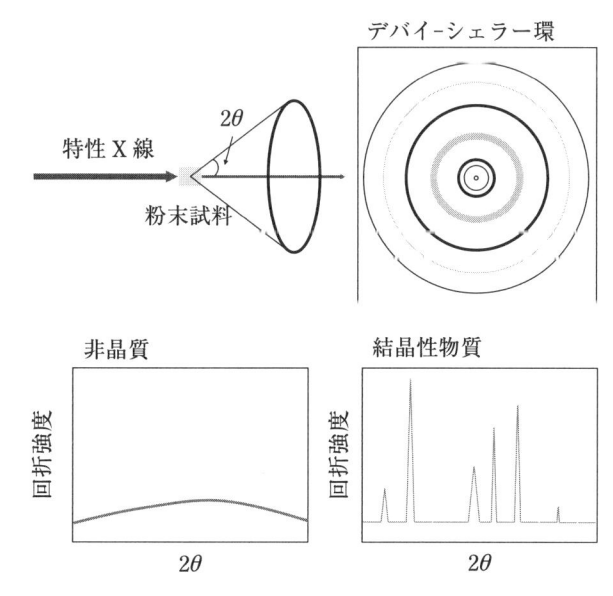

図 6.29　デバイ-シェラー環（上）と非晶質（左下）及び結晶性物質（右下）の粉末X線回折パターン

2）単結晶X線回折

単結晶を動かしながら一定波長の特性X線を照射すると，ブラッグ条件を満たしたときに反射され，各反射は回折斑点として観察される（図6.30）．各反射の位置と回折強度Iから，構造因子の2乗が求められて格子定数が決められる（構造モデルがつくられる）．分子量が3000以下程度の有機化合物なら直接法による位相推定が行われ，構造因子のフーリエ合成によって原子位置が求められる．続いて電子密度図がつくられ，精密化や検証が行われ，最終的に結晶構造が決定される．

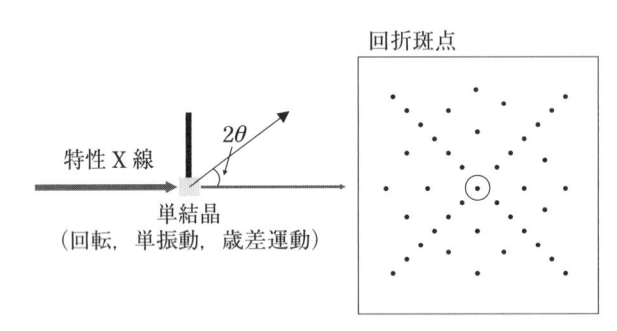

図6.30 単結晶によるX線の回折斑点の形成

5-5　X線回折測定装置と測定法

1）粉末X線回折

粉末X線回折の測定装置は，ブラッグ-ブレンターノ集中光学系を搭載したものが一般的である（図6.31）．X線回折用のX線管球のターゲットはCuが基本であるが，Cr，Fe，Co，Moなども選択される．入射光として利用される特性X線は，通常$K\alpha$線（$K\alpha_1$（K-L$_3$）と$K\alpha_2$（K-L$_2$））であり，それ以外の$K\beta$線などはモノクロメーター（フィルターを使う場合もある）によって取り除かれ，単色化される．近年は，X線管球の対面に湾曲X線ミラー（多層膜ミラー）を配置し，入射X線の単色化，焦点合わせ，平行化を同時に行えるようにした平行ビーム光学系を搭載した装置も普及してきた．

試料は，固体の結晶である必要がある．固体試料は，乳鉢等で粉砕し，粒子径を小さくする．ただし，粉砕しすぎる（粒子径が0.5 μm以下）と，ピーク強度の低下や非晶質化などが起こる場合があり，通例50 μm程度の粒子径で十分である．粉砕した試料は試料ホルダーに充填して平滑面をつくり，測定に供す．

2）単結晶X線回折

単結晶の構造決定を目的とするX線回折実験では，4軸回折装置が利用される．試料は単結晶を用意する．0.3 mm以下のものが望ましいとされている．測定と解析の概略は，上述（5-4の

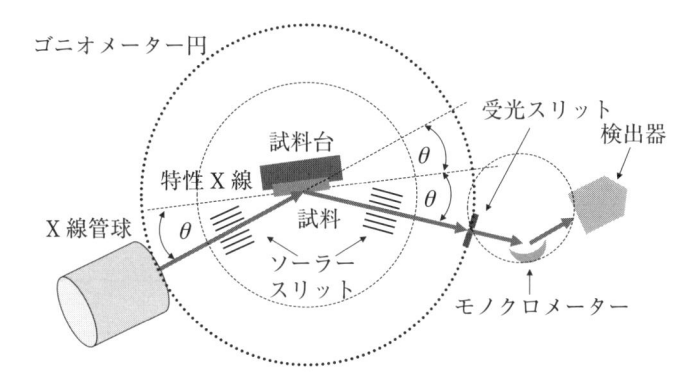

図 6.31　ブラッグ-ブレンターノ集中光学系をもつ粉末 X 線回折装置
X線管球から発生した一次 X 線は，ソーラースリットで平行光となり，X 線と試料面のなす角度 θ で入射する．受光スリット（検出器とのユニット）は入射光に対して 2θ の位置に配置され，試料が x 度回転すると，受光スリットはゴニオメーター円と呼ばれる円上を $2x$ 度回転する．このとき，X 線管球と試料，試料と受光スリット間の距離は等しい．試料からの回折光は，モノクロメーターで集光され，検出器に導入される．検出器は比例計数管，シンチレーションカウンター，イメージングプレート，CCD カメラ等，機種によって異なる．

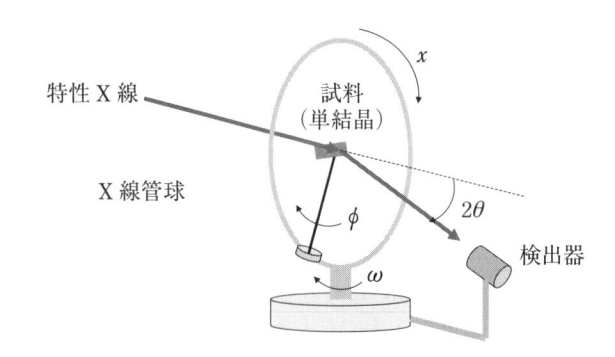

図 6.32　4 軸 X 線回折装置
X線源は，通常の X 線管球より数倍出力の大きい回転対陰極型の利用が多くなってきている．検出器はシンチレーションカウンターが用いられ，2θ の面上を回転できる．残りの 3 軸 ω，ϕ，x は，反射波（回折波）が観察できる位置に走査される．

D の 2））の通りである．構造決定に必要な全ての反射の数は，有機結晶で数千，タンパク質の結晶では，数十万である．これだけの数の測定をシンチレーションカウンターで一つ一つ計測するのは時間がかかるので，検出器としてイメージングプレート（Eu をドープした BaFBr，X 線を照射後，He-Ne レーザーをあてると，X 線光子に比例した光を放出する）や CCD カメラを用いる 2 次元検出器が開発され，大幅な時間短縮が達成されている．

　なお，本節で述べたことは測定原理や装置等の基本的なことに留まるので，粉末 X 線回折[*1]と単結晶 X 線回折[*2]の詳細はそれぞれ成書を参照されたい．

[*1]　中井泉，泉富士夫編著（2009）粉末 X 線解析の実際（第 2 版），朝倉書店
[*2]　大場茂，植草秀裕著（2014）X 線結晶構造解析入門：強度測定から CIF 投稿まで，化学同人

補足 6.5　主量子数，方位量子数，磁気量子数，スピンによる原子軌道

　原子軌道は，主量子数（$n = 1, 2, 3, ...$），方位量子数（軌道角運動量量子数）（$l = 0, 1, ..., n-1$），磁気量子数（$m = -l, -(l-1), ..., 0, ..., l-1, l$）によって特徴付けられる．これらにスピン量子数（$s = -1/2, +1/2$）を加えた四つの量子数によって，原子の電子配置を表すことができる．主量子数3までの電子配置を次の表に示す．

殻	K	L			M						
n	1	2			3						
l	0	0	1		0	1		2			
m	0	0	0	$-1, 1$	0	0	$-1, 1$	0	$-1, 1$	$-2, 2$	
軌道	1s	2s	$2p_z$	$2p_x, 2p_y$	3s	$3p_z$	$3p_x, 3p_y$	$3d_{z^2}$	$3d_{yz}, 3d_{zx}$	$3d_{xy}, 3d_{x^2-y^2}$	
s	↑↓	↑↓	↑↓	↑↓ ↑↓	↑↓	↑↓	↑↓ ↑↓	↑↓	↑↓ ↑↓	↑↓ ↑↓	

　n は主量子数，l は方位量子数（軌道角運動量量子数），m は磁気量子数，s はスピン量子数を示し，↑↓ は $-1/2$ と $1/2$ を表すものとする．

補足 6.6　空孔状態の表し方

　空孔状態の記述は，原子の電子構造の量子力学及び相対論的な理解に基づいている．例えば主量子数 $n = 2$（$n = 1, 2, 3, ……$ が K 殻，L 殻，M 殻……に対応），方位量子数（軌道角運動量量子数）$l = 1$（$l = 0, 1, 2, 3, ……$ が s 軌道，p 軌道，d 軌道，f 軌道……に対応），磁気量子数 $m = 0, \pm 1$ の三つの p 状態（$2p_z, 2p_x, 2p_y$）について考える．磁場のない環境では，これらの p 状態のエネルギー準位は等しい（縮退している）．しかし，Na の D 線の分裂，X 線の吸収と発生などの実験結果は，l ($\neq 0$) が同じでも縮退は解かれ，異なる二つのエネルギー準位に分裂することを示している．これを簡便に説明するのがスピン軌道相互作用（補足6.7）である．スピン軌道相互作用によって分裂したエネルギー準位は，軌道角運動量 l とスピン角運動量 s のベクトル和である全角運動量の量子数 j によって表すことができる．

$$j = l + s \tag{6.S1}$$

全角運動量子数 j は，$-j, -(j-1), ..., 0, ..., j-1, j$ までの値をとり，合計 $2j + 1$ の多重度を有する．例えば上記のL殻（$n = 2$）の p 軌道（$l = 1$）の3つの p 状態（$2p_z, 2p_x, 2p_y$）は，$s = -1/2, +1/2$ から $j = 1 - 1/2 = 1/2$（$2p_{1/2}$）と，$j = 1 + 1/2 = 3/2$（$2p_{3/2}$）の二つのエネルギー準位に分裂しており，$2p_{1/2}$ は $2 \times 1/2 + 1 = 2$ から二つの多重度，$2p_{3/2}$ は $2 \times 3/2 + 1 = 4$ から四つの多重度があると計算できる．この多重度は，それぞれのエネルギー準位の空孔に入りうる最大の電子数に対応する．以上のような考え方を利用すると，内殻電子の空孔状態を記述できる．IUPAC の推奨法では，$n = 1, 2, 3, ……$ がそれぞれ K 殻，L 殻，M 殻，……に対応することを基本としており，s 状態には 1，p 状態（$p_{1/2}$ と $p_{3/2}$）には 2 と 3，d 状態（$d_{3/2}$ と $d_{5/2}$）には 4 と 5，f 状態（$f_{5/2}$ と $f_{7/2}$）には 6 と 7，……の添え字を L, M, N, ……の右下に付す．具体的には，M 殻（$n = 3$）の 3s に対しては M_1，$3p_{1/2}$ に対しては M_2，$3p_{3/2}$ に対しては M_3，$3d_{3/2}$ に対しては M_4，$3d_{5/2}$ に対しては M_5 など，本文中の表6.5に示したような分光記号が用いられる．

補足 6.7　スピン軌道相互作用

電子はある軌道角運動量で原子核の周囲を軌道運動しているが，電子を中心にして考えると，正の電荷をもった原子核が電子の周囲を軌道運動していることになり，電子の周りに磁気双極子モーメントが生じる．同時に，電子自身は自転運動によるスピン角運動量をもつため，磁気双極子モーメントが発生する．各々の磁気双極子モーメントの合成に基づく軌道角運動量とスピン角運動量の相互作用を，スピン軌道相互作用という．

補足 6.8　X線を利用する他の分析法

物質の表面に電子線（直径数 nm ～数十 μm 程の高速電子束）を照射し，発生する特性X線を分光検出して，微小領域の元素分析（定性定量）を行う装置が，前述の EPMA である．このとき，電子線を走査しながら照射し，試料からの反射電子，2次電子，あるいはX線などを検出して，微小領域のイメージングを行う装置が走査型電子顕微鏡 scanning electron microscope（SEM）である．

6　質量分析

質量分析を行うと，その結果を質量スペクトル（MSスペクトル）として得ることができる．しかし，同様にスペクトル測定を行う種々の分光法（UV-VIS, FL, IR, NMR, ESR など）との間には，原理的な関連性は全くない．質量分析法 mass spectrometry（MS）には多くの種類があり，それらを理解するためには，質量分析計の基本的な装置構成と，各構成要素が採用している分析原理の違いを把握することが肝要である．

6-1　概　要

MS は，測定対象の分子を気体のイオンに（イオン化）して質量分離部に導入し，イオンを m/z（イオンの質量を統一原子質量単位（後述）で割り，更にイオンの電荷数で割って得られる無次元量，m over z と読む，質量電荷比という言い方は推奨されない）に応じて電磁気力によって分離し，検出する方法である．種々の質量分析計の構成要素は共通しており，試料導入部，イオン化部（イオン源），質量分離部，検出部，及びデータ処理部からなる（図 6.33）．この中で，イオン化部（一部の装置を除く），質量分離部，検出部はイオンが通過するため，真空ポンプで減圧されている．

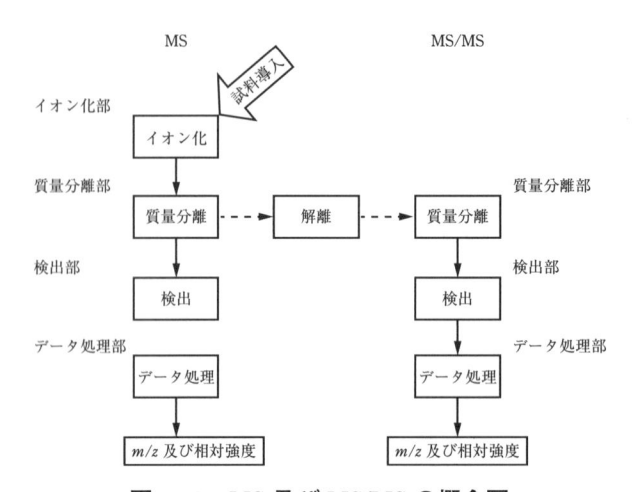

図 6.33　MS 及び MS/MS の概念図
（第十七改正日本薬局方解説書，B-388，廣川書店（2016）より）

6-2　試料導入部

イオン化部への試料の導入法は三つに大別される．i) 気体試料又は揮発性試料の場合，試料を一旦リザーバーチャンバーに入れて気化し，チャンバーからイオン化部の真空を利用して導入する．ii) 液体又は固体試料の場合，導入プローブの先端に試料を配置し，直接イオン化部へ導入する．iii) ガスクロマトグラフィー（GC），液体クロマトグラフィー（LC），キャピラリー電気泳動（CE）等からのオンライン接続の場合，キャリヤーガスや移動相等を除去するためのインターフェイスを使って導入することが多い．

6-3　イオン化部

イオン化部はイオン源（イオンソース）とも呼ばれ，試料導入部から導入された試料を気体のイオンに変換する．イオン化室，イオン流の加速場，収束レンズなどから構成される．幾つかのイオン化法が実用化されているが，イオン化の機構は分かっていないことが多い．誘導結合プラズマをイオン源とする ICP-MS は第 5 章を参照していただき，ここでは有機化合物の質量分析に適用できる代表的なイオン化法を示す．

A. 電子イオン化 electron ionization（EI）

EI では，W 又は Ru のフィラメントを電気的に熱して発生させた電子の流れに，気化された試料を直交させる（図 6.33）．その際，電子流が試料分子 M（分子量で数百以下）に衝突して，電子が一つはじき飛ばされ，式（6.16）の反応が起こる．その結果，$M^{+\cdot}$ で表されるラジカルカチオンが生成する．

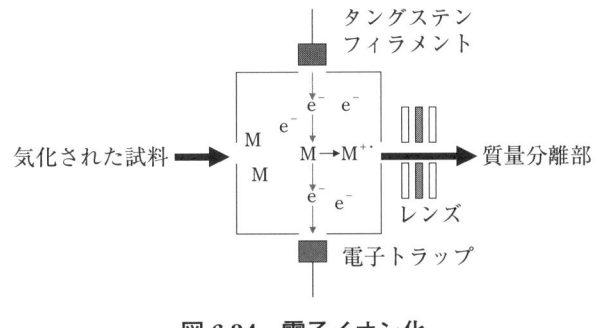

図 6.34 電子イオン化

$$M + e^- \longrightarrow M^{+\cdot} + 2e^- \tag{6.16}$$

$M^{+\cdot}$の一部は更に解裂し，種々のフラグメントイオンを生成する．生成したイオンはレンズによって加速され，質量分離部へと導かれる．代表的なハードイオン化法である．

B. 化学イオン化 chemical ionization（CI）

CI は，EI ではほとんど分解してしまうような試料を，よりソフトにイオン化するために開発された方法である．EI とほぼ同様のデバイスを用いて，イオン化室内に水素，メタン，イソブタン，アンモニア等の試薬ガスを入れ，イオン化させる．試薬ガスから生成された $[R + H]^+$ や X^- などの反応イオンと試料分子を反応（イオン分子反応）させ，試料に由来するイオンを得る．プロトンの付加や脱離，ハロゲンの脱離，電子の移動，イオンの付加反応などが起こる．EI に比較して，フラグメントイオンの生成は少ない．

C. 高速原子衝撃 fast atom bombardment（FAB）

FAB は，試料をグリセロールなどの不揮発性溶媒に溶かしてから金属板に塗布し，そこに 8 keV 程度のエネルギーを与えて加速したアルゴンやキセノンの原子ビームを照射し，イオン化を行う方法である．試料の保持にマトリックス（グリセロール）を用い，そこにエネルギーを照射してイオン化させる，脱離イオン化法の一つである．

D. マトリックス支援レーザー脱離イオン化
matrix-assisted laser desorption ionization（MALDI）

MALDI では，高分子（分子量で 300,000 程度まで）のイオン化が可能である．試料を過剰のマトリックスと共に溶媒に溶かし，金属製のサンプルプレートに塗布し，結晶化させる．そこに電磁波（窒素レーザーが多い）を照射すると，マトリックスがレーザー光を吸収して瞬時に熱エネルギーに変換する．この変換に伴い，マトリックスと試料は気化し，試料分子 M に由来する $[M + H]^+$，$[M + Na]^+$，$[M + K]^+$などと共に，マトリックス由来のイオンが生成する．測定対象毎に適切なマトリックスを選択する必要があり，α-シアノ-4-ヒドロキシケイ皮酸など，紫

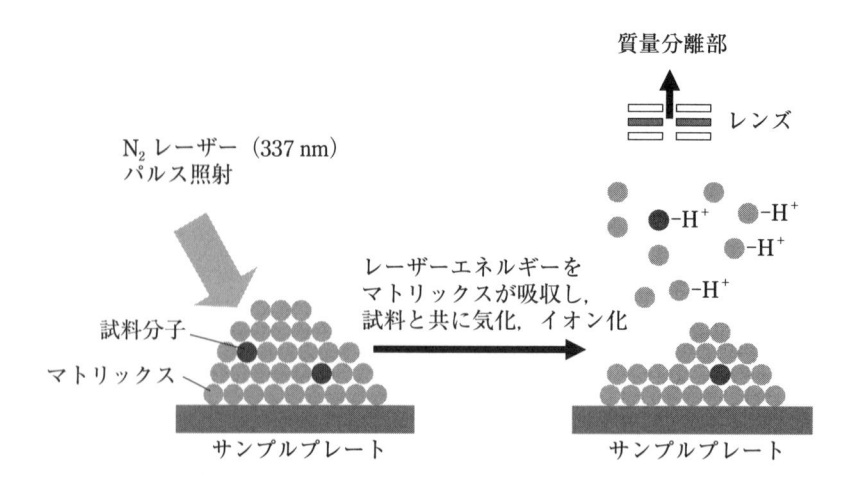

図6.35 マトリックス支援レーザーイオン化

外域に吸収をもち,かつ,イオン化しやすい物質が使われる.

E. エレクトロスプレーイオン化 electrospray ionization（ESI）

ESIは，LCやCEからのオンライン接続で汎用されている．図6.36に示すように，キャピラリー先端と対向電極の間に数kVの高電圧を印加すると，キャピラリー先端に液体コーンが形成される．液体コーン内の高電界のため，溶液内では正と負のイオンの分離が起こり，大気圧下でイオン化室に噴霧された試料の液滴は高度に帯電している．移動の過程で帯電液滴から溶媒が蒸発し，体積が小さくなって表面電荷密度の増加が進行する．電荷同士の反発力が液滴の表面張力を超えると，液滴は分裂する．この過程を繰り返すと，最終的に試料分子に由来する気体イオンが生成する．試料の流量が多い場合，キャピラリーに沿って窒素などをネブライザーガスとして流し，溶媒の蒸発を促進させる．非常にソフトなイオン化であるため，試料分子にプロトンが付加した多価正イオンまたはプロトンが脱離した多価負イオンが主で，フラグメントイオンはほとんど生成しない．

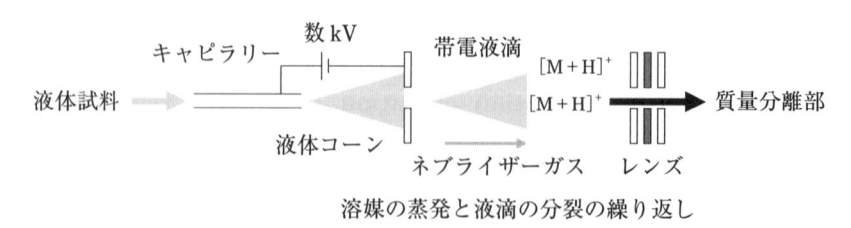

図6.36 エレクトロスプレーイオン化

F. 大気圧化学イオン化 atmospheric pressure chemical ionization（APCI）

APCI も，LC からのオンライン接続で用いられることが多い．試料分子として，ESI でのイオン化が困難な，より極性の低い分子が対象となる．デバイスは ESI のものと似ており，図 6.37 に示すように，キャピラリーに液体試料を通し，ネブライザーガスと共にヒーター内（400 ℃ 程度）に噴霧し，気化させる．ヒーターの先でコロナ放電を行い，気相で溶媒をイオン化させる．イオン化した溶媒は CI における反応イオンに相当し，これが試料分子にプロトンを引き渡すなどして，試料分子のイオン化が行われる．

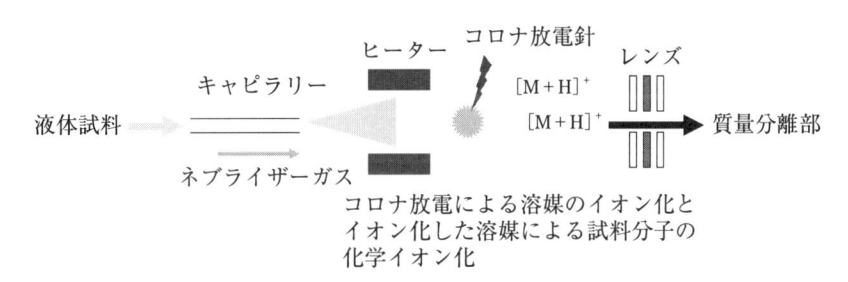

図 6.37 大気圧化学イオン化

6-4 質量分離部

試料分離部は，イオン化された試料分子を真空中で m/z に応じて分離する部分である．イオンの分離に磁場と電場をどのように使うかによって，幾つかのタイプがある．

A. 磁場セクター型

磁場セクター型には，磁場セクター（扇形磁場）のみを分離に利用する単収束型と，磁場セクターと電場セクターの両方を利用する二重収束型がある．質量 m，電荷 z のイオンが加速電圧 V で磁場 B に入ったとき，その運動エネルギーは，式（6.17）で表される．

$$zeV = \frac{1}{2}mv^2 \tag{6.17}$$

ここで，e は電子の電荷（電気素量），v はイオンの速度である．磁場からイオンに与えられる Lorentz 力 $Bzev$ と，曲げられた軌道（半径 r の円軌道）における遠心力がつり合うとき，イオンは磁場を通過できる．このとき，式（6.18）が成り立つ．

$$Bzev = \frac{1}{r}mv^2 \tag{6.18}$$

式（6.17）と式（6.18）から，m/z について式（6.19）が導かれる．

$$\frac{m}{z} = \frac{B^2 r^2 e}{2V} \tag{6.19}$$

式（6.19）から，磁場型の質量分離部では，m/z は磁場の強度の2乗，イオンの軌道半径の2乗に比例し，加速電圧に反比例する．B と V を一定の条件で測定すれば，m/z の小さい分子ほど，磁場によって曲げられやすくなり，r は小さくなる．実際の測定では，V と r を一定に保ち，B を走査すると，m/z の異なるイオンが順次イオン検出部に導入される．

磁場セクター型の質量分離を行う装置の多くは，分解能を向上させるために，磁場セクターの前又は後ろに電場セクターを設置した二重収束型となっている（図6.38）．磁場セクターは，イオンの進行の方向収束を行う．一方，電場セクターは，気体イオンのもつ運動エネルギーのわずかな違いを補正し，速度収束を行うため，MSスペクトルのピークはシャープになる．

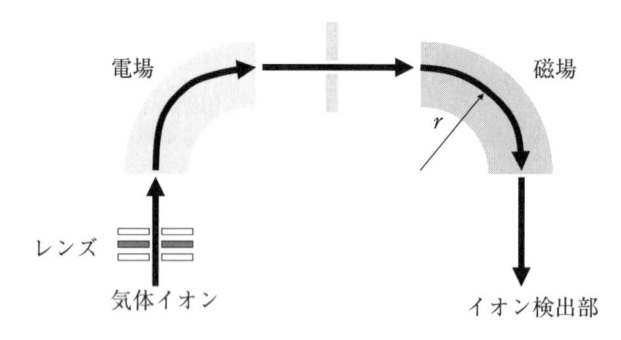

図 6.38　二重収束型質量分離部

B. 四重極型

四重極型 quadrupole は，磁場を使わずに電場のみを利用して質量分離を行うもので，特定の質量のイオンのみを通過させるマスフィルター型と，応用タイプのイオントラップ型（後述）に大別される．マスフィルター型は，4本の金属ロッドを図6.39に示すように配置する．直流電圧をU，高周波の交流電圧を$V\cos\omega t$（$\omega = 2\pi f$，f は交流の周波数，t は時間）とし，向かい合った金属ロッド2組に，それぞれ正の電圧 $U + V\cos\omega t$ と負の電圧 $-U - V\cos\omega t$ を印加する．イオンは周期的に変化する電場の中を進み，このとき m/z は V に比例し，f の2乗と金属ロッドの内接円の半径の2乗に反比例する．実際の測定では，$U/V =$ 一定の条件で V を走査すると，ほとんどのイオンは四重極の外に飛び出してしまうが，特定の m/z のイオンは順に四重極を通過し，

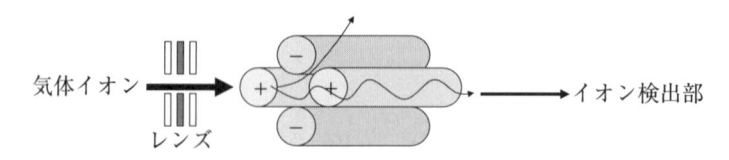

図 6.39　四重極型質量分離部

検出部に導入される.

C. イオントラップ型

シンプルなタイプのイオントラップ型の模式図を図6.40に示す．リング状の電極の左右に，イオンの通過できる穴を空けた2個のエンドキャップ電極を配置する．リング状電極に交流電圧を印加し，気体イオンを導入すると，交流電圧に応じてある質量よりも大きなイオンは安定な状態となり，リング内にトラップされる．交流電圧を走査すると，m/zに応じて不安定となったイオンはトラップから飛び出して，もう一方のエンドキャップ電極を通過し，イオン検出部に導入される．

イオントラップ部位として，サイクロトロンを利用するものに，フーリエ変換イオンサイクロトロン共鳴型がある．サイクロトロンでは，強力な一様磁場の元で，イオンに回転運動（サイクロトロン運動）をさせ，トラップする．トラップされたイオンに磁場と直交する交流電場を走査しながら印加して共鳴させ（サイクロトロンの振動数と等しい角振動数をもつイオンがエネルギーを吸収して加速され，回転半径を増す現象をイオンサイクロトロン共鳴という），サイクロトロンの壁への衝突によって発生する誘導電流をフーリエ変換して，質量スペクトルを得ている．

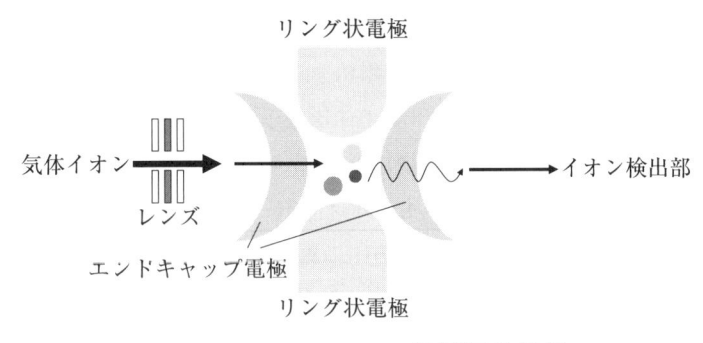

図6.40 イオントラップ型質量分離部

D. 飛行時間型

飛行時間 time of flight (TOF) 型は，イオン化部でパルス状に発生させたイオンを加速し，磁場も電場もない真空中（フィールドフリー領域）で飛行させ，その飛行時間の違いに基づき分離する．前述のように，質量m，電荷zのイオンが加速電圧Vで真空に入ったとき，電気素量をe，イオン速度をvとすると，その運動エネルギーは，式（6.17）で表される．このとき，検出部に達するまでに要する飛行時間tは，飛行距離dによって決まり，$v = d/t$を式（6.17）に代入して整理すると，式（6.20）が導かれる．

$$t = d\sqrt{\frac{m}{2zeV}} \tag{6.20}$$

式(6.20)から，V一定の元ではtはm/zの平方根に比例し，実験的にtを測定すれば，m/zが算出される．

図6.41に示したような，イオン化部とイオン検出部が向かい合い，イオンが直線的に一方向に飛行するものをリニア飛行時間型，フィールドフリー領域の出口にリフレクトロンを配置し，イオンを跳ね返してイオン化部付近に設置したイオン検出部で検出を行うものをリフレクトロン飛行時間型という．

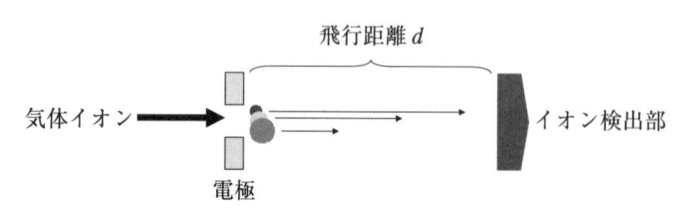

図 6.41　飛行時間型質量分離部

6-5　イオン検出部

イオン検出は，多くの場合二次電子増倍管を用いる．二次電子増倍管は，固体電極表面に入射したイオンや光を電子に変換し，その電子を増倍する検出器である．例えば，100 eVの電子1個をCu-Be合金電極に入射すると，平均2個の二次電子が飛び出すことが知られており，これを繰り返すと電子を増倍できる．二次電子増倍管には，ディスクリートダイノード電子増倍管と，連続ダイノード電子増倍管があり，いずれもダイノードと呼ばれる電極でイオンを電流信号に変換し，回路で取り扱う程度の電流を得る．一方，二次電子増倍管の0.1%程度の感度であるが，高感度検出の必要がない場合はファラデーカップをイオン検出部として用いる場合もある．

6-6　質量スペクトル（MSスペクトル）

一般に質量分析の結果は，横軸にm/z，縦軸にシグナル強度を取ったMSスペクトルで表される．EI法によるMSスペクトル測定では，分子量と同じm/zを与える電子1個を失ったイオン$M^{+\cdot}$（電子の質量は無視できる）のピークが出現することがあり，それらは分子イオンピークと呼ばれる．MALDI, ESI, APCI等では分子イオンはほとんど観察されず，プロトン付加分子[M + H]$^+$や脱プロトン分子[M − H]$^-$などが主に生成する．一つの分子イオン，[M + H]$^+$，[M − H]$^-$などをプリカーサーイオンとして，それらが解裂して生成したプロダクトイオンをフラグメントイオンといい，そのイオンのピークはフラグメントイオンピークと呼ばれる．MSスペクトルのすべてのピークの中で，シグナル強度が最も大きなピークを，基準ピークという．MSスペクトルの縦軸は，基準ピークのシグナル強度に対する相対シグナル強度で示すこともある．

天然同位体存在比の高い元素を含む分子（^{35}Cl：^{37}Cl ＝ 3：1 や ^{79}Br：^{81}Br ＝ 1：1 など）では，化学式は同じでも同位体組成の異なる同位体イオンによる同位体ピークが観察される．MS スペクトルの測定に際しては，質量が既知の物質を用いてあらかじめ装置の質量校正をする必要がある．

A. 質量分解度

MS スペクトル上，観測されたピークの m/z の値を，同じスペクトル上でそのピークと分離されて観察される（仮想的な）ピークの m/z の値の最小差 $\varDelta(m/z)$ で割った値 $(m/z)/\varDelta(m/z)$ を，質量分解度という．質量分解度を示す際は，i) その値を求めるために用いた m/z の計測値を示し，更に ii) $\varDelta(m/z)$ の値の決め方を示す必要がある．$\varDelta(m/z)$ の値の決め方は，ピーク高さに対する一定の割合の高さで求めたピーク幅の値（最大ピークの半値幅を使うことが多い）として定義される場合と，同じピーク高さの 2 本のピーク間の谷が，ピーク高さの一定の割合になる（谷の高さがピーク高さの 10 % となる場合を使うことが多い）ときの，ピーク間の間隔として定義される場合がある（図 6.42）．

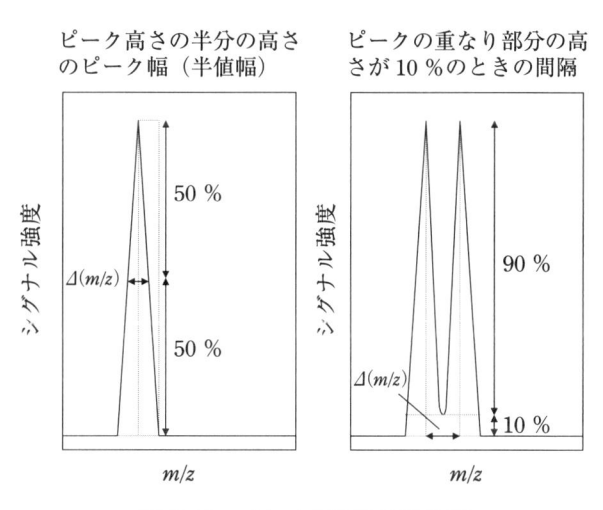

図 6.42　$\varDelta(m/z)$ の値の決め方

B. 精密質量，質量分解能，質量確度

精密質量には，同位体質量を使ってイオンや分子の質量をミリダルトン（10^{-3} u）まで計算して求めた計算精密質量（calculated）exact mass（モノアイソトピック質量ともいう）と，十分な確度で 1 mDa（1×10^{-3} u）以下まで計測した質量の測定値である測定精密質量（measured）accurate mass の二つがある．質量分析計の基本性能（表 6.7）のうち，質量分解能と質量確度の算出には MS スペクトルから得られた計測値に加え，精密質量が用いられる．

表 6.7 質量分析計の基本性能

基本性能	定　義
感度	試料の導入量を変化させたときのイオンのシグナル強度の変化量
質量分解能	ある特定の質量分解度の値を得ることができる質量分析計の能力
質量確度（質量真度）	質量分析で計測された質量の値の正確さ，すなわち，真の値（計算精密質量）との一致度

質量分解能は，質量分解度がその指標として用いられる．一般にイオンの質量が大きくなると質量分解度は低くなり，また，二重収束型，イオントラップ型，飛行時間型などの質量分離を行うと，高い質量分解度が得られる．例として，N_2 と CO を分離検出するのに必要な質量分解度を求めてみる．まず N_2 の計算精密質量は $14.0031 \times 2 = 28.0062$ であり，一方 CO の計算精密質量は $12.0000 + 15.9949 = 27.9949$ であり，両者は異なっている．このとき質量分解度は，$(m/z)/\Delta(m/z) = 28.0062/(28.0062 - 27.9949) \approx 2478$ と計算される．この質量付近の質量分解度がこの値以上の質量分解能をもつ質量分析計を用いれば，N_2 と CO を区別して MS スペクトルを測定できる．

質量確度は，質量の計測値と計算精密質量との差の絶対値，又は百万分率で表すことが多い．例として，N_2 の MS スペクトルから得られた窒素の質量の計測値が，28.0061 のときの質量確度を求めてみる．計算精密質量との差の絶対値は，$28.0062 - 28.0061 = 0.0001$ である．これを百万分率にすると，$0.0001 \times 1000000 = 100$ ppm と求まる．なお，質量確度の意味で質量精度（本来は再現性を意味しており，繰り返し測定による相対標準偏差等がその指標として用いられるべきである）という言葉が使われることがあり，注意が必要である．

C. 得られる情報

MS スペクトルを測定すると，イオンの質量に関する情報が得られる．横軸の m/z は，定性分析，縦軸のイオンのシグナル強度は定量分析に活用できる．横軸に関しては，十分な質量確度をもち，質量分解能も目的以上の仕様の装置を用いて測定を行い，測定精密質量が得られれば，分子イオンピーク，プロトン付加分子ピーク，脱プロトン分子ピークの m/z から，測定対象の分子の組成式を推定できる．また，フラグメントイオンの m/z から，解裂パターンを考察し，測定対象の分子の構造が推定できることがある．縦軸については，後述するようにある範囲でイオンのシグナル強度は，装置に注入された試料の濃度に比例するため，シグナル強度の再現性が確保できれば，定量分析へ適用できる．

6-7　GC-MS，LC-MS 及び LC-MS/MS

クロマトグラフィーにオンラインで質量分析計を連結し，それを検出器として利用する GC-

MS，LC-MS 及び LC-MS/MS などの分析法は，定性と定量を同時に行える方法として急速に普及してきている．特に，LC-MS と LC-MS/MS の普及によって，食品分析や薬品分析の領域では，この十数年で大きな変化が起こっている．

A．GC-MS

分離カラムとしてキャピラリーカラム（内径 0.25 mm 程度以下）を使用し，キャリヤーガスの流量が少ない場合は，カラムとイオン化部を直結し，分離された試料をキャリヤーガスと共に質量分析計に直接導入できるようになった．キャピラリーカラムより内径が大きなカラム（内径数 mm）を使用する場合は，従来のようにカラムとイオン化部の間にセパレーターを配置し，He などの質量の小さいキャリヤーガスの大部分を分離除去し，質量の大きな試料を濃縮してイオン化部に導入している．

イオン化部では，EI 法，又は CI 法が主に用いられる．質量分離部は，二重収束型，又は四重極型が一般的である．

測定モードとしては，検出された全てのイオンもしくはある m/z 範囲のイオンの電流値（シグナル強度）の総和を連続的に記録する全イオンモニタリング total ion monitoring（TIM），又は特定の（1 種類とは限らない）m/z 値をもつイオンの電流値（シグナル強度）のみを連続的に記録する選択イオンモニタリング selected ion monitoring（SIM）を設定する．TIM モードで得られる全イオン電流値を保持時間に対してプロットしたクロマトグラムを全イオン電流クロマトグラム total ion current chromatogram（TICC），SIM モードで得られるクロマトグラムを SIM クロマトグラムという．TICC から，特定の（1 種類とは限らない）m/z 値における相対強度 relative intensity を読み出し，時間の関数として表したクロマトグラムを，抽出イオンクロマトグラム extracted ion chromatogram（EIC）という．特定の物質の定量のためには，TIM モードに比較して検出限界が小さい SIM モードがよく利用されている．質量分析計として，タンデム質量分析計を接続した装置も普及してきている．タンデム質量分析（MS/MS）については，LC-MS/MS のところで述べる．

B．LC-MS

LC のシステムは，コンベンショナル HPLC，セミミクロカラムを用いるセミミクロ HPLC，あるいはキャピラリー（ミクロ）カラムを用いるキャピラリーLC が利用される．いずれのシステムも，分離カラムと質量分離部の間に移動相溶媒を除去するためのインターフェイスが必要である．上述のように，大気圧でイオン化できるインターフェイスを併せもつ ESI と APCI が最も広く利用されており，測定対象の極性等に応じて使い分けられている．

ESI と APCI 以外のインターフェイスでは，1）パーティクルビーム：揮発性溶媒で作製した移動相を流した溶離液を微小液滴として噴霧，溶媒を加熱気化させた後，ジェットセパレーターなどで溶媒などの小分子を排気することによって生成する乾燥した固体粒子のビームをイオン化

室へ導き，EI や CI でイオン化する，2) サーモスプレーイオン化：電解質イオンを反応イオンとして含む溶離液を，数百 Pa 程度の高真空下でキャピラリー先端から加熱噴霧することによってイオン化する，3) 連続フロー高速原子衝撃：液体マトリックスと測定対象の液状混合物をサンプルプローブに連続的に供給する，などが用いられている．

測定モードは，GC-MS と同様に TIM モードと SIM モードがある．

C. LC-MS/MS

LC-MS/MS は，LC-MS の MS 部でタンデム質量分析を行うものである．タンデム質量分析には，空間的タンデム質量分析と時間的タンデム質量分析の二つがある．空間的タンデム質量分析は，空間的に隔たる複数の質量分離部を備えた質量分析を用いるタンデム質量分析で，前段の質量分離部でプリカーサーイオンの選択を行い，後段の質量分離部との中間領域の衝突セルでイオンを解離させ，後段の質量分離部でプロダクトイオンを m/z 分離するものである（図 6.43）．一方，時間的タンデム質量分析は，イオントラップ型（フーリエ変換イオンサイクロトロン共鳴型を含む）を用いて，1 台の装置でプリカーサーイオンの選択とその解離，プロダクトイオンの解析を行うものである．これらは一つの質量分離部の異なる時間区分において逐次的に行われるため，設定によっては多段階質量分析（MS^n）を行うことができる．

空間的タンデム質量分析の装置は，1) 4-セクター型（衝突セルを介して二重収束型を 2 台連結したもの），2) ハイブリッド型（二重収束型-衝突セル-四重極型又は飛行時間型，四重極型-衝突セル-飛行時間型など），3) 三連四重極型（四重極型-衝突セル-四重極型）に大きく分けられる．これらの中で，定量用装置として広く普及しているのは，三連四重極型である．第一と第三の四重極は，四重極マスフィルターとして質量分離に関わり，第二の四重極は質量分離を行わず，四重極イオンガイドとして衝突ガス中にイオンを透過させて衝突誘起解離 collision-induced dissociation（CID）を行い，MS1 を通過したプリカーサーイオンを解離させ，プロダクトイオンを生成させている．種々の測定モードがあり，構造情報を得るために定性分析を行うときは，MS1 を固定し（特定の m/z 値のイオンのみを透過させる），MS2 をスキャンするプロダクトイオンスキャンで測定する．定量分析には，一般に選択反応モニタリング selected reaction monitoring（SRM）が行われる．三連四重極型の SRM では，MS1 で透過させるプリカーサーイオンの m/z 値と，MS2 で検出するそのプロダクトイオンの m/z 値を固定して測定する．これによって，夾雑物から試料と同じ m/z 値のプリカーサーイオンが生成しても，同じ m/z 値のプロダクトイオンが生成しなければ，その影響を除くことができ，選択性を向上させることができる．

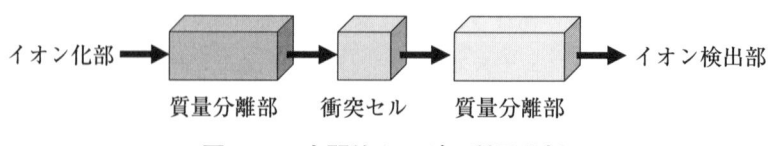

図 6.43 空間的タンデム質量分析

オミクス等では，MS1 のプリカーサーイオンの m/z 値と，それに対応する MS2 のプロダクトイオンの m/z 値との組合せを数百通り設定し，網羅的な定量が行われている．

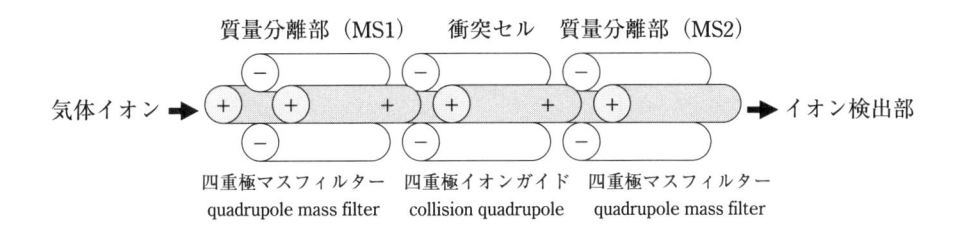

```
          質量分離部（MS1）    衝突セル    質量分離部（MS2）
気体イオン →                                              → イオン検出部
          四重極マスフィルター  四重極イオンガイド  四重極マスフィルター
          quadrupole mass filter  collision quadrupole  quadrupole mass filter
```

図 6.44　三連四重極型質量分析計

補足 6.9　質量の概念

　質量分析における質量の概念は，ニュートン力学の慣性の法則の $F = ma$（F は力，m は質量，a は加速度）における m として定義される．そのため，本節における質量分離部でのイオンの運動は，ニュートン力学で取り扱うことができた．これは，電磁波の共鳴吸収を取り扱うためには量子力学が必須であったのと対照的である．

　物理量としての質量は公式には SI 単位（kg）で表記されるべきであるが，質量分析で扱われる原子，分子，イオンなどの質量については，非 SI 単位のダルトン（記号 Da）又は統一原子質量単位 unified atomic mass unit（記号 u）を用いる表記が国際度量局によって公認されている．1 Da = 1 u は，静止した基底状態の質量数 12 の炭素原子 1 原子の質量の 12 分の 1 の質量として定義され，$1.660\ 538\ 782(83) \times 10^{-27}$ kg に等しい．これらの非 SI 単位は，SI 単位に併用できる単位として位置づけられている．

第7章 分離分析

1 総論

1-1 物質の分離

医薬品の主成分を化学的に合成した場合，目的の成分には出発原料，反応中間体，反応副産物などさまざまな不純物が混ざっている．一方，医薬品の原料を植物などの天然物から抽出した場合にも，構造の類似した化合物が混在している．一般に，分析する試料が純粋な組成で存在することはまれであり，構造上又は性質上類似した不純物が目的成分の定量を妨害する場合が多い．また，混合物中から目的成分だけを選択的に分析する方法はないので，医薬品の投与量，極量などを決定するには，まず目的成分を純粋に分離して正確に定量しなければならない．混合物中の試料物質を純粋にとりだし，定性・定量することを**分離分析** separation analysis といい，このための分析法を分離分析法と呼んでいる．

1-2 相変換による分離

分析化学の領域で用いられる分離の手段は数多いが，その主なものの一つに，相変換に基づく分離方法がある．目的物を異なる相へ変換することにより，他の不純物と分離する方法である．水溶液中に存在する陽イオンと陰イオンとが静電的相互作用により結合したとき，難溶性の塩である沈殿を生じる場合，これらの陽イオンと陰イオンは液相から固相への相変換によって分離される．また，ある液体の混合物を沸点の違いにより分離する方法として分別蒸留がある．この方

法は液相から気相への相変換をさせ，液体の混合試料から目的物質を分離する方法である．その他にも，昇華，溶融，結晶化などの方法が，相変換に基づく分離法で，他の不純物が存在する相から純粋な成分だけが存在する相へ変換して分離する方法である．

1-3 二相間への分配による分離

　二相間への物質の分配の違いに基づく分離方法である．二相への物質の親和性の違いに基づく分配率の差による分離としては，溶媒抽出法，水性二相分配法，クロマトグラフィーなどが知られている．**溶媒抽出法** solvent extraction method は，例えば，水とエーテルのように互いに混じり合わない二相系へ液体又は固体の試料を溶解し，目的成分を抽出する方法である．この時，水に溶けやすい物質は下層の水相へ分配され，エーテルに溶けやすい物質は上層のエーテル相へ分配されるので，混合物は容易に分離される．この方法は，簡単なので最もよく用いられる分離方法の一つである．

　2種類の水溶性高分子をある濃度以上に混合すると，両相とも水溶液であるにもかかわらず二相に分離する．この二相系を用いて物質を分離する方法を**水性二相分配法** aqueous polymer two phase system method という．一般に，水性二相分配法にはポリエチレングリコールとデキストランの水溶液の組み合わせが最もよく用いられているが，この二相系は水-有機溶媒の二相系に比べて，両相間の比重，表面張力などの物理的な性質の差は非常に少なく，二相の境界面を見分けるのも難しい．これらの水性二相溶媒系は両相が水溶液から構成されているため，たん白質，核酸などの生体高分子を変性することがないので，これらの分離精製に用いられている．

　向流分配法 countercurrent distribution method は水と有機溶媒又は水性二相溶媒を用いて抽出と分離の効率をよくする目的で，多段階での抽出の自動化を試みた分離方法である（*Craig* の向流分配）．しかしながら，混合，静置，移動相の輸送などの一連の操作の繰り返しを機械的に行う装置が必要であるばかりでなく，装置が複雑な上，段数を多くすればするほど装置が大型になるのが欠点である．

　クロマトグラフィー chromatography は支持体に結合している固定相と，充てん剤の間隙を自由に動ける移動相との間の，物質の分配の違いによって目的成分を分離する方法である．それぞれ，固定相の種類により，分配，吸着，イオン交換，サイズ排除，アフィニティークロマトグラフィーに分類される．吸着型では充てん剤そのものが固定相であるが，分配型ではシリカゲルやセルロースなどの支持体へ吸着させた水が固定相となる．また，支持体へ化学結合させた液相が固定相となる場合もある．いずれにしろ，物質の固定相への親和性の違いにより目的成分を他の成分から分離する方法である．

1-4 その他の方法による分離

電場中での物質の分離としては，電場の中で荷電した分子の移動速度の差に基づく分離方法である電気泳動，電気浸透などがある．電解分離には定電位電解などによる金属の電解電圧の相違に基づく分離方法がある．

分子の大きさの違いを利用した分離法としては透析，限外ろ過，分子ふるいが粒子のサイズや分子量の違いに基づく分離方法として知られている．

また，遠心力場における重さの異なる物質の重力方向への移動速度の違いにより分離する方法として遠心分離が知られている．分散系における沈降速度の差と沈降平衡に基づく分離方法である．

このように多種多様の分離技術があるが，特に二相分配に基づく分離方法である各種クロマトグラフィー，及び電場中での分離方法である電気泳動法とキャピラリー電気泳動法について述べる．

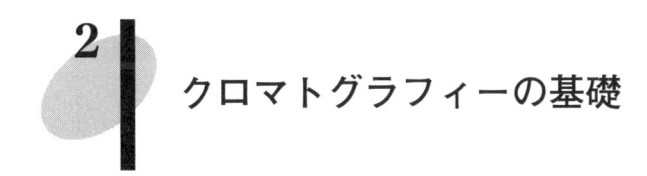

2 クロマトグラフィーの基礎

2-1 定義と分類

1903年ロシアの植物学者 *Tswett* は，植物から抽出した葉緑素が炭酸カルシウムを充てんしたガラス管内から石油エーテルで溶離されるとき，色の異なる帯に分別帯となって徐々にガラス管内を通過して溶出することを見いだした．これが，**クロマトグラフィー** chromatography の発端であり，現在代表的な分離分析法として繁用されている．クロマトグラフィーは支持体に固定相を物理的に吸着するか，又は化学結合させた充てん剤を詰めたカラムに混合成分を注入し，気体又は液体の移動相を流し，固定相と移動相に対する物質の**分配** distribution の割合の差異によって物質を分離する方法である．支持体によって固定された固体又は液体を**固定相** stationary phase といい，カラム充てん剤の間を流れる液体又は気体を**移動相** mobile phase という．移動相に気体を用いるクロマトグラフィーが**ガスクロマトグラフィー** gas chromatography であり，移動相に液体を用いるクロマトグラフィーが**液体クロマトグラフィー** liquid chromatography である．液体クロマトグラフィーを高速，高圧で分離効率を高めて行うのが**高速液体クロマトグラフィー** high performance liquid chromatography（HPLC）である．また，移動相に二酸化炭素

表 7.1　クロマトグラフィーの分類と適用

分類	移動相	適用可能な分離モード
液体クロフトグラフィー（LC）	液体	
ろ紙クロマトグラフィー（PC）		分配・吸着
薄層クロマトグラフィー（TLC）		分配・吸着
カラム液体クロマトグラフィー（HPLC）		分配・吸着・イオン交換・サイズ排除・アフィニティー
ガスクロマトグラフィー（GC）	気体	分配・吸着
超臨界流体クロマトグラフィー（SFC）	超臨界流体	分配・吸着・サイズ排除

のような超臨界流体（高密度ガス）を用いる**超臨界流体クロマトグラフィー** supercritical fluid chromatography も開発され，HPLC に比べて短時間に物質の分離が可能になった．

　クロマトグラフィーは移動相と固定相の組み合わせにより，表 7.1 に示したように分類される．ガスクロマトグラフィーの分離モードは吸着，分配の 2 種類に限られるのに対して，カラム液体クロマトグラフィーの分離モードは分配，吸着，イオン交換，サイズ排除，アフィニティーの多岐にわたる．

　クロマトグラフィーの分離モードには以下の 5 種類があり，これらの一つ又は二つ以上のモードの組み合わせにより物質の分離が可能である．

A. 分配クロマトグラフィー

　固定相支持体に液体を物理的に保持させるか，又は化学結合させた液体を固定相とすれば，分離すべき物質は固定相液体と移動相液体又は気体との間での分配率の差によって相互分離される．これが**分配クロマトグラフィー** partition chromatography である．

B. 吸着クロマトグラフィー

　シリカゲル，アルミナ，ポリスチレンポリマーのような多孔性で表面積の大きい物理的吸着性を持つ充てん剤を用いて，物質の充てん剤への吸着力の差によって分離する方法を，**吸着クロマトグラフィー** absorption chromatography という．

C. イオン交換クロマトグラフィー

　正又は負の電荷をもつイオン交換体を支持体に化学結合させたカラム充てん剤を用いて，イオン交換基に対する物質の静電的な相互作用の差を利用してイオン性の物質を分離する方法を，**イオン交換クロマトグラフィー** ion exchange chromatography という．

D. サイズ排除クロマトグラフィー

充てん剤に三次元の網目構造をもったゲルを用いると，小さい分子は網目構造の中に浸透しカラムを通過するのに時間がかかる．一方，大きい分子は網目の中に入れないで，ゲルから排斥される．このように分子の大きさと形の違いによって物質を分離する方法を，**サイズ排除クロマトグラフィー** size exclusion chromatography と呼ぶ．

E. アフィニティークロマトグラフィー

分離目的成分（物質）と生物学的に特異的に吸着する基（リガンド）を支持体に化学結合させて充てん剤とし，特異的吸着力の違いで物質を分離する方法が**アフィニティークロマトグラフィー** affinity chromatography である．

2-2　クロマトグラフィーの各種パラメータ

クロマトグラフィーは固定相と移動相への物質の分布状態の差異によって，各成分を分離する方法である．クロマトグラフィーを行うときに重要な各種パラメータと，クロマトグラムの解析やピークの分離の度合いの評価方法を，分配・吸着モードの高速カラム液体クロマトグラフィーを例に概説する．

A. 質量分布比

カラムに注入された混合物は各成分に固有の比率 k で移動相と固定相に分布する．この比率 k は液体クロマトグラフィーでは**質量分布比** mass distribution ratio（k'）と呼ぶ．

$$k' = \frac{\text{固定相中の成分量}}{\text{移動相中の成分量}} = \frac{C_s}{C_m} \times \frac{V_s}{V_m} = K \times \frac{V_s}{V_m} \tag{7.1}$$

ここで，C_s，C_m は単位体積あたりの固定相，移動相中の成分量であり，V_s，V_m は固定相，移動相の体積である．また，K は**分配係数** partition coefficient である．

カラムに注入された物質は固定相に存在するときは移動せず，移動相に存在するときだけ移動する．上式から，質量分布比 k' が大きい物質ほど移動速度は遅く，カラムに保持され溶出に時間がかかる．一般的に，高速液体クロマトグラフィーにおいて質量分布比 k' の値は 1～10 が適切であり，2～4 が最も分離効率が良いとされている．

B. クロマトグラムと保持値

高速液体クロマトグラフィーで試料導入部から注入された混合成分はカラム内で分離される．各成分が検出器を通過するとき，電気信号として検出され，この電気信号を縦軸に，成分が溶出するまでの時間又は移動相の液量を横軸に記録紙上に曲線を描くと図 7.1 のようになる．この曲

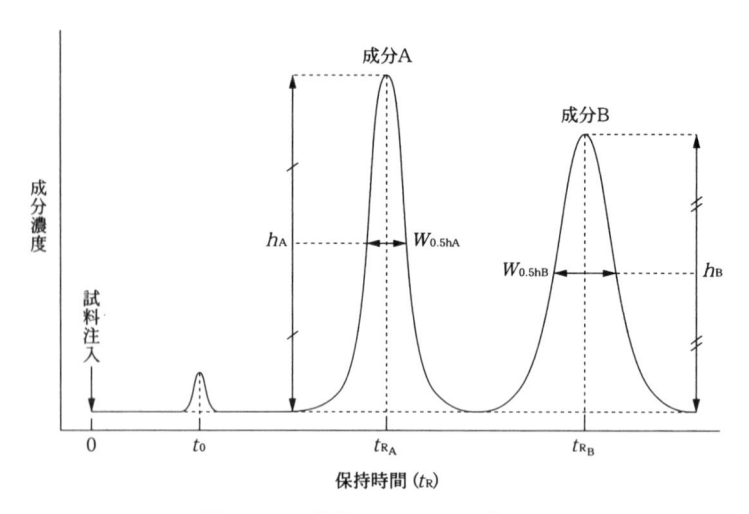

図7.1 2成分のクロマトグラム

線を**クロマトグラム** chromatogram と呼ぶ．

図7.1はA，Bの2成分を含む試料を溶離したときのクロマトグラムである．試料がカラムに注入されてから，成分が溶離されるときの，ピークの頂点までの時間を**保持時間** retention time といい，t_R で表す．また，t_R に流速を乗じると**保持容量** retention volume（V_R）が得られる．図7.1の t_{R_A}，t_{R_B} はそれぞれ成分AとBの保持時間である．また，t_0 は固定相に全く保持されずカラムを素通りする成分の保持時間である．保持時間はカラム充てん剤，移動相組成，流速，温度などの実験条件を一定にすれば成分A，Bにそれぞれ固有の値である．t_R から t_0 を引いた時間を**補正保持時間** adjusted retention time という．

質量分布比 k' と保持時間 t_R との関係は次式で表される．

$$k' = \frac{t_R - t_0}{t_0} \tag{7.2}$$

このように t_R と t_0 から k' を算出することができる．カラムからの成分の溶出が早ければ，t_R が小さいので k' も小さくなり，t_R が大きいと k' は大きくなる．すなわち，クロマトグラフィーの条件が同一ならば t_R，t_0 は一定となり k' はそれぞれの成分に固有の値となる．

C．カラム効率

カラムに注入された成分がカラムを通過するときに，ピークの広がりの度合いを数量化し，**理論段数** theoretical plate number（N）で示してカラム効率の指標とする．理論段数は次式で示され，カラム内で理論的に何回の分配抽出操作が行われたかを示している．理論段数の数が大きいほどピーク幅は狭くなり，カラム効率は良くなる．

$$N = 5.54 \times \frac{t_R^2}{W_{0.5h}^2} \tag{7.3}$$

ここで，t_R は各成分の保持時間，$W_{0.5h}$ は**ピーク高さ** peak height (h) の中点における**ピーク幅** peak width である．

N を計算するとき，t_R と $W_{0.5h}$ の単位（分，秒，cm，mm など）を揃えなければならない．理論段数はカラムの長さに比例し，カラムが長くなれば，理論段数も増加する．一般に，高速液体クロマトグラフィーでは理論段数は数万〜数十万段という高分離能カラムが市販されている．

また，カラムの長さ L を理論段数の数で割ると，理論段一段あたりの高さ（通常 mm）が求めることができる（式(7.4)）．

$$H = \frac{L}{N} \tag{7.4}$$

この H を**理論段相当高さ** height equivalent to a theoretical plate（HETP）という．H が小さいほどカラム効率は良い．

D. 分離係数と分離度

クロマトグラム上の二つの成分の質量分布比 k_1'，k_2' の比を**分離係数** separation factor (α) といい，次式によって示される．

$$\alpha = \frac{k_2'}{k_1'} \tag{7.5}$$

ここで，k_1'，k_2' は式(7.2)より，保持時間（t_{R1}，t_{R2}）と t_0 の関数であるので式(7.5)を変形して，

$$\alpha = \frac{t_{R2} - t_0}{t_{R1} - t_0} \tag{7.6}$$

となる．式(7.6)より，α は2成分の保持時間の差が大きいほど大きくなる．$t_{R1} = t_{R2}$ では $\alpha = 1$ となり，2成分は相互分離できない．$\alpha > 1$ のとき，2成分の相互分離は可能である．しかしながら，2成分の良好な相互分離を得るためには，それぞれのピーク幅も考慮する必要がある．α が同じでも2成分のピーク幅が広ければ互いのピークの重なりは大きくなる（図7.2A）．2成分の分離の度合いをより正確に評価するには，ピークの広がりを考えに入れなければならない．保持時間のみならずピーク幅も分離の度合いのパラメータとして考慮にいれたのが分離度 R_s である（式(7.7)）．

$$R_s = 1.18 \times \frac{t_{RB} - t_{RA}}{W_{0.5hA} + W_{0.5hB}} \tag{7.7}$$

一般に，ピークの形が正規分布型の対称形の二つのピークが得られた場合，分離度 R_s が 1.0 のとき，2成分はわずかに2％の重なりだけで，ほぼ完全に分離している．これを限界分離といい，相互分離の条件の下限である．また，R_s が 1.5 以上ならば，2成分の相互分離は完全である（図7.2B）．

図7.2 2成分の分離

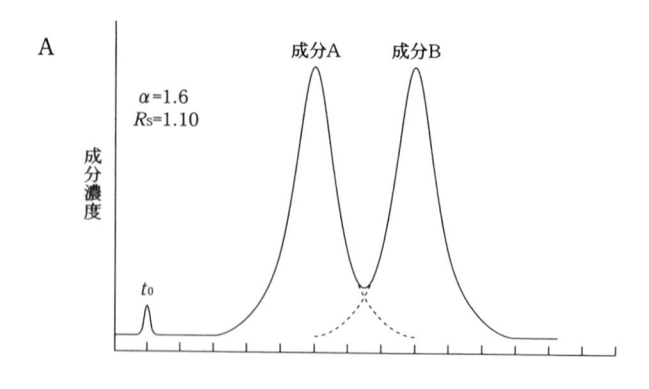

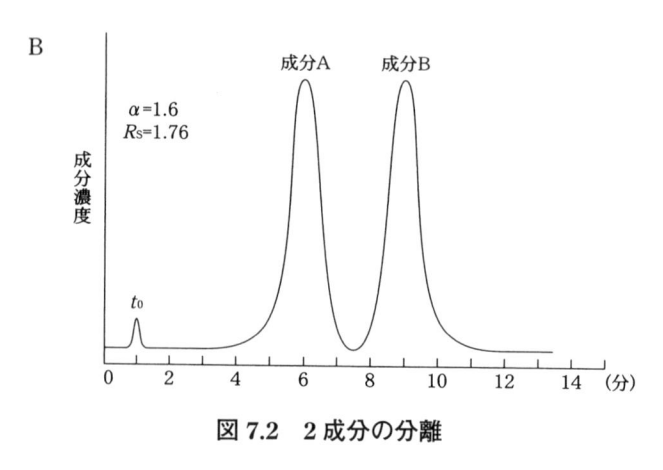

E. シンメトリー係数

　ある成分をクロマトグラフィーによって分離する場合，固定相の選択や移動相組成が適切ならばクロマトグラム上のピークは正規分布型の曲線を描く．これらのクロマトグラフィー条件が適切でないとピークの形状は正規分布型の曲線からずれる（図7.3）．クロマトグラム上のピークの対称性の度合いを示すパラメータに，シンメトリー係数Sが定義されている（式(7.8)）．

$$S = \frac{W_{0.05h}}{2f} \tag{7.8}$$

ここで，$W_{0.05h}$はピーク高さの1/20の高さにおけるピーク幅であり，fはピーク幅をピークの頂点からベースラインにおろした垂線によって二分したときの，ピークの立ち上がり側の距離である．

　ピークの立ち上がりの方が正規分布からずれる現象をリーディング，ピークの後ろが尾を引く現象をテーリングという．クロマトグラムのピークが正規分布形ならば，$S=1$である．図7.3には非対称のピークである，リーディングとテーリングの2種類のピークを示すと共に，シンメトリー係数を求めるときのパラメータを，それぞれのピークについて示した．

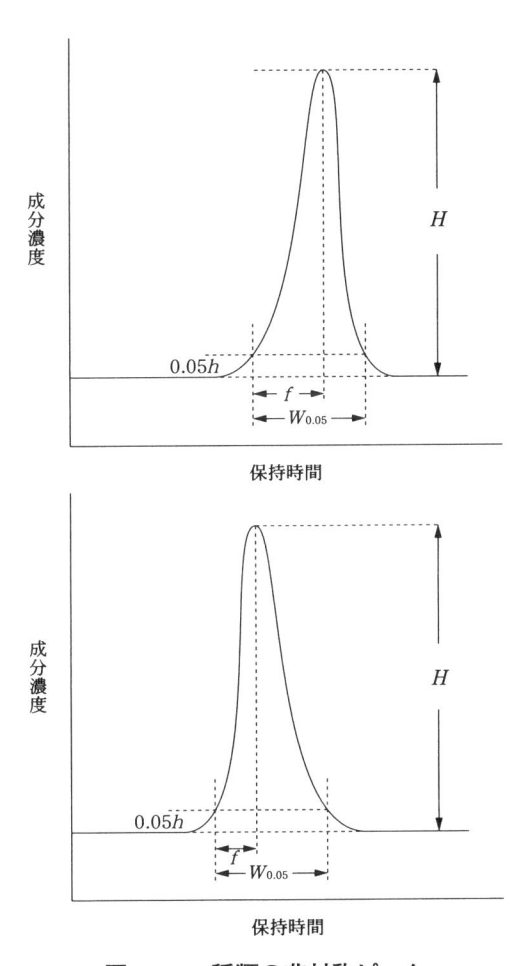

図 7.3　2 種類の非対称ピーク

F. ピーク測定法

クロマトグラム上のピーク測定法には**ピーク高さ** peak height 法と**ピーク面積** peak area 法の二つの方法が主として定量分析に用いられる．

1) ピーク高さ法

ピークの頂点からベースラインへ垂線をおろしたときの，頂点からベースラインまでの距離（h）をはかる．

2) ピーク面積法

ピークの高さの中点におけるピークの幅にピーク高さを乗じる半値幅法が一般的に使用される（式 (7.9)）．

$$A = h \times W_{0.5h} \tag{7.9}$$

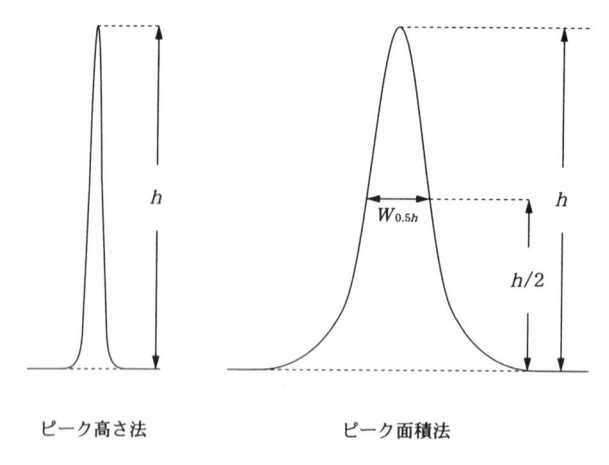

図7.4 ピーク測定法

ピーク高さ及びピーク面積（A）の測定法を図7.4に示した．

その他，検出器からの信号をデータ処理装置を用いてピーク高さ，ピーク面積を自動的に測定する方法がある．

G. シグナル対ノイズ比 $\left(\text{SN比}, \dfrac{S}{N}\right)$

SN比は次式を用いて計算する．

$$\frac{S}{N} = \frac{2H}{h} \tag{7.10}$$

H：対象物質のピークの基線（ベースラインノイズの中央値）からのピーク高さであり，ピークトップから半値幅の20倍に相当する範囲から推定できるベースラインまでの距離を測定する．

h：対象物質のピーク前後における試料溶液または溶媒ブランクのクロマトグラムのベースライン

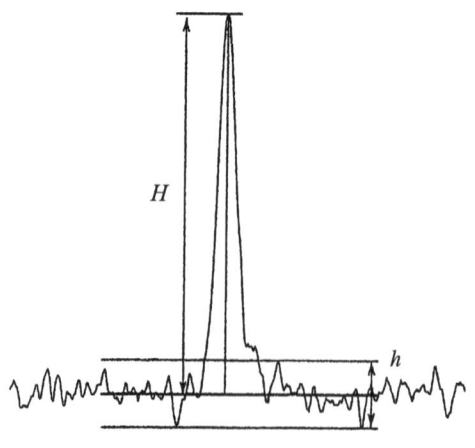

図7.5 クロマトグラム上のピークとベースラインノイズ
（第十七改正日本薬局方解説書，廣川書店より引用）

ノイズの幅である．標準溶液から得られたピークの半値幅の20倍に相当する時間範囲で，かつこのピークが現れる位置の前後の範囲を観察したときの，ベースラインノイズの幅である．一般に検出限界値はSN比3，定量限界値はSN比10とする．

H. システムの適合性試験

1) システムの性能

日本薬局方医薬品各条で医薬品の純度試験や定量法に高速液体クロマトグラフィーが適用されている場合，高速液体クロマトグラフィーのシステムの性能を試験して装置が適切であることを明らかにする．このために，カラムからの溶出順序，分離度ならびに理論段数を確認する．システムの性能試験は医薬品各条に規定されている方法に従う．例えば，インドメタシンカプセル中のインドメタシンのシステムの性能の項では，4-クロロ安息香酸，パラオキシ安息香酸ブチル（内標準物質），インドメタシンを定量法に従って高速液体クロマトグラフィーを行った場合，4-クロロ安息香酸，パラオキシ安息香酸ブチル，インドメタシンの順にカラムから溶出し，4-クロロ安息香酸とパラオキシ安息香酸ブチルの分離度は2.0以上，パラオキシ安息香酸ブチルとインドメタシンの分離度は5.0以上と規定している．

また，クロラムフェニコールパルミチン酸エステルにおけるシステムの性能では，定量法に従って液体クロマトグラフィーを行ったとき，クロラムフェニコールパルミチン酸エステルのピークの理論段数が2400段以上と規定している．

2) システムの再現性

医薬品各条の定量法に従って，各医薬品の標準品を高速液体クロマトグラフィーを6回繰り返したときに，標準品のピーク面積の相対標準偏差を規定している．通常，相対標準偏差は1.0％以下または2.0％以下と規定されている．

例えば，インドメタシンカプセルにおいては，定量条件で試験を6回繰り返すとき，内標準物質（パラオキシ安息香酸ブチル）のピーク面積に対するインドメタシンのピーク面積の比の相対標準偏差は，1.0％以下であると規定されている．

3 カラム液体クロマトグラフィー

吸着，分配，イオン交換，サイズ排除，アフィニティーなどの分離モードが可能なカラム充てん剤をカラムへ充てんし，有機溶媒，水と有機溶媒の混合溶媒，又は塩溶液や緩衝液などの液体を移動相に用いて目的成分を分離し溶出する方法を，**カラム液体クロマトグラフィー** column

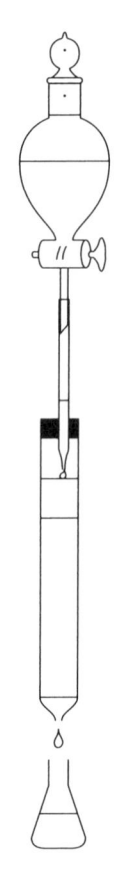

図 7.6　基本的なカラム液体クロマトグラフィーの装置

liquid chromatography という．この方法は液体の試料や移動相に溶解する物質に適用でき，現在最もよく用いられているクロマトグラフ法である．分離すべき目的成分をカラムから溶離する場合，最初から最後まで移動相の組成を変えないで溶出する方法を**単一溶出** isocratic elution という．また，移動相の組成を不連続に段階的に変えて溶出する方法を**段階溶出** stepwise elution，移動相の組成を連続的に変えて溶出する方法を**勾配溶出*** gradient elution という．図 7.6 には，従来から植物成分の混合抽出物や有機化学反応生成物などの精製によく使用されている．基本的なオープンカラムによる液体クロマトグラフィーの装置を示した．

---

*　勾配溶出：混合溶媒系の移動相を用い，溶出力の大きい溶媒の濃度を徐々に高めて溶出を促進する方法や，移動相中の塩濃度を上昇させて溶出する方法をいう．

3-1 吸着クロマトグラフィー

アルミナやシリカゲルのような吸着剤をカラムに充てんし，その物理的吸着力の差によって混合成分を分離するクロマトグラフィーである．一般的に，分離すべき成分が疎水性（低極性）物質であれば，固定相として吸着活性が強く極性の高いシリカゲルのようなカラム充てん剤を用いる．一方，分離目的成分が親水性（高極性）物質であれば，吸着活性の比較的低い充てん剤と，極性の高い移動相を用いる．カラム充てん剤に使用される吸着剤には，吸着力の強い順に，アルミナ，活性シリカゲル，ケイ酸，ケイ酸マグネシウム，リン酸カルシウム，ポリアミド（ナイロン）などがある．また，高速液体クロマトグラフィー用の充てん剤には球形多孔性シリカゲル，球形ガラスビーズ，架橋ポリスチレンビーズなどが用いられる．吸着の機構は，主にシリカゲル

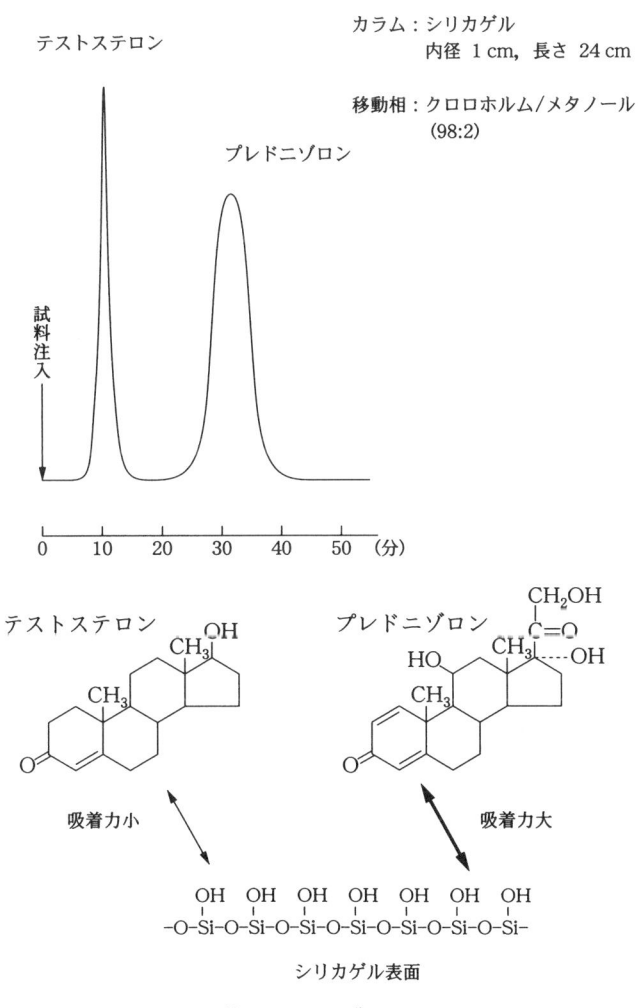

図 7.7 吸着クロマトグラフィーの原理

の表面のシラノール基（−SiOH）と目的成分との間の水素結合と考えられている．図 7.7 にはシリカゲルをカラム充てん剤に使用し，移動相にクロロホルム：メタノール＝ 98：2 を用いてステロイドホルモンを相互分離した例を示す．分子内に 1 個の水酸基を有するテストステロンより 3 個の水酸基を有するプレドニゾロンの方がシリカゲル表面のシラノール基に水素結合で強く吸着し，カラムから遅れて溶出するので，テストステロンと相互分離が可能である．

3-2　分配クロマトグラフィー

支持体に固定相液体を吸着又は化学結合により保持させたカラム充てん剤を用い，固定相と移動相との間の分配係数の違いにより物質を分離するクロマトグラフィーを分配クロマトグラフィーと呼ぶ．カラム充てん剤にシリカゲルなどの吸着剤を用いる場合には，シリカゲルに吸着した水が固定相となる．移動相に極性の低いベンゼン，ヘキサンなどの有機溶媒を用いて，極性の高い固定相と極性の低い移動相との間における物質の分配係数の違いによって物質の分離ができる．このように，固定相が極性で移動相が非極性であるクロマトグラフィーを**順相分配クロマトグラフィー** normal phase partition chromatography という（図 7.8）．

一方，シリカゲルや合成高分子樹脂の表面に，疎水基（オクチル基，オクタデシル基など）を固定相液体として化学結合させ，移動相に極性の高い液体（アセトニトリル，アルコール，水など）又はこれらの混合溶媒を用いるクロマトグラフィーを**逆相分配クロマトグラフィー** reversed phase partition chromatography という．図 7.9 にはオクタデシル基（ODS 基）を固定相液体とした例を示した．化学結合したオクタデシル（C_{18}）基が疎水性な固定相液体となり，極性の高い移動相液体との間の分配係数の差によって各成分を分離できる．オクタデシル（C_{18}）基を固定相液体に用いた充てん剤のほか，シリカゲルにオクチル基，シアノプロピル基，フェニル基，ア

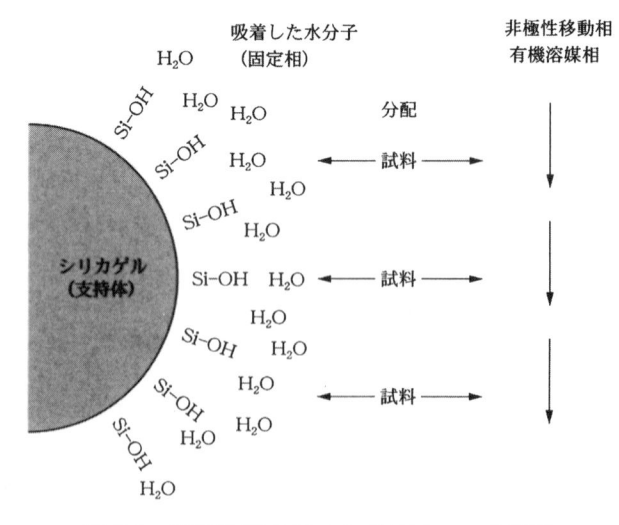

図 7.8　順相分配クロマトグラフィーの原理

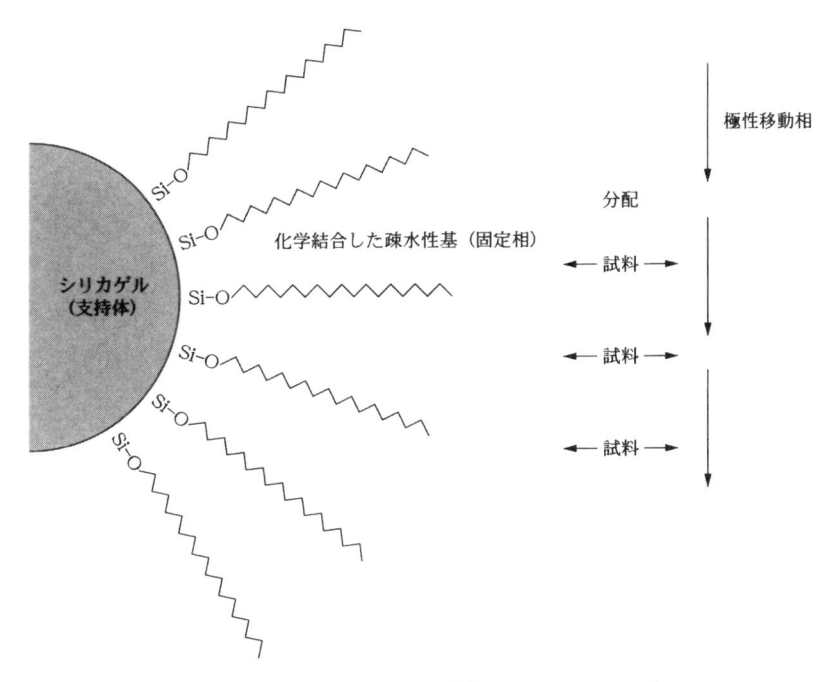

図 7.9　ODS シリカゲルカラムにおける逆相分配クロマトグラフィーの原理

ミノプロピル基などを化学結合させ，固定相の疎水性の度合いを変えた充てん剤も逆相分配クロマトグラフィー用に市販されている．

3-3　イオン交換クロマトグラフィー

　支持体に**陽イオン交換体** cation exchanger 又は**陰イオン交換体** anion exchanger を化学結合させたカラム充てん剤と，pH やイオン強度の異なる緩衝液を移動相に用いて，金属イオン，有機酸，有機塩基などのイオン性物質を分離するクロマトグラフィーをイオン交換クロマトグラフィーという．イオン交換樹脂は一般に図 7.10 に示すように，スチレン-ジビニルベンゼン共重合体を基体にして，イオン交換基（スルホン酸基）を導入した充てん剤である．また，メタアクリル酸系の弱酸性陽イオン交換樹脂がある．例えば図 7.11 のように，メタアクリル酸の重合体を基体とする樹脂で，ジビニルベンゼンと共重合させて作られる充てん剤である．支持体に化学結合させるイオン交換基の種類によって，強酸性，酸性及び弱酸性陽イオン交換樹脂と強塩基性及び弱塩基性陰イオン交換樹脂に分類される（表 7.2）．イオン交換体のカラムにイオン性で電荷を持った各成分を負荷し溶出するとき，移動相の pH やイオン強度が各成分の保持に大きく影響する．イオン交換基によって保持されたイオン性成分は，移動相中のイオン濃度が高くなると，その競合により，保持が弱められカラムから溶出する．また，移動相の pH を変化させると，イオン性成分のイオン型と分子型の分子種の割合が変化し，イオン交換基との親和性が減少し，カラムから溶出される．これらの静電的相互作用の強弱を利用して，アミノ酸，核酸塩基，有機酸からペプチ

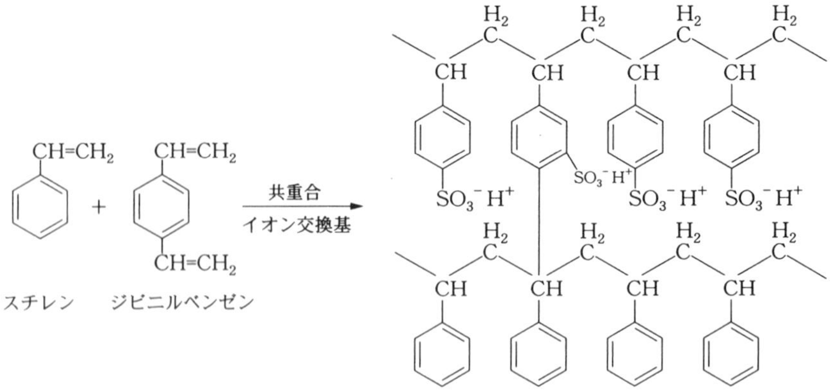

図 7.10　スチレン-ジビニルベンゼン系強酸性イオン交換樹脂

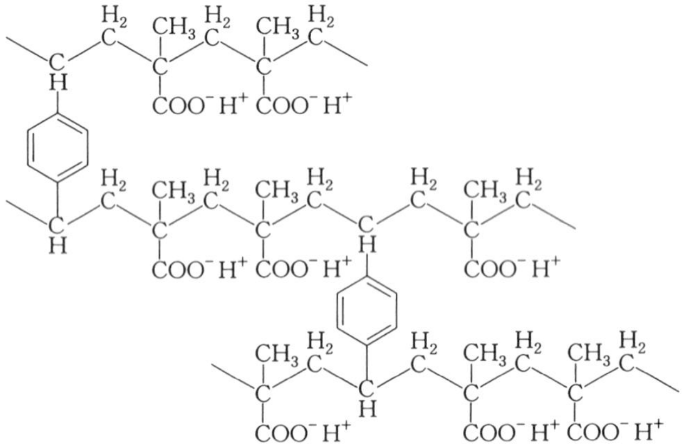

図 7.11　メタアクリル酸-ジビニルベンゼン系弱酸性イオン交換樹脂

ド，ヌクレオチド，カテコールアミンなどの分離精製に適用されている．たん白質などの生体高分子用支持体としては，セルロース，セファデックス，セファロースなどが用いられる（表 7.2）．

3-4　サイズ排除クロマトグラフィー

　カラム充てん剤が立体的な三次元網目構造をしていると，分子量が大きい分子は網目構造の内部へ侵入することができないが，分子量が小さい分子は網目構造の内部へ浸透することができる．図 7.12 には三次元網目構造をもった充てん剤に大きさ（分子量）の異なった分子が浸透するようすを模式的に示した．このような充てん剤の例として，架橋ポリアクリルアミドゲルや架橋デキストランビーズがある．架橋デキストランビーズの部分構造を図 7.13 に示す．

　サイズ排除クロマトグラフィーによる分離が，目的成分の分子の大きさ（分子量）に基づくことを図 7.14 に示す．分子の大きさの異なる混合物をゲルの上端に注入し，移動相で溶離すると，

表7.2 主なイオン交換クロマトグラフィー用充てん剤

イオン交換基	マトリックス	市販充てん剤
陽イオン交換体		
強酸性		
スルホン酸（$-SO_3H$）	ポリスチレン樹脂	Amberlite IR-120, Dowex-50
スルホメチル（$-CH_2SO_3H$）	セルロース	SM-セルロース
スルホエチル（$-CH_2CH_2SO_3H$）	セルロース	SE-セルロース
酸性		
リン酸（$-PO_3H_2$）	セルロース	ホスホ(P)-セルロース
弱酸性		
カルボン酸（$-COOH$）	メタアクリル酸樹脂	Amberlite IRC-50, Duolite-CS
カルボキシメチル（$-CH_2COOH$）	セルロース	CM-セルロース
陰イオン交換体		
強塩基性		
4級アンモニウム（$-N^+(CH_3)_3$）	ポリスチレン樹脂	Amberlite IRA-400, Dowex-1,2
トリエチルアミノエチル（$-CH_2CH_2N^+(C_2H_5)_3$）	セルロース	TEAE-セルロース
弱塩基性		
アミン（3級以下）	樹脂	Amberlite IR-45, Dowex-3
ジエチルアミノエチル（$-CH_2CH_2N(C_2H_5)_2$）	セルロース	DEAE-セルロース
アミノエチル（$-CH_2CH_2NH_2$）	セルロース	AE-セルロース

分子の大きさが大きくてゲルの細孔内へ浸透できない分子はゲル粒子の隙間を通ってカラムを素通りする．一方，ゲルの細孔内へ少し浸透できる中間の大きさの分子は大きな分子に比べてカラムから溶出するのが遅れる．さらに，完全にゲルの細孔内へ浸透できる小さな分子は，中間の分子サイズの成分よりもその溶出が遅れ，3種類の分子サイズの違う成分の相互分離が達成される．

図 7.12 ゲル細孔と分子サイズとの関係

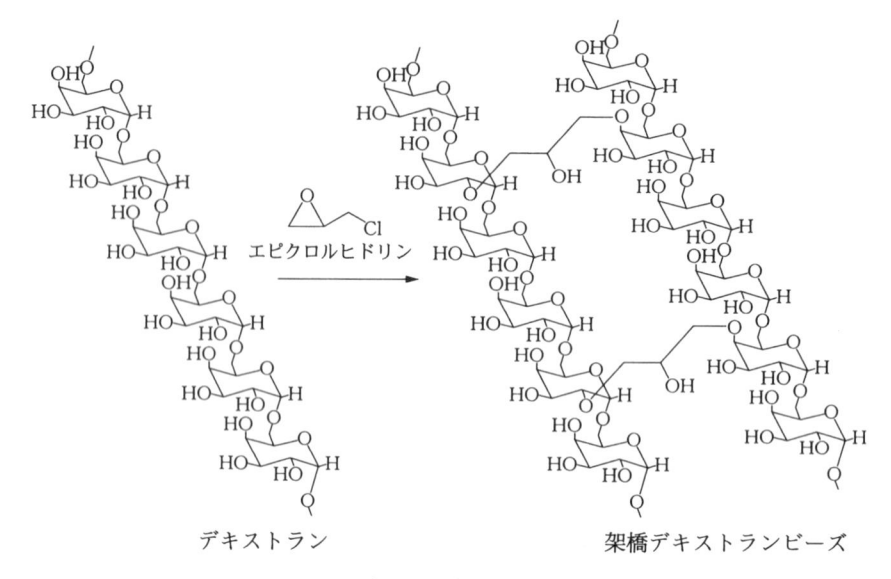

図 7.13　架橋デキストランビーズの部分構造

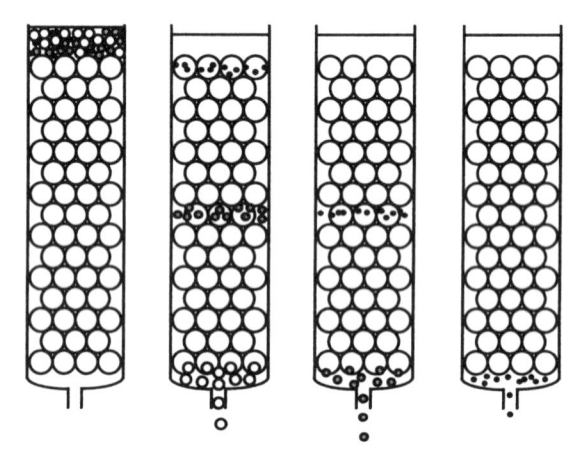

図 7.14　サイズ排除クロマトグラフィーによる分離

　適当なサイズのカラムに多孔性のサイズ排除クロマトグラフィー用充てん剤と移動相が入っていると考えるとき，カラムの全容量を V_t，充てん剤と充てん剤の間隙の移動相の体積を V_0，充てん剤細孔内の移動相の体積を V_i，カラム内の充てん剤の体積（ゲルの体積）を V_g とすると，

$$V_t = V_0 + V_i + V_g \tag{7.11}$$

の関係が得られる（図 7.15）．

　ゲル細孔より大きくゲル内へ浸透できない大きな分子はゲルとゲルとの間隙を通って，カラムを通過する．このとき，移動相は V_0 に相当する量だけカラムから溶出する．この V_0 に溶出する高分子物質は排除限界分子量，すなわち，ゲル細孔内に入り込めない限界の分子量に相当する．この分子量より大きい分子はいずれも V_0 に溶出する．ゲル細孔内に入り込める分子は，V_0 と V_0

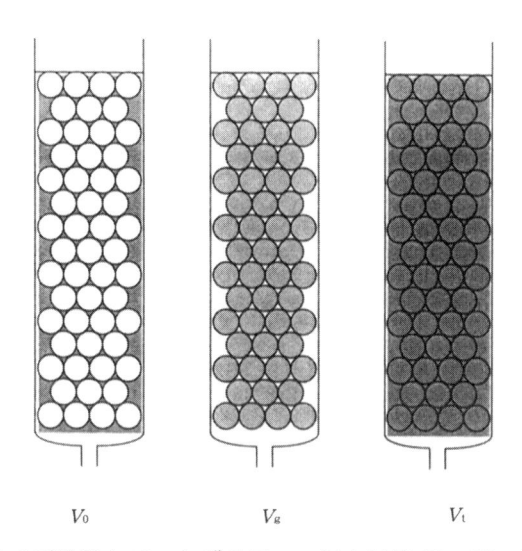

図7.15 サイズ排除クロマトグラフィーにおける V_o, V_g, V_t の模式図

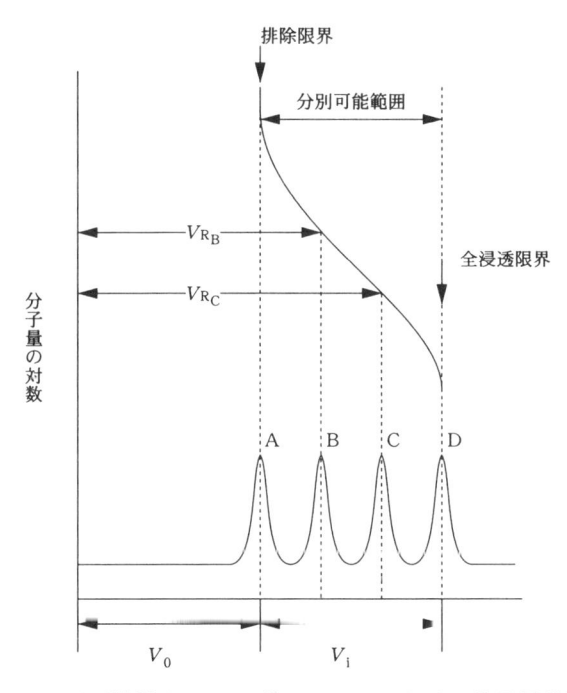

図7.16 サイズ排除クロマトグラフィーにおける分子量分画範囲

$+ V_i$ の間でカラムから溶出する．ゲル細孔の奥まで十分に入り込める低分子量物質は $V_0 + V_i$ に溶出し，ゲル表面と目的成分とが物理的吸着や非特異的吸着などの相互作用を示さない限り，$V_0 + V_i$ よりも溶出液量が大きくなる物質は存在しない．従って，保持容量 V_R は次式で表される．

$$V_R = V_0 + K_D \cdot V_i \tag{7.12}$$

ここで，K_D は分布係数であり，0〜1の間の値をとる．以上をまとめて図7.16に示す．分子

量の対数値と V_R とは一定の範囲内で直線関係がある．従って，数種類の分子量既知のたん白質の V_R を求めて横軸に，分子量の対数値を縦軸に目盛れば，分子量の検量線が得られ，未知のたん白質の分子量の測定に応用できる．

3-5 アフィニティークロマトグラフィー

分離する目的成分と生物学的に特異性のある基（リガンド）を充てん剤に化学結合させ，特異的吸着力の違いで物質を分離する方法がアフィニティークロマトグラフィーである．吸着，分配，イオン交換クロマトグラフィーは物理的吸着，化学的分配，静電的相互作用などにより目的成分を保持するが，アフィニティークロマトグラフィーでは生物学的な親和性によって物質を吸着する点が他のクロマトグラフィーとは異なる．アフィニティークロマトグラフィー用ゲルは，親水性でリガンドを結合できる水酸基，アミノ基などの官能基を持っていることが必要である．また，たん白質などの生体高分子を非特異的に吸着せず，移動相の塩濃度，pH変化などにも安定でなければならない．これらの条件を満たすゲルとして，サイズ排除クロマトグラフィー用の架橋デキストランビーズ，ポリアクリルアミドゲルなどが用いられる．図7.17に示したように，水不溶性担体に"腕"にあたるスペーサーを介してリガンドを導入した充てん剤が用いられる．スペーサーは一般にアルキル鎖であり，立体障害によりリガンドが試料に接近できないときにでも，

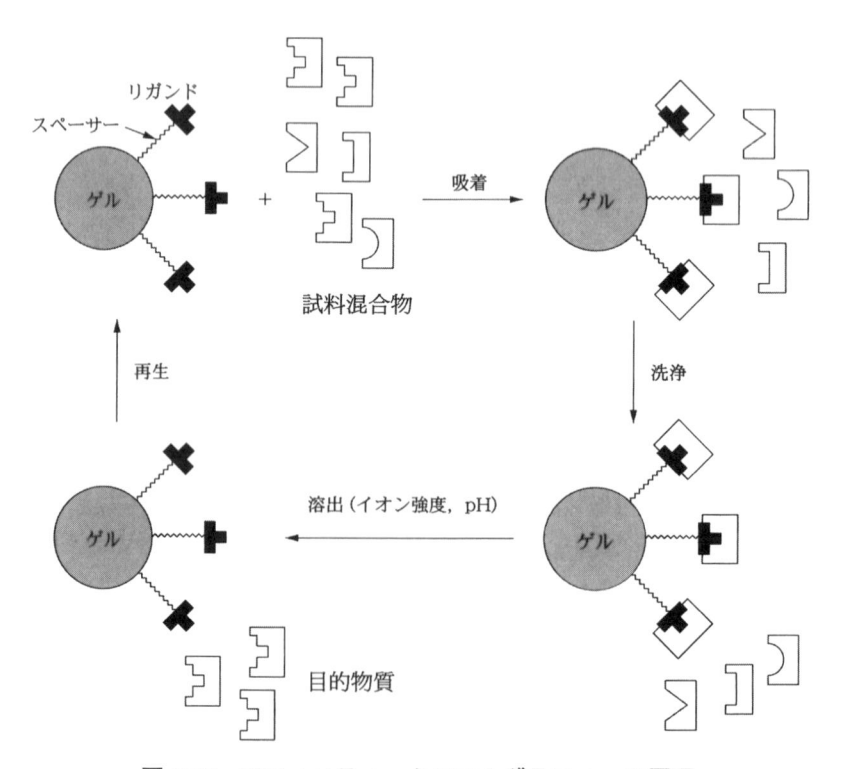

図 7.17 アフィニティークロマトグラフィーの原理

表7.3 アフィニティーリガンドと分離対象物質

アフィニティーリガンド	適用物質
プロテインA	IgG, IgG サブクラス
イミノジ酢酸	金属親和性たん白質, 酵素, ペプチド
ヘパリン	血液凝固因子（アンチトロンビンIII, 第VII, IX因子など）
合成色素	NAD依存性酵素, アルブミンなど
m-アミノフェニルボロン酸	糖たん白質, 核酸
p-アミノベンズアミジン	セリンプロテアーゼ類

スペーサーがリガンドと試料との結合を助ける役割をする．

アフィニティークロマトグラフィーによる物質の精製過程を模式的に図7.17に示した．試料混合物をカラムに注入するとリガンドに親和性のある目的物質のみが結合する．洗浄により，他の共存成分をカラムから洗い流す．十分に洗浄後，移動相組成（イオン強度，pHなど）を変えると，リガンドと目的物質との結合は解離し，カラムから目的物質のみが溶出するので精製できる．

水不溶性担体であるゲルにスペーサーを介して導入するアフィニティーリガンドは精製すべき物質によって多種多様である．アフィニティークロマトグラフィーで生体高分子を分離した例は数知れないが，表7.3にはたん白質などの生体物質の精製に用いられるリガンドの例を示す．

4 高速液体クロマトグラフィー

高速液体クロマトグラフィー（HPLC）は，耐圧性の充てん剤を詰めたカラムやシリカモノリスカラムを使用して，移動相液体をポンプで加圧して混合試料を迅速に分離溶出するクロマトグラフィーである．液体試料や移動相に溶ける物質の分離に適している．吸着，分配，イオン交換，サイズ排除，アフィニティークロマトグラフィーの分離モードが可能であり，いずれの分離モードのクロマトグラフィーにおいても，短時間に高い分離効率で分析を行うことができる．一般に，液体クロマトグラフィーとは移動相に液体を用いるクロマトグラフィー（ろ紙，薄層クロマトグラフィーも含む）であるが，日本薬局方一般試験法の物理的試験法に収載されている液体クロマトグラフィーは高速液体クロマトグラフィーのことをいう．

4-1 カラム

A. 充てんカラム

　高速液体クロマトグラフィーで使用する充てん剤は図7.18に示すように直径30〜40 μmの球状のコアの表面に，厚さ1〜2 μmの固定相を物理的又は化学的に結合させた**表面多孔性型（ペリキュラー型）** porous layer beadsと呼ばれるものと，直径3〜30 μmの球状又は5〜10 μmの破砕状の充てん剤全体が多孔性の**全多孔性型（ポーラス型）** porous beadsに分類される．分配吸着型分離モードで使用される充てんカラムとしては全多孔性球状シリカゲル充てん剤又は全多孔性破砕状シリカゲルの表面に固定相液体を化学結合させたものをカラムに充てんしたものが使用される．しかしながら，シリカゲル系の充てん剤では高いpHの移動相は使用できなかったり，残存シラノール基による試料物質の吸着などの影響がある．このようなときには全多孔性硬質ポリマー（スチレン-ジビニルベンゼン共重合体）に固定相液体を化学結合させた充てん剤が使用され，非可逆的吸着をおさえ，幅広いpH範囲の移動相を用いた分析が可能となった．なお，日本薬局方に収載されている医薬品で，定量法に液体クロマトグラフィーが適用されている医薬品の大部分（97％以上）がシリカゲルやODSシリカゲルを充てんしたカラムを用いた吸着・分配クロマトグラフィーにより定量されている．

B. シリカモノリスカラム

　シリカモノリスカラムは一体型の多孔質シリカで作成された高速液体クロマトグラフィー用カ

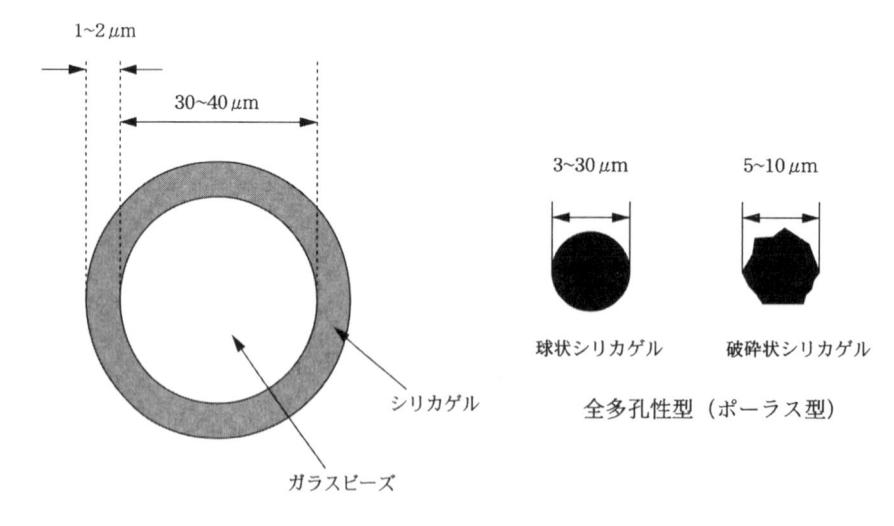

図7.18 高速液体クロマトグラフィー用カラム充てん剤

ラムであり，マイクロメーターサイズのシリカ骨格とマクロ孔とが互いに連続し絡み合った共連続構造をしている．また，シリカ骨格内にナノメーターサイズのメソ孔が存在し，負荷圧力が小さく，分離能が高いので高流速，短時間分析が可能である．

市販のシリカロッドカラムは，約 2 nm の流路，約 1.5 nm のシリカ骨格からなり，骨格中に平均 13 nm の細孔が存在している．シリカモノリスカラムの表面にはさまざまなポリマーを固定することができ，逆相型，HILIC 型，イオン交換型の固定相を化学結合することができ，各種分離モードのクロマトグラフィーが可能である．

4-2 装 置

図 7.19 に一般的な高速液体クロマトグラフ*の概略図を示した．移動相送液用ポンプ，圧力計，試料導入部（インジェクター），カラム，検出器，記録計（レコーダー）から構成される．移動相溶液はポンプにより加圧送液される．試料導入部から注入された試料はカラムへ送られ，各種の分離モードの充てん剤カラムによって分離される．溶出された成分は，検出器に入り電気信号に変換後，記録計又はデータ処理装置上のピークとして記録される．

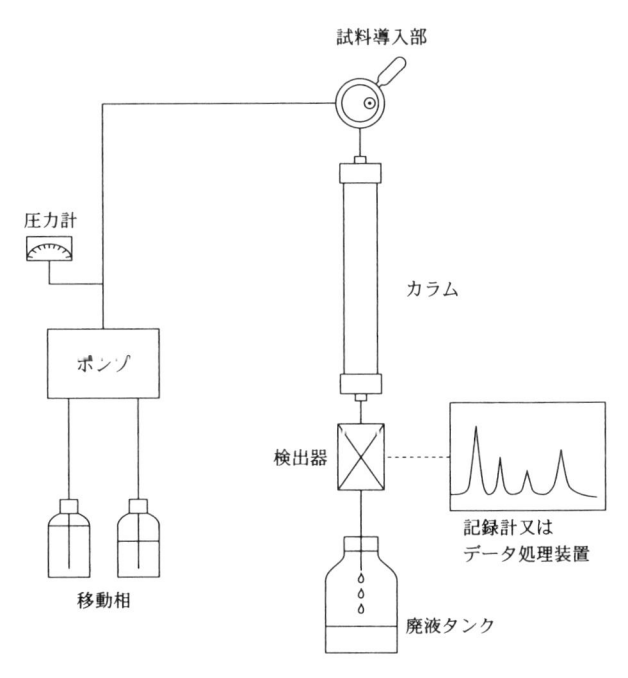

図 7.19 高速液体クロマトグラフ*の概略図

---

* クロマトグラフ chromatograph はクロマトグラフィー用の装置を意味する．

A. ポンプ

移動相送液用ポンプは，1分間あたり $1\,\mu L$～$10\,mL$ という幅広い一定流速で移動相を送液することができるばかりでなく，移動相組成を段階的に変化させる段階溶出や，イオン強度を徐々に増加させる勾配溶出も可能である．

B. 試料導入部

高速液体クロマトグラフィーでは，バルブループ（流路切り替え型）方式の試料導入部が用いられている．マイクロシリンジによって，サンプルループ内に注入された試料溶液は6方バルブの切り替えによって，カラムへ導かれる．サンプルループの容量は通常 $1\,\mu L$～$2\,mL$ であり，試料溶液はサンプルループの容量まで注入できる．

C. 検出器

検出器は，カラムによって分離，溶出してくる移動相中の各成分を検出するのに用いられる．高速液体クロマトグラフィーで用いられている検出器とそれらの試料感度及びセル容量を表7.4に示した．一般に良く用いられている紫外可視分光光度計，蛍光光度計，示差屈折計，電気化学検出器については以下に説明する．

1) 紫外可視分光光度計

高速液体クロマトグラフィーで最も繁用されている検出器である．紫外部，可視部に吸収のある物質の検出に用いられる．測定波長が固定型及び可変型の検出器が通常使用されていて，カラムから溶出する成分の吸光度 (A) 又は透過率 ($T\%$) を連続的に測定できる．このほか，二波長同時に測定できる検出器や，流れを止めずにカラムから溶出してきた各成分の吸収スペクトルを

表 7.4 検出器の試料感度，セル容量例

	試料感度	セル容量（μL）
紫外可視吸光光度計	$5 \times 10^{-10}\,g\,mL^{-1}$	3～10
蛍光光度計	$1 \times 10^{-11}\,g\,mL^{-1}$	3～10
示差屈折計	$5 \times 10^{-7}\,g\,mL^{-1}$	2
化学発光検出器	$1 \times 10^{-11}\,g\,mL^{-1}$	3～10
電気化学検出器	$1 \times 10^{-9}\,g\,mL^{-1}$	10
電気伝導度検出器	$1 \times 10^{-8}\,g\,mL^{-1}$	1.5
質量分析計	$1 \times 10^{-10}\,g\,mL^{-1}$	－
熱吸収計	$1 \times 10^{-9}\,g\,s^{-1}$	9
フレームイオン化検出計	$1 \times 10^{-8}\,g\,s^{-1}$	－

（第十七改正日本薬局方解説書，廣川書店より引用）

測定できるフォトダイオードアレイ検出器なども開発され，精度の高い分析が可能になった．

2) 示差屈折計

カラムから溶出してくる各成分を含む移動相の屈折率（試料側の屈折率）と，移動相の屈折率（対照側の屈折率）とが異なることを利用した検出器である．移動相中に含まれるいかなる成分でも検出ができるので，紫外可視部の光を吸収しない物質，蛍光を発しない物質，電気化学的に不活性な物質や，放射性のない物質の検出に有効である．しかしながら，他の検出器に比べてその検出感度が低い（5×10^{-7} g/mL）のが欠点である．

3) 蛍光検出器

ある励起波長の光を照射するとき蛍光を発する蛍光性の成分の検出に用いられ，極めて感度が高く，生体成分の微量物質の検出にも利用されている．決まった波長範囲の光のみを透過させる一次フィルターで励起光を選択し，発生した蛍光と一緒に散乱してくる励起光をカットする二次フィルターを用いた検出器が使用されている．また，紫外部から可視部にまたがって，強い連続光を発することのできるキセノンランプと励起光と蛍光側に回折格子を用いて，励起，蛍光測定波長を任意に選択できる分光蛍光検出器がもっともよく使用されている．

4) 電気化学検出器

カテコールアミンのような電気化学的に活性な化合物の検出に用いられる．検出器の銀-塩化銀電極（参照電極）の電位を基準とし，カーボン電極（作用電極）と白金電極（補助電極）との間で目的物質が電気化学反応を生じるように電位を印加すると，作用電極上で目的物質が酸化もしくは還元されて，電極との間で電子の授受が起こる．このとき流れる電流を測定し検出する方法である．この検出方法はきわめて選択性が高く，高感度である．

5) 質量分析計

高速液体クロマトグラフィー/質量分析計（LC/MS）は液体クロマトグラフィーで相互分離した試料を質量分析計へ直接導入して質量分析を行うものである．LC/MSでは，試料とともに導入された移動相を除去すると共に，試料分子をイオン化し，質量分析計へ送り込むインターフェイスが必要となる．イオン化法としては大気圧化学イオン化法（APCI），エレクトロスプレーイオン化法（ESI），高速電子衝撃イオン化法（FAB）法などが開発された．LC/MSでは，液体クロマトグラフィーのカラムから溶出された物質のマススペクトルを連続的に測定し，ある保持時間におけるマススペクトル，任意のイオンの時間的変化を記録したマスクロマトグラム，検出された総イオンの時間的変化を記録したトータルイオンクロマトグラムが得られる．

4-3 定性・定量分析

A. 定性分析

高速液体クロマトグラフィーにおいて,カラム充てん剤,カラムサイズ,移動相組成,流速,カラム温度などのクロマトグラフィー条件が同一ならば,保持時間は物質固有の値になるので,標準物質と保持時間が等しいことにより定性分析ができる.

B. 定量分析

高速液体クロマトグラフィーにおける定量は,ピークの高さ又はピーク面積を用いて行い,内標準法又は絶対検量線法による.

1) 絶対検量線法

定量したい物質の濃度を段階的に変化させ,標準液を調製する.その一定量をカラムに正確に注入する.得られたクロマトグラム上のピーク高さ又は面積を測定する.横軸に被検成分の濃度を,縦軸にピーク高さ又は面積をプロットし,検量線を作成する.未知の濃度の物質を含有する試料液の一定量をカラムに注入し,標準液のクロマトグラムから得られた.被検成分と同じ保持時間のピークの高さ又は面積を求める.検量線より,被検成分の濃度を読み取る(図 7.20).しかしながら,同法の欠点としてはカラムに注入する量が厳密に一定量でないと,検量線を作成する場合や,試料を定量する際に誤差となることである.

2) 内標準法

定量したい被検成分のピークと完全に分離でき,保持時間の近い内標準物質を試料中に添加して,得られたクロマトグラムから被検成分を定量する方法である.同法は絶対検量線法とは異なり,試料の注入量を厳密に正確にする必要がない.定量したい被検成分の濃度を段階的に変化させた溶液に,一定量の内標準物質の溶液を加えて標準溶液を調製する.その一定量をカラムに注入し,得られたクロマトグラム上の被検成分と内標準物質のピーク高さ又は面積の比を測定する.被検成分と内標準物質の濃度比を横軸に,縦軸には被検成分と内標準物質のピーク高さ又は面積の比をプロットすると検量線が得られる.試料溶液の被検成分と内標準物質のピーク高さ又は面積の比を読み取って,被検成分と内標準物質の濃度比を求めることにより,試料溶液中の被検成分の濃度を求める(図 7.21).

被検成分の標準溶液のクロマトグラム

ピーク面積(ピーク高さ)

絶対検量線法

ピーク面積(ピーク高さ)

濃度未知成分

保持時間

被検成分の濃度

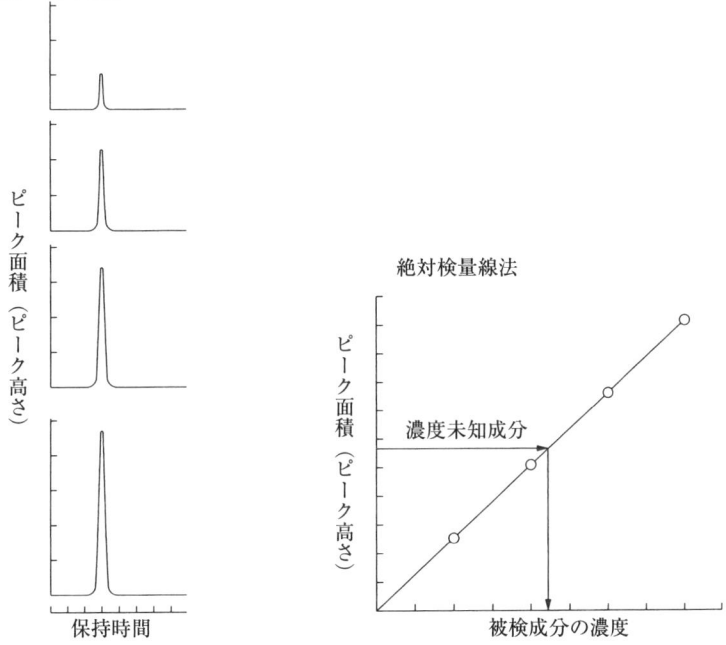

図7.20 クロマトグラムと絶対検量線法

被検成分と内標準物質のクロマトグラム

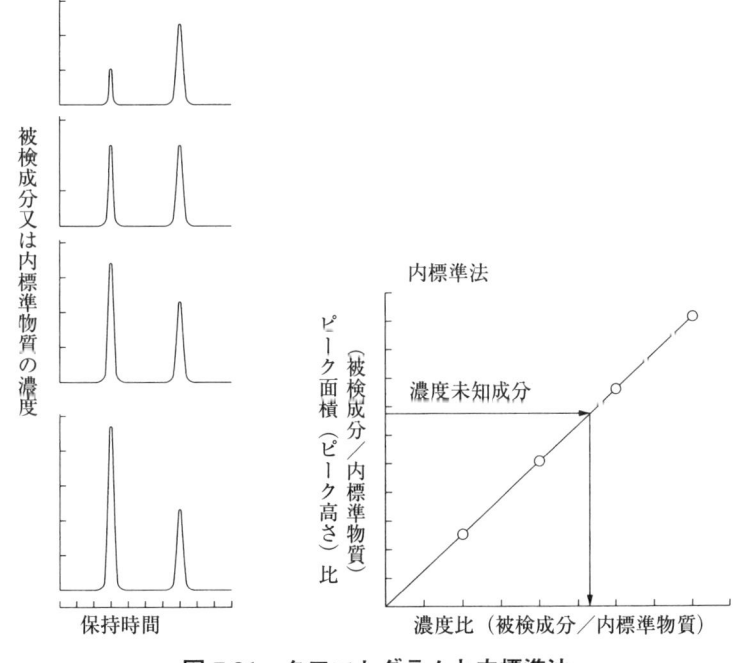

被検成分又は内標準物質の濃度

内標準法

(被検成分/内標準物質)ピーク面積(ピーク高さ)比

濃度未知成分

保持時間

濃度比(被検成分/内標準物質)

図7.21 クロマトグラムと内標準法

4-4 誘導体化

被検成分が検出器で検出できないか，又は検出できても検出感度が低い場合，紫外・可視光線を吸収するか，蛍光を発するような試薬と化学反応させて誘導体化し，紫外・可視吸光検出器又は蛍光検出器によって検出する方法が用いられる．高速液体クロマトグラフィーにおいては，カラムへ注入する前に誘導体化してクロマトグラフィーするプレカラム誘導体化法と，カラムから溶出した直後に誘導体化試薬と反応させ検出するポストカラム誘導体化法の二種類の方法が使用されている．アミノ基，カルボキシル基，チオール基，水酸基などの蛍光標識体が数多く市販され，これらの官能基を持った化合物をプレカラム誘導体化して高感度検出する方法が行われている．

4-5 アミノ酸クロマトグラフィー

高速液体クロマトグラフィーでアミノ酸を分析する方法をアミノ酸クロマトグラフィーという．一般的に用いられているニンヒドリンによるポストカラム誘導体化による検出法について説明す

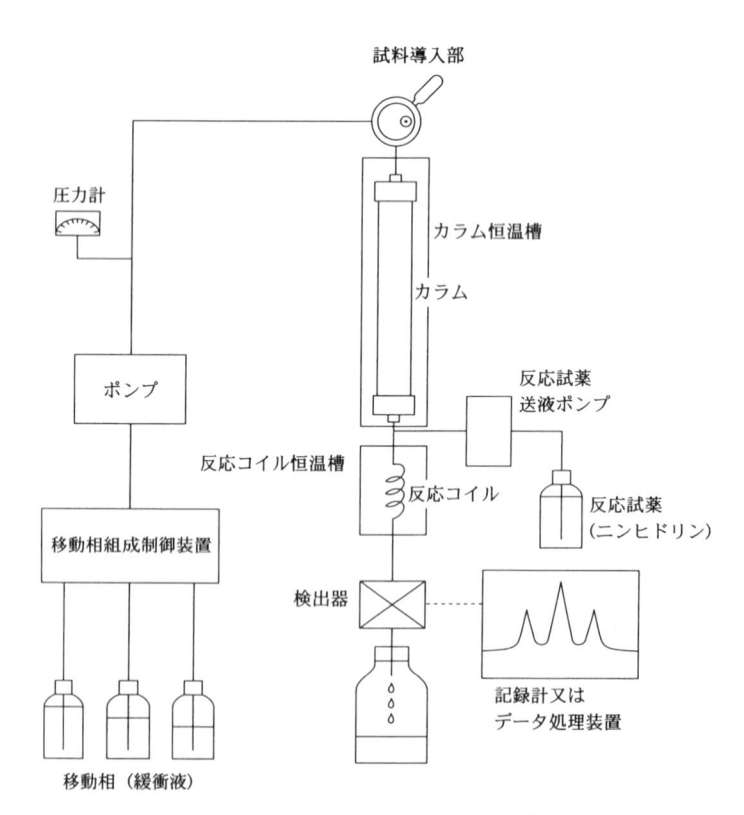

図 7.22 アミノ酸クロマトグラフの概略図

る．図7.22に示すように，アミノ酸の混合溶液をイオン交換樹脂又は逆相分配クロマトグラフィー用（オクタデシルシリル化シリカ）充てんカラム中で分離する．アミノ酸は可視部又は紫外部の光を吸収しないので，カラムの出口でアミノ酸を含む溶出液にニンヒドリン溶液を連続的に注入し，反応コイル内で$α$-アミノ酸を青紫色の生成物へと誘導体化し（式（7.13）），570 nmにおける吸光度を測定することにより検出する．

$$2\ \text{ニンヒドリン} + \text{R-CH(NH}_2\text{)-COOH} \longrightarrow \text{(青紫色生成物)} + \text{RCHO} + \text{CO}_2 \quad (7.13)$$

ほとんどのアミノ酸がこの方法で検出できるが，イミノ酸であるプロリンはニンヒドリンと反応して黄色化合物を生成するので，440 nmで検出しなければならない．

ニンヒドリンによるポストカラム誘導体化による検出法よりも高感度検出が可能な方法としては，o-フタルアルデヒドを溶出液と反応させ，イソインドール誘導体とし（式（7.14）），励起波長340 nm，蛍光波長455 nmで蛍光検出する方法が用いられている．

$$o\text{-フタルアルデヒド} + \text{R-CH(NH}_2\text{)-COOH} + \text{R'SH} \longrightarrow \text{イソインドール誘導体} \quad (7.14)$$

5 ガスクロマトグラフィー

ガスクロマトグラフィーは液体又は固体を固定相として支持体に保持させた充てん剤を詰めたカラムに**不活性気体**（**キャリアーガス** carrier gas）を通過させ，無機ガスや低沸点炭化水素類の気体試料，又は有機化合物のように誘導体化によって気体にできる試料を分離する方法である．一般的には後者の分析に応用される場合が多い．分析するときのカラム温度は500 ℃の高温領域まで使用でき，高沸点の有機・無機化合物の分離，定量が可能である．移動相として気体を用いるため，カラムを通過するときカラム内の圧力はあまりかからず，細くて長いカラムが使用できる．従って，分離効率が良くなるとともに，分析時間が短時間ですむのがメリットである．カラム充てん剤としては吸着用と分配用の充てん剤があり，ガスクロマトグラフィーでは**気-固クロマトグラフィー** gas-solid chromatography 又は**気-液クロマトグラフィー** gas-liquid chromatographyが分離モードとなる．日本薬局方では物質の確認，純度の試験又は定量に用いられる．

5-1 装　置

図7.23にガスクロマトグラフの概略図を示した．キャリアーガスボンベ，ガス流量制御部，試料導入部，恒温槽，カラム，検出器，記録計（レコーダー）から構成される．

A. キャリアーガス流量制御部

移動相としてキャリアーガスボンベから送られてきたガスは，キャリアーガス流量制御部において，一定の圧力，流量に調節されて試料導入部からカラムへと送られる．調圧弁，流量調節弁，圧力計などから構成されている．キャリアーガスとしては，水素，ヘリウム，窒素，アルゴンなどが用いられる．

B. 試料導入部

気体試料はガス導入装置又はガスタイトシリンジを用い，液体試料はガスクロマトグラフ用マイクロシリンジを用いて，試料導入部から注入される．一般に気体の試料で0.5～数mL，液体の試料で0.1～数十μL注入する．試料導入部には気化器が付属しており，カラムの温度よりも20～30℃高く保っていて，導入された試料を短時間に気化させてカラムへ送ることができる．

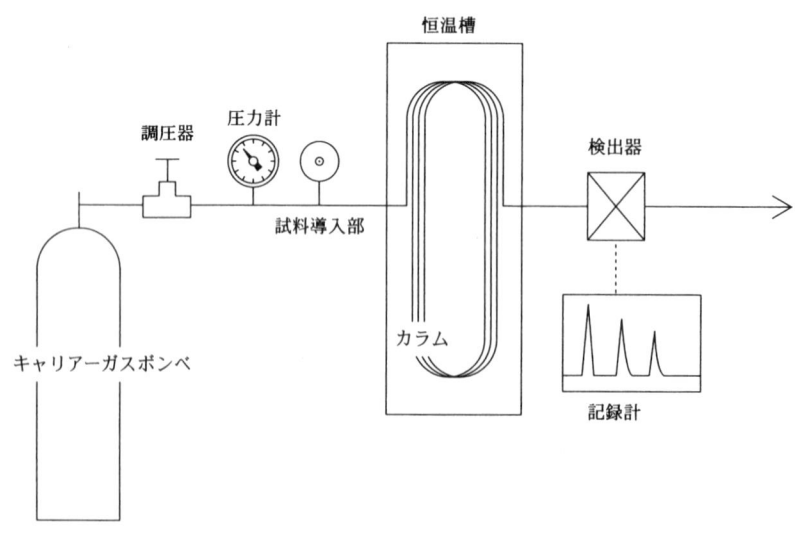

図7.23　ガスクロマトグラフの概略図

C. 恒温槽

恒温槽はカラムと検出器を別々に内蔵し，それぞれ異なった温度に制御できるようになっている．通常，ファンが付属した電気加熱空気浴式で，約 500 ℃ までの温度を一定に保つことができる．

D. カラム

充てんカラム packed column と**中空毛管カラム** open capillary column に分類される．充てんカラムは内径 2～6 mm，長さ 0.5～20 m のガラス又は不活性な金属製で中に分離用のカラム充てん剤を詰めたカラムである．また，充てんカラムよりも細く，内径が 0.5～1.0 mm，長さ 0.5～5 m の毛管カラムに充てん剤を詰めた充てん毛管カラムも使用されている．中空毛管カラムは内径 0.1～0.5 mm で充てんカラムよりもさらに細く，長さ 10～200 m のガラス又は石英の毛細管の内側に固定相を保持させたカラムである．中空毛管カラムではカラム内が中空のためキャリアーガスの流れに抵抗が少なく，非常に長いカラムを使用できるため，数十万段の高い理論段数が得られる．

カラム充てん剤には吸着型と分配型の 2 種類がある．吸着型の充てん剤を用いた場合，気-固クロマトグラフィー（GSC）といい，GSC では表 7.5 に示した活性アルミナ，活性炭，シリカゲル，モレキュラーシーブ，ポーラスポリマー（表面多孔性芳香族系合成樹脂）などが充てん剤に使用され，H_2，O_2，N_2，CO，CO_2 及び低級炭化水素類，飽和炭化水素，硫黄化合物のガス類の分析に用いられる．

一方，分配型の充てん剤を使用した場合，気-液クロマトグラフィー（GLC）と呼ぶ．充てん剤は固定相液体を保持する不活性担体に種々の液相をコーティングしたものである．担体にはケイソウ土系，合成樹脂系，ガラス系，アルミナシリカ系が使用される．これらの担体にさまざ

表 7.5 ガスクロマトグラフ用吸着型充てん剤

充てん剤	分析対象物	最高使用温度 (℃)
活性アルミナ	C5 までの低級炭化水素，空気，一酸化炭素など	400
活性炭	無機ガス，水素，低級炭化水素など	200
シリカゲル	一酸化炭素，低級炭化水素，無機ガスなど	250
モレキュラーシーブ	希ガス，水素，窒素，一酸化炭素など	350
ポーラスポリマー 　Adsorb 　Porapak 　Chromosorb 　Tenax	脂肪酸，アルコール，アルデヒド，炭化水素など	250～275

な極性の異なる高沸点の固定相液体をしみ込ませた充てん剤が市販されている．固定相液体としては，炭化水素系，シリコン系，フタル酸エステル類，ポリグリコール類，ポリエステル類，アミド類，ハロゲン化合物などに分類される．表 7.6 によく用いられる固定相液体及びこれらをコーティングした充てん剤による分析適用物質を示した．

カラム充てん剤を使用しない中空毛管カラムは優れた分離性能によって，近年繁用されるようになってきた．カラムは細長いガラスや溶融シリカ管の内壁にポリエステル類，ポリグリコール類，メチルシリコン，フェニルシリコン類をコーティングしたキャピラリーカラムであり，炭化水素，アルコール，エステル，ケトン，香料，植物精油，ステロイド，多環芳香属化合物，近年においては光学異性体などの分離に用いられている．

E. 検出器

試料導入部で注入されカラム中で分離された各成分は，キャリアーガスによって検出器に運ばれ，電気信号として検出され記録計（レコーダー）により記録される．ガスクロマトグラフには種々の検出器が使用されているが，その中で現在繁用されている検出器とその検出感度を表 7.7 に示した．

表 7.6　ガスクロマトグラフィー用固定相液相と分析対象物質

液　相	分析対象物質
炭化水素系（Squalane, Apiezon），メチルシリコン系（OV-1, OV-101, DC-200），高沸点物用（Dexsil 300 GC など）	飽和炭化水素，非極性物質など
フェニルシリコン類（OV-17, DC-550），フタル酸エステル類（DOP, DNP），その他（TCP, TXP）	不飽和炭化水素，弱極性物質など
フタル酸エステル類，フェニルシリコン類，ポリグリコール類（PEG, Ucon 類），ポリエステル類（Polyester FF, DEGS），弱酸性アミド（Hallcomid など）	アルコール，エステル，ケトン，アセテートなど
ポリエステル類（Polyester FF, DEGS），シアノシリコン類（OV-225, Silar）	脂肪酸，脂肪酸メチルエステルなど
シアノシリコン類（OV-105, XE-60），アミン，アミド類（Poly-A, Versamide）	窒素化合物
ハロゲン化合物（Kel F, Daifl 類）	ハロゲン化合物，フレオン
ハロゲン化シリコン（OV-210, QF-1）	アルカロイド

表 7.7　繁用されている検出器とその適用

検出器の種類	検出対象物質	検出限界
熱伝導度検出器	有機物及び無機物一般	10 μg
水素炎イオン化検出器	C-H 結合を持つ有機化合物	10 ng
電子捕獲検出器	有機ハロゲン化合物	0.1 ng
炎光光度検出器	リン，イオウ化合物	10 ng
アルカリ熱イオン化検出器	含窒素，含リン有機化合物	0.1 ng

1) 熱伝導度検出器

　熱伝導度検出器 thermal conductivity detector（TCD）はキャリアーガスと試料との混合ガスとキャリアーガスの熱伝導度の差を電気信号として検出する．従って，ほとんどすべての無機化合物，有機化合物の検出が可能である．特に，無機ガスは他の検出器では分析が困難なので，無機ガスの検出に利用されている．熱伝導度検出器は白金又はタングステンフィラメントをとりつけた二つのセルと二つの抵抗とからなるブリッジ回路を形成している（図7.24）．あらかじめフィラメントに直接電流を流して加熱しておく．カラムから出てきたキャリアーガスと試料の混合ガスが，試料側のセルに入ると，キャリアーガスだけのときの対照セル内のフィラメントからの熱の発散状態が異なるので，試料側のフィラメントの温度が変化する．このとき，電気抵抗が変化し，ブリッジ回路の電気的バランスがくずれ，記録計に信号が送られ，ピークとして検出される．各種のキャリアーガスのうち，ヘリウムと水素の熱伝導度は他のガスに比べてはるかに高い．従って，この検出器を用いるときには，一般にキャリアーガスとしてヘリウム又は水素が用いられる．

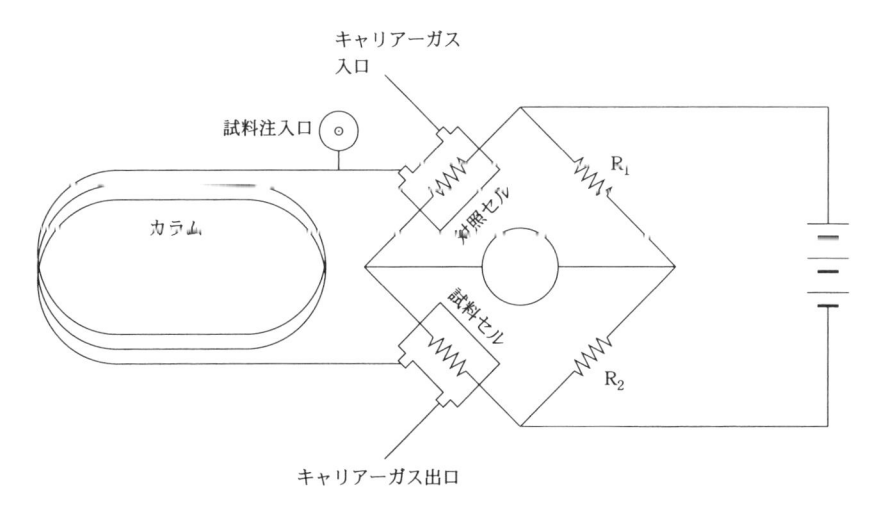

図 7.24　熱伝導度検出器の模式図

2) 水素炎イオン化検出器

水素炎イオン化検出器 hydrogen flame ionization detector（FID）は，燃焼ガスとして水素，助燃ガスとして空気を使用する．カラムから溶出してきた試料（有機化合物）を水素炎中で燃焼させると，炭素はイオン化される．水素炎の間の電極に直流電圧をかけ，発生したイオン化電流を増幅し記録する（図 7.25）．この検出器の感度は炭化水素に対しては炭素の数にほぼ比例する．炭化水素以外の有機化合物では，酸素，窒素，ハロゲン，イオウなどと結合した炭素は感度にほとんど影響しない．C-H 結合を持っている有機化合物すべてが検出でき，熱伝導度検出器より数千〜数万倍高感度である．移動相としては種々のキャリアーガスが使用可能であるが，一般的に，窒素ガスが用いられる．現在，ガスクロマトグラフィーで最も繁用されている検出器である．

3) 電子捕獲検出器

電子捕獲検出器 electron capture detector（ECD）は残留農薬などの有機ハロゲン化合物などの高感度分析に使用されている．カラムから出てくるキャリアーガス（通常窒素ガス）は検出器内の ^{63}Ni 又は ^{3}H などの放射線（β 線）でイオン化され，熱電子を生じる（$N_2 + e^- \longrightarrow N_2^+ + 2e^-$）．キャリアー陽イオン（$N_2^+$）の流れによって，両電極間には一定のイオン電流が流れている．カラムからハロゲン原子のように電気陰性度の大きい物質が検出器に入ってくると，キャリアーの陽イオン化のときに生じた電子を捕えて，陰イオンとなる．この陰イオンはキャリアー陽イオンと速やかに結合するので，電極間に流れていたイオン電流が減少し，電気信号に変化が起こるのでクロマトグラムとして記録する（図 7.26）．この検出器は，電子親和性が大きい化合物に選択的に高感度である．ハロゲンや多数の酸素原子を有する化合物の検出に用いられる．キャリアーガスは酸素などの不純物が含まれていない高純度窒素又はヘリウムが使われる．

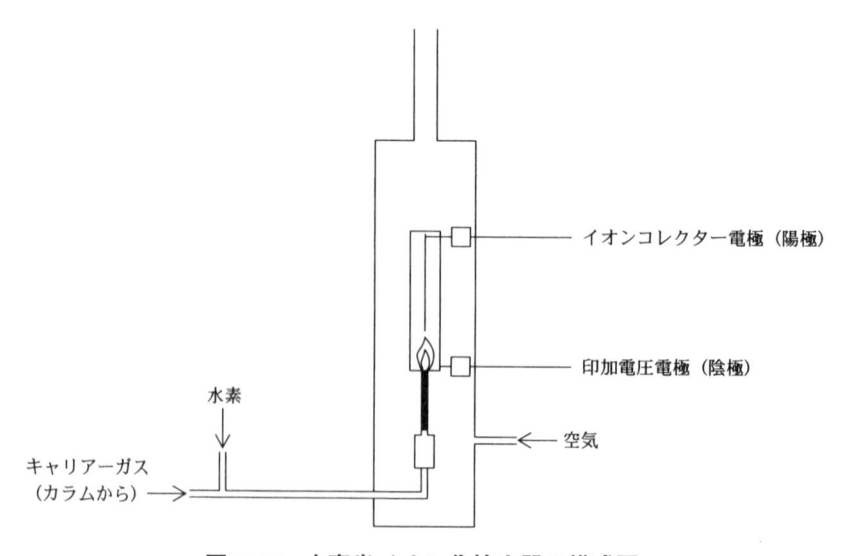

図 7.25 水素炎イオン化検出器の模式図

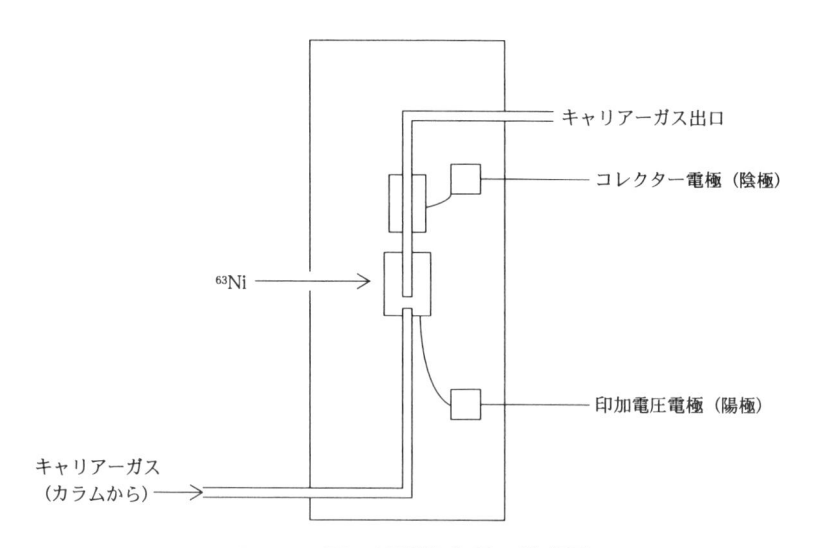

図 7.26 電子捕獲検出器の模式図

4）炎光光度検出器

炎光光度検出器 flame photometric detector（FPD）はカラムから溶出したリン又はイオウ化合物が水素炎中で燃焼するときリンでは 526 nm，イオウでは 394 nm の炎光を発するのでこの光を検出する検出器である．リン，イオウ化合物にきわめて選択的で特異的な検出器である．キャリアーガスは窒素などが用いられる．

5）アルカリ熱イオン化検出器

アルカリ熱イオン化検出器 flame thermionic detector（FTD）は含窒素，含リン有機化合物に対し選択的な検出器である．検出器中でアルカリ金属（Na，K，Cs，Rb）塩を水素炎で加熱し，金属塩の蒸気を発生させる．そこで，カラムから溶出してきた含窒素又は含リン有機化合物はアルカリ金属原子から電子を受けとり，負イオンを生じる．その結果，アルカリ金属の熱イオンが増加し，増加したイオン電流を測定することにより検出が可能になる．超高感度で選択的な検出器である．

6）ガスクロマトグラフィー/質量分析計

ガスクロマトグラフィー/質量分析計（GC/MS）はガスクロマトグラフィーに質量分析計を連結させた検出器である．微量成分を各種の方法でイオン化してフラグメントに分離して検出する方法で，化合物の分子量や構造に関する情報が得られる．

7）その他の検出器

その他のガスクロマトグラフィー用検出器として，発光分光検出器，伝導度検出器，イオン電極検出器，放射線検出器，光イオン検出器などがある．

5-2 揮発性誘導体化

ガスクロマトグラフィーにおいて，気体の試料の場合には，そのままカラムへ注入することができるが，固体又は液体の有機化合物でも，揮発性の大きい熱に安定な誘導体にすることができれば，ガスクロマトグラフィーによる分析が可能である．アミノ酸，アミン類，有機酸，糖，ステロイド類などの化合物は誘導体化反応によって揮発性の大きな化合物にすることができ，その分析にガスクロマトグラフィーを適用することができる．誘導体の調製の目的は，難揮発性成分の揮発化のほか，試料成分の熱分解の防止，検出感度の上昇，分離効率の改善などが挙げられる．

ガスクロマトグラフィーにおける代表的な誘導体化はトリメチルシリル（TMS）化反応である．図 7.27 には最も一般的に用いられるトリメチルシリル化試薬の構造式を示した．ヘキサメチルジシラザン（HMDS）はアルコール，フェノール性水酸基の TMS 化に使用される（式(7.15)）．

$$2ROH + (CH_3)_3SiNHSi(CH_3)_3 \longrightarrow 2ROSi(CH_3)_3 + NH_3 \tag{7.15}$$

N,O-ビス（トリメチルシリル）アセトアミド（BSA）は HMDS では，TMS 化が進行しにくかったアミド類（式(7.16)）や立体障害を受けている官能基の TMS 化が可能である．

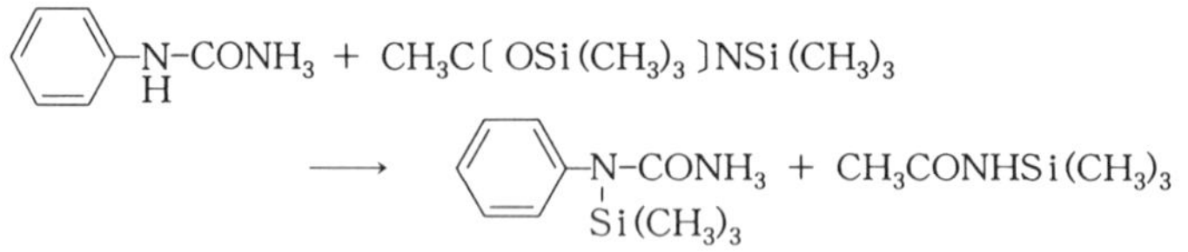

$$\text{PhNH-CONH}_2 + CH_3C(OSi(CH_3)_3)NSi(CH_3)_3 \longrightarrow \text{PhN(Si(CH_3)_3)-CONH}_2 + CH_3CONHSi(CH_3)_3 \tag{7.16}$$

$(CH_3)_3\text{-Si-NH-Si}(CH_3)_3$
ヘキサメチルジシラザン

$CH_3-C(=N-Si(CH_3)_3)-OSi(CH_3)_3$
N,O-ビス（トリメチルシリル）アセトアミド

$CF_3-C(=N-Si(CH_3)_3)-OSi(CH_3)_3$
N,O-ビス（トリメチルシリル）トリフルオロアセトアミド

$(CH_3)_3\text{Si-}$イミダゾール
N-トリメチルシリルイミダゾール

$(CH_3)_3C-Si(CH_3)_2-Cl$
tert-ブチルジメチルシリルクロリド

$C_2H_5-Si(CH_3)_2-$イミダゾール
エチルジメチルシリルイミダゾール

$n\text{-}C_3H_7-Si(CH_3)_2-$イミダゾール
n-プロピルジメチルシリルイミダゾール

$XCH_2-Si(CH_3)_2-Cl$ X=Cl, Br, I
ハロメチルジメチルクロロシラン

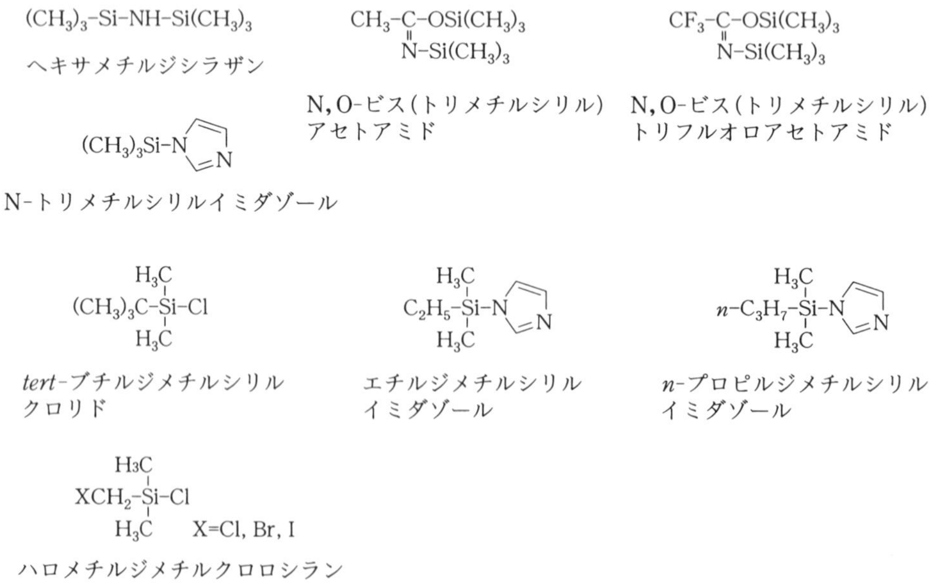

図 7.27　トリメチルシリル化試薬

N,O-ビス(トリメチルシリル)トリフルオロアセトアミド（BSTFA）は BSA よりも強力な TMS 化剤であり，試薬の反応副生成物も揮発性で，ガスクロマトグラフィーを行うときに邪魔にならない利点がある．カルボン酸の TMS 化に用いられる（式(7.17)）．

$$\text{RCOOH} + \text{CF}_3\text{C}[\text{OSi}(\text{CH}_3)_3]\text{NSi}(\text{CH}_3)_3$$
$$\longrightarrow \text{R-COOSi}(\text{CH}_3)_3 + \text{CF}_3\text{CONHSi}(\text{CH}_3)_3 \tag{7.17}$$

N-トリメチルシリルイミダゾール（TSIM）は TMS 化剤の中で最も強い反応性をもっていて，ステロイド核上の水酸基をすべて TMS 化する．しかしながら，ドーパミン，ノルアドレナリン，アドレナリンなどのアミノ基とは反応しない特徴がある．また，図 7.27 に示した他の TMS 化試薬も，それぞれの用途に応じて使用される．

TMS 化以外のアシル化剤，エステル化剤，ハロシリル化剤，ホウ素化剤，ハロアシル化剤などのガスクロマトグラフィー用の誘導体化試薬も多数市販されている．

5-3 定性・定量分析

A. 定性

高速液体クロマトグラフィー（第 7 章 4-3 参照）の項で述べたように，ガスクロマトグラフィーにおける定性分析も同様に行う．各成分がカラムで分離され溶出してくるとき，検出器で電気信号として検出され，曲線として記録される．この曲線をガスクロマトグラムという．試料を導入してからピークの頂点までの時間を保持時間（t_R），キャリアーガスの量を保持容量（V_R）という．ガスクロマトグラフィーでは試料導入の際に試料に混入した空気によるピークも検出される．空気は通常，カラム充てん剤に全く保持されないので，試料導入から空気のピークの頂点までの時間はキャリアーガスがカラムを素通りする時間である（t_0）．保持時間から t_0 を引いた時間が補正保持時間，その時間に溶出するキャリアーガスの量を補正保持容量という．

ガスクロマトグラフィーにおいては，カラム充てん剤，カラムの長さ，キャリアーガスの流量，カラム温度などの分析条件を一定にすれば補正保持時間又は補正保持容量は物質によって一定になる．ガスクロマトグラフィーによる定性分析は，試料成分の補正保持時間又は補正保持容量が全く同一条件下でクロマトグラフィーを行った標準試料の補正保持時間又は補正保持容量に等しいことで確認するが，試料成分と標準試料とを全く同じ条件下でガスクロマトグラフィーを行うのは困難である．そこで，最終的な物質の同定は，ガスクロマトグラフィーに質量分析計を連結させて，マススペクトルのそれぞれのフラグメントピークが一致することで確認する（GC/MS）．質量分析計を備えていない場合，ガスクロマトグラフィーで被検成分を分取した後，赤外吸収スペクトル，紫外・可視吸収スペクトル，蛍光スペクトルなどの光分析で同定する方法も行われる．

B. 定量

ガスクロマトグラフィーにおける定量は，高速液体クロマトグラフィー（4.4-3参照）の項で述べた方法で，ピークの高さ又はピーク面積を測定して行い，内標準法又は絶対検量線法による．このほかに標準添加法，面積百分率法などがあるが，厳密な定量法ではない．

C. 亜酸化窒素の定量及び純度試験

ガスクロマトグラフィーによる物質の定量，純度試験を亜酸化窒素を例に述べる．亜酸化窒素は日本薬局方医薬品各条収載の全身麻酔薬（吸入麻酔薬）であり，その含量は97.0 vol％以上と規定されている．

定量は，試料のN_2O 1.0 mLをガスクロマトグラフィー用ガス計量管又はシリンジ中に採取し，シリカゲル充てんカラムでN_2Oを空気から分離した後，熱伝導度型検出器で検出し，空気のピーク面積A_Tを求める（図7.28上）．別に混合ガス調製器に窒素3.0 mLを採取し，キャリアーガス（水素）を加えて全量を正確に100 mLとし，標準混合ガスとする．その1.0 mLにつきN_2Oの場合と同様にガスクロマトグラフィーを行って，N_2のピーク面積A_Sを求め，次式からN_2O量を算出する．

$$亜酸化窒素の量(N_2O)(vol\%) = 100 - 3 \times \frac{A_T}{A_S} \qquad (7.18)$$

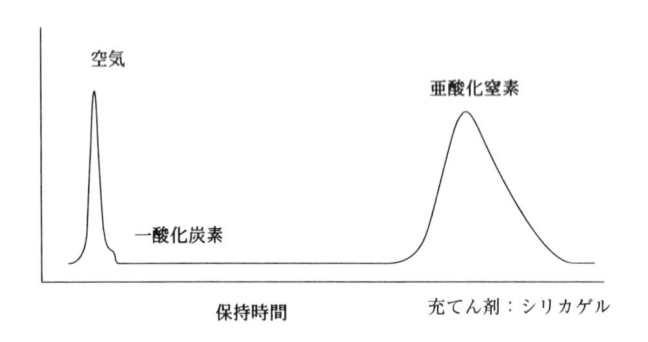

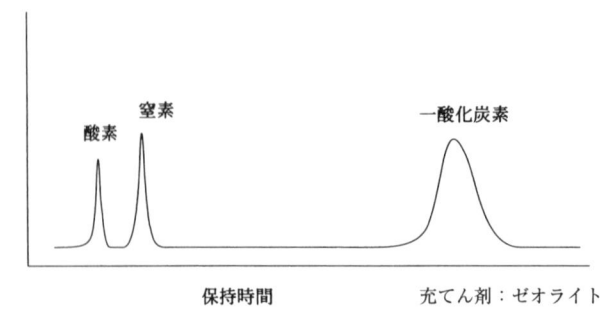

図7.28 亜酸化窒素の定量，純度試験におけるガスクロマトグラム

図7.28上のようにN_2とO_2とは分離されずに空気のピークとして現れるが，N_2Oのピークとは完全に分離される．よって，空気の混在量を測定して100から差し引けばN_2Oの量（vol%）が定量できる．なお，この定量法のようにシリカゲルをカラム充てん剤に用い，熱伝導度型検出器で検出した場合，N_2，O_2及び空気の相対モル感度は同一と見なせるので，不純物としての空気の含有量を定量するには，標準物質としてN_2又はO_2を用いればよい．

純度試験では一酸化炭素が混在しないことを規定している．N_2O 5 mLを採取し，ゼオライト充てんカラムでガスクロマトグラフィーを行い，熱伝導度検出器で検出するとき，COの流出位置にピークを認めないことで確認している．図7.28下はN_2O，CO，空気の混合ガスのクロマトグラムである．ゼオライトを充てん剤に用いると，N_2Oは充てん剤に吸着されるのでピークとして現れない．空気に由来するO_2，N_2とCOとは相互分離可能なので，COの混在を検出することができる．

6 超臨界流体クロマトグラフィー

超臨界流体クロマトグラフィー supercritical fluid chromatography（SFC）は液体クロマトグラフィー，ガスクロマトグラフィーで用いられる充てんカラム又はキャピラリーカラムを使用し，移動相に超臨界流体を用いるクロマトグラフィーである．物質を臨界圧力，臨界温度以上にしたとき，気体でも液体でもない状態となるが，この流体を超臨界流体という．一般に超臨界二酸化炭素が移動相に用いられる場合が多いが，その密度は気体の100倍もあり，液体に近く，物質の溶解力が強い．また，粘度は気体に近く，カラム内での抵抗が少ない．拡散係数は液体よりも大きいが，気体よりも小さいので，高速，高効率分離が期待されるクロマトグラフィーである．

6-1 超臨界流体

物質は温度，圧力，体積の変化により，気体，液体，固体の3つの状態をとることができる．図7.29に気体，液体，固体の状態図を示した．図の三重点は気相，液相，固相の三相が共存する状態である．三重点の温度よりも低温状態では固体と気体（蒸気）が平衡状態になっており，蒸気の圧力は昇華曲線で示される．この曲線よりも高い圧力では気体が凝固（昇華）して固体となり，低い圧力では固体が昇華して気体となる．一方，三重点の温度よりも高温状態では，液体と気体（蒸気）が平衡状態となり，このときの圧力は飽和蒸気圧であり，蒸留曲線で表される．この曲線で示される圧力よりも低い圧力では液体は気化し，高い圧力では液化する．

この蒸留曲線にそって温度と圧力を上昇させると，もはや気体でもない，液体でもない状態

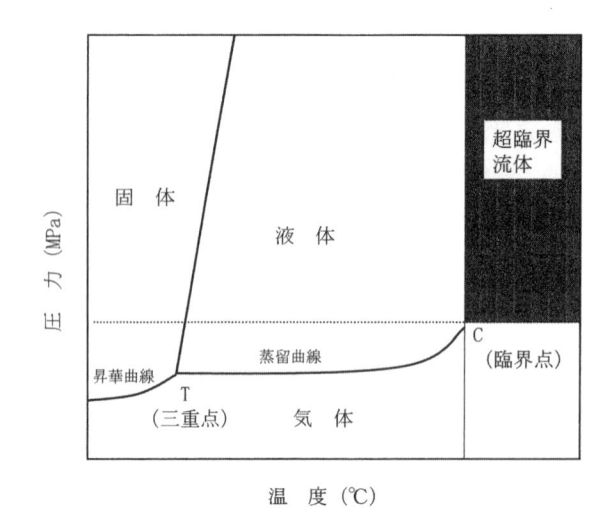

図 7.29 物質の相図

となる．このような状態にある物質を超臨界流体という．蒸気圧曲線の終点にあたる点を臨界点（C）という．超臨界流体クロマトグラフィーで用いられる移動相は，二酸化炭素を臨界温度（31.1℃）以上，臨界圧（7.38 MPa）以上にすると得られる．

6-2 装 置

図 7.30 に超臨界流体クロマトグラフィー用装置の概略図を示した．二酸化炭素ボンベ，ポンプ，試料導入部，カラム，カラム恒温槽，検出器，圧力計，背圧制御器（リストリクター），記録計から構成される．

A. 移動相

超臨界流体クロマトグラフィーでは，一般的に超臨界流体二酸化炭素を用いるが，その他，一

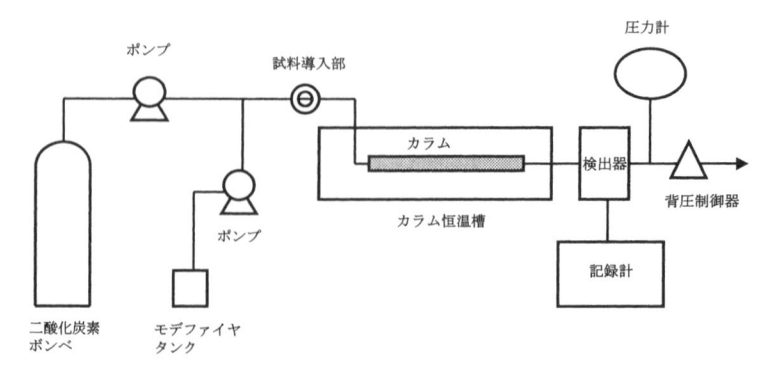

図 7.30 超臨界流体クロマトグラフィー用装置の概略図

酸化二窒素，アンモニア，水，メタノール，エタノールのアルコール類やプロパン，ブタン，ペンタンなどの炭化水素類も用いられる．

B. モデファイヤ

　超臨界流体二酸化炭素を移動相に用いると，分析する物質が移動相に溶けにくかったり，相互分離が不可能なことがある．この場合，分析する物質の移動相への溶解を促進させたり，相互分離を良くするために，移動相に，メタノール，エタノールなどのアルコール類や他の有機溶媒を添加する必要がある．このように，移動相の組成をわずかに変えるために加えられる物質をモデファイヤという．

C. 恒温槽

　超臨界流体クロマトグラフィーでは，分離カラムの温度を用いる移動相の臨界温度より高く正確にコントロールする必要があるので，恒温槽を用いる．

D. 背圧制御器，圧力計

　カラムの圧力を一定に保ち，臨界圧力以上に保つために背圧制御器で圧力を調節する．超臨界流体クロマトグラフィーでは，圧力を正確に保つことが必要である．圧力が変化してしまうと超臨界流体の密度が変化し，物質の保持時間が変わってしまうからである．

E. カラム

　分離カラムには通常，充てんカラムやキャピラリーカラムを使用する．充てんカラムとしては，カラムサイズは通常，内径 0.5～4.6 mm，長さ 25 cm，粒子径 3～10 μm の充てん剤を詰めた吸着カラムや分配カラムを使用する．キャピラリーカラムの固定相としてはキャピラリーの内壁に液相をコーティングさせた分離カラムを用いる．通常，ガスクロマトグラフィーの場合よりも内径の小さなキャピラリーが用いられる．

F. 検出器

　試料導入部で注入され，カラム中で分離された各成分は，検出器で検出され記録計により検出される．検出器には，紫外可視分光光度計，蛍光検出器や水素炎イオン化検出器，熱伝導度検出器，電子捕獲検出器，炎光光度検出器，質量分析計などが用いられる．

6-3 超臨界流体クロマトグラフィーの特徴と応用例

　超臨界流体の粘度は液体よりも非常に低いため，カラムを通過するときの流速が速く，液体クロマトグラフィーよりも短時間で分離が可能である．また，超臨界流体の拡散係数は液体と気体

の中間を示すため，分離ピークの広がりは液体クロマトグラフィーのピークよりも狭く，ガスクロマトグラフィーのピークよりも広い．超臨界流体クロマトグラフィーは，比較的高分子で不揮発性化合物の分離や，天然物，食品添加物，界面活性剤，医薬品の分析に適用されている．

7 ろ紙，薄層クロマトグラフィー

固定相支持体にろ紙を用いるのが，**ろ紙クロマトグラフィー** paper chromatography（PC）であり，ガラスなどに吸着剤を塗布し固定相としたのが，**薄層クロマトグラフィー** thin layer chromatography（TLC）である．いずれのクロマトグラフィーにおいても移動相である展開溶媒に液体を用いるので，液体クロマトグラフィーの1種である．ろ紙クロマトグラフィーは分配，吸着，イオン交換の分離モードが可能であり，薄層クロマトグラフィーは吸着，分配，イオン交換，サイズ排除などの分離モードでの分離ができる．薄層クロマトグラフィーは日本薬局方一般試験法の物理的試験法に収載されており，物質の確認又は純度の試験に用いられる．

7-1 ろ紙クロマトグラフィー

A. ろ　紙

通常市販のろ紙クロマトグラフィー用のろ紙を用いるが，目的に応じて種々処理されたろ紙を使用する．順相ろ紙分配クロマトグラフィーでは市販のろ紙をそのまま使用する．また，逆相ろ紙分配クロマトグラフィーではシリコン油，流動パラフィン，ワセリンなどをろ紙にしみ込ませるか，アセチル化して極性を低くしたろ紙を用いる．一方，吸着，イオン交換型の分離モードでは，ろ紙上にアルミナ，ケイ酸などの吸着剤にイオン交換基を導入しそれぞれ固定相とし，移動相で展開するとき，吸着力，電気的相互作用の違いにより物質を分離できる．しかし，一般的には分配クロマトグラフィーとして利用される場合が多い．

B. 展開溶媒

ろ紙クロマトグラフィーで使用される溶媒は，順相分配クロマトグラフィーでは水と混じり合わない極性の低い有機溶媒が使用される．水と混じり合わない有機溶媒を展開溶媒に用いる場合には分液ロート内で水と十分に混合し水を飽和する．二相に分離後，有機溶媒相が展開溶媒に用いられる．展開溶媒を入れた密閉容器にろ紙をつるしておくと，水と有機溶媒の蒸気でろ紙が十分に飽和され，固定相である水が吸着される．このろ紙を水で飽和された有機溶媒からなる展開溶媒で展開すると，ろ紙上の成分が固定相の水と移動相の有機溶媒の間で分配され，分配率の違

いによって分離される．逆相型のろ紙クロマトグラフィーでは固定相にベンゼン，リグロインなどの低極性有機溶媒を用いる．展開溶媒には極性の高い水又は有機溶媒を使用する．

吸着型のろ紙クロマトグラフィーでは，展開溶媒は主に極性の低い有機溶媒の混合溶媒を使用するのが一般的である．イオン交換型のろ紙クロマトグラフィーでは，有機電解質，有機酸や有機塩基，緩衝液などを含有した水性の展開溶媒が使用される．

C. 展開形式

ろ紙クロマトグラフィーにおける展開の仕方は2種類の方法がある．一つは**上昇法** ascending method であり，他の一つは**下降法** descending method である．上昇法では展開溶媒を下方から毛細管現象で上昇し展開する方法である．下降法ではろ紙の上端から溶媒を下降させる方法で，溶媒が流れ落ちるので展開時間が短くてすむが，操作，装置がやや複雑になる．一般的には，上昇法が用いられる．

また，ろ紙クロマトグラフィーには**一次元法** one dimensional method と**二次元法** two dimensional method とがある．一次元法は1種類の展開溶媒で試料を一辺の方向だけに展開して物質を分離する方法であるが，二次元法では，図7.31のように正方形のろ紙の一隅へ試料をスポットし，展開溶媒1で一辺へ展開後，乾燥させ，ろ紙を90度回転した後，展開溶媒2で最初の展開方向とは直角方向へ展開する．2種類の展開溶媒による分離のため，一次元法に比べて相互分離が良いのが特徴である．また，カラム液体クロマトグラフィーではできない特殊な分離方法である．

D. 展開方法

幅2〜3cm，長さ40cmの長方形のろ紙の下端より約5cmに鉛筆で線を引き原線とする．原線の中央に試料溶液を毛細管又はマイクロシリンジでスポットし乾燥させる．展開溶媒に用いる

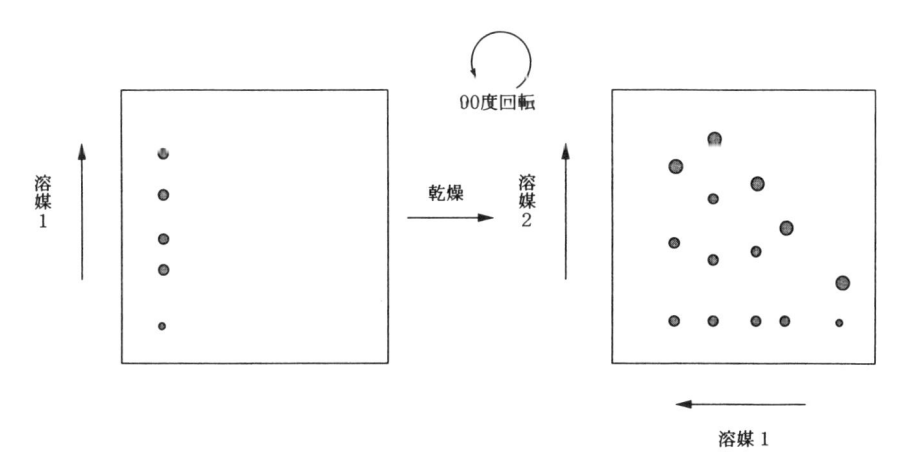

図7.31 2次元展開ろ紙クロマトグラフィーによる物質の分離

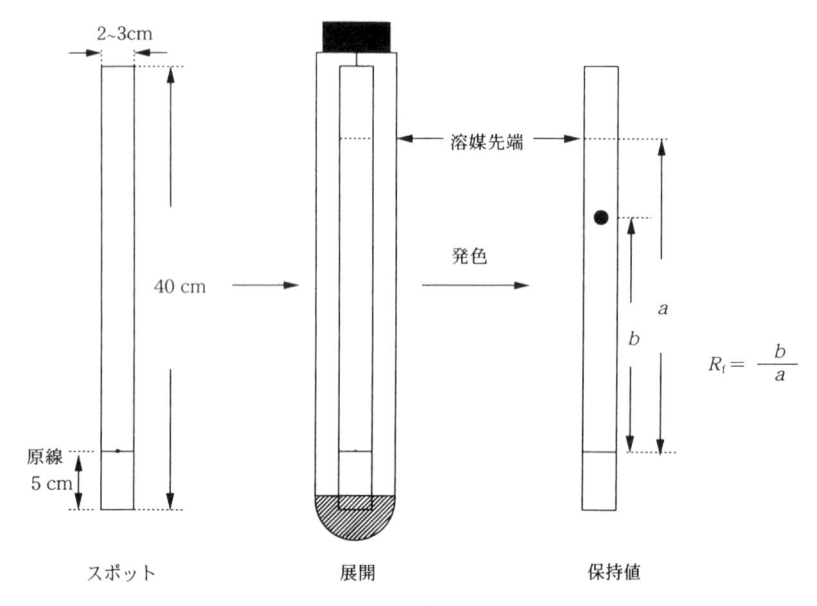

図 7.32　ろ紙クロマトグラフィーの展開方法

高極性の有機溶媒は分液ロート中で水と十分混和し，二相に分離後，有機溶媒相を展開槽に入れる．十分に展開溶媒の蒸気で飽和させた密封容器にろ紙を器壁に触れないようにつるす．ろ紙が展開溶媒の蒸気で飽和された後，室温で展開する．図 7.32 に示すように，展開溶媒の先端が規定の距離に達したら，ろ紙を密封容器から取り出し，直ちに溶媒先端に鉛筆で線を引く．乾燥後，ろ紙に各種の呈色試薬を噴霧，必要ならば加温してスポットを検出する．原線からスポットの中心まで距離と溶媒先端までの距離を測定する．図 a と b の長さの比を**移動比** rate of flow とし，R_f **値** R_f value と呼んで物質の移動の速度とする．R_f 値は次式により定義される．

$$R_f = \frac{原線からスポットの中心までの距離}{原線から溶媒先端までの距離} = \frac{b}{a} \tag{7.19}$$

R_f 値は 0 から 1 までの値となり，ろ紙の種類，展開溶媒の組成，温度などが一定なら物質に固有の値を示す．従って，R_f 値によってある程度の定性分析ができる．

7-2　薄層クロマトグラフィー

薄層クロマトグラフィーは，ガラスなどの支持体の板の上に各種の吸着剤を薄く塗布し，固定相として，その上にスポットした試料を展開溶媒で展開させ，それぞれの成分に分離する方法である．ろ紙クロマトグラフィーでは分離モードが主として分配であるのに対して，薄層クロマトグラフィーでは通常はシリカゲルを吸着剤に用いる分配・吸着クロマトグラフィーとして使用する．

A. 吸着剤

ガラス，アルミニウム，プラスチックなどの支持体へ塗布する吸着剤には微粒子のシリカゲル，アルミナ，ケイ酸マグネシウム，ケイソウ土，ポリアミド，イオン交換体，セルロース末などが用いられる．通常，シリカゲルが使用されるが，シリカゲルにオクタデシル基，オクチル基，アルキルシアノ基などを化学修飾した担体や，キラルセレクターを含浸した担体も市販されている．

B. 薄層板の調製

図 7.33 に示したサイズの薄層板及びスポットの位置などが日本薬局方で規定されている．

吸着剤に硫酸カルシウムなどの結合剤を加え，水に懸濁し，5 × 20 cm または 20 × 20 cm のガラス，アルミニウム，プラスチック製の板（通常，ガラス製）の片面にスプレッダー，アプリケーターなどの塗布器を用いて 0.2 ～ 0.3 mm の薄層とする．乾燥後，105 ～ 120 ℃ の間の一定温度で 30 ～ 60 分間加熱して，薄層板とする．薄層板はデシケーターなどに入れて保存する．また，各種サイズの薄層板や無機蛍光物質が含有されている吸着剤を塗布した薄層板も市販されている．これを用いると，254 nm の紫外線で励起され，緑黄色の 523 nm の蛍光を発するので発色試薬を用いる必要がない．分取用には薄層の厚さが 0.5 ～ 2 mm の薄層板が使用される．

C. 展開溶媒

薄層クロマトグラフィーで使用される溶媒は，試料の種類，吸着剤（担体）の種類によって異なるが，ろ紙クロマトグラフィーの場合と変わらず，水と有機溶媒の混合溶媒が用いられる．

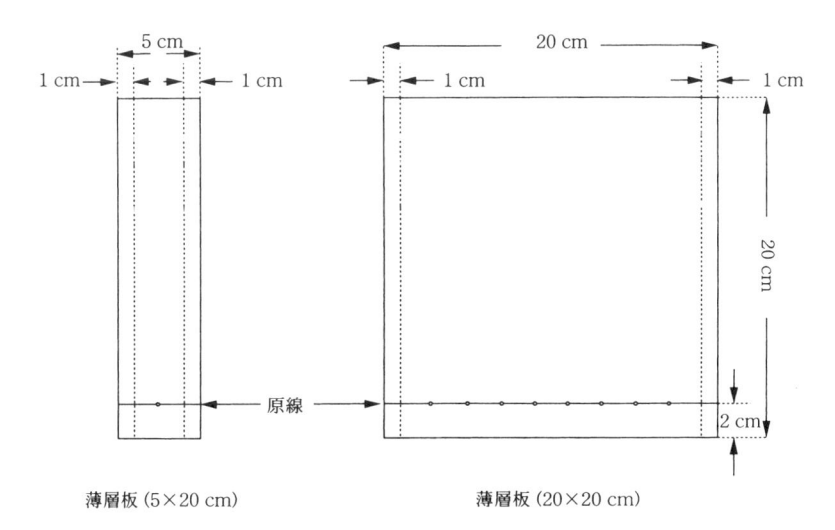

図 7.33　日本薬局方規定の薄層板

D. 展開方法

薄層板の下端から 2 cm に原線を引き，1 ～ 1.5 cm 間隔に毛細管又はマイクロシリンジを用いてスポットする．濃度の薄い試料は重ねてスポットするが，薄層板は傷つきやすいので注意が必要である．一般的には上昇法が用いられる．あらかじめ，ろ紙を展開槽の器壁に沿って巻き，展開溶媒に浸す．展開槽の中が十分に展開溶媒の蒸気で飽和されるまで室温で放置する．ついで，薄層板を器壁に触れないように入れ，容器を密閉し，常温で展開する．この際，展開槽内が展開溶媒の蒸気で十分に飽和されていなかったりすると，再現性のない R_f 値となる．展開溶媒の先端が規定の距離に達したら（通常，10 ～ 15 cm の展開），薄層板を密封容器から取り出し，直ちに溶媒先端に鉛筆で線を引く．乾燥後，薄層板に各種の呈色試薬を噴霧，必要ならば加温してスポットを検出する．一般的に，ろ紙クロマトグラフィーに比べて，反応性に富んだ試薬が呈色試薬として使用できる．また，高温下での発色も可能である．原線からスポットの中心までの距離と溶媒先端までの距離を測定する．薄層クロマトグラフィーではろ紙クロマトグラフィーに比べて 10 ～ 100 倍位感度が良い．しかしながら，ろ紙クロマトグラフィーよりも R_f 値が変動しやすいので，標準試薬も同時に展開してその R_f 値とたえず比較する必要がある．

8 電気泳動法

正又は負に帯電したアミノ酸，たん白質などの溶質に電場をかけると，溶質はそれ自身の持っている電荷とは反対の負又は正の電極へ向かって移動する．このような溶質の移動現象が**電気泳動** electrophoresis である．この現象を利用した分離分析法を電気泳動法という．この方法は電荷を持った低分子量物質からたん白質，核酸にいたる生体高分子などの分離，確認に利用されている．電気泳動法は他の分析方法に比べるとその種類は非常に多い．

8-1 原　理

電気泳動は低分子量物質から高分子量物質の分離，確認に広く応用されているが，ここでは，たん白質を例にして電気泳動の原理について説明する．たん白質は多くのアミノ酸から構成されていて，一つのアミノ酸は分子内にカルボキシル基とアミノ基の両方を持つ両性電解質である．溶液の水素イオン濃度が高いときは正電荷（$-NH_3^+$），低いときは負電荷（$-COO^-$）のいずれかの電荷を持っている．この正負の電荷が等しくなる水素イオン濃度をアミノ酸の**等電点** isoelectric point という．たん白質の電荷や，等電点などは構成するアミノ酸の数や種類によって

決定する．たん白質の溶液に電場を与えると，たん白質自身の電荷とは反対の電極へ移動する．このときの移動速度 V は次式で与えられる．

$$V = \frac{QE}{c} \tag{7.20}$$

ここで，Q はたん白質粒子の荷電量，E は電場の強さ，c は移動する抵抗に対する係数である．また，**易動度** electrophoretic mobility（単位電場における移動の速さ）μ は

$$\mu = \frac{V}{E} = \frac{Q}{c} \tag{7.21}$$

ここで Q はたん白質粒子の荷電量であるから，溶媒の種類，イオン強度，pH などによって定められる値である．c は移動する抵抗に対する係数であるので，たん白質の粒子の型，大きさ，粘性などによって定められる値である．

また，一定のイオン強度と pH という条件下では，この易動度は各たん白質などの分子種に固有の値となる．また，c についてたん白質分子が球状ならば，

$$c = 6\pi\eta\alpha \tag{7.22}$$

ここで，η は溶媒の粘性，α は粒子の半径であるから，易動度は，

$$\mu = \frac{Q}{6\pi\eta\alpha} \tag{7.23}$$

となり，たん白質の易動度は液の粘性，たん白質粒子の半径に反比例する．

8-2 分 類

電気泳動法は，表 7.8 に示したように**移動界面電気泳動法** moving boundary electrophoresis と**ゾーン電気泳動法** zone electrophoresis ならびに**キャピラリー電気泳動法** capillary electrophoresis とに大別される．

8-3 移動界面電気泳動法

移動界面電気泳動法は図 7.34 に示すように，U 字管に試料溶液を入れ，その上に溶媒を層積し界面を形成させる．この U 字管に電場を与えると界面が移動すると共に溶液中の溶質が分離される．しかしながら，この方法は試料溶液が大量に必要な上，電流によって生じたジュール熱が発生し，拡散による分離界面の乱れが生じ分離が不十分であることから，現在はほとんど使われれていない．

表 7.8 電気泳動法の種類

Ⅰ．移動界面電気泳動法（moving-boundary electrophoresis）

Ⅱ．ゾーン電気泳動法（zone electrophoresis）
 1．自由ゾーン電気泳動法（free-zone electrophoresis）
  1）密度勾配電気泳動法（density gradient electrophoresis）
  2）等速電気泳動法（isotachophoresis）
 2．支持体ゾーン電気泳動法（zone electrophoresis）
  1）ろ紙電気泳動法（paper electrophoresis）
  2）セルロースアセテート膜電気泳動法（cellulose acetate electrophoresis）
  3）寒天ゲル，アガロースゲル電気泳動法（agar, agarose gel electrophoresis）
  4）デンプンゲル電気泳動法（starch gel electrophoresis）
  5）ポリアクリルアミドゲル電気泳動法（polyacrylamide gel electrophoresis）
   a）ディスク電気泳動法（disc electrophoresis）
   b）スラブ電気泳動法（slab electrophoresis）
  6）SDSポリアクリルアミド電気泳動法（SDS polyacrylamide gel electrophoresis）
  7）等電点電気泳動法（isoelectric focusing）

Ⅲ．キャピラリー電気泳動法（capillary electrophoresis）
 1．自由キャピラリー電気泳動法（free-capillary electrophoresis）
  1）キャピラリー移動界面電気泳動法（capillary moving-boundary electrophoresis）
  2）キャピラリーゾーン電気泳動法（capillary zone electrophoresis）
  3）キャピラリー等速電気泳動法（capillary isotachophoresis）
  4）キャピラリー等電点電気泳動法（capillary isoelectric focusing）
  5）キャピラリー動電クロマトグラフィー（capillary electrokinetic chromatography）
 2．支持体キャピラリー電気泳動（capillary electrophoresis）
  1）キャピラリーゲル電気泳動法（capillary gel electrophoresis）
  2）キャピラリー電気クロマトグラフィー（capillary electrochromatography）

8-4 ゾーン電気泳動法

ゾーン電気泳動法は支持体を用いない．**自由ゾーン電気泳動法** free zone electrophoresis と支持体を使用する**支持体ゾーン電気泳動法** zone electrophoresis に分類される．

自由ゾーン電気泳動法はさらに，**密度勾配電気泳動法*** density gradient electrophoresis と**等速**

---

* 密度勾配電気泳動法：自由ゾーン電気泳動で溶液の密度を徐々に変化させた溶媒を使用する方法をいう．

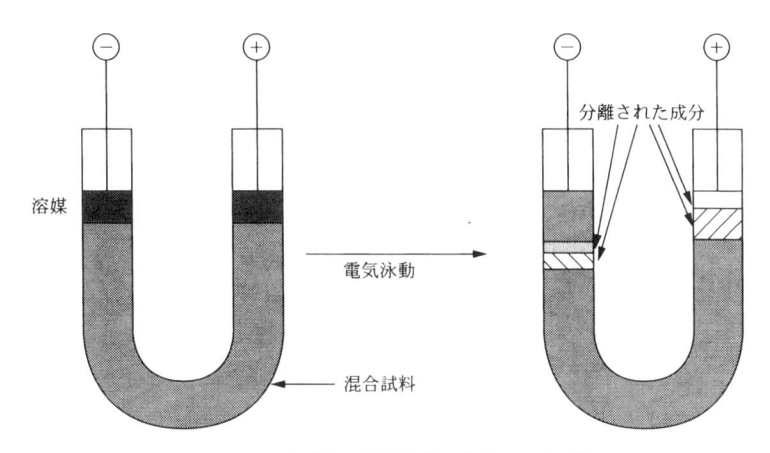

図 7.34　移動界面電気泳動法の原理図

電気泳動法 isotachophoresis とに細分類される.

　支持体ゾーン電気泳動は支持体として，ろ紙，セルロースアセテート膜，アガロース（寒天），デンプンゲル，ポリアクリルアミドゲルなどを使用し，ジュール熱による拡散を極力少なくして微量な試料の分析が可能となった.

　これらのゾーン電気泳動法の中で繁用されている等速電気泳動法，**ポリアクリルアミドゲル電気泳動法** polyacrylamide gel electrophoresis と**等電点電気泳動法** isoelectric focusing について解説する.

A. 等速電気泳動法

　支持体を使用しない自由ゾーン電気泳動の一つである等速電気泳動法は移動界面電気泳動法のように，ジュール熱による分離界面の乱れを極力なくした方法で，主として低分子物質の分析に利用されている. 3種類の陰イオン A^-，B^-，C^- の相互分離を模式的に図 7.35 に示した. 3種類の陰イオンよりも速く泳動するイオン（先行イオン）L^- と陽イオン（カウンターイオン）R^+ との混合液（先行液）と，3種類の陰イオン（A^-，B^-，C^-）のどれよりも遅く泳動するイオン（後続イオン）T^- とカウンターイオンの混合液（後続液）との間に試料イオンの溶液を注入する. 先行液側を陽極につないで通電すると，先行イオンの泳動した後にはカウンターイオンの電荷を中和するように A^-，B^-，C^- の試料イオンが移動するために，ある時間後には3種類のイオンとカウンターイオンの混合相が移動度の順に等速度で電気泳動し分類される. 先行液の組成から，後に続く相の組成が決まるので，各相の電位勾配*からイオンの種類，相の長さから各成分の量が求められる.

＊　各相の電位勾配：試料の相において，含有しているイオンの種類によって電位が徐々に変化していることをいう.

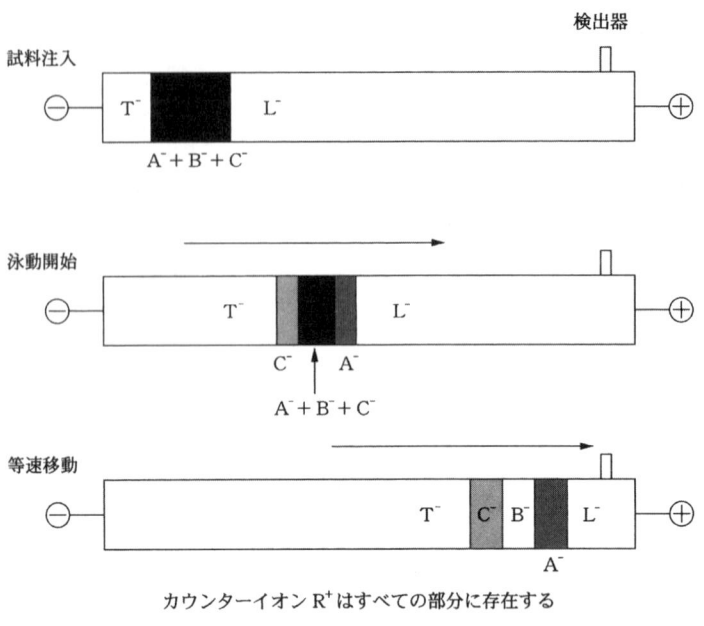

図 7.35　等速電気泳動法の原理図

B. ポリアクリルアミドゲル電気泳動法

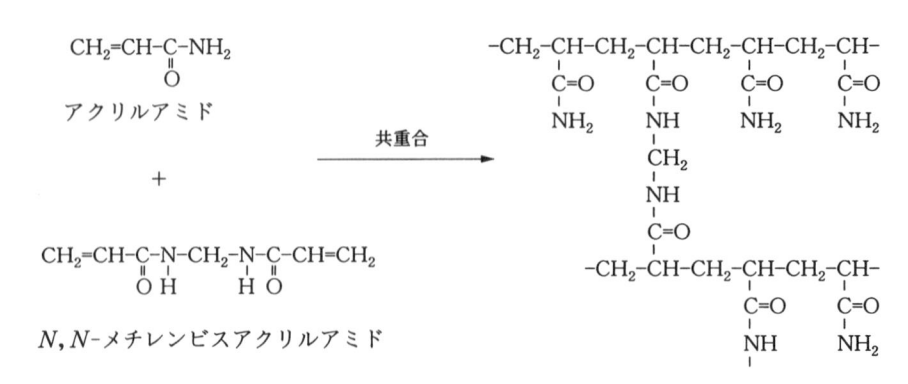

　支持体であるポリアクリルアミドゲルは，アクリルアミドの単量体と架橋剤である N, N'-メチレンビスアクリルアミド（BIS）とを重合させた三次元の網目構造を持っている（図 7.36）．単量体のアクリルアミドと架橋剤の濃度及び濃度比を変えることにより，ゲル濃度並びに架橋度の異なったゲルが作成でき，分子量の異なったたん白質を分子ふるい効果で分離することができる．ポリアクリルアミドゲル電気泳動は泳動の方法により，2 種類に分類される．一つは**ポリアクリルアミドゲルディスク電気泳動法** polyacrylamide gel disc electrophoresis で，他の一つは，**ポリアクリルアミドゲルスラブ電気泳動法** polyacrylamide gel slab electrophoresis である．

図 7.36　ポリアクリルアミドゲルの作成

1) ポリアクリルアミドゲルディスク電気泳動法

ポリアクリルアミドゲルディスク電気泳動法は細長い内径約 5 mm のガラス管内に試料ゲル，濃縮ゲル，分離ゲルの 3 層からなるゲル層を作成し，その両端に電場をかける（図 7.37A）．試料ゲル内の負電荷をもった，たん白質は濃縮ゲル内に入り，薄いバンドとなって，分離ゲルへと移動する（図 7.37B）．試料のたん白質分子は本来の電気的易動度と分子の大きさの違いによって分離ゲル内でポリアクリルアミドゲルの分子ふるい効果により，各分子量の異なった成分へと分離される．この電気泳動によるたん白質の分離においてはクーマシーブリリアントブルーで前もって染色してから泳動すると厚さの薄い円板状のたん白質の帯として観察される（図 7.37C）．この方法は他の支持体を使用する電気泳動法に比べて分離能が優れているので極めて鋭敏な分離方法である．

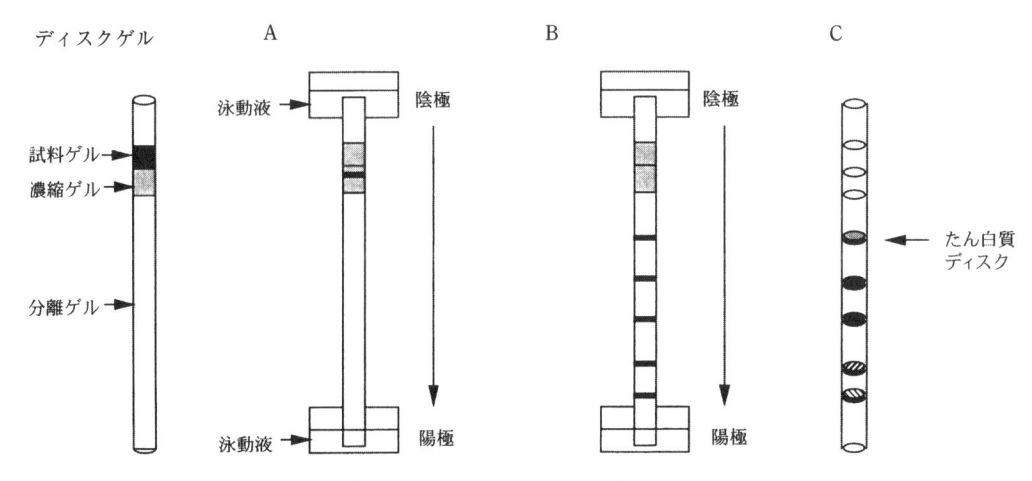

図 7.37 ポリアクリルアミドゲルディスク電気泳動法

2) ポリアクリルアミドゲルスラブ電気泳動

ポリアクリルアミドゲルスラブ電気泳動は，ガラス又はプラスチック板の間にゲルを平板状に作成し，電気泳動を行う方法である（図 7.38）．基本的な分離の原理などはディスク法の場合と同じであるが，同時にたくさんの試料を泳動させることができるので，一度に複数の試料の泳動距離などを比較することができる．現在では，ディスク法に代わって繁用されている．

3) SDS ポリアクリルアミドゲル電気泳動法

SDS ポリアクリルアミドゲル電気泳動法はたん白質を分離確認する方法のうち，最もよく用いられている方法である．この方法は界面活性剤である SDS（ドデシル硫酸ナトリウム，ラウリル硫酸ナトリウムともいう）を用いて，たん白質を変性させてから，電気泳動を行う方法である．ディスク電気泳動法，スラブ電気泳動法のいずれの方法でも分析が可能であり，なおかつ高

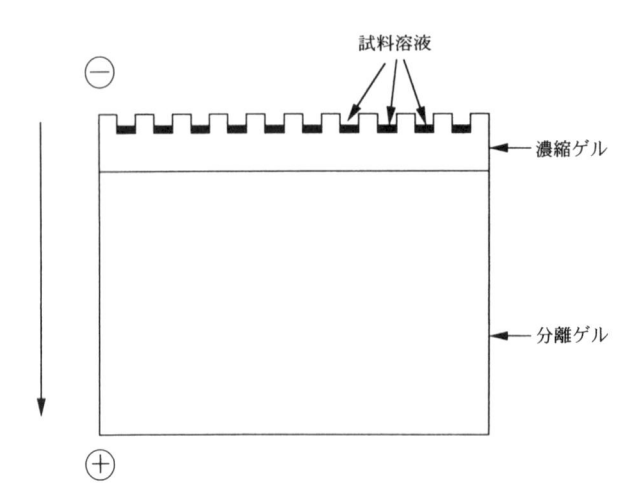

図 7.38　ポリアクリルアミドゲルスラブ電気泳動法

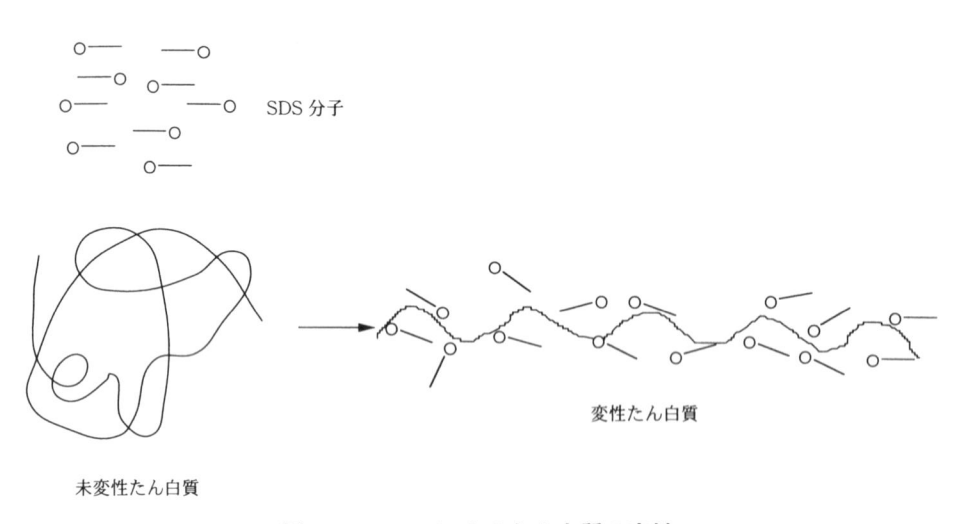

図 7.39　SDS によるたん白質の変性

い分離分解能を示す．SDS はたん白質に強固に結合する．その際，たん白質中のアミノ酸残基2個あたり，約1個の SDS が結合する．たん白質分子内に S-S 結合を持っている場合にはメルカプトエタノールなどの還元剤で切断し，1本のポリペプチド鎖にしてから，SDS と結合させる（図 7.39）．その結果，ポリペプチドが本来持っている負の電荷よりもはるかに多くの負の電荷が結合するので，この電気泳動における分離の機構は支持体であるポリアクリルアミドの分子ふるい効果に限定される．従って，分子量が既知のたん白質の分子量の対数値を縦軸に，標準たん白質のブロムフェノールブルー（BPB）に対する相対的な移動度を横軸にプロットすると，かなりの分子量範囲において直線関係が認められ，分子量の未知のたん白質を同時に泳動させたときの移動度から分子量未知のたん白質の分子量が推定できる（図 7.40）．

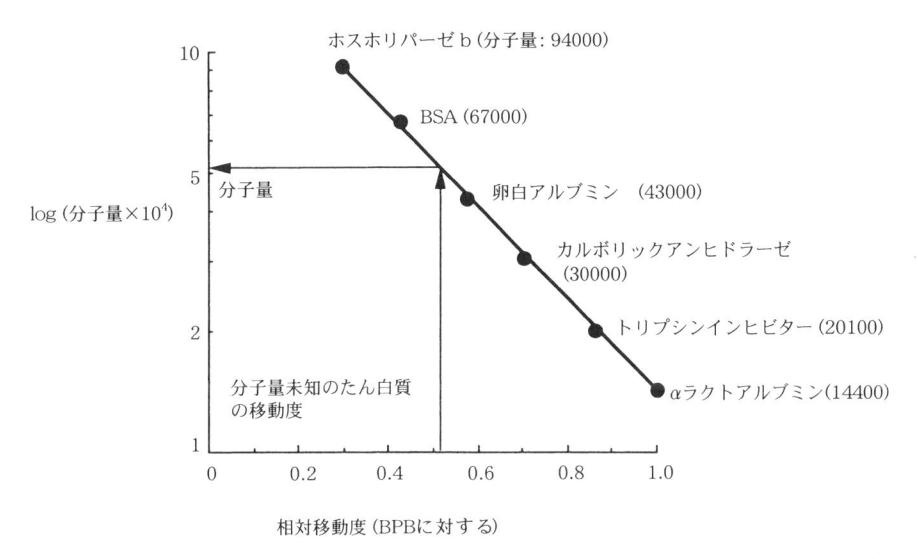

図 7.40 SDS ポリアクリルアミドゲル電気泳動法によるたん白質の分子量測定

C. 等電点電気泳動法

たん白質は溶液の pH により，正にも負にも帯電する．しかしながら，ある pH においては電荷を持たない（実効電荷 0）．この pH をたん白質の**等電点** isoelectric point といい，pI で表す．溶液又は支持体上に pH の勾配*を作成し，一定の電場を与えると，試料であるたん白質はそれぞれの等電点に等しい pH の位置まで移動し相互分離される．この方法を等電点電気泳動と呼ぶ．等電点電気泳動法は当初，対流による pH の乱れを防ぐため，ショ糖で密度勾配をつけた自由溶液中で行われていた．しかし，操作が煩雑で泳動時間が長時間に及ぶため，支持体を用いる方法が検討された．支持体としてはポリアクリルアミドゲルがもっとも広く使用されているが，最近では，電気浸透現象を少なくしたアガロースゲルやセルロースアセテート膜も使用されるようになった．

pH 勾配*を作成するためには，等電点を持った低分子両性電解質の混合物からなる緩衝化合物である**アンフォライト**（**両性担体** carrier ampholyte）を用いる．このアンフォライトは数百から数千に及ぶ構成種からなるので，試料であるたん白質と同じ pH 範囲に数多くの等電点をもっている．電場をかけると，アンフォライトは陰極から陽極まで広範囲に分布することにより，pH の勾配が形成される．たん白質も同時に移動するが，アンフォライトよりも分子サイズが大きいので等電点まで移動するのに時間がかかる．このようにしてたん白質はそれぞれの等電点の pH の所に濃縮され，バンドとして検出される（図 7.41）．等電点電気泳動法は他の電気泳動法

---

* pH の勾配：pH の高いところから低いところまで，連続的に pH を変化させた支持体を用いて電気泳動を行うことをいう．

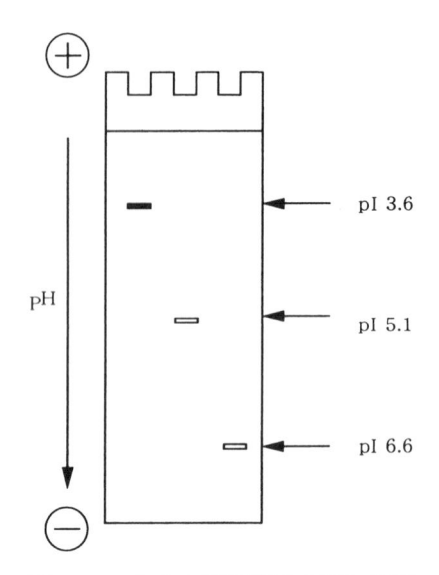

図 7.41　たん白質の等電点電気泳動

に比べて利点がある．電気泳動中にたん白質分子が拡散してその等電点の位置からずれても，直ちに電荷を持ち，もとの等電点の位置に戻ることができるため，時間経過とともにたん白質のバンドが重ならない．また，電気泳動が完了すれば，たん白質は移動しなくなり電流も流れず，発熱によるバンドの乱れもない．このように，等電点電気泳動は分子の大きさでは分離できないたん白質をその等電点の違いにより分離できる有力な手段である．

　また，等電点電気泳動を SDS ポリアクリルアミドゲル電気泳動法（SDS-PAGE）と組み合わせて，たん白質を分離する方法に**二次元電気泳動法** two-dimensional electrophoresis がある．一次元目は pH 勾配上でたん白質を等電点の違いにより分離する．二次元目は SDS-PAGE を用いてたん白質の分子量の違いで分離する方法である．図 7.42 に二次元電気泳動の結果を示した．たん白質を一次元目で pH 3 から pH 10 の勾配をもったゲル上を泳動させると，たん白質の等電

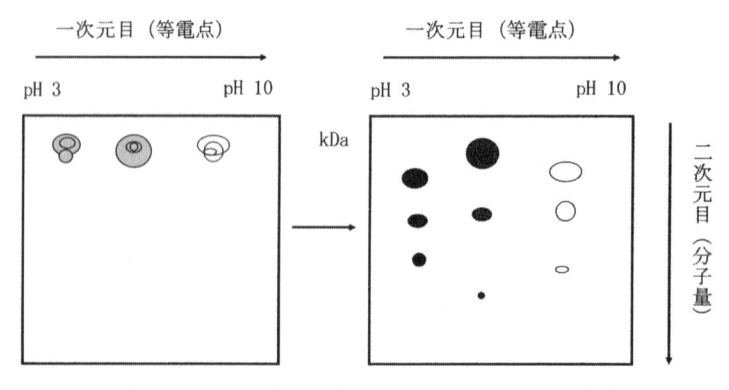

図 7.42　二次元電気泳動によるたん白質の分離

点に相当する pH の位置に到達すると，たん白質の実効電荷はゼロとなり，その場でバンドを形成する．次に，一次元目の泳動方向に対して直角方向へ SDS-PAGE を行うと，等電点が等しいたん白質でも，分子量が異なれば相互分離が可能となる．

二次元電気泳動法は，等電点電気泳動法，SDS-PAGE のいずれの方法も分離能が非常に高いのでたん白質を数千以上にも及ぶスポットに分離することが可能である．

8-5 キャピラリー電気泳動

キャピラリー電気泳動 capillary electrophoresis は毛細管の中で物質を分離する電気泳動法の総称で，電気泳動法の中で最も新しい方法である．内径 100 μm 以下，内容量が数 μL の非常に細いキャピラリーの両端に高電圧をかけ，無機のアニオン，カチオンや有機酸などの低分子物質から医薬品，たん白質，ペプチド，核酸などの生体高分子物質に至るまでの分析に利用されている．また中性成分の分離にも威力を発揮する方法が開発されている．一度の分析に必要とする試料量は 10 nL という非常に微量であり，従来の電気泳動法，液体クロマトグラフィーにはない新しい分離モードを持っている．

A. 装 置

図 7.43 に基本的な装置の構成図を示した．装置は高電圧電源，キャピラリー，検出器からなり，キャピラリーの両端は同一の泳動用緩衝液に浸されており，また，キャピラリー内部も同じ緩衝液で満たされている．両端の泳動槽内には，電圧を印加するための白金電極が浸されている．キャ

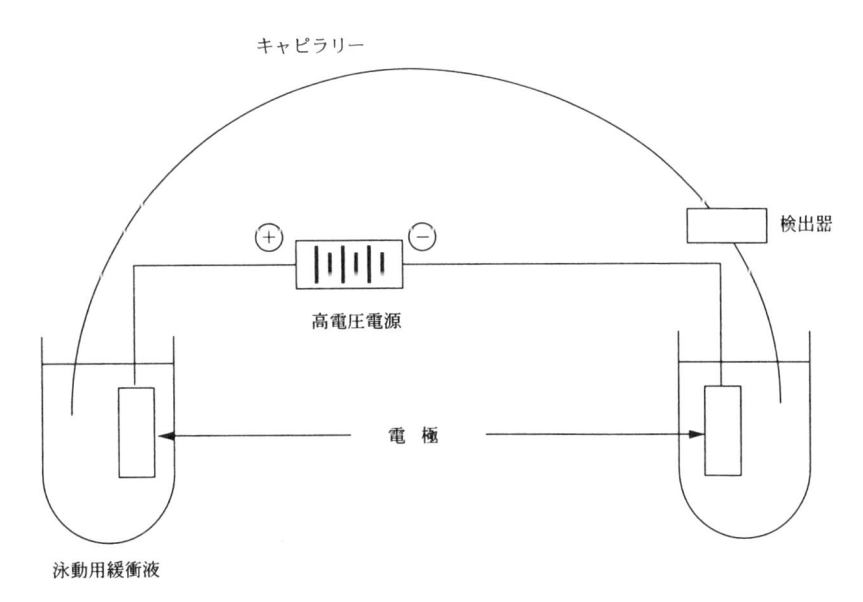

図 7.43 キャピラリー電気泳動装置の概略図

ピラリーは高純度シリカ（溶融シリカ）製の内径100 μm以下の中空のキャピラリーで外壁はポリイミドでコーティングされている．高電圧電源により印加電圧10～30 kV，250 μAが供給される．通常，キャピラリーの陰極側の一部はコーティングされていない部分があり，ここにオンカラムの紫外部吸収検出器又はフォトダイオードアレイ検出器が取りつけられている．

B. 分類

前出の表7.8に各種キャピラリー電気泳動法を支持体の有無によって分類した．現在最も繁用されている，**キャピラリーゾーン電気泳動** capillary zone electrophoresis，**ミセル動電キャピラリークロマトグラフィー** micellar electrokinetic capillary chromatography，**キャピラリーゲル電気泳動** capillary gel electrophoresis について解説する．

C. キャピラリーゾーン電気泳動法

キャピラリーゾーン電気泳動で用いるキャピラリーの材質は溶融シリカであるため，その内壁にはシラノール基が多数存在する（図7.44）．キャピラリーの中へpH 2.5以上の緩衝液を充てんすると，シラノール基が解離し内壁は負に帯電するため，緩衝液中の正に帯電したイオンが膜状にコーティングして電気二重層を形成する（図7.45上）．次いでキャピラリーの両端に高電圧をかけると，正に帯電したイオンは陰極の方へ移動する．このときイオンは水和水を伴って移動するために，キャピラリーの内部では緩衝液が流れ始め，電気浸透流が生じる（図7.45下）．試料としてキャピラリーの中へ注入された，正電荷あるいは負電荷を持った物質又は中性物質は図7.46に示すように，電気泳動的挙動を示す．しかしながら，たとえ負電荷を持っていて泳動方向

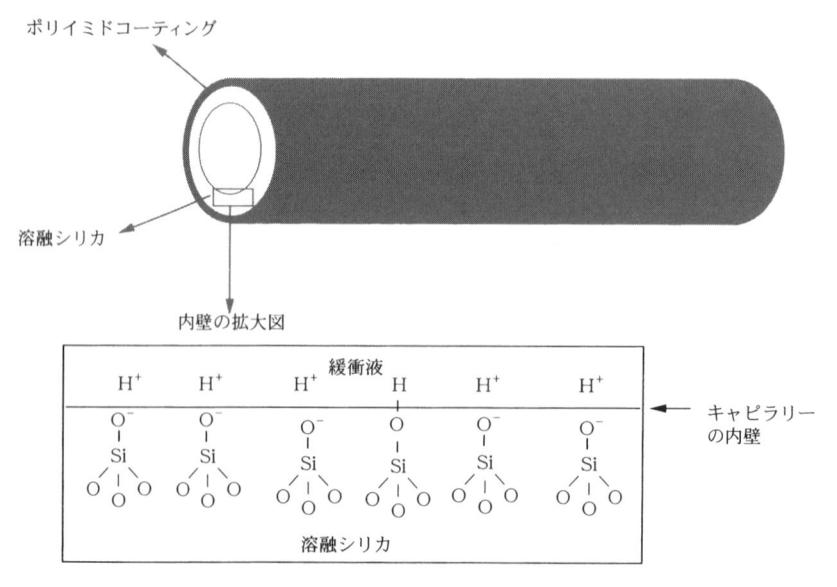

図7.44 キャピラリーの拡大図

図 7.45　キャピラリー内における電気浸透流の発生

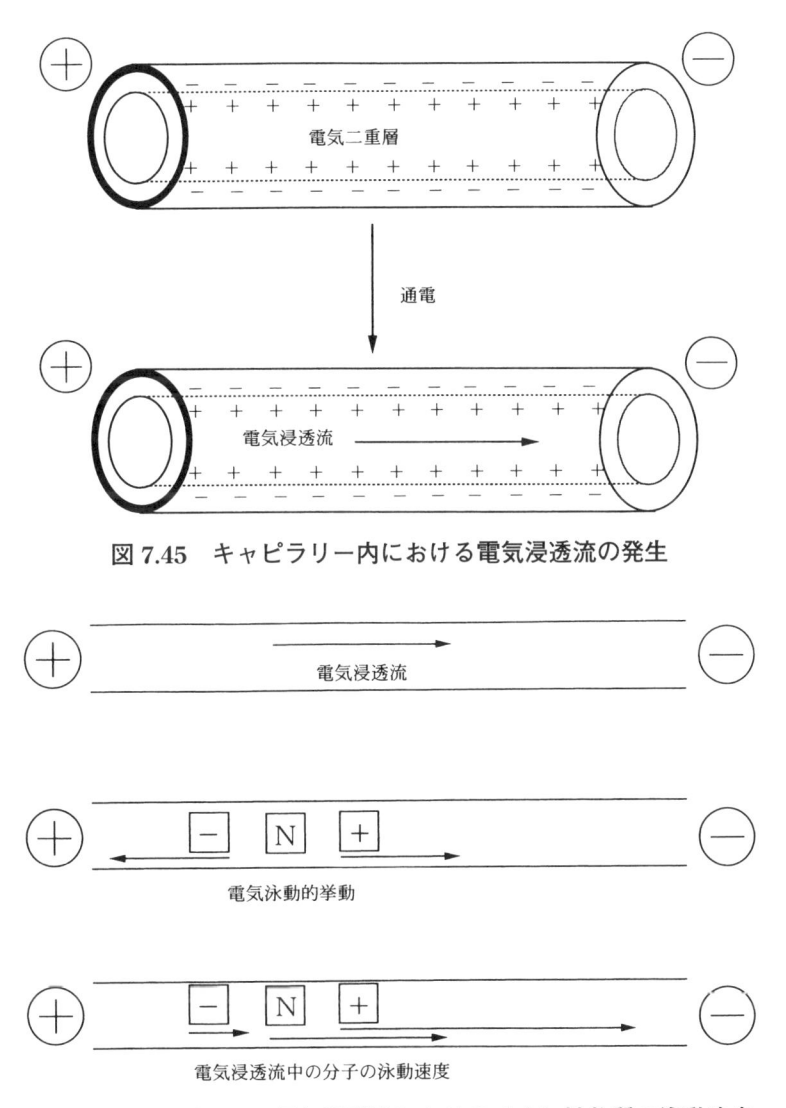

図 7.46　キャピラリー電気泳動法におけるイオン性物質の泳動速度

が陽極側であっても，陰極側への電気浸透流の流れに流されて陰極へと向かって泳動する．また，キャピラリーゾーン電気泳動では，試料の電荷の違いだけでなく，分離される分子のストークス半径も泳動に影響する．すなわち，ストークス半径が大きな分子は電気浸透流に対する抵抗が大きくなり，泳動速度が遅くなる．図 7.47 には，電荷と分子サイズの異なる物質のキャピラリーゾーン電気泳動による相互分離を模式的に示した．最初に泳動されるのは正に帯電していて，分子サイズの小さなイオンで，ついで，正に帯電して分子サイズの大きいたん白質のような物質である．さらに，電気的に中性物質，負に帯電して分子サイズの小さな物質，ついで負に帯電して分子サイズの大きな物質の順にキャピラリーから溶出してくる．このように，キャピラリーゾーン電気泳動は，イオンのような物質から生体高分子であるたん白質，核酸の分離にまでその応用

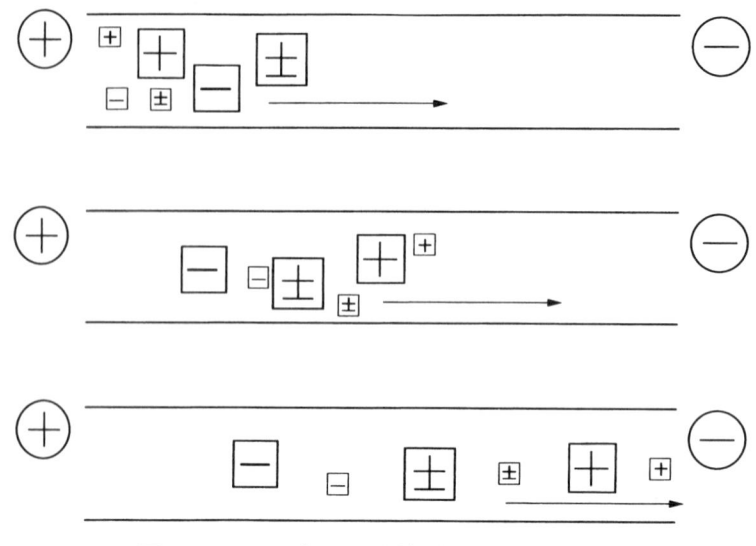

図 7.47 キャピラリー電気泳動法の分離原理

範囲は広い分析方法である．

D. ミセル動電キャピラリークロマトグラフィー

　電気泳動法によって物質を分離する場合，分離目的物質は電荷を持っていなければならない．しかしながら，電気泳動法に分配クロマトグラフィーの概念を導入することにより，電気的に中性な物質の相互分離が可能となる．この方法が**動電クロマトグラフィー** electrokinetic chromatography である．動電クロマトグラフィーはキャリアーと称する電荷を持った分子又は分子集合体（ミセル）を一種の固定相として泳動液中に入れておくと，電気的に中性な試料物質はキャリアーと緩衝液との間で分配平衡が成立しながら電気泳動される．キャリアーにドデシル硫酸ナトリウム（SDS）で代表される陰イオン界面活性剤を用いた場合が，ミセル動電キャピラリークロマトグラフィーである．キャピラリー内の泳動緩衝液に臨界ミセル濃度（CMC）以上に SDS を添加すると，ミセルを形成し，この負に帯電したミセルに多く分配される物質はミセルが電気浸透流とは反対の陽極側に電気泳動するため，陰極側への移動が遅くなる．これに対して，ミセルに分配されないか，分配されにくい物質は，電気浸透流の流れに乗って溶出が早まる（図 7.48）．このように，ミセルへの物質の分配の度合いが異なることにより，陰極側への泳動速度に差が生じ，中性物質でもキャピラリー中での電気泳動で相互分離が可能となる．動電クロマトグラフィーはキャリアーのミセルに代えてイオン性シクロデキストリンを用いた光学異性体の分離，ホウ酸錯体を用いた糖，カテコールアミンの分離，金属錯体を用いたアミノ酸（光学異性体）の分離などにも応用されている．

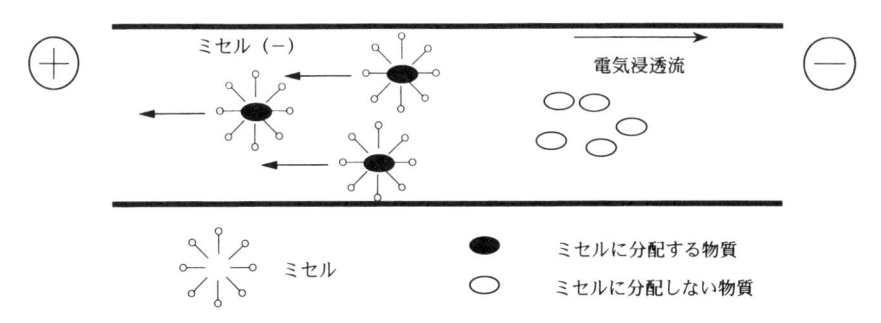

図 7.48 ミセル動電キャピラリー電気泳動法の原理

E. キャピラリーゲル電気泳動

　キャピラリーゲル電気泳動はキャピラリーの中へポリアクリルアミドゲル又はアガロースゲルなどを充てんし，たん白質，核酸などの生体高分子をその分子ふるい効果で分離する方法である．分子量の異なる DNA フラグメントの混合物をポリアクリルアミドゲルを充てんしたキャピラリー中に注入すると，DNA はリン酸残基を持っているので陽極側に泳動する．この際，分子量の大きな DNA はゲル内を通過するのに抵抗を受け泳動に時間がかかる．一方，分子量の小さな DNA は抵抗が小さいので泳動時間が短い．このような分子ふるい効果によって，分子量の異なる物質を分離することができる．キャピラリーゲル電気泳動は DNA，たん白質や DNA シークエンシング，ポリメラーゼ連鎖反応（PCR 法）による生成物の解析などに幅広く応用されている．

第8章 熱分析法

1 総論

　熱分析法 thermal analysis は物質の温度を変化させながら,物理的性質や化学的性質の変化を温度又は時間の関数として測定する分析法である.おもな熱分析法は,試料と基準物質との間の温度差を測定する**示差熱分析** differential thermal analysis (DTA),試料と基準物質との間の熱量の入力差,すなわちエンタルピーを測定する**示差走査熱量測定** differential scanning calorimetry (DSC),質量を測定する**熱重量測定** thermogravimetry (TG) に分類される.表8.1には,熱分析法の測定対象と得られる情報をまとめた.

表8.1　熱分析法と得られる情報

熱分析法	測定対象	得られる情報
示差熱分析法（DTA）	温度	転移温度,反応温度
示差走査熱量測定法（DSC）	エンタルピー	転移・反応の温度及び熱量,熱容量
熱重量測定法（TG）	質量	酸化還元,熱分解,吸脱着,蒸発,揮発

2 示差熱分析法

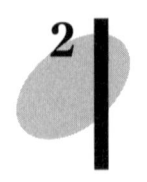

示差熱分析法 differential thermal analysis (DTA) は，試料と基準物質を同一の熱的条件下で加熱又は冷却し，両者の間に生じる温度差を測定する分析法である．融解，結晶化などの物理的な転移や熱の出入りを伴った化学反応が生じれば，試料と基準物質との間に温度差が生じる．温度差 ΔT（縦軸）を，温度 T（横軸）に対して記録し DTA 曲線を作成する．

A. 装　置

図 8.1 には DTA 測定装置の概略図を示す．通例，加熱炉部，温度制御部，試料部，測温部，増幅部及び表示記録部から構成される．

B. 測定方法

電気炉の中には試料皿ホルダー部(S)と基準物質皿ホルダー部(R)があり，この上に，試料を入れた試料皿と基準物質を入れた基準物質皿をのせる．試料と基準物質は加熱炉によって加熱される．加熱炉の温度は温度プログラムに従って温度制御部により制御される．徐々に加熱していくにつれ，試料皿ホルダー部と基準物質皿ホルダー部にとりつけられた熱電対で検出した試料と，

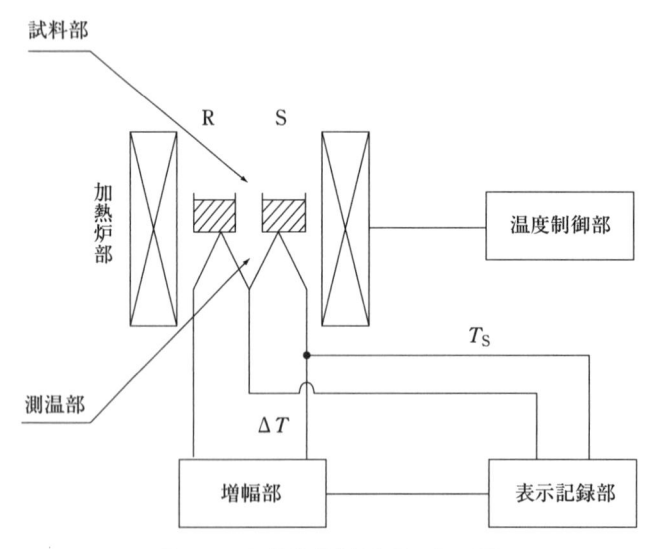

図 8.1　示差熱分析装置の概略図
(第十七改正日本薬局方解説書，廣川書店より引用)

基準物質の温度差を増幅し，記録計で記録する．試料と基準物質の間で温度差がなければ，電気信号は互いに打ち消しあいDTA曲線には変化が現れない．一方，試料に物理的な転移や熱の出入りを伴った化学反応が生じれば，熱が吸収または発熱されるので，試料と基準物質との間に温度差が生じるので，DTA曲線に変化が現れる．

C. 示差熱分析曲線（DTA曲線）

図8.2には，典型的なDTA曲線の例を示した．試料と基準物質を加熱していくと，A点からB点の間では，試料は安定で基準物質と同じ温度を保っているが，B点を過ぎると吸熱変化が起こるため試料の温度は基準物質よりも低くなっている．吸熱変化が終了するC点では再び温度差がなくなるが，さらに加熱を続けると今度は発熱反応が起こり，D点からE点の間では試料の温度の方が基準物質の温度よりも高くなっている．

基準物質は使用温度範囲内では，いかなる熱変化も起こさない．試料皿や熱電対と化学反応をしない．DTA曲線のベースラインが乱れるのを避けるために，試料と同じ程度の熱伝導度と熱容量をもつものが用いられる．通常，アルミナ（Al_2O_3）が基準物質に使用される．

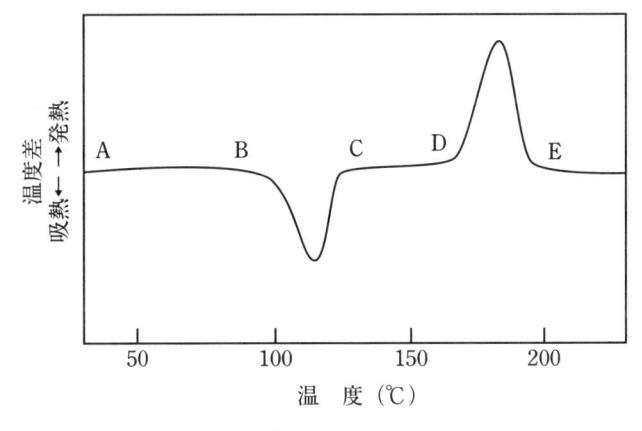

図 8.2 典型的な DTA 曲線
（入門機器分析化学，庄野利之，脇田久伸編著 三共出版より引用）

D. 応用例

DTAは物理的，化学的現象をはじめ，広い範囲で応用されている．物理的現象としては，融解，結晶転移，ガラス転移，相転移の変化の測定に有効であり，化学的現象としては，熱分解，脱水反応，酸化還元反応，架橋反応などの測定に用いられる．

3 示差走査熱量測定法

示差走査熱量測定法 differential scanning calorimetry（DSC）は DTA を改良したものであり，熱補償 DSC と熱流束 DSC とがある．

熱補償 DSC は試料と基準物質を同時に加熱又は冷却し，温度差が生じた場合に，その温度差がゼロとなるように，試料と基準物質に加えた単位時間あたりの熱エネルギーの入力差を時間又は温度に対して測定する方法である．

熱流束 DSC は試料と基準物質を一定の速度で加熱又は冷却し，試料と基準物質と間に生じる温度差を熱流束の差として検出し，DSC 信号として記録する．

A. 装　置

図 8.3 に，熱補償 DSC 装置の概略図を示した．試料部，測温部，加熱部，温度制御部及び熱量補償回路，温度差測定回路及び表示記録部から構成される．

B. 測定方法

試料と基準物質は一定速度で加熱されるとき，試料と基準物質との間に温度差が生じる．この温度差を熱量補償回路，温度制御部によって常にゼロになるように制御し，試料が吸熱し，基準物質よりも温度が低くなると試料側に熱エネルギーが供給され，一方，試料が発熱し，温度が高

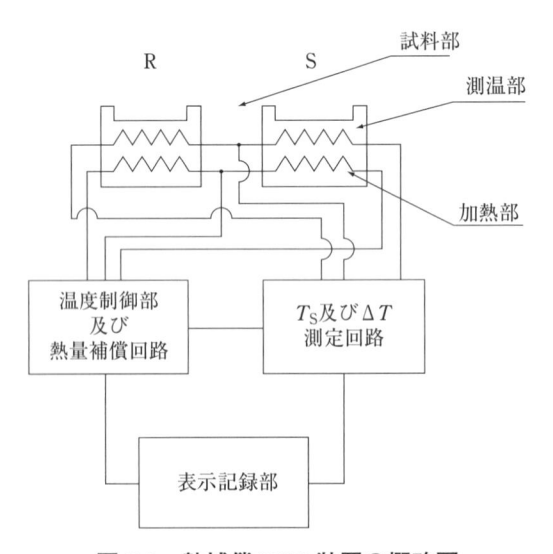

図 8.3　熱補償 DSC 装置の概略図
(第十七改正日本薬局方解説書，廣川書店より引用)

くなると，基準物質側に熱エネルギーが供給される．DSC曲線は縦軸に試料と基準物質の温度差をゼロにするために加えられたエネルギーを，横軸に温度をプロットする．DSC曲線はDTA曲線に極めて似通った形状を示すが，DSCの方が分解能は高い．

C. 応用例

DSCはDTAで測定できた，物理的現象である融解，結晶転移，ガラス転移，相転移の変化の測定に有効であるばかりか，エンタルピー緩和の測定ができる．しかしながら，化学的現象の測定に用いられない．

4 熱重量測定法

熱重量測定法 thermogravimetry（TG）は試料を加熱しながら，その質量変化を測定する方法である．温度に対して，質量を記録してTG曲線を作成する．

A. 装　置

図8.4にTG装置の概略図を示した．加熱炉部，温度制御部，天秤，温度測定回路，質量測定回路，表示記録部から構成される．

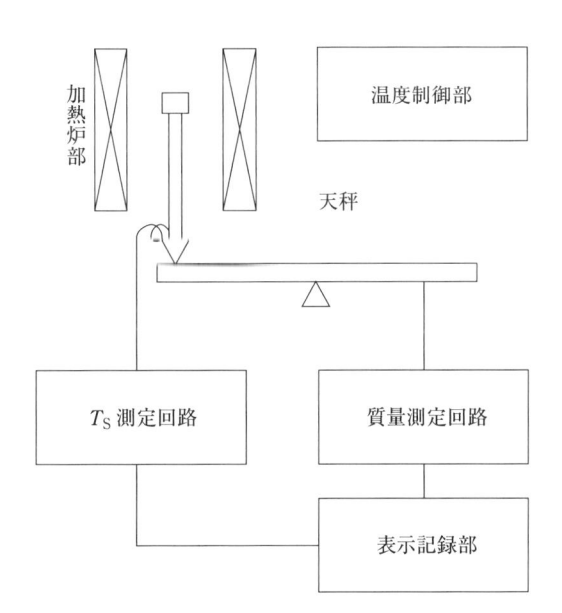

図8.4　熱重量測定装置の概略図
(第十七改正日本薬局方解説書，廣川書店より引用)

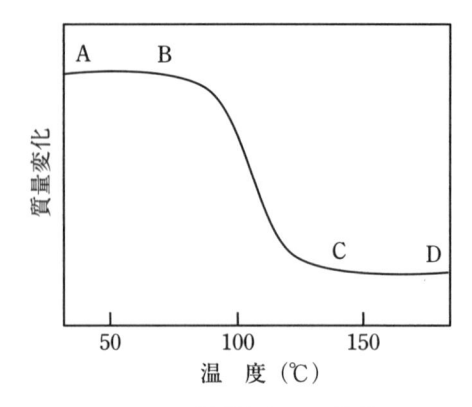

図 8.5　典型的な TG 曲線
(入門機器分析化学, 庄野利之, 脇田久伸編著　三共出版より引用)

B. 測定方法

温度制御部でコントロールされた加熱炉部で試料を加熱し，温度変化に対する試料の重さの変化を天秤（熱天秤）で測定する．

C. 熱重量曲線

図 8.5 には，典型的な TG 曲線を示す．試料を一定の速度で加熱していくと，最初のうちは試料の質量変化は観察されない（A 点から B 点）．B 点を過ぎると質量が減少しはじめ，C 点で質量は最小となる．この点で，最初の試料とは全く異なる物質に変化し，それ以上加熱しても質量の変化は認められない（C 点から D 点）．

D. 応用例

物質の熱分解，水和物の脱水反応，酸化還元反応の検出に用いられる．また，昇華，蒸発などの相転移の測定に応用される．日本薬局方一般試験法収載の乾燥減量試験又は水分測定法の別法として用いることができる．この場合，測定は室温から開始し，乾燥又は水分の揮散による質量変化が終了するまでを測定温度範囲とする．

図 8.6 には，TG，DTA でシュウ酸カルシウムを分析した例を示した．TG 曲線により質量変化が測定でき，DTA 曲線から発熱，吸熱反応が検出される．温度 174.26 ℃で脱水反応が起こり（① $CaC_2O_4 \cdot H_2O \longrightarrow CaC_2O_4 + H_2O$，吸熱反応），488.93 ℃で一酸化炭素の放出（② $CaC_2O_4 \longrightarrow CaCO_3 + CO$，一酸化炭素の酸化反応，発熱），690.98 ℃で脱炭酸ガス反応（③ $CaCO_3 \longrightarrow CaO + CO_2$，熱分解反応，吸熱反応）が起こっていることがわかる．

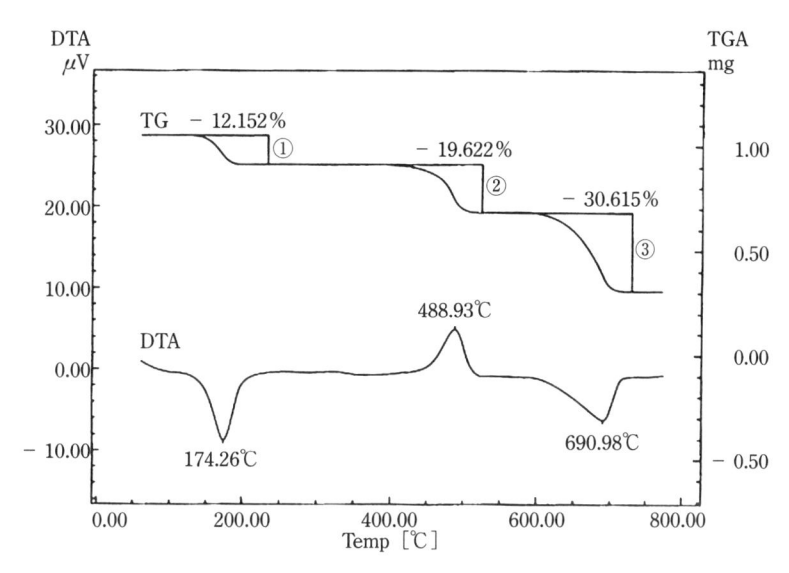

図 8.6 TG，DTA 曲線の組合せによるシュウ酸
カルシウム一水和物の分析例
（第十七改正日本薬局方解説書，廣川書店より引用）

第9章 生物学的分析

　薬学領域において分析対象となる試料物質は，医薬品，医薬部外品，化粧品，食品，環境物質，生体成分（生体の構成成分及び体液中の薬物）などである．また，分析の目的は品質の管理状況，環境の評価，病気の診断，医薬品の適正使用などに関する情報を得るためといえる．この目的で行われる分析法の多くは化学を基礎として化学反応を利用した化学量論に基づく分析法（化学的分析法），あるいは物理学及び物理化学を基礎として物質の固有な物性計測に基づく分析法（物理学的分析法）に大別される．現在，前者は**化学分析**（湿式化学分析）chemical analysis，後者は**機器分析** instrumental analysis と呼ばれている．

　これに対して，生物学を基礎として，生体（動物，植物，微生物）の機能の全部，その一部（器官，組織あるいは細胞）あるいは生体内の化学反応を利用して行われる生物学的及び生物化学的な分析法があり，広義の**生物学的分析法** biological analysis，bioassay と呼ばれている．生物学的分析法は，生物の持つ分子識別能を利用したもので，極めて高い特異性がある．また，生体の持つ機能を模倣あるいは活用した科学技術であるバイオテクノロジー（生物工学）の進歩とともに，臨床分析，環境分析あるいはバイオ医薬品の品質評価などに，さまざまな形で生物学的分析法が使用されている．

1 バイオアッセイ

　ある物質を生物に与えたとき，その生物によって引き起こされる反応を利用してその活性物質の性質，構成成分及び効力などを定性あるいは定量する方法がある．これは狭義の生物学的試験法あるいは生物学的定量法 biological analysis，bioassay といわれ，ある種の薬物，抗生物質，ビタミン，ホルモンなどの生物学的に活性を持つ物質が測定できる．また，この狭義のバイオアッ

表 9.1 バイオアッセイ（狭義）

薬物名	使用する生物	測定する内容
ホルモン		
インスリン	ウサギ	血糖値の低下
オキシトシン	ニワトリ（雄）	坐骨動脈の血圧降下
バソプレシン	シロネズミ（脳髄破壊雄）	頸動脈の血圧上昇
性腺刺激ホルモン	シロネズミ（雌）	卵巣重量の増加
抗生物質		
ペニシリン	細菌（*Staphylococcus aureus*）	阻止円（円筒平板法）
ストレプトマイシン	細菌（*Bacillus subtilis*）	濁度の減少（比濁法）
ビタミン		
ビタミン B 群	細菌（*Lactobacillus fermenti*）	濁度の差（比濁法）
	酵母（*Saccharomyces cerevisiae*）	濁度の差（比濁法）
その他		
ジギタリス	ハト	心臓停止（死亡）
アセチルコリン	カエル（腹直筋）	筋収縮
ジベレリン	イネ（発芽種子）	第 2 葉鞘の長さ
発がん物質	細菌（*Salmonella typhimurium* 変異株）	菌の増殖（Ames 法）
インターロイキン-2	マウス T リンパ球細胞（CTLL-2 細胞）	[^{3}H] チミジン取込み
	マウスナチュラルキラー細胞（NKC-3 細胞）	BrdU* 取込み

*BrdU：5-ブロモ-2′-デオキシウリジン

セイにおいて使用される生物は動物，植物，微生物などで，これらの個体の全部あるいは個体の一部（器官，組織あるいは細胞）が用いられる（表9.1）．物理学的及び化学的方法と異なり，狭義のバイオアッセイにおいては個体差に基づくばらつきが大きく現れるので，実験結果の定量化には統計学的な手段を導入する必要がある．従って狭義のバイオアッセイは生体内 *in vivo* の反応を統計学的に処理して定量化する分析法といえる．

　一方，生体内反応の一部を試験管内 *in vitro* の反応として発現させて，分析系として応用することができる．この分析系では生体反応の持つ特異性と感度に加え，高い精度を得ることができる．この視点から発展した分析法には，生化学的分析法，酵素化学的分析法，バインディングアッセイ，イムノアッセイ，遺伝子解析法などがある．これらの生物学的及び生物化学的な分析法を総称して，広義の生物学的定量法，広義のバイオアッセイという（表9.2）．これらの分析法においては酵素，受容体（レセプター），特異的結合たん白，免疫グロブリン，核酸などの生体内に存在する物質が用いられ，生化学的な反応を利用して測定される．本章では酵素化学的分析法，イムノアッセイ及び遺伝子解析法について説明する．

表 9.2　生物学的分析法（広義のバイオアッセイ）の分類

1. 生物学的試験法（狭義のバイオアッセイ）
    - 動物：個体又は個体の一部（器官，組織，細胞）
    - 培養細胞株（動物由来）
    - 植物：個体又は個体の一部（器官，組織，細胞）
    - 微生物（微生物定量法 microbiological assay）
2. 生化学的分析法
    - エンドトキシン試験法
    - トロンボテスト
3. 酵素化学的分析法（広義の酵素的分析法）
    - 酵素的分析法
    - 酵素活性分析法
4. バインディングアッセイ
    - レセプターアッセイ
    - レポーター遺伝子アッセイ
    - たん白質結合法
    - アプタマーアッセイ
5. イムノアッセイ
    - ラジオイムノアッセイ（放射免疫測定法）
    - エンザイムイムノアッセイ（酵素免疫測定法）
    - 蛍光イムノアッセイ（蛍光標識免疫測定法）
6. 遺伝子解析法

2　酵素化学的分析法

　酵素化学における基本的な性質や反応性を利用した分析法を**酵素化学的分析法** enzyme chemical analysis，あるいは広義の酵素的分析法 enzymatic methods of analysis という．酵素化学的分析法は狭義の酵素的分析法と酵素活性分析法からなる．狭義の**酵素的分析法** enzymatic analysis は酵素を試薬として用いて試料中の目的物質を定量する分析法で，**酵素活性分析法** enzyme activity analysis は酵素活性を測定してその活性の強弱から酵素それ自身の量を求める分析法である．

　酵素は血清酵素としての臨床診断的な意義のみならず，酵素製剤として治療にも用いられており，品質管理面からも測定する必要性がある．また，酵素反応を利用した分析法は生化学，臨床化学，組織細胞化学，環境化学，食品化学などの各分野で応用されている．いずれの場合も酵素化学の基礎知識が必要で，この理解なくして正しい分析結果を得ることはできない．また，後述する酵素免疫測定法（エンザイムイムノアッセイ）の利用に際しても，酵素化学の基礎を正しく

理解しておく必要がある．

2-1 酵素化学の基礎

A. 酵素とは

酵素 enzyme には以下に示す三つの大きな特徴がある．酵素を用いた分析法の原理を理解するためには，酵素のこの特徴をまず知ることが大切である．

(1) 非常に効率のよい生体内触媒である．

化学反応が進行するためにはエネルギーの高い遷移状態を経由する必要があり，このエネルギーの障壁を活性化エネルギーという（この活性化エネルギーが低いほど反応速度は大きい）．**触媒** catalyst は活性化エネルギーを低くして，反応速度を促進させることができる物質である．また，酵素触媒の活性化エネルギーは白金や鉄などの無機触媒のそれよりもさらに低く，効率的に反応を進行させることができる（図9.1）．

(2) 特異性が極めて高い．

酵素触媒が無機触媒と大きく異なる点の一つは，**特異性** specificity を有することである．酵

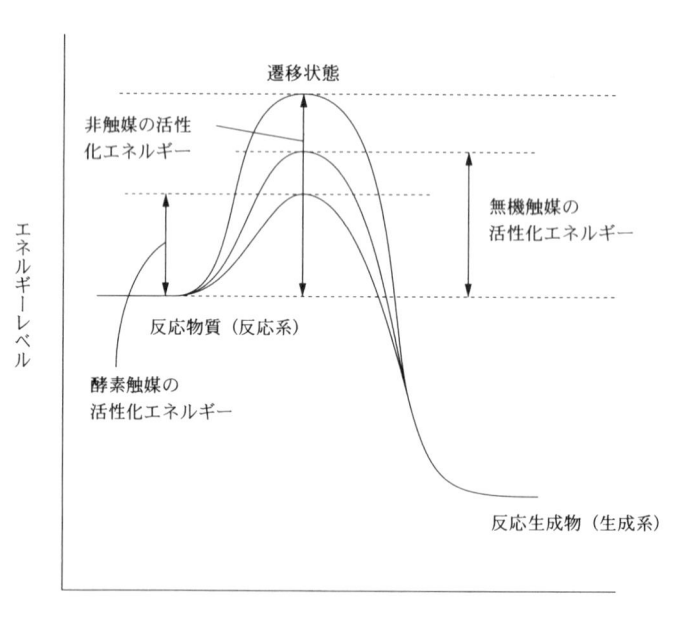

図9.1 触媒反応と非触媒反応の活性化エネルギー
反応物質から生成物に化学反応が進行するためには，エネルギーの高い遷移状態（エネルギー障壁）を経過する必要がある．触媒はこのエネルギー障壁，すなわち活性化エネルギーレベルを下げる働きをする．無機触媒は触媒なしにくらべて活性化エネルギーは低い．酵素触媒反応の活性化エネルギーは，無機触媒のそれよりも更に低い．

素は触媒作用を受ける物質，すなわち**基質** substrate の分子構造をかなり厳密に識別し，ある特定のタイプの反応を触媒する．それぞれは**基質特異性** substrate specificity，**反応特異性** reaction specificity と呼ばれる．酵素の特異的検出や酵素の特異的試薬としての利用価値は，この高い特異性に基づく．

(3) 柔軟な立体構造を持つたん白質である．

酵素の化学構造的な本体は分子量が1万から100万ダルトン程度のたん白質で，三次元的な立体構造を保つ．立体構造の形成と安定化には静電結合，水素結合，疎水結合，ファンデルワールス結合などが関与している．このような結合力で立体構造を保つ酵素に，基質分子が接近すると，柔軟性のあるたん白質立体構造上の微細部分に変化を生じる．柔軟な立体構造を持ち，種々の物質により活性化又は阻害されるといった酵素の特性は，狭義の酵素的分析法及び後述のエンザイムイムノアッセイにおいて，いろいろな形で応用されている．

B. 酵素の分類・命名法と活性単位

国際生化学連合（IUB）の提案により，酵素の分類と命名法が規定されている．その骨子は，① 酵素名は基質名とそれに続く触媒反応の型と語尾の -ase から構成されている．例えば，乳酸を脱水素 dehydrogenation してピルビン酸とする酵素は，乳酸脱水素酵素（乳酸デヒドロゲナーゼ，L-lactate dehydrogenase）と名付けられる．② 個々の酵素は推奨名，系統名及び四つの数で表される固有の系統番号（EC 番号）を持つ，である．

微量に存在する酵素の量を絶対量で表示することは困難である．そこで，"測定された酵素の反応速度は存在する酵素の量に比例する"ことに基づいて，酵素の量は酵素単位で表されることとなった．酵素単位には "適正条件下で，1分間に 1 μmol の基質，又は 1 μ 当量の結合に作用する酵素量を 1 国際単位（U）とする"（1964 年 IUB 勧告の定義）と，"1秒間に 1 mol の基質，又は 1 mol 当量の結合に作用する酵素量を 1 katal（カタール，kat）とする"（1972 年 IUB 勧告の定義）がある．両者の関係は 1 kat = 1 mol/s = 60 mol/min = 60 × 10^6 μmol/min = 6 × 10^7U で表される．

C. 酵素反応の基礎とミカエリス-メンテン式

血液中や組織細胞内に存在する酵素量や分析対象物質（基質）の濃度を正しくはかるためには，酵素反応速度論，特に**ミカエリス-メンテン** Michaelis-Menten **の式**を理解することが大切である．温度，pH，イオン強度，溶媒組成，基質濃度，酵素濃度，活性化剤あるいは阻害剤の濃度などは，酵素反応速度に影響を与える．従って，酵素の反応速度を解析すると，これらの要因の影響の程度を定量的に解析することができる．

2-2　基質濃度と酵素濃度

　酵素量を一定にして，2種の基質濃度において酵素反応を行った場合，その酵素反応の経過を経時的に追うと図9.2のような典型的な反応曲線を描く．反応の初期は一定の速さで生成物を生じるが，時間がたつと徐々に少なくなる．一般に，反応生成物の生成速度は反応曲線に時間ゼロにおける接線を引くことで得られる．この時間ゼロにおける極限の速度を**初速度** initial velocityという．酵素の反応速度といえば，この初速度のことを意味している．また，酵素の反応速度は基質濃度が高いほど大きいことを示している．

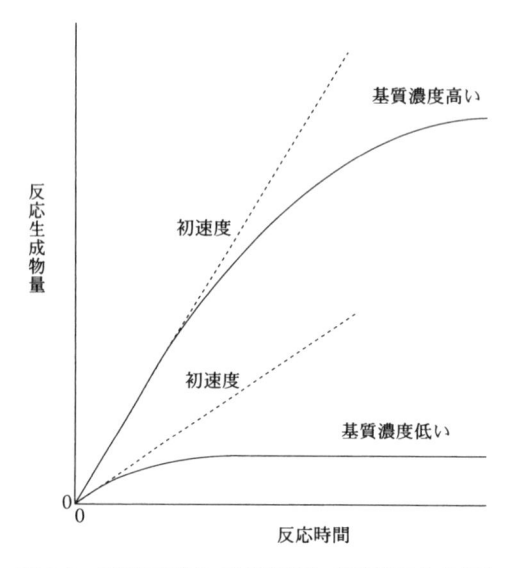

図 9.2　酵素反応の時間経過（酵素反応曲線）

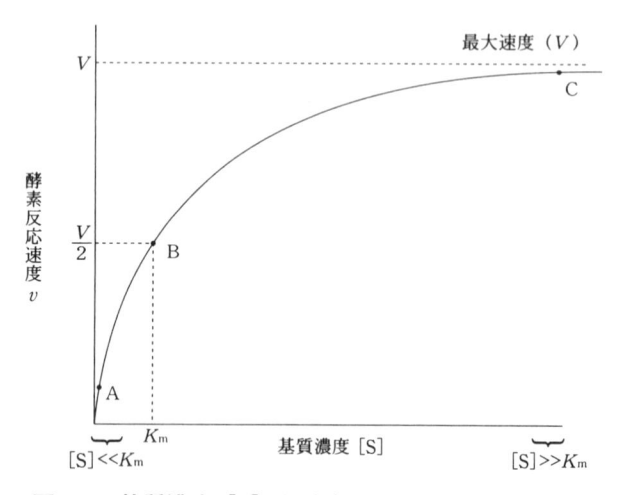

図 9.3　基質濃度 [S] と酵素反応速度 v の関係曲線

温度，pH 及び酵素濃度を一定にしておいて酵素反応を行い，基質濃度［S］に対する反応速度 v の関係をプロットすると図 9.3 に示すような双曲線型の反応曲線が得られる．基質濃度が低いところでは反応速度は基質濃度に比例するが，基質濃度の増加につれて反応速度は漸減して，一定の値に達する．この値はその酵素濃度において達することのできる最大の速度であり，これを最大速度 V という．酵素反応速度論はこのように進行する酵素反応の速さに影響を及ぼす因子を定量的に解析して，酵素反応の機構を解明しようとするものである．図 9.3 の反応曲線から，ミカエリスとメンテン（1913 年）はそれまで報告されていた酵素反応速度論の考え方を発展させて，ミカエリス–メンテンの式を導いた．

$$E + S \underset{k_{-1}}{\overset{k_{+1}}{\rightleftharpoons}} ES \xrightarrow{k_{+2}} E + P$$

E：酵素
S：基質
ES：酵素・基質複合体
P：生成物
v：酵素反応速度
V：最大速度（基質飽和状態における酵素反応速度）
k_{+1}, k_{-1}, k_{+2}：正及び逆反応の反応速度定数
K_m：ミカエリス定数（$v = V/2$ を与える基質濃度）

ミカエリス–メンテンの式

$$v = \frac{V[S]}{K_m + [S]}$$

ミカエリス–メンテン式から，酵素触媒反応の反応速度と基質濃度，ミカエリス定数の関係が分かる．図 9.3 の反応曲線の点 A では，［S］の増加とともに［ES］も増加する．従って，反応速度 v も速くなっている．基質濃度が K_m 値より十分に低い（1/10 以下）とき，K_m に［S］を加えても値はほとんど変化しないので，ミカエリス–メンテン式は

$$v = \frac{V}{K_m} \times [S]$$

となる．V 及び K_m はともに定数なので，酵素反応速度は基質濃度に比例する式となる．すなわち，基質濃度は初速度から定量できる．

反応速度が最大速度の 1/2 の反応速度を与える点（図 9.3 の反応曲線の点 B）では，理論的には半分の酵素分子が基質により飽和されている状態になる．ミカエリス–メンテン式に，$v = V/2$ を代入すると，［S］$= K_m$ となる．すなわち，最大速度の 1/2 を与える基質濃度［S］から，その酵素のミカエリス定数，K_m 値が得られることを示す．ミカエリス定数は酵素に固有の値で，酵素と基質の親和力を表す．この値が小さいほど，低濃度の基質でも酵素と結合すること，すなわち酵素と基質の親和力が大きいことを示す．

また，［S］$\gg K_m$（図 9.3 の点 C）では，基質濃度［S］に K_m 値を加えてもその値はほとん

変わらず，ミカエリス-メンテン式は $v = V[S]/[S] = V$ となる．また，最大速度 V は $V = k_{+2}[Et]$ として表される．すなわち，基質濃度が K_m 値より十分に多い（10〜100倍）とき，反応速度 v は最大速度 V と等しくなる．また最大速度は全酵素濃度 $[Et]$ に比例する．このことは基質濃度を十分に高くして酵素活性を測定すると，反応速度から酵素濃度を定量できることを示す．

2-3 酵素活性の定量化

A. 活性の検出系

酵素活性は通常，至適 pH，至適温度のもとで測定される．検出系は基質の減少，生成物の増加あるいは基質と同等に反応する補酵素の変化のいずれかを追跡することで行われる．基質又は反応生成物が紫外線あるいは可視光線を吸収する場合，その吸光度の減少又は増加は，分光光度計を用いて容易に測定できる．基質又は反応生成物が電極活性物質の場合には，電位あるいは電流の変化から測定できる．選択的な電極には酸素電極，過酸化水素電極，アンモニア電極などがある．

基質及び反応生成物がそれ自身に特異吸収を持たない場合などは，化学的な発色反応あるいは発蛍光反応により定量系へと導かれる．後述の共役酵素反応を用いて，特異性を増幅させて定量することもできる．

脱水素酵素の補酵素として作用するニコチンアミドアデニンジヌクレオチド nicotinamide adenine dinucleotide（NAD⁺）及びニコチンアミドアデニンジヌクレオチドリン酸 nicotinamide

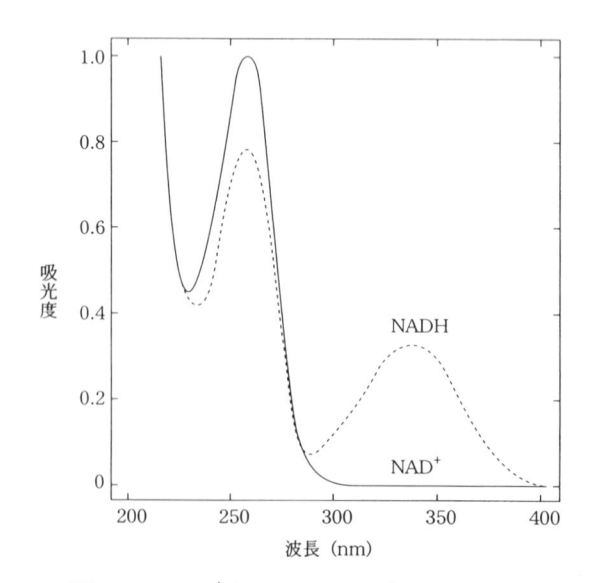

図9.4 NAD⁺ と NADH の吸収スペクトル
NADP⁺ と NADPH の吸収スペクトルは，NAD⁺ と NADH の吸収スペクトルとそれぞれ類似している．

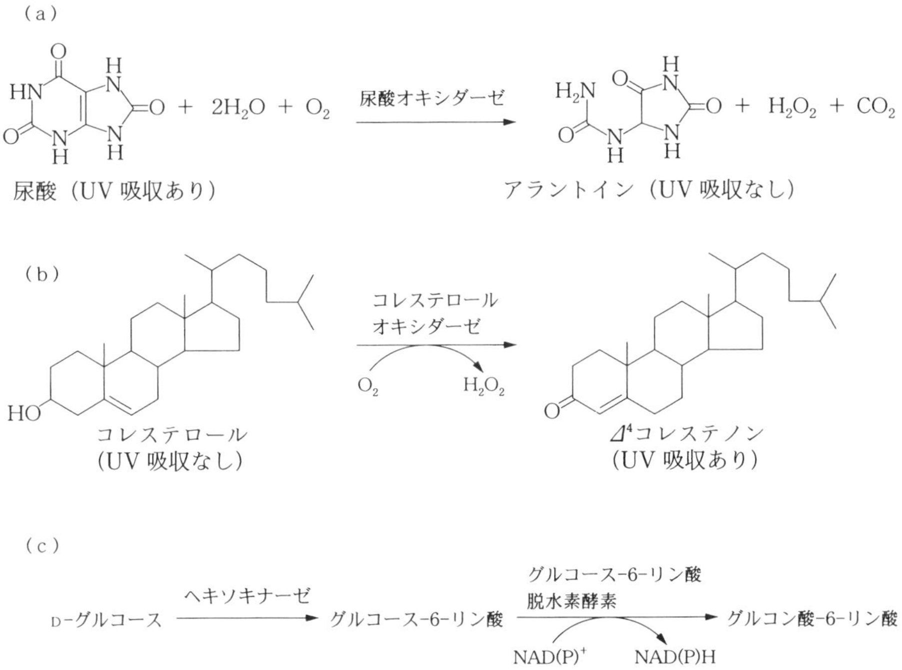

図 9.5　酵素反応の検出系

(a) 基質の尿酸は紫外部（波長 293 nm）に吸収を持つが，生成物のアラントインは紫外部に吸収を持たない．吸光度の減少から酵素反応の進行が分かる．

(b) 基質のコレステロールは紫外部に吸収を持たないが，生成物のコレステノンは紫外部（波長 240 nm）に吸収を持つ．吸光度の増加から酵素反応の進行が分かる．

(c) 初発酵素であるヘキソキナーゼの特異性は低いが，共役酵素であるグルコース-6-リン酸脱水素酵素の基質特異性は非常に高い．基質定量における特異性は，共役酵素反応を行うことによって高めることができる．また，共役酵素反応を組み合わせることにより，NADPH の吸光度増加（波長 340 nm）による直接測定が可能となる．

adenine dinucleotide phosphate（$NADP^+$）は脱水素酵素の基質によって還元されると，NADH あるいは NADPH に変化する．酸化型の NAD^+（$NADP^+$）と還元型の NADH（NADPH）は図 9.4 のように異なる吸収スペクトルを示す．NADH（又は NADPH）は 340 nm に吸収を持つが，NAD^+（又は $NADP^+$）は 340 nm に吸収を持たない．この吸光度特性，すなわち 340 nm における吸光度の増減からこれらを補酵素とする酵素活性の定量的な測定ができる．また，脱水素酵素が関係する共役反応系に導いて，基質となる物質の酵素的定量にも応用できる．それぞれの検出系を利用した酵素化学的分析法の例を，図 9.5 に示した．

B. 基質濃度の酵素的測定法

基質濃度を酵素的測定法によって定量する場合，終点法と初速度法の二つの方法がある．

終点法 end point method は十分な酵素量を加えて，分析対象物質を基質とする酵素反応を定量的にほぼ完全に進行させ，生成物の増加量，基質の減少量，補酵素の変化量などから対象物質を

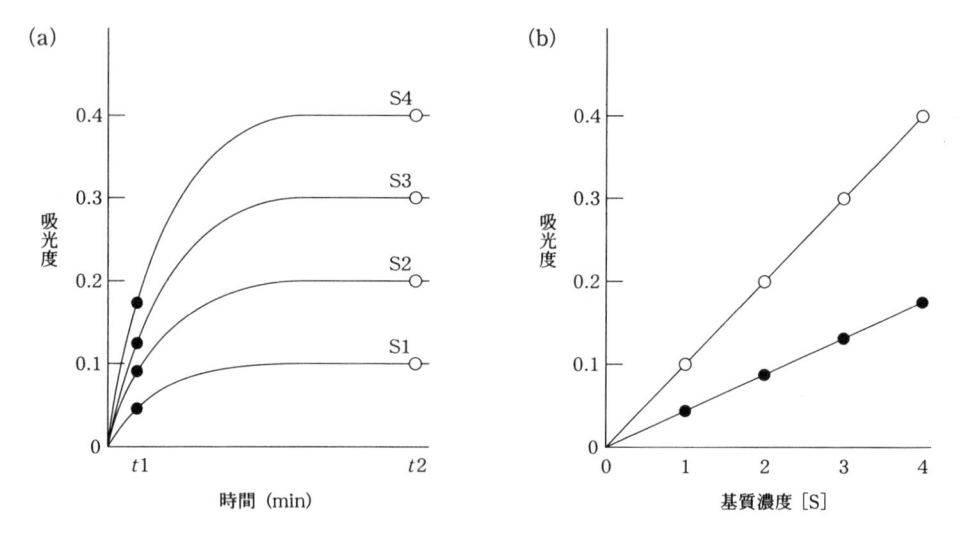

図9.6 基質濃度と酵素反応の時間経過，終点法と初速度法による定量
(a) は濃度の異なる四種の基質（S1〜S4）の酵素反応の時間経過を表す．(b) は初速度反応を示す時間（$t1$）及び反応平衡に達した時間（$t2$）のそれぞれにおける吸光度を基質濃度に対してプロットしたものを表す．終点法（○）及び初速度法（●）のそれぞれで求めた検量線は，直線性を示している．

定量する方法である．酵素反応が平衡に達するまで反応を行い，対象物質のほぼすべてを生成物に変えて定量する方法なので，**平衡法** equilibrium method あるいは**全変化量測定法** total change method とも呼ばれる．この方法は酵素的分析法の中で最も広く用いられている．

初速度法 rate assay は酵素反応の初速度を測定して対象物質を定量する方法で，**動力学的測定法** kinetic method とも呼ばれる．基質濃度が $[S] \ll K_m$ になる条件下では，酵素反応速度は基質濃度に比例するので，反応速度から基質量（分析対象物質量）が定量できる．K_m 値の大きい（数 mM 以上）酵素を選べば，広い範囲の基質濃度を，短時間で測定できる利点がある．酵素量を一定にして，濃度の異なる基質（S1〜S4）と酵素反応を行ったときの酵素反応の時間経過を図 9.6（a）に示した．初速度反応を示す時間（$t1$）と酵素反応の完了を示す時間（$t2$）のそれぞれの点における基質変化量をプロットすると，両方法による基質定量の検量線が得られる（図 9.6（b））．

C. 酵素活性の酵素的測定法

酵素活性分析法で得られる酵素活性は，酵素の量を表している．**酵素活性** enzyme activity は一般には基質過剰の条件下，基質の変化量から測定される．しかしながら，この基質の変化量を簡便・正確に測定する方法がないなどの場合，もう一つの別の酵素の反応を組み合わせて，もとの酵素の活性値，すなわち酵素量を求めることができる．この場合，第二の酵素は分析試薬として加えて測定されている．これを酵素活性の酵素的測定法といい，酵素活性は初速度法によって測定される．分析例を図 9.7 に示す．

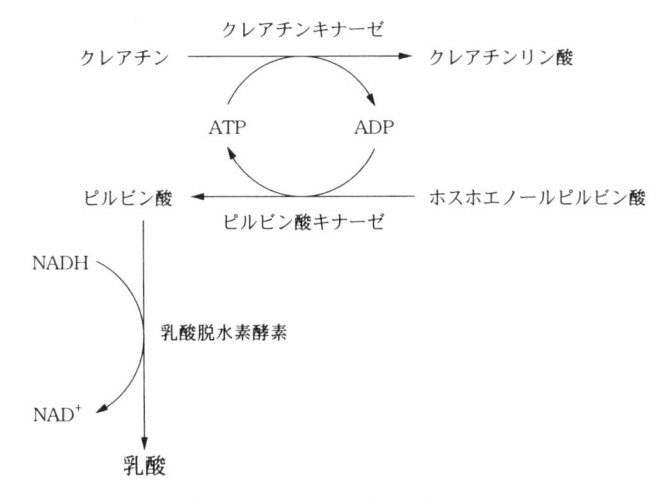

図 9.7　酵素活性の酵素的測定法

クレアチンキナーゼは，ATP存在下クレアチンをクレアチンリン酸にする反応を可逆的に触媒する酵素である．通常の活性測定法は，過剰量のクレアチンを加えて酵素反応をさせ，生成物のクレアチンリン酸を強酸性下分解して，生成する無機リンを定量することによって行われる．ここで，試薬としての別の酵素（ピルビン酸キナーゼと乳酸脱水素酵素）とその他の試薬（ホスホエノールピルビン酸とNADH）を加えると，酵素活性はNADH（波長340 nm）の吸光度減少から求められるようになる．分光光度計のセル内に試薬類を入れて測定するだけでよく，温和な条件下，迅速に酵素活性を求めることができる．

D. 共役酵素反応

対象物質を終点法によって定量する場合，酵素反応をほぼ完全に進行させることが必要とされる．しかしながら，① 酵素反応の生成物を簡便・正確に測定する方法がない，② 酵素反応が進行方向に十分に片寄っていない，③ 生成物が酵素反応を妨害する，などのとき，第二，第三の複数酵素と共役反応させて，対象物質を測定することができる．また，上述のように，別の酵素を試薬として反応系に加えることで，酵素活性を酵素的に測定することもできる．このように新たに別の酵素を加えて，酵素反応を共役させて測定するのを共役酵素反応という．このような共役酵素反応系を用いた分析例を図9.8に示した．

酵素を共役させる別の例の**酵素サイクリング法** enzyme cycling method は，2種類の酵素反応を組み合わせ，循環（サイクリング）する反応を行わせることで，微量の基質や酵素活性を増幅して定量するもので，微量に存在する分析対象物質を感度良く測定できる方法として知られている（図9.9）．

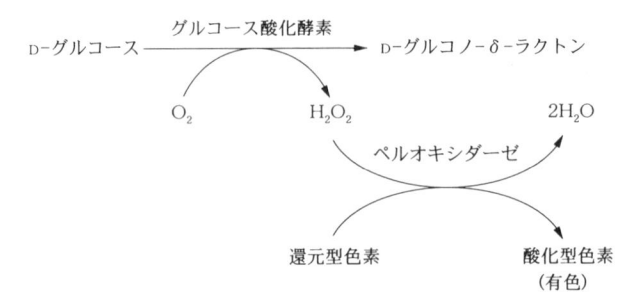

図 9.8　共役酵素反応

尿糖を簡単に調べる場合，グルコースをグルコース酸化酵素で酸化して，過酸化水素とD-グルコノ-δ-ラクトンにする．これを肉眼的に見えるようにするために，別の酵素であるペルオキシダーゼを共役させ，同時に発色剤（o-ジアニシジン系などの還元型色素）を加えておくと酸化されて呈色する．

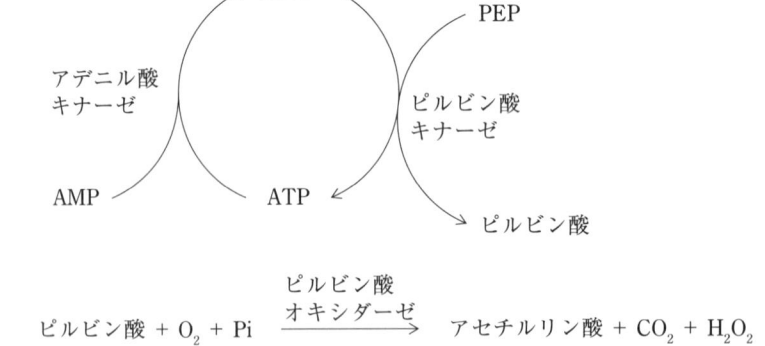

図 9.9　酵素サイクリング法によるアデノシン三リン酸（ATP）の定量

微量のアデノシン三リン酸（ATP）を定量する場合，試薬としてアデノシン一リン酸（AMP）とホスホエノールピルビン酸（PEP）及び2種類の酵素（アデニル酸キナーゼとピルビン酸キナーゼ）を反応系に加えると，サイクリング時間に応じてピルビン酸を生成する．増幅効果により蓄積され高濃度となったピルビン酸は，ピルビン酸オキシダーゼによって過酸化水素を生成させることで高感度定量が可能となる．

2-4　分析用試薬としての酵素の使用形態

分析用試薬としての酵素は溶液状態，可溶性化合物に結合した状態あるいは不溶性高分子に結合した状態（固相への固定化）のいずれかの形態で用いられる．多くの場合，溶液状態で用いられ，化学試薬と同様に反応器中に加えられる．変法として酵素を他の試薬とともに試験紙中に含浸，乾燥させて使用する簡単な試験紙法や多重層フィルム内に酵素を乾燥・封入させて使用する方法などがある．後者のように，試薬類を試験紙や多層フィルムに含ませ乾燥状態にしておき，測定時に溶液試料と反応させて使用する分析法をドライケミストリー dry chemistry という．また，後述する酵素免疫測定法（エンザイムイムノアッセイ）において，酵素は抗原（ハプテンを

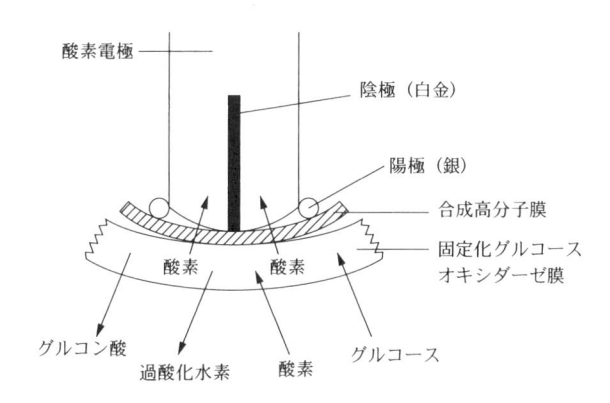

図 9.10　酵素膜と選択性電極を組み合わせた酵素電極

含む)又は抗体に結合して用いられている．これは，酵素を可溶性の低分子あるいは高分子の化合物に結合して，溶液状態で用いる一例といえる．

さらに，不溶性高分子に結合した状態すなわち，酵素を固相に固定化して用いる方法は酵素の反復使用を可能にすること，取扱いを容易にすることなどから，**固定化酵素法** immobilized enzyme method と呼ばれ，広範囲に利用されている．固定化酵素を用いる形式には酵素を高分子膜内に包括固定化した酵素膜，固定化用担体に共有結合により固定化して細管内に充てんした酵素カラムなどがある．酵素膜と選択性電極を組み合わせた酵素電極(図 9.10，第 4 章 6-3 参照)や固定化酵素カラムを分析システムに組み込んだ固定化酵素リアクター(図 9.11)は生体成分の簡易・迅速な定量法として，また，医薬品製剤の品質管理に利用される．酵素電極はバイオセンサー，酵素リアクターはバイオリアクターと総称される．

3　イムノアッセイ

イムノアッセイ(**免疫測定法**, immunoassay)は抗原抗体反応の特異性を利用した抗原又は抗体の定性及び定量法である．本法には次のような特長があり，非常にすぐれた測定法である．① 抗原と抗体の反応(結合)は極めて低い濃度でも起こる．② 抗原抗体複合体はかなり安定で，通常の温和な条件下では容易に解離しない．③ 特異性が極めて高いので多成分試料中の目的とする物質(抗原又は抗体)を，単離することなく容易に測定できる．④ 感度が良く，微量でも測定できる．この特性を利用して，(1) 物質の検出，(2) 微量物質の定量，(3) 物質の化学構造の推定，(4) 物質の特異的精製などに応用されている．

イムノアッセイを大別すると，抗原抗体反応の結果生じた複合体を直接測定する方法(**非標識イムノアッセイ**)と抗原又は抗体のいずれか一方を何らかの物質で標識して抗原抗体反応を行

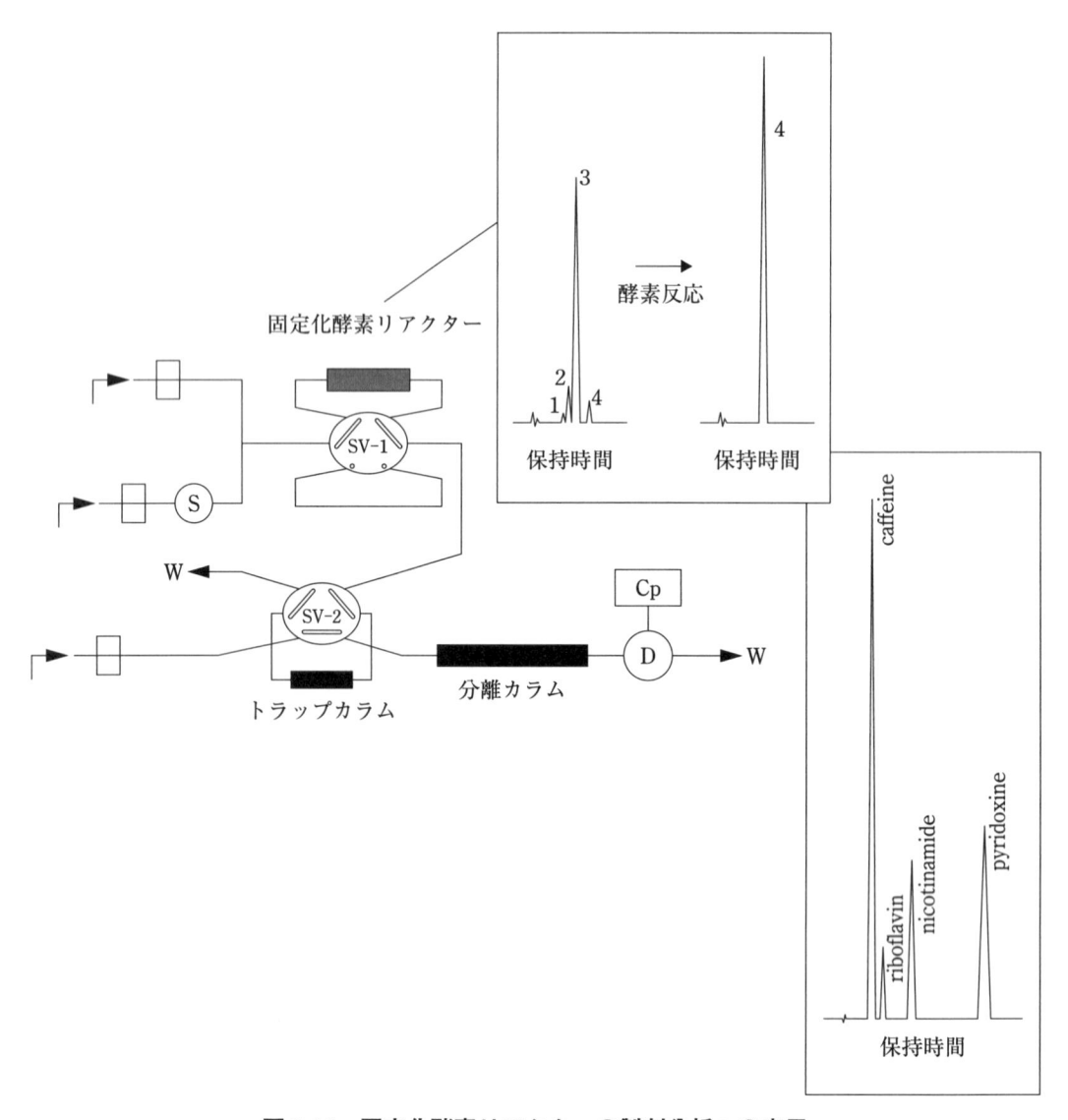

図 9.11 固定化酵素リアクターの製剤分析への応用

試料中のリボフラビン（ビタミン B_2）には，リン酸エステル型のリボフラビン-3′-リン酸（ピーク番号 1），リボフラビン-4′-リン酸（ピーク番号 2），リボフラビン-5′-リン酸（ピーク番号 3）と遊離型のリボフラビン（ピーク番号 4）がある．高速液体クロマトグラフィー（HPLC）を用いて，製剤中の他成分とともにリボフラビン総量として定量する場合，HPLC の流路系に固定化酵素リアクターを組み込むと，自動分析，多試料分析が可能となる．酸性ホスファターゼを支持体に固定化しカラムに充填して得た固定化酵素リアクターを流路系に装着する．試料注入後，固定化酵素リアクターを通過する過程で，すべてのリン酸エステル型リボフラビンは，酵素反応によって遊離型へと変換される．遊離型に変換されたリボフラビンは，製剤中に含まれる他の成分とともに，一時的にトラップカラムで保持された後，流路系内のバルブ切り替えによってトラップカラムから分離カラムへと移動して各成分に分離されるので，リボフラビン総量を他の成分（カフェイン，ニコチンアミド，ピリドキシン）とともに定量できる．

表 9.3 イムノアッセイの種類

1) 非標識イムノアッセイ
 沈降反応
  液相内沈降反応
   混合法，重層法
   比濁法（タービディメトリー），比ろう法（ネフェロメトリー）
  ゲル内沈降反応
   二重免疫拡散法（オータロニー法），免疫電気泳動法，ロケット免疫電気泳動法，
   免疫電気向流法，一元放射免疫拡散法，交差免疫電気泳動法
 凝集反応
 溶解反応
 中和反応
 補体結合反応

2) 標識イムノアッセイ

種類	標識物質	検出法
間接（受身）赤血球凝集反応	抗原感作赤血球	凝集塊
逆間接（逆受身）赤血球凝集反応	抗体感作赤血球	凝集塊
ラテックス凝集反応	ラテックス粒子	凝集塊
ラテックス近赤外比濁法	ラテックス粒子	濁度
ラジオイムノアッセイ	ラジオアイソトープ	放射能
エンザイムイムノアッセイ	酵素，補酵素，基質	酵素活性
蛍光イムノアッセイ	蛍光物質	蛍光強度，偏光度
発光イムノアッセイ	化学・生物発光物質	発光強度
スピンイムノアッセイ	スピンラベル化剤	電子スピン共鳴
メタロイムノアッセイ	金属	原子吸光
バイロイムノアッセイ	バクテリオファージ	溶菌

う方法（**標識イムノアッセイ**）がある．この分類によるイムノアッセイの種類を表 9.3 に，また種々のイムノアッセイの測定濃度範囲の比較を図 9.12 に示した．標識イムノアッセイについてはその種類，標識物質及びその検出法を示した．標識イムノアッセイは非標識イムノアッセイよりも高感度に測定できることが分かる（図 9.12）．標識イムノアッセイは感度面の良さのみならず，測定の迅速さと簡便さも合わせ持つ．イムノアッセイの呼称を標識法のイムノアッセイに限定して使用する場合もある．イムノアッセイは感染症の診断，血清中の特殊たん白質やホルモンの測定，治療薬物の血中モニタリング（therapeutic drug monitoring, TDM）など広範囲に応用されている．

```
          ←ネフェロメトリー→
           ←  免疫電気泳動法  →
              ← 補体結合反応 →
               ← 赤血球凝集反応 →
                 ← 蛍光イムノアッセイ →
              ←  エンザイムイムノアッセイ  →
                     ← 発光イムノアッセイ →
                   ←  ラジオイムノアッセイ  →
```

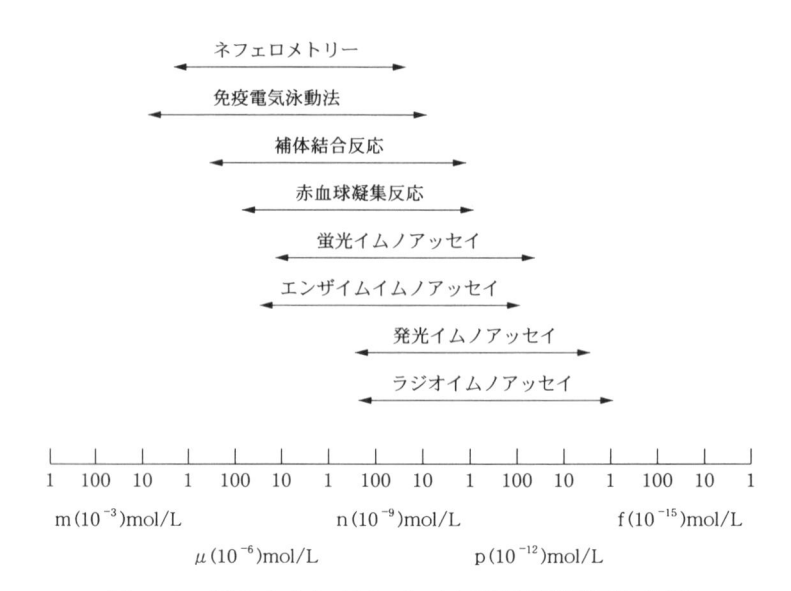

1 100 10 1 100 10 1 100 10 1 100 10 1 100 10 1

m(10^{-3})mol/L　　　　n(10^{-9})mol/L　　　　f(10^{-15})mol/L
　　　　μ(10^{-6})mol/L　　　　p(10^{-12})mol/L

図 9.12　種々のイムノアッセイの測定濃度範囲の比較
(日本分析化学会編 (1991) 分析化学便覧 (改訂四版). 丸善, 東京, p.6, 図 1.9 より引用)

3-1　抗原抗体反応の基礎

イムノアッセイの測定原理を理解する上では，抗原抗体反応についての基礎知識が必要となる．ある**抗原** antigen を**免疫原** immunogen として動物に免疫注射すると，その抗原刺激によって動物体内には，その抗原と特異的に反応する**抗体** antibody が作られる．この抗体は，血漿たん白質の γ-グロブリン画分に属する糖たん白質で，**免疫グロブリン** immunoglobulin, Ig と呼ばれる (図 9.13)．

抗体分子の構造は基本的に Y 字型をしており，一対の重鎖 (heavy chain, H 鎖) と軽鎖 (light chain, L 鎖) からできている．末端の可変部分 (可変領域) のアミノ酸配列が抗原分子に適合するようにそれぞれの抗体で異なり，定常領域のアミノ酸配列は，抗原の種類に関係なくほぼ一定している．通常，抗体分子は抗原の持つ抗原決定基のそれぞれに適合する抗体混合物として得られる．免疫原となり得る抗原は大体の分子量 5,000 以上の大きさを必要とし，分子量 1,000 以下の低分子物質は抗原決定基となるがそれ自身では免疫原性を持たない．しかしながら，この物質をウシ血清アルブミンのようなキャリアーたん白質に化学結合させたものをウシ以外の動物に免疫注射すると，特異抗体を得ることができる．この低分子物質を**ハプテン** (不完全抗原) hapten といい，ステロイド，ペプチド，薬物などはいずれもハプテン抗原である．

ハプテンをキャリアーたん白質に化学結合させる方法は，後述のハプテンと酵素あるいは酵素と抗体の結合と，基本的には同様である．ハプテンにアミノ基やカルボキシル基などの反応性に富んだ官能基がない場合，あらかじめハプテンを誘導体化したり，ハプテンと類似した化合物を

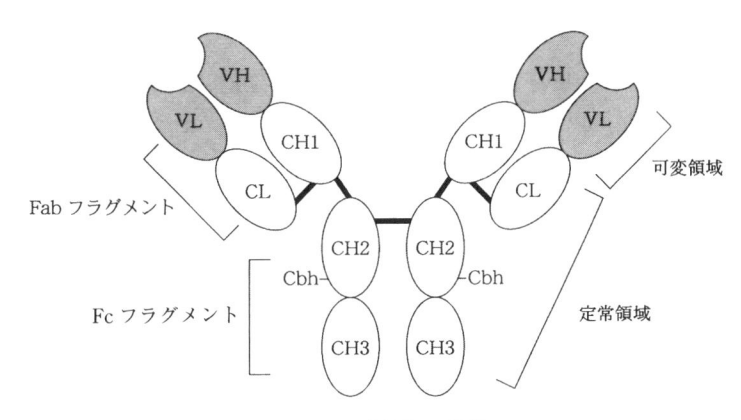

図 9.13　抗体の構造
抗体は，抗原の抗原決定基のそれぞれに適合する構造を持つ．模式図は，
IgG 抗体を示す．

用いる．一般に，抗ハプテン抗体が認識するハプテン部分はハプテンとキャリアーたん白質との結合部分付近では弱く，より離れたところの立体構造を認識する．また，結合の距離をもうけるためのスペーサーの導入を必要とする場合もある．

抗原又はハプテン抗原（Ag と略す）と抗体（Ab と略す）の結合反応は可逆的であるが，その親和性は非常に強い．Ag と Ab 及び抗原抗体複合体（Ag-Ab と略す）の間には，下式の平衡関係が成り立ち，その平衡定数（親和定数，K）は $10^7 \sim 10^{12}$ L/mol と大きい．K 値の大きい抗体ほど，その抗原に対して高い親和性があることを示す．

$$Ag + Ab \underset{k_d}{\overset{k_a}{\rightleftarrows}} Ag-Ab \qquad K = \frac{k_a}{k_d} = \frac{[Ag-Ab]}{[Ag][Ab]}$$

（k_a：結合定数，k_d：解離定数）

ある動物に対して，単一な免疫原を免疫注射しても，その免疫原に対する抗体は種々の異なった複数クローンの抗体産生細胞から産生される．このため抗体分子は特異性や親和性の異なったものの混合物として得られる．これを**ポリクローナル抗体** polyclonal antibody という．これに対し，それぞれの単クローンの抗体産生細胞から産生される抗体は特異性や親和性が均一であり，一定の化学構造を持っている．この単クローンの抗体産生細胞と骨髄腫細胞（ミエローマ）を細胞融合させてクローニングすると，目的とする抗体のみを産生する単クローンの細胞のみを選択的に分離でき，**モノクローナル抗体** monoclonal antibody が得られる．モノクローナル抗体は同一の特異性と親和性があるので，特異性・測定法・感度などの標準化などには有用である．

3-2　競合法と非競合法，分離と非分離

イムノアッセイにより，抗原（ハプテン抗原も含む）と抗体のいずれもが定量できる．分析対象となる抗原又は抗体を試験管内に加えて，抗原抗体反応を行う段階において，標識抗原と非

標識抗原，又は標識抗体と非標識抗体を競合させることで，その非標識抗原量又は非標識抗体量を求める方式を**競合法** competitive assay という．一方，標識抗原と非標識抗原，又は標識抗体と非標識抗体を，抗体又は抗原と反応させる段階で競合させない方式を**非競合法** non-competitive assay という．

抗原抗体反応の反応液中には，抗原抗体複合体を生成している結合型（これを bound 型，B と略す）と結合していない遊離型（これを free 型，F と略す）とが存在する．この結合型と遊離型を物理化学的に分離して測定する方法を **B/F 分離法**あるいは**ヘテロジニアス法** heterogeneous method という．これに対して，結合型と遊離型を分離する操作を用いずに，同一の系のまま反応を進める方法を **B/F 非分離法**あるいは**ホモジニアス法** homogeneous method という．一般にヘテロジニアス法の方が，ホモジニアス法よりも高い感度と精度を得ることができる．

競合法と非競合法及び B/F 分離法と B/F 非分離法の組合せにより，各種のイムノアッセイが考えられている．B/F 分離には，B と F のある物質に対する吸着度の差を利用する方法，抗原又は抗体を不溶性担体に化学結合又は物理吸着させて固相化する方法などがある．表 9.4 には主な B/F 分離法と固相化に用いられる担体を示した．最近は，分離操作が容易な固相法がよく用いられている．

表 9.4　主な B/F 分離法と固相用の担体

B/F 分離法
　液相法
　　荷電・分子サイズによる分離……クロマトグラフィー，電気泳動，イオン交換樹脂
　　沈殿による分離……エタノール沈殿，ポリエチレングリコール沈殿，硫安塩析，
　　　二抗体
　　物理吸着による分離……デキストラン炭末，セルロース粉末，タルク

　固相法
　　物理吸着……プラスチック
　　共有結合……ガラス，プラスチック，ろ紙，ニトロセルロース

抗原又は抗体の固相用担体
　固相化の材質
　　ポリスチレン，ポリエチレン，ポリプロピレン，セルロース，ニトロセルロース，ポリアクリルアミド，アガロース，デキストラン，ナイロン，ガラス，固定細菌，磁気（マグネット）

　固相化の形
　　粒状（ビーズ），膜状（シート），管状（チューブ），くぼみ状（ウェル），棒状（スティック），円盤状（ディスク）

3-3 ラジオイムノアッセイ

　ラジオイムノアッセイ（放射免疫測定法，radioimmunoassay，RIA と略す）はラジオアイソトープを標識マーカーとして使用するイムノアッセイである．標識抗原又は標識抗体の標識に利用されるラジオアイソトープには，通常の有機化合物の標識ラベル化と同様に，^{14}C，^{3}H，^{35}S，^{32}P，^{125}I などがある．ラジオイムノアッセイにおけるラジオアイソトープ標識は，比放射能，半減期，標識の容易さ，測定の簡便さなどを考慮して行われ，^{125}I が最も多く用いられている．放射性ヨウ素の標識化法には放射性ヨウ化ナトリウム（$Na^{125}I$）を可溶性酸化剤のクロラミンTで酸化し，反応性に富む ^{125}I として，これをフェノール性化合物に導入するクロラミンT法が最も広く利用されている．クロラミンT法による放射性ヨウ素化反応を図9.14（a）に示した．また，市販のヨウ素標識用試薬（ボルトン-ハンター試薬）を用いたたん白質の ^{125}I 標識化法を図9.14（b）に示した．RIA は B/F 分離法によって行われ，抗原抗体反応を行う段階の様式を異にする競合法と非競合法の2種がある．

A. RIA 競合法

　RIA 競合法による被検物質（抗原）の測定原理を図9.15に示した．ラジオアイソトープ標識した一定量の標識抗原に種々の濃度の非標識の標準抗原を加える．それぞれの反応系に一定量の抗体を加えて抗原抗体反応を行うと，抗体分子上に存在する限られた数の抗原結合部位への結合を，標識抗原と非標識の標準抗原が競い合う．抗原抗体反応が平衡状態に達した後，抗原抗体複合体（B）と遊離の標識抗原及び非標識の標準抗原（F）とをなんらかの方法で分離（B/F 分離）して標準曲線を作成する．被検体に対して，同様の操作を一定量の標識抗原と一定量の抗体を用いて行い，先に求めた標準曲線から読み取ると，被検体中の抗原濃度を測定することができる．

B. RIA 非競合法

　図9.16には，RIA 非競合法の一例としてのサンドイッチ法による被検物質（抗原）の測定原理を示した．固相化抗体に各濃度の標準抗原をそれぞれの反応系に加えて抗原抗体反応をさせた後，固相上の抗原抗体複合体を洗浄する．そのあと標識抗体を加えて再び抗原抗体反応をさせ，更に洗浄する．反応して固相上に残った標識抗体の放射能を測定して標準曲線を作成する．被検体（試料）に対して同様の操作を行い，先に求めた標準曲線より被検体中の抗原濃度を算出することができる．一つの抗原上の二つの結合部位が，2種類の抗体とそれぞれに結合して，抗原を挟んで両サイドに抗体が位置する形をしているので，この方法はサンドイッチ法とも呼ばれている．RIA はラジオアイソトープの感度と抗原抗体反応の特異性を利用した測定法で，$10^{-12} \sim 10^{-15}$ mol/L の濃度でも検出可能である．ラジオアイソトープを用いる RIA は，放射性物質を用いる他の分析法と同様に，種々の使用制限を受ける．

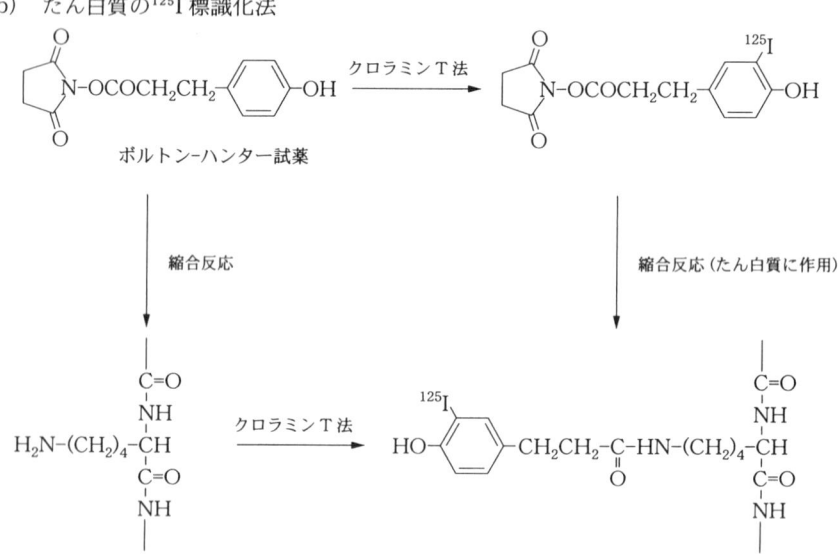

図9.14 RIA法で用いられるヨウ素標識反応

(a) クロラミンTは，フェノール残基，チロシン残基の水酸基のオルト位に ^{125}I を導入する．イミダゾール基とも反応するので，たん白質中のヒスチジン残基にも，^{125}I が導入される．
(b) 市販のボルトン-ハンター試薬は，たん白質のN末端アミノ基あるいはリジン残基のε-アミノ基と容易に縮合反応する．

3-4 エンザイムイムノアッセイ

　酵素活性に影響を及ぼす物質を標識マーカーとして使用するイムノアッセイを**エンザイムイムノアッセイ**（酵素免疫測定法，enzyme immunoassay，EIAと略す）という．酵素活性に影響を及ぼす物質には，酵素，基質，補酵素などの補因子及び阻害剤があり，抗原又は抗体の標識に用いることができる．柔軟な立体構造を持ち，特異性の高い触媒である酵素を抗原抗体反応の進行状態を知る手段として用いるEIAは，競合法と非競合法及びB/F分離法とB/F非分離法のすべての組合せによる測定法が可能である．この点において，EIAはRIAと大きく異なる．また，

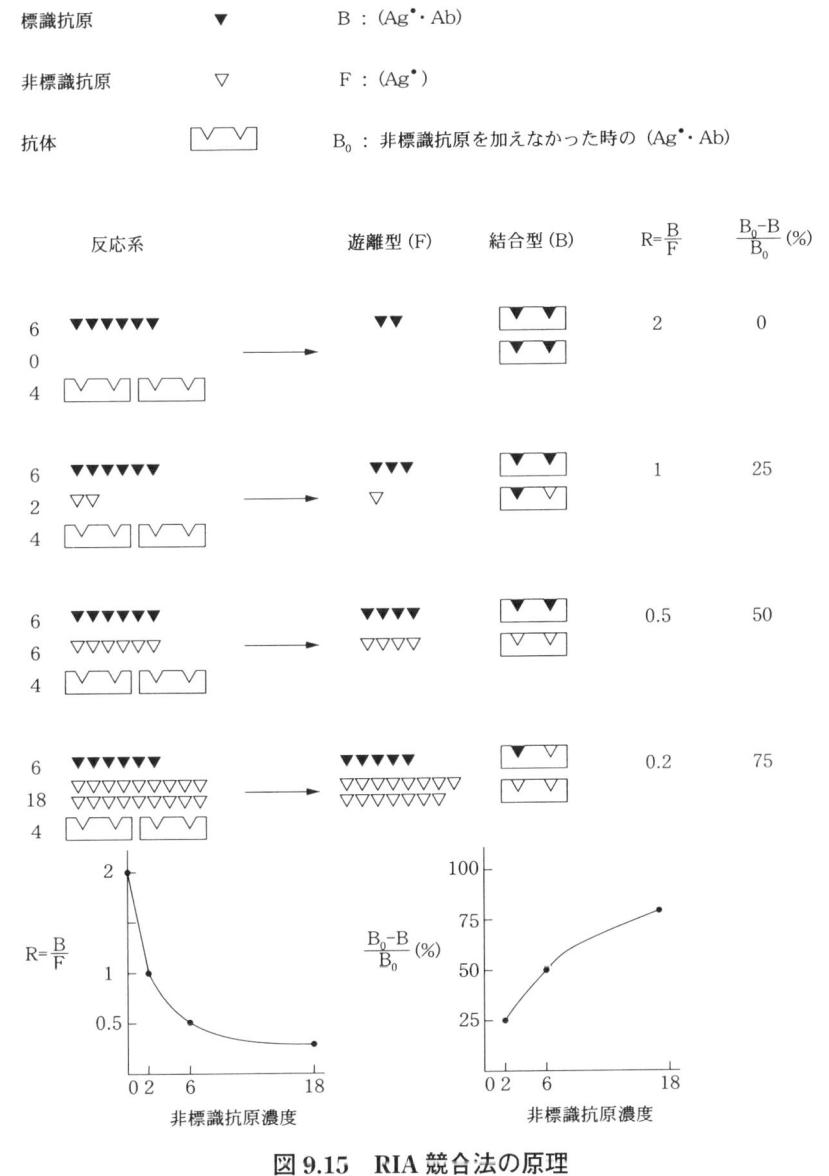

標識抗原	▼	B：$(Ag^{\bullet} \cdot Ab)$
非標識抗原	▽	F：$(Ag^{\bullet})$
抗体	⊻⊻	B_0：非標識抗原を加えなかった時の$(Ag^{\bullet} \cdot Ab)$

反応系	遊離型 (F)	結合型 (B)	$R=\dfrac{B}{F}$	$\dfrac{B_0-B}{B_0}$ (%)
6 ▼▼▼▼▼▼ 0 4 ⊻⊻ ⊻⊻	▼▼	▼▼▼ ▼▼▼	2	0
6 ▼▼▼▼▼▼ 2 ▽▽ 4 ⊻⊻ ⊻⊻	▼▼▼ ▽	▼▼▼ ▼▼	1	25
6 ▼▼▼▼▼▼ 6 ▽▽▽▽▽▽ 4 ⊻⊻ ⊻⊻	▼▼▼▼ ▽▽▽▽	▼▼▼ ▽	0.5	50
6 ▼▼▼▼▼▼ 18 ▽▽▽▽▽▽▽▽▽ 4 ⊻⊻ ⊻⊻	▼▼▼▼▼ ▽▽▽▽▽▽▽▽▽	▼▼ ▽ ▽	0.2	75

図 9.15 RIA 競合法の原理

（川島紘一郎著（1991）アセチルコリンの超高感度ラジオイムノアッセイ．南山堂，東京，p.15, 図 2.2 より引用）

標識物質，標識法，検出法の違いなどから多種類の EIA が考えられており，測定系の種類，標識方法，検出系を選ぶと，zepto mol（10^{-21} mol）レベルの高感度測定も可能である．

標識抗原又は標識抗体の標識に利用される酵素は，β-ガラクトシダーゼ，アルカリホスファターゼ，ペルオキシダーゼなどである．これらの酵素を抗原（ハプテン抗原も含む）あるいは抗体に共有結合させるための方法を図 9.17 に示した．

B/F 分離を伴うヘテロジニアス EIA 法は競合法と非競合法のいずれも RIA 法と同様の測定原

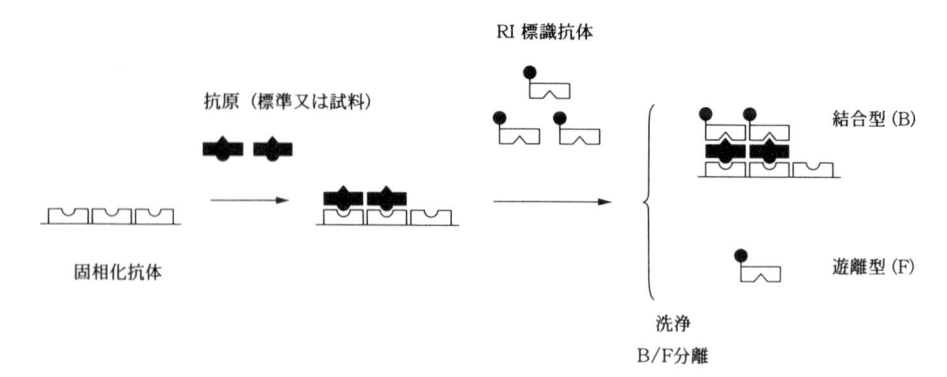

図9.16　RIA サンドイッチ法の原理

理に基づいている．EIA 法の特徴は，B/F 分離を必要としない点にあるので，ここでは代表的なホモジニアス EIA 法及び汎用されているヘテロジニアス EIA 法について，その原理を述べる．

　競合法のホモジニアス EIA 法として最もよく知られている方法は，enzyme multiplied immunoassay technique（EMIT と略す）である．この測定法はアメリカ Syva 社の *Ullman* らによって開発され，薬物の酵素免疫測定法として"EMIT"（エミット）として最初に商品化された．この目的で用いられる標識酵素にはリゾチーム，グルコース-6-リン酸脱水素酵素，リンゴ酸脱水素酵素があり，これらの酵素の活性は抗原抗体反応の進行に伴って変化する．この機構の詳細な解明は不十分であるが，原理を示す模式図は図9.18のように表すことができる．

　模式図（a）の場合，酵素標識されたハプテン（薬物）が抗体と結合すると，酵素活性の発現に必要な立体構造（コンホメーション）を維持できずに，酵素活性が阻害される．一方，抗体に非標識のハプテン（薬物）が結合すると，試薬として加えられた酵素標識ハプテン（薬物）の酵素活性は発揮される．この反応系を用いると，酵素標識ハプテン（薬物）と非標識の遊離ハプテン（薬物）を一定量の抗体に対して競合させると，酵素活性の強弱から遊離ハプテン量（被検薬物量）が定量できる．

　模式図（b）は逆の場合で，ハプテン（この場合はチロキシン，T4 として示す）と結合した酵素は不活性であるが，ハプテン（T4）がチロキシン抗体と結合すると酵素活性が出現する系を示す．

　すなわち，EMIT 法の基本原理は模式図（c）に示されるように，柔軟な構造を持つ酵素たん白質のコンホメーション変化が酵素活性に影響を与えることを巧みに利用した測定法の一つといえる．また，B/F 分離を必要としない EMIT 法は，分析の自動化と迅速化を可能とした．

　この他の EIA には，補酵素標識ハプテン（薬物）を用いる補酵素活性化免疫測定法（apoenzyme reactivation immunoassay system，ARIS 法と略す，アメリカ Miles 社）や蛍光標識基質を用いる蛍光基質酵素免疫測定法（substrate-labelled fluorescent immunoassay，SLFIA 法と略す，アメリカ Miles 社）などがある．

　代表的なヘテロジニアス EIA 法は，enzyme-linked immunosorbent assay（ELISA）である．

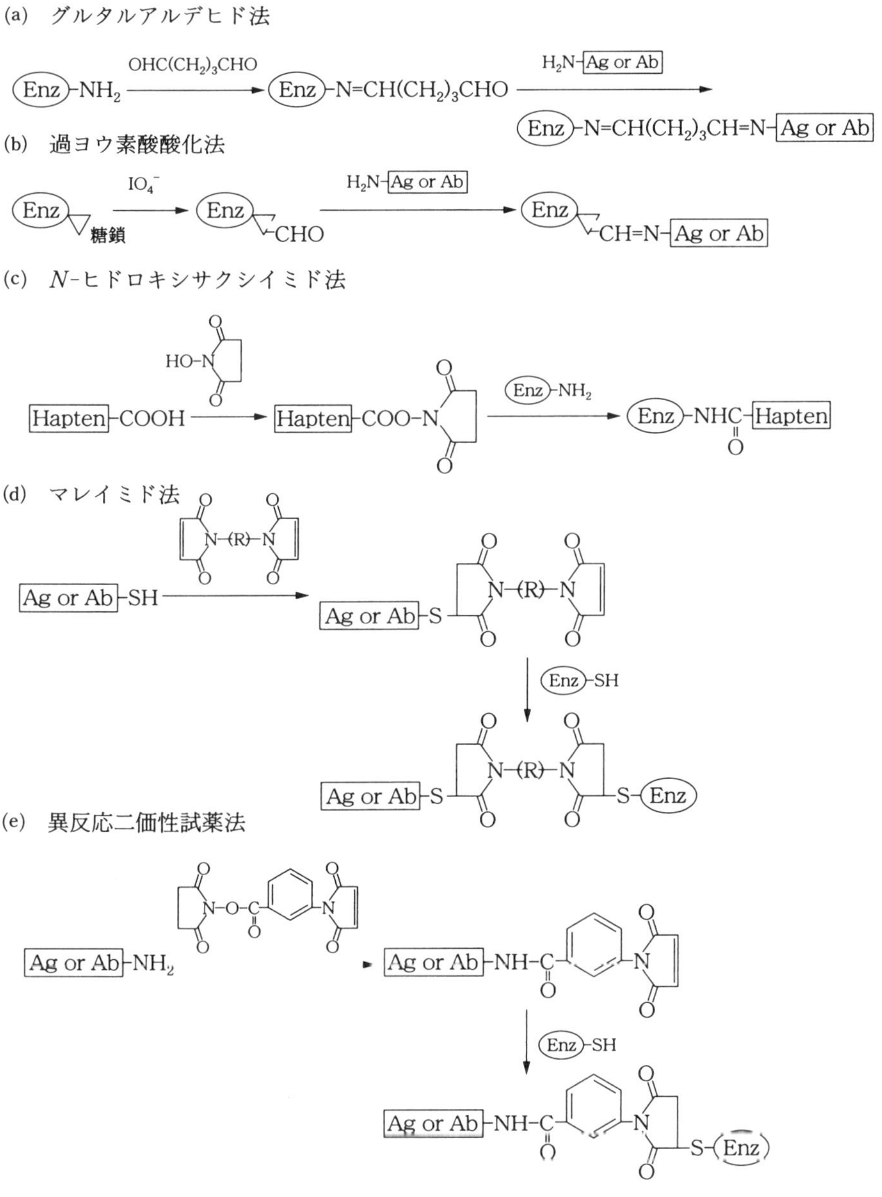

図 9.17　EIA における酵素標識法

(a) グルタルアルデヒドは，抗原（又は抗体）と酵素の両者のアミノ基とシッフ塩基（-CH＝N-）を形成して結合する．
(b) 標識酵素が糖たん白質の場合，糖鎖部分は過ヨウ素酸酸化によりアルデヒド基を生成する．このアルデヒド基が抗原又は抗体のアミノ基と結合する．
(c) ハプテン抗原の標識に有用な方法で，ハプテン抗原のカルボキシル基をカルボジイミド型縮合剤として N-ヒドロキシサクシイミドを作用すると，活性エステルを形成する．サクシイミドエステルは，水溶液中で酵素のアミノ基と反応して，容易にペプチド結合する．
(d) 同反応二価性試薬であるジマレイミド誘導体は，抗原のチオール基（-SH）と酵素のチオール基の両者を架橋して結合する．抗体の場合，Fab'フラグメントにすると，抗原結合能に影響を与えずに酵素標識ができるチオール基を，抗体分子中に作り出せる．
(e) マレイミドスクシンイミドエステル（MBS）型の異反応二価性試薬は，アミノ基と反応するサクシイミドエステル基と，チオール基と反応するマレイミド基の二つの活性反応基を持つ．図とは逆に，抗原又は抗体のチオール基と酵素のアミノ基を架橋結合させることもできる．

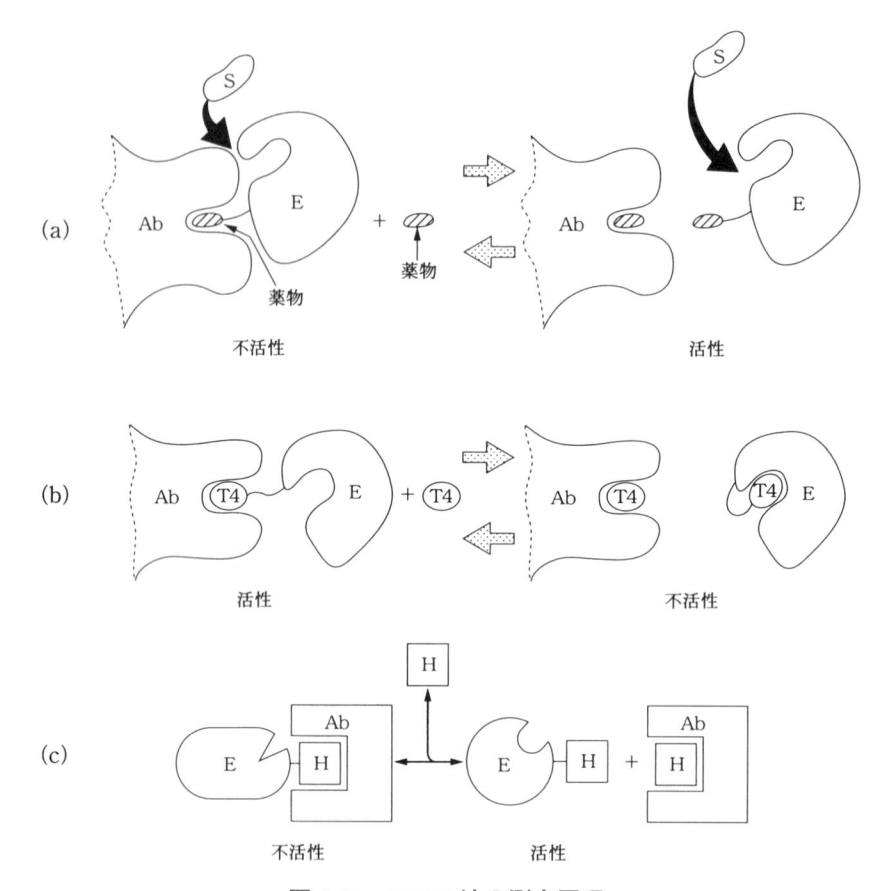

図 9.18 EMIT 法の測定原理
Ab：抗体，S：基質，E：酵素，T4：チロキシン，H：ハプテン
(石川栄治，河合　忠，宮井　潔編 (1982) 酵素免疫測定法．医学書院，東京，p.444，図1より引用)

ELISA 法（エライザ法あるいはエライサ法と呼ぶ）は，抗体又は抗原を試験管（チューブ）あるいは平板（プレート）に固相化し，その固相抗体又は固相抗原に対して酵素標識抗原あるいは酵素標識第二抗体を反応させて測定する方法で，競合法と非競合法（サンドイッチ法）がある．ELISA 法は，下記に示す EIA 法の特長のほかに，B/F 分離が容易なことから，狂牛病（牛海綿状脳症，BSE）のスクリーニング検査や各種の診断用検査など広範囲に利用されている．最も汎用されている ELISA 法は，多数のくぼみ（ウェル）のあるプレート（マイクロプレートあるいはマイクロタイタープレート）に抗体又は抗原を固相化して使用する形態であり，現在，96 ウェル（8 × 12 穴）のマイクロプレートが最も一般的に使用されている．このマイクロプレートでは，それぞれのウェルの底に，分析対象の抗原化合物に対する抗体又は分析対象の抗体に対する抗原化合物が固定化されている．このウェル内で，試料液の添加，抗原抗体反応，洗浄（B/F 分離），酵素反応，検出過程の吸光光度あるいは蛍光強度（あるいは発光強度）の測定までの全過程を行って自動分析することも可能で，多数の試料を簡易・迅速に分析できる利点がある．

　EIA 法には ① RIA においては避けることのできない放射性試薬の半減期，使用制限などの問

題がない，② 酵素標識試薬の安定性は一般によいので，試薬の長期保存が可能である，③ 検出感度も極めて高く，呈色・発光などによる肉眼観察も可能である，などの特長があり，実用性の非常に高い分析法といえる．例えば，抗原抗体反応の高い特異性と電気泳動の優れた分離能を組み合わせた，目的たん白質を検出する方法はウエスタンブロッティングと呼ばれるが，検出に用いられる抗体の標識には，酵素が使用される場合が多い．

3-5　蛍光偏光イムノアッセイ

標識剤として蛍光試薬を用いる**蛍光イムノアッセイ**（蛍光標識免疫測定法，fluorescence immunoassay，FIA 法と略す）には，EIA 同様に多種多様な測定法がある．このなかで，蛍光の偏光現象を利用した**蛍光偏光イムノアッセイ**（fluorescence polarization immunoassay，FPIA 法と略す，アメリカ Dinabot 社）は，現在最も多く用いられている．

その原理を示す模式図を図 9.19 の ① ～ ⑤ に表した．① 光源からの励起光を偏光子を通過させると，直線偏光の励起光が得られる．② 直線偏光の励起光を，ブラウン運動のない蛍光物質に照射して励起すると，放射される蛍光も偏光している．しかしながら，③ 直線偏光の励起光を，ブラウン運動をする蛍光物質に照射して励起すると，放射される蛍光の偏光は解消される．すなわち，蛍光は偏光していない．いいかえると，蛍光の偏光度はブラウン運動のない蛍光物質で高く，ブラウン運動をする蛍光物質で低い．④ この現象を利用したのが，FPIA 法である．低分子量の蛍光標識ハプテン（薬物）は，溶液中でブラウン運動をするので，蛍光の偏光度は低い．一方，抗原抗体反応によって，抗体（IgG 抗体では，平均分子量約 150,000 ダルトンと大きいので，ブラウン運動は小さい．）に捕捉された蛍光標識ハプテン（薬物）のブラウン運動は抑えられるので，蛍光の偏光度は高い．この現象を，ホモジニアス競合法を用いてハプテン抗原（薬物）の標準溶液に適用すると，⑤ のような標準曲線が得られる．同様に，試料液について操作すると，試料中の薬物濃度が定量できることになる．FPIA 法は自動化による分析も可能で，低濃度の抗原測定法としては最も感度がよいとされている．

このほかにも多くのイムノアッセイが報告されている．いずれの場合も抗体の持つ特異性のほかに，交差反応性の問題も考慮して応用する必要がある．イムノアッセイはバイオテクノロジーの進歩発展とともに，今後，更なる発展の可能性がある分野の一つである．

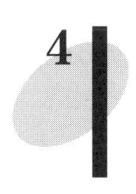

4　遺伝子解析法

生物学的分析法の特徴は，生体内物質間の相補的な関係を利用するところにある．酵素化学的

① 単色光　偏光子　偏光

② ブラウン運動しない蛍光物質
偏光の励起光　　偏光のある蛍光

③ ブラウン運動する蛍光物質
偏光の励起光　　偏光のない蛍光

④
蛍光標識ハプテン
= ブラウン運動が大きい
= 蛍光の偏光度が低い

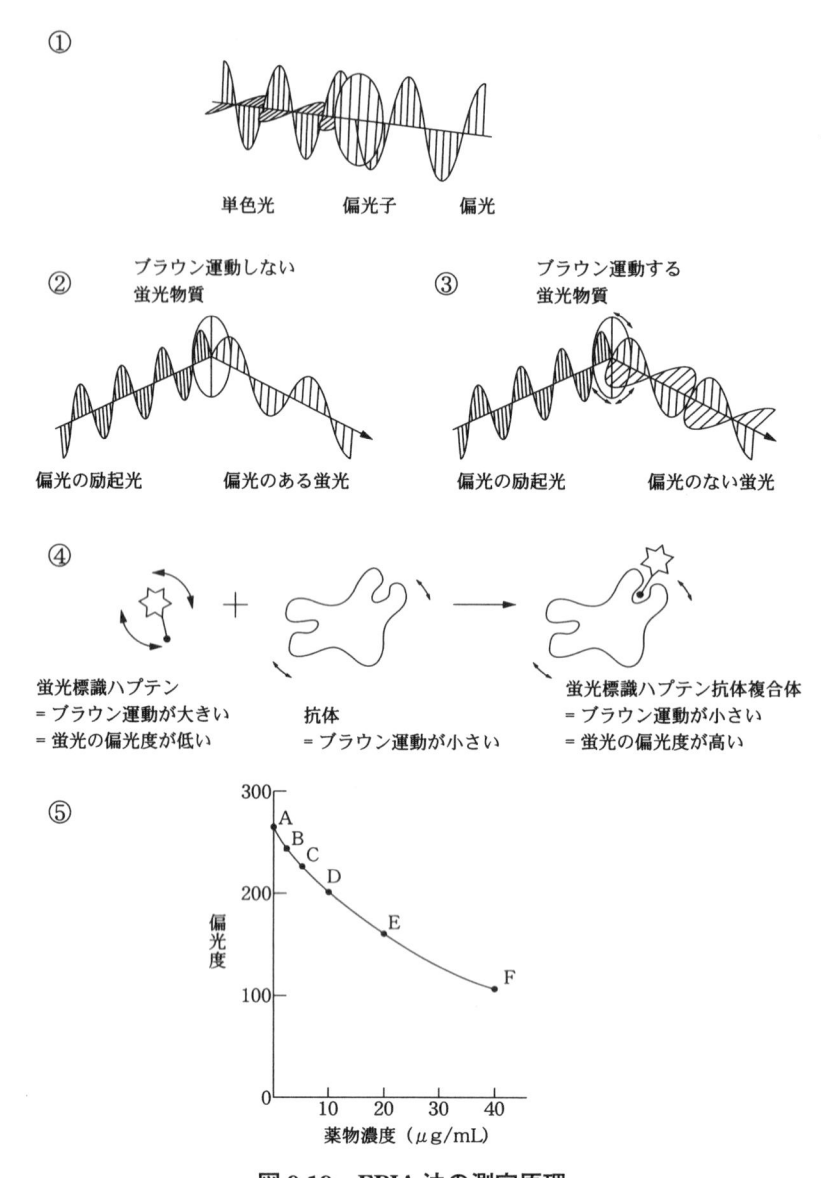

抗体
= ブラウン運動が小さい

蛍光標識ハプテン抗体複合体
= ブラウン運動が小さい
= 蛍光の偏光度が高い

⑤

図 9.19　FPIA法の測定原理
(坂口武一監修 (1988) 医薬品分析学. 医歯薬出版, 東京, p.109, 図 62, 及び田中一彦, 扇谷茂樹著 (1985) 血中薬物濃度測定法. 中外医学社, 東京, p.30, 図 1.21, 図 1.23 及び p.32, 図 1.25 を改変)

分析法, バインディングアッセイ, イムノアッセイは, それぞれ酵素と基質, 受容体とリガンド, 抗体と抗原の特異的な関係を利用した分析法である. 最もよく知られた生体内の相補的な関係は, デオキシリボ核酸 (DNA) による遺伝情報の発現に見られる. 遺伝情報はアデニン (A), チミン (T), グアニン (G), シトシン (C) の4種の塩基の配列として暗号化され, それぞれの塩基は, AはTと, GはCと, 互いに結合する相手が決まっている. 従って, DNAの二本鎖は互いに相補的な関係にあり, 一方の塩基配列が決まれば, もう一方の塩基配列も自動的に決まる.

生物のそれぞれの個体を特徴づけている遺伝子の相補的関係を利用した遺伝子の解析法が**遺伝子解析法**であり，食品の鑑別，親子鑑定，感染性病原微生物の特定，がんの早期発見，遺伝病の診断など多方面で応用されている．この分析技術の応用に**核酸増幅検査**（nucleic acid amplification test，**NAT**）があり，遺伝子の一部である核酸を抽出して，その核酸を倍々に増幅して，増えた核酸を検出することで分析対象となる遺伝子の有無を確認する方法である．**ポリメラーゼ連鎖反応**（polymerase chain reaction，**PCR**）は，最初に開発され最もよく知られる NAT 法である．PCR 法は，目的とする特定の DNA 断片を短時間で，大量に増幅させることができる技術で，つぎの三つのステップからなる．① 分析対象となる極微量の二本鎖 DNA を高温（90 ～ 95 ℃）で一本鎖にする（熱変性）．② 増幅対象の二本鎖 DNA 配列の両端部分と相補的関係にある 20 ～ 30 塩基程度の 2 種類の合成 DNA 断片（プライマーという）を加えて，温度を 45 ～ 70 ℃ に下げる（アニーリングという）と，一本鎖となった DNA の相補的な塩基配列部分にそれぞれのプライマーが結合する．③ DNA 合成の基質であるデオキシリボヌクレオシド三リン酸（dNTP）と耐熱性の DNA ポリメラーゼ（Taq DNA ポリメラーゼ）を加えて，再び 70 ℃ に温度を上げると一本鎖 DNA に結合したプライマーの端から相補的な塩基が次々に結合して，DNA 鎖が伸長して，元と同じ DNA 鎖が複製される（図 9.20）．この三つのステップを 1 サイクルとして，例えば 30 回繰り返すと，目的 DNA 鎖は理論的には 2^{30}（10 億 8 千万）倍に増幅されることになる．RNA 鎖からの複製は，まず逆転写酵素（reverse transcriptase）で相補的 DNA（cDNA）に変換すれば，PCR 法で同様に増幅できる．これを RT-PCR（reverse transcription-PCR）といい，C 型肝炎ウイルス（HCV）の検出などに応用されている．

　NAT 法には，PCR 法のほかに LCR（ligase chain reaction）法，TMA（transcription mediated amplification）法，LAMP（loop-mediated isothermal amplification）法，SMAP（smart amplification process）法などがある．

　リアルタイム PCR 法およびリアルタイム RT-PCR 法は，PCR 増幅産物の指数関数的な増加を，リアルタイムに蛍光強度の変化としてモニタリングし解析する技法で，DNA および RNA のそれぞれを定量的に取り扱うことができる．

　また，サザンブロットハイブリダイゼーション法およびノーザンブロットハイブリダイゼーション法は，アガロースゲル電気泳動法と遺伝子解析法を組み合わせた DNA および RNA の検出法である．

　病気へのかかりやすさ，薬の効き目や副作用などの個人差が，SNP（single nucleotide polymorphism，一塩基多型，"スニップ"）に関係することが明らかになっている．SNP は遺伝子配列上の一個の塩基が他の塩基に置き換わったもので，この遺伝情報によって作られた酵素などのタンパク質の働きは，元のものとは微妙に違っている．薬の効き目や副作用などの個人差を見分けることのできる SNP の簡易，迅速な解析は，薬物治療における個別化医療（オーダーメイド医療）として有効な手段と期待されている．

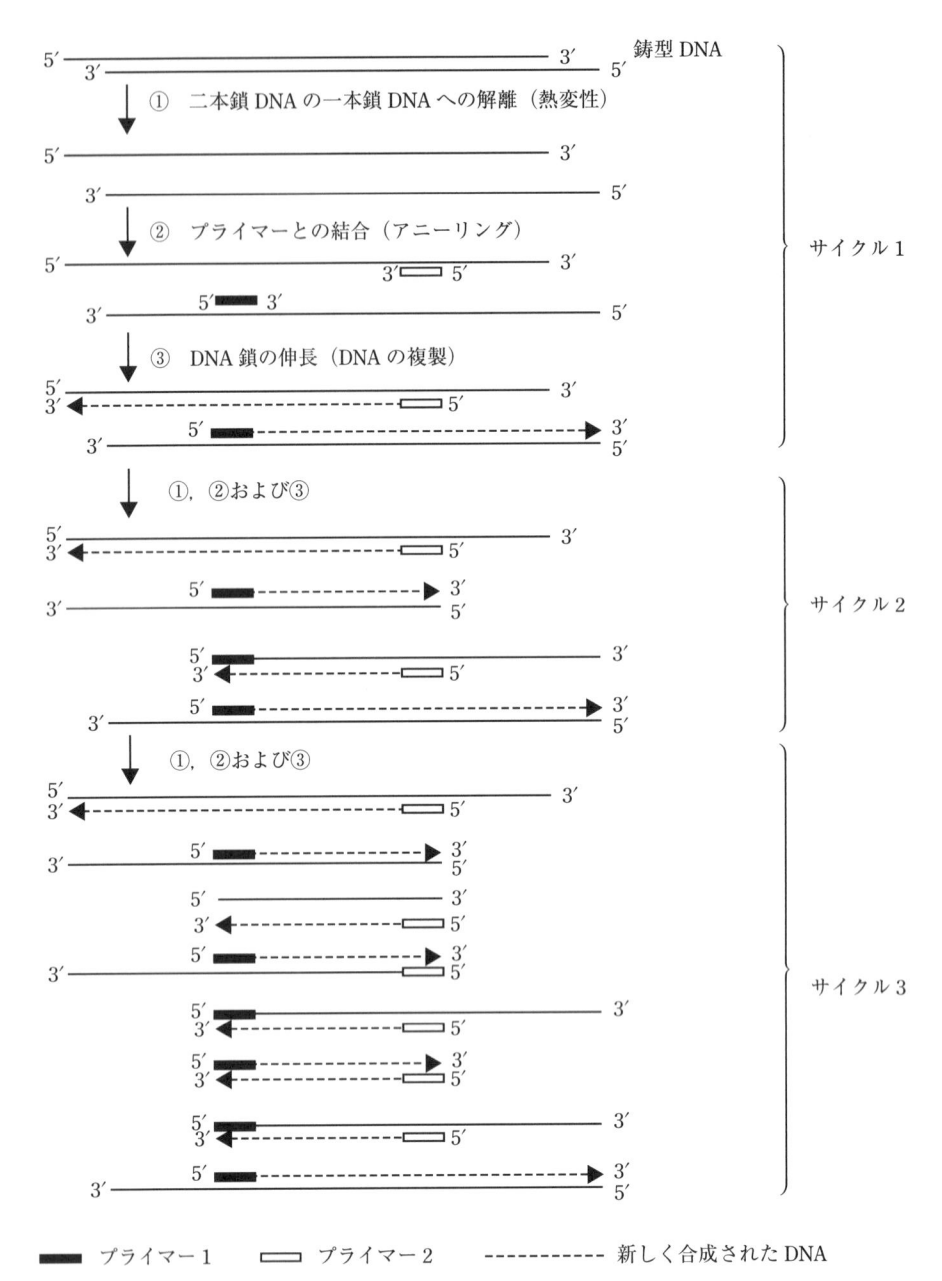

図 9.20　PCR（polymerase chain reaction）法

5 バイオ創薬とバイオアッセイ

　これまでの生物学的医薬品（広義のバイオ医薬品）は，ヒトや動物などが作り出したものを原材料として製造されたもので，血液製剤，ホルモン，抗毒素血清，ワクチンなどである．これらの医薬品に加えて，近年のバイオテクノロジーにおける遺伝子操作技術，細胞融合技術，細胞培養技術などの進歩・発展は，遺伝子組換えによる医薬品，抗体医薬品あるいは核酸医薬品などの人工的な製造を可能とし，新たなバイオ医薬品（狭義のバイオ医薬品）を創製している．さらに，2006年，山中伸弥教授による人工多能性幹細胞（iPS細胞）の開発とノーベル生理学・医学賞の受賞（2012年）は，「再生医療」と「創薬」分野に，新たな可能性を生み出している．これらの『バイオ創薬』の品質評価には，表9.5に示すようなバイオアッセイが利用されている．また，図9.21には，バイオ創薬関連で用いられる細胞バイオアッセイの例を示した．

表9.5　バイオ創薬関連で用いられるバイオアッセイ

細胞増殖・毒性試験
マイコプラズマ否定試験
抗がん抗体活性試験（抗体依存性細胞傷害活性，補体依存性細胞傷害活性）
軟寒天コロニー形成試験
造腫瘍性試験

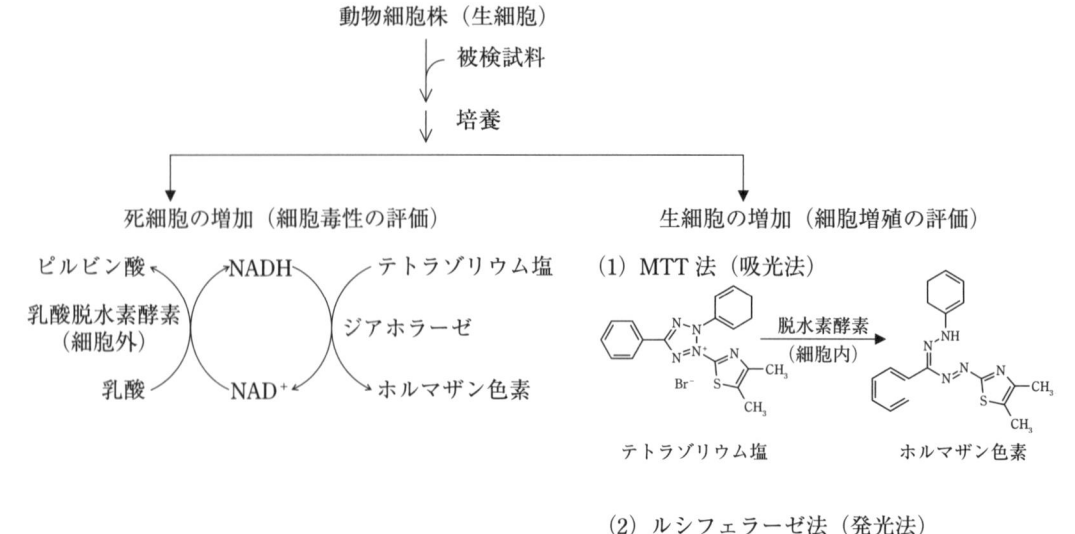

図9.21 細胞バイオアッセイ

96穴ウエルプレート中の動物由来培養細胞株に被検試料を添加して細胞を培養した後の細胞外あるいは細胞内の酵素活性又はATP量などを測定することで，細胞毒性作用あるいは細胞増殖作用を評価できる．被検試料に細胞毒性があるとき，細胞膜傷害によって，培養液上清中に細胞内の乳酸脱水素酵素が漏出する．漏出した乳酸脱水素酵素の量はホルマザン（赤色〜青色）の吸光度から定量できる．被検試料に細胞増殖作用があるとき，細胞数に応じて細胞内ミトコンドリアの脱水素酵素あるいはATP量が増加する．細胞内の脱水素酵素は細胞膜を透過したテトラゾリウム塩のMTT [3-(4,5-ジメチルチアゾール-2-イル)-2,5-ジフェニルテトラゾリウムブロミド]を還元して難溶性のホルマザン色素を析出する．細胞内に析出した難溶性のホルマザン色素は，有機溶媒で溶解後，吸光度から測定できる．細胞の増加に伴う細胞内ATP量の増加は，ルシフェラーゼを用いた生物発光法によって高感度に定量することもできる．MTT法及びルシフェラーゼ法は，細胞毒性の評価にも利用できる．

第10章 実試料の分析に向けて

　分析化学は化学物質を対象とした自然科学のあらゆる分野において必要不可欠であり，その対象となる試料は多種多様なものである．そのなかで薬学領域において分析が必要とされる応用分野の分類と各分野で対象となる主な分析試料と分析目的を表10.1に示した．前章までに薬学分野において化学物質の分析に用いられている測定手段としての化学分析法や機器分析法について述べてきた．本章では実際に表10.1に示したような試料から目的とする**分析対象物質** analyte をいかに定性，定量して分析結果を得るかについて解説する．

　容量分析のような化学反応による分析法は，直接分析可能な比較的高濃度で純粋な原薬や製剤試料などの主成分の分析に用いられることが多く，あまり複雑な処理操作を必要としない．分析化学への理解を深めるため，本章では血液や環境試料のような分析対象物質以外の夾雑成分を多く含む試料の前処理についても解説する．

表10.1　薬学分野で行われている分析の対象試料とその目的

応用分野	対象試料	分析目的
製薬	医薬品原末，製剤	医薬品製造での品質管理
薬物動態解析	血液，尿などの排泄物，肝臓などの組織	生体中での薬物の分布や代謝物の解明
臨床化学	血液，尿，唾液，組織，細胞など	診断，治療のための体内生理活性物質の測定
環境化学	大気，排ガス，環境水，排水，土壌など	環境保全を目的とした，環境中の有害汚染物質などの測定
裁判化学	血液，尿，唾液，組織，細胞など	救急救命や犯罪捜査のための，薬毒物中毒原因物質の解明

1 分析方法が確立するまで

　分析方法を組立てるにあたっては，まずその目的－「どんな試料の中の対象物質についてどんな情報が必要なのか？」－を明確にすることから始まる．この目的があいまいであれば試料の採取（サンプリング）方法や採取量，濃縮や前処理の必要性，実際に用いる測定手段等，すべてのことが計画できないことを意味する．

　分析方法を組立てるにあたっては，日本工業規格（JIS）や日本薬局方などの各種規格書に規格化された分析方法があればそのまま，あるいは多少修正して用いればよいが，規格がない場合には分析化学便覧，ハンドブックなどの参考書，更には必要があれば文献を調査して以下の項目について検討を行い決定することになる．実際に分析方法確立の必要性に直面するときは後者の場合が多いであろう．実際に計画するにあたり必要となる検討項目の概略を以下に示す．

1) 分析目的の明確化

　どんな試料中のどの程度の濃度の分析対象物質を定量あるいは定性したいのかを明確にする．このとき同時に，分析対象物質の物理化学的性質や対象試料中の共存物質などの情報を把握していなければならないことはいうまでもない．

2) 目的に即した試料の採取方法

　分析目的を十分に考慮し，分析対象試料の母集団の特性を正当に評価できるような合理的な試料の採取方法を検討する．例えば，河川水中の汚染物質調査のための分析を行う場合に，降雨直後の試料を採取しても正当な評価はできないことは明確である．

3) 測定方法の選定とそれに適した試料の処理方法

　定性あるいは定量のどちらを目的にした場合でも，分析の目的を十分に満たす情報を得るための分析対象物質の測定方法を選定する．また，選定した方法で測定するためには試料中の共存物質をどの程度除去しなければならないか，また濃度が低い場合にはどの程度の濃縮が必要なのかをよく検討して測定用の試料の調製（前処理）方法を検討する．

4) 選定した方法での測定条件

　選定した測定方法での予備実験を行い，測定の可能性を明らかにする．例えば，HPLC を選定した場合，分析対象物質の溶出位置，夾雑物質の影響および選定した検出器での定量性や検出能力等を標準物質や認証試料により確認し，その測定条件をあらかじめ把握する．

本項目は分析対象物質の測定に関する前情報があればこの位置づけとなるが，情報が全くない場合は，この標準物質による予備実験（試料中の他の成分による影響を無視した実験）が第一の検討事項となる．

5) 適合性の確認のための結果の評価方法（バリデーション）

計画した分析法を繰り返し行い，分析目的に対しての適合性を評価（バリデート）するための真度，精度及び検出限界などの分析能パラメーター（後述）の目標値を設定する．

1回の計画で最良の分析方法となることはほとんどありえない．このため，あらかじめ目的を達成するのに必要な分析能パラメーターを設定し，1)〜4)の各ステップでの操作の最適化を繰り返し行い，その目標値が達成された時点で分析方法が確立される（図10.1）．

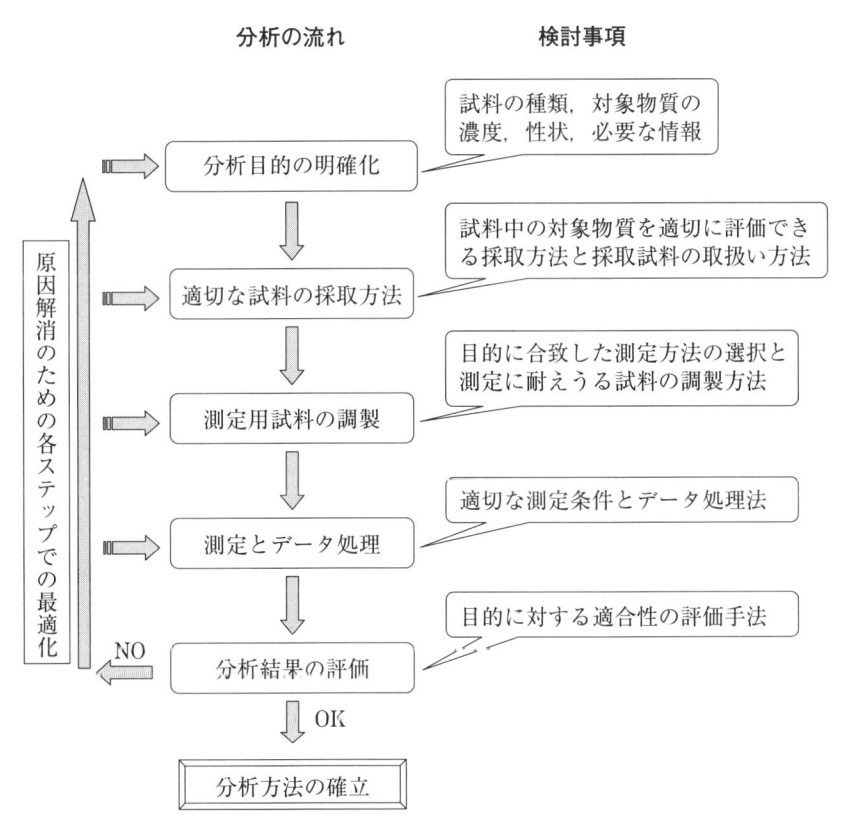

図10.1 分析の流れと検討必要事項

2 サンプリング

　分析を行おうとする**対象試料** sample から分析に供するためにその一部を採取することを**サンプリング** sampling という．このとき採取したサンプルの分析結果が対象試料全体（母集団）の平均的な結果を与えるような採取方法であることが不可欠である．

　医薬品分析を例にとれば，散剤や液剤であればすでに均一系であるため，そのまま一部を採取して分析すればよいが，錠剤のような製造工程で主薬成分含量にばらつきが生じる可能性があるものは，その1個だけを分析しても成分含量が正当に評価できない．このため，多数の試料からランダムに適当な個数を取り出し，均一化した試料を分析する手法が取られている．日本薬局方では通例20個またはそれ以上を取り出し，均一化し分析する方法が規定されている．

　また，上記の採取方法の検討もさることながら，生体試料などでは，試料そのものが変質してしまうものや分析対象物質が経時変化を伴うものの場合，その保管方法などについてもこの時点で十分に考慮する必要がある．常時変化する環境試料などでは，必要とされる試料量の倍量以上を採取し，結果が出るまで保管することもある．

3 試料の前処理

　製剤中の主薬成分の分析などの比較的純度の高い夾雑物質の少ない試料の分析では，試料を溶解し，ろ過する程度の処理で化学分析や機器分析による測定が可能である．しかしながら，表10.1に示したような試料には，分析物質以外の物質が多数共存しており，分析対象物質の測定が妨害されたり，測定機器への試料の導入が困難となることがしばしば起こる．このため，試料の測定に際しては，**前処理操作** pretreatment により可能な限り共存物質を除去しておくことが理想的である．また，生体試料の分析では，分析対象物質の濃度が非常に低いことも少なくないため，測定試料として測定可能な濃度に調整するために前処理操作として濃縮を必要とすることも多い．

　これら前処理操作は分析結果に大きく影響を与えるため，適切な前処理手法の検討は重要なファクターとなる．前処理に用いられている主な手法を以下に概説する．

3-1　灰　化

灰化 incineration とは燃焼などの酸化によって有機物質を分解して，その灰分を溶解し測定試料とする方法であり，燃焼による乾式法と硫酸，硝酸あるいは過塩素酸を用いて酸化する湿式法がある．生体試料中の微量金属等の原子吸光法を用いた分析等によく用いられる（第5章　5原子吸光分析参照）．

3-2　除たん白 deproteinization

薬学領域の分析で主となる血液などの生体試料中の薬物やその代謝物の分析においては，共存するたん白質が測定を妨害するため，その除去は必須の前処理操作である．有機溶媒や酸を用いてたん白質を変性沈殿させる方法，たん白質を酵素により消化させる方法，高分子を透過しない半透膜を用いた限外ろ過法などがある．沈殿法ではたん白質が変性沈殿するときに分析対象物質を同時に沈殿させてしまうこと（共沈）があるので，沈殿法を用いるときには対象物質の回収率に特に注意する必要がある．

3-3　溶媒抽出法 solvent extraction

水系試料溶液と水と混ざり合わない有機溶媒を十分に振とうした後，分析対象物質が存在する層を分取する方法である．一般には，共存物質の除去よりも処理後留去しやすい有機溶媒を用いて，抽出し，溶媒留去による濃縮を主目的とする場合が多い．中性物質対しては溶媒種類の選択以外に特に注意はいらないが，解離性の化合物では緩衝液などの添加により分析対象物質を分子型にした後に抽出しなければ回収率が極端に下がってしまうので注意が必要である．金属イオンの濃縮を目的として，電気的に中性なキレートとして金属イオンを有機溶媒に抽出するキレート抽出法もこの方法であり，微量金属の分析に古くから用いられている（第1章　6分配平衡参照）．

3-4　固相抽出法

有機溶媒を用いる溶媒抽出法に対し，活性炭，シリカゲル，アルミナ，多孔性ポリマー等の充填剤を固相に用いた固相抽出法 solid-phase extraction は従来から行われている（第7章　3カラム液体クロマトフィー参照）．例えば，Amberlite XAD-2 を用いた疎水性化合物の抽出（濃縮）などは，現在もなお多くの分野で用いられている．

HPLC の進歩と共に化学物質結合型シリカゲル系充てん剤の開発が進み，表10.2 に示すような無極性タイプ，極性タイプ，イオン交換タイプなど多種多様な充てん剤が開発され，すでにミ

表10.2 固相抽出に用いられる化学結合型シリカ系充てん剤

無極性タイプ		極性タイプ		イオン交換タイプ	
一般的略号	R	一般的略号	R	一般的略号	R
C18	—$C_{18}H_{37}$	Si	—OH	SCX	—CH_2CH_2CH—⟨benzene⟩—SO_3H 
C8	—C_8H_{17}	CN	—$CH_2CH_2CH_2CN$	PRS	—$CH_2CH_2CH_2SO_3H$
C2	—C_2H_5	NH2	—$CH_2CH_2CH_2NH_2$	CBA	—CH_2CH_2COOH
CH	 ⟨cyclohexyl⟩	PSA	—$CH_2CH_2CH_2NHCH_2CH_2NH_2$	SAX	—$CH_2CH_2CH_2N^+(CH_3)_3$
Ph	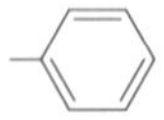 ⟨phenyl⟩	2OH	—$CH_2CH_2CH_2OCH_2CH(OH)CH_2OH$	DEA	—$CH_2CH_2CH_2N(CH_2CH_3)_2$

基本構造：シリカゲル—O—Si(ME など)(ME など)—R

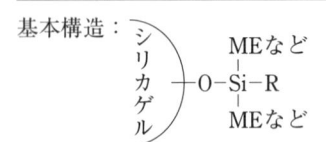

（伊藤允好，萩中淳，和田昭盛編（2007）NEW 薬学機器分析，p.242，廣川書店）

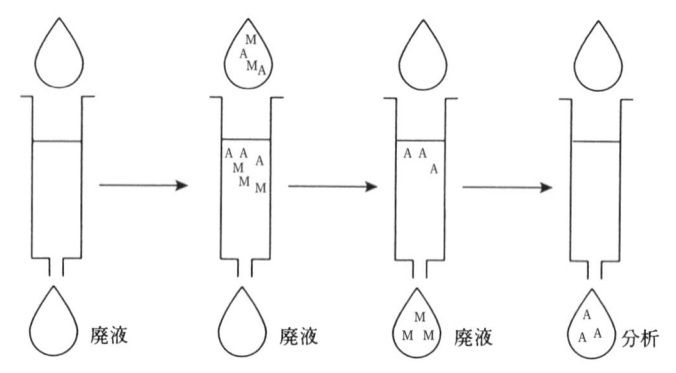

1) 固相の活性化　2) 試料の負荷　3) 夾雑物質の除去　4) 分析対象物質の溶出

図10.2 固相抽出法の概略
M：夾雑物質　A：分析対象物質
（伊藤允好，萩中 淳，和田昭盛編（2007）NEW 薬学機器分析，p.243，廣川書店）

ニカラムに充てんされた製品も含め市販されている．このため，前処理法設計における固相選択の自由度が飛躍的に向上し，多くの分野において前処理の主流として現在使用されている．規格化された分析法専用に，これら充てん剤を数種類組合せたものも最近では市販されている．また，本法は溶媒抽出法に比べ操作の簡便さ，抽出効率，溶媒使用量等の面で有用である．固相抽出法の概略図を図 10.2 に示す．

3-5　その他

分析対象物質を検出しようとしても分子構造中に適当な発色団がなく，より高感度に検出するために発色団を化学的に付与する，あるいは GC で測定するために気化可能な化合物に化学的に変換するなどの誘導体化も前処理操作の一部である．

また最近では，クロマトグラフィーの測定において前処理カラムや濃縮装置を装置に組み込んで，除たん白などの処理や濃縮が同時に全自動で行える分析装置も多数開発され用いられている．

4　測定方法の選定

測定方法の選択は分析目的とする情報を得るために最適な測定法を選定することが必要であるが，分析を行う施設での装置の設置状況などの制限があり，あまり多くの選択の自由度がないのが実情であろう．このため実際には，分析方法の組立てに際しては，試料中の分析対象物質の目的とする情報を今使用できる装置でどのようにして得るかの検討になることが多い．

クロマトグラフィーの普及に伴い，有機化合物については適切な検出器を選択することで，よほど特殊な化合物でない限りその検出（定性）及び定量が可能である．また，分離分析であるため多成分同時分析ができることや多少の共存物質の影響はある程度回避できるというメリットもあり，HPLC や GC が測定方法の第一選択となることが多い（第 7 章参照）．

また，一度確立してしまえば煩雑な前処理が不要で，迅速かつ高感度測定が可能なイムノアッセイ（特に多検体同時測定が容易な ELISA 法）が臨床分析などでは，採用されている（第 9 章 3 イムノアッセイ参照）．

5　測定値の取扱い

実際に分析を行うときは，必ず多くの操作が伴うため測定値にばらつきや偏りが生じる．このため，分析を行うときは一連の分析操作を数回行い，個々の測定データを統計学的に処理し，そのばらつきや偏りの程度を評価するのが通例である．以下にその評価のための測定値の取扱い方法を解説する．

5-1 測定値の有効数字と数値の処理

1) 有効数字 significant figure

実験器具の読取り値や測定装置の測定結果には必ず誤差が含まれる．それら誤差よりも小さい数字は，どんなに並べてみても無意味である．測定時の測定結果等を示す数値から位取りを示すだけのゼロを除いた意味のある数字を有効数字という．一般に確実に保証されている数字に，幾分不確実な数字を一桁加えて表す．この方法により，数値の最後の桁での誤差は ±0.5 以上にはならない．

2) 数値の丸め方

測定結果から計算により分析結果を求めるとき，計算途中で数値をまるめてしまうと誤差が生じる可能性がある．分析結果として必要な数値の桁数は目的により異なるが，測定や計算の途中では最終的に必要となる桁数の一桁以上多く求め，最後に四捨五入して必要桁数とするのが一般的である．以下のように，日本薬局方通則 25 では一般的な四捨五入が採用されているが，一連の測定値の丸め方では，誤差が最小となる JIS Z 8401　2. c) 規則 A による処理が用いられることもある*．

① 日本薬局方の方法

医薬品の試験において n 桁の数値を得るには，通例，$n + 1$ 桁まで数値を求めた後，$n + 1$ 桁目の数値を四捨五入する．

〔例〕 規格値が 2 桁の場合

  1.23 → 1.2,　1.25 → 1.3,　1.249 → 1.2

② JIS Z 8401 2. c) 規則 A による方法の概要

有効数字を n 桁に丸める場合，$n + 1$ 桁目の数値を次のように整理する．

 i. $n + 1$ 桁目の数値が 4 以下の場合，それを切り捨てる．

 ii. $n + 1$ 桁目の数値が 6 以上，または $n + 2$ 桁目に 0 でない数字がある 5 の場合，それを切り上げる．

 iii. $n + 1$ 桁目の数値が，$n + 2$ 桁目が 0，または数値がない 5 の場合

  a. n 桁目の数値がゼロ又は偶数のときは切り捨てる．

  b. n 桁目の数値が奇数のときは切り上げる．

〔例〕有効数字を 4 桁に丸める場合

  2.22226 → 2.222,　3.33363 → 3.334,　4.55453 → 4.555,　4.55450 → 4.554

---

* 第 6 版クリスチャン分析化学 I, p.91, 丸善

ただし，信頼度が落ちるためどちらの場合も，二段階にわたり丸めることはしない．
〔例〕4.44546 を 2 段階に分けて，4.44546 → 4.4455 → 4.446 とはしない．

3) 加減乗除での有効数字の取扱い

① 加減計算

有効数字を考慮しなければならない加減計算では，計算結果の有効桁数は加減を行う各数値のうちの小数点以下の桁数が最も少ない数値を基準とする．例えば，塩化バリウム 2 水和物（$BaCl_2 \cdot 2H_2O$）の式量は，原子量の総和であるから，

Ba	137.33	
Cl × 2	70.904	(35.452×2)
H × 4	4.03192	(1.00789×4)
O × 2	31.9988	(15.9994×2)
$BaCl_2 \cdot 2H_2O$	244.26472	

となる．このとき，バリウムの原子量の有効数字は小数点二桁までであるため，結果の小数点三桁目以降の 472 は無意味な数字となってしまう．このため小数点三桁目を丸めて式量は，244.26 とする．

② 乗除計算

乗除計算では，各数値のなかで有効桁数の最も少ない数値を基準とする．例えば，

$$3.7461 \times 3.26 \times 1.023 = 12.49316857$$

の計算で各数値に信頼性（本章 5-3 5）不確かさ参照）が未知な数値については，有効数字の最後の桁で少なくとも ±1 の幅があると仮定すると，それぞれの数値のもつ相対誤差（％）は，

  3.7461 : (0.0001/3.7461)×100 = 0.0027
  3.26   : (0.01/3.26)×100 = 0.31
  1.023 : (0.001/1.023)×100 = 0.098

となり，もっとも大きな数値は ±0.31％の 3.26 となる．この誤差を計算結果に適用すると，

$$12.49316857 \times (0.31/100) \fallingdotseq 0.04$$

となり，12.49 ± 0.04 の結果を意味している．計算結果の四桁目で約 ±4 もの誤差はその桁以降の数値には信頼性がないこと示しており，計算結果は四桁目を丸めて 12.5 とする．

有効数字の処理法は，実際の分析において必要な桁数の結果を求めるにあたり，各操作において用いる計量器や測定装置を適切に選択するために必要不可欠なルールである．

5-2 誤差 error とその種類

分析結果を得るための天秤による秤量，計量器による計量など多くの操作においては単純な操作ミスによる誤差だけでなく，どんな熟練者が行っても避けられない誤差が生じる．真の値（現実的には認証された値）と実験値の間の差を誤差といい，次のように表す．実験値と真の値との差を**絶対誤差** absolute error といい

$$絶対誤差 = 実験値 - 真の値$$

で表され，単に誤差ともいう．また，絶対誤差の真の値に対する割合（百分率）を**相対誤差** relative error といい

$$相対誤差（\%）=（絶対誤差 / 真の値）\times 100$$

で表される．

測定からは真の値を求めることはできないので，通例，理論値や認証機関により認証された標準物質（試料）の組成値，物性値を用いる．認証標準物質（試料）がない場合は，目的物質を含まない試料に目的物質を正確に添加し，その添加量を標準値として使用するのが一般的である（後述の対照試験，標準添加試験参照）．

この誤差はさらに**系統誤差** systematic error と**偶然誤差** random error に分類される．

A. 系統誤差

実験を繰り返し行ったときに常にある法則性（プラス傾向，マイナス傾向）を持って生じる誤差で，確定誤差ともいわれる．実験に用いる標準物質の純度不足，不適切な試料の採取方法，計量器の不正確さ（器差），実験する方法自体の原因（方法誤差），操作の未熟さ（操作誤差）が原因として挙げられ，これらの原因が判明すれば，除去あるいは補正が可能な誤差である．

上記の原因を取り除いても誤差が解消しない場合は，分析対象物質を含まない試料を分析する**空試験** blank test や既知量の分析対象物質を含有する試料（標準試料）を分析する**対照試験** control test により補正が行われる．空試験や対照試験により得られた測定値はその分析法の偏りであるから，この値を実際の測定値から差し引くことにより系統誤差が解消できる．

対照試験を実施しようとしても必ずしも濃度既知の標準試料が手に入るとは限らない．このようなときに利用されるのが，試料に既知量の対象物質を添加して分析を行う**標準添加試験** standard addition test（**回収試験** recovery test ともいう）である．試料と添加された試料のそれぞれの測定値の差の添加量に対する割合（回収率）を用いることにより系統誤差が補正できる．

B. 偶然誤差

同一条件で同一の実験者が実験を行っても生じてしまう予測できない誤差で，不確定誤差ともいわれる．一般的にはばらつきと呼ばれる誤差であり，確率論的に発生するため系統誤差のよう

な法則性を持たない．その程度の評価は後述の標準偏差など統計学的方法を用いて行うことができる．

5-3　ばらつきの表し方

1）真度 trueness
多数の測定結果の算術平均により求めた**平均値** mean と，認証値との一致の程度のことであり，平均値（結果の期待値）と認証値との差（**偏り** bias）で表され，正確さともいう．一見，誤差と同義のようであるが，誤差は個々の測定値と認証値との差であるのに対し，偏りは複数の測定結果の平均値との差である．

2）精度 precision
指定された条件下で行われた独立した測定結果のばらつきの程度であり，精密さともいう．通例，精度は試験方法の再現性で評価されるが，同じ試料を同じ人，場所，装置で行い評価する**併行再現性** repeatability，同じ試料を異なる人，場所，装置で行い評価する**室間再現性** reproducibility，試料，場所は同じで，異なる人，日，試薬のロット，環境条件等で評価する**室内再現性** intermediate reproducibility に分類される．その程度は後述の（相対）標準偏差などで表される．

3）精確さ accuracy
精確さとは，個々の測定結果と測定対象の真値（認証値）との一致の程度と定義される．真度，精度のいずれかだけでは測定値の一面しか分からないため，真度と精度を合わせた概念として採用されている．どの測定値を取っても真の値とほぼ等しければ等しいほど精確さが高いことであり，真の値から離れた値の頻度が高ければ高いほど精確さが低いことになる．図 10.3 にその関係を示す．図 10.3 A～D の精確さの評価としては B＞D＞A＞C となる．ここで，A および C の場合は何らかの系統誤差が含まれている可能性が示唆される．JIS Z 8402 に規定されている．

4）標準偏差 standard deviation
ある実験を無限回繰り返したときの測定値の集団を**母集団** population という．これらの測定値が受けている各種不確定な変数の影響（各種操作時の誤差等）が確率論的に発生している偶然誤差のみと仮定し，測定値を横軸に，その頻度を縦軸にプロットするとき，その分布は図 10.4 のような**正規分布** normal distribution（ガウス曲線）となることが知られている．

ここで，分布の中心 μ は無限個の測定値の平均値（母平均），x_i は個々の測定値，N は充分に

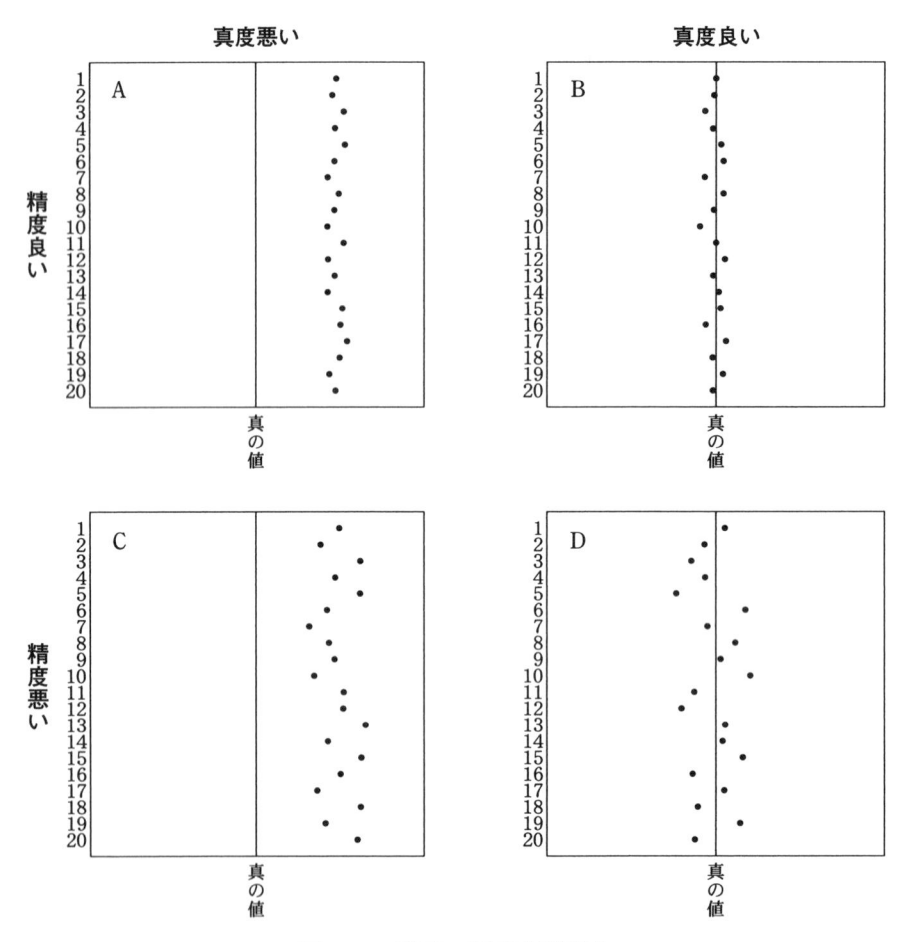

図10.3　真度，精度と精確さ

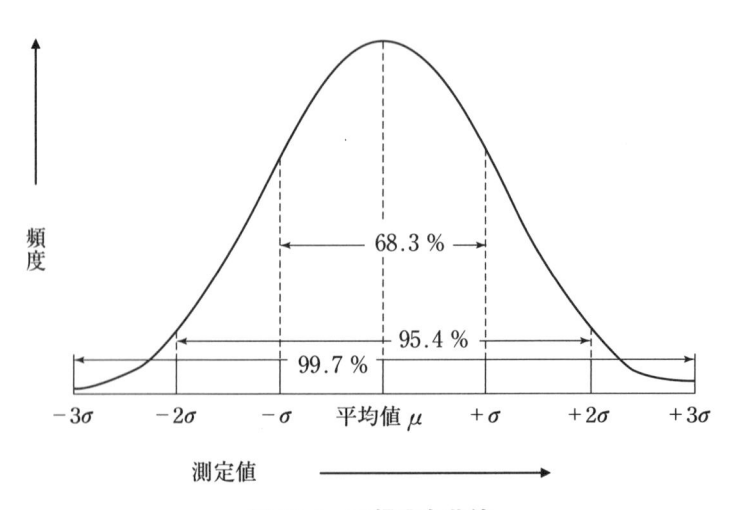

図10.4　正規分布曲線

大きな測定回数とすると，この母集団の広がり（測定精度）を表す尺度である標準偏差 σ は

$$\sigma = \sqrt{\frac{\sum (x_i - \mu)^2}{N}}$$

で求められ，この標準偏差 σ の二乗を（母）**分散** variance という．この関係は図 10.4 に示すように，無限回の測定を行ったときに，それら測定値は $\mu \pm \sigma$ の範囲に 68.3 %が，$\mu \pm 2\sigma$ の範囲に 95.4 %が，$\mu \pm 3\sigma$ の範囲に 99.7 %が存在することを示している．

実際には無限回の繰返しは不可能であるため，有限回（N 回 = i）の測定値から求めることになる．この場合は母集団から無作為に N 個の標本を取り出したと考え，その平均値（標本平均）$\bar{x}$ を母平均の代わりに用い，補正のため測定回数 $N-1$ を N の代わりに用いた

$$s = \sqrt{\frac{\sum (x_i - \bar{x})^2}{N-1}} \quad \text{又は} \quad \sqrt{\frac{\sum x_i^2 - (\sum x_i)^2/N}{N-1}}$$

により母集団の標準偏差の推定値 s（標本標準偏差）を求め，標準偏差として用いる．この二乗 s^2 を**不偏分散** unbiased variance という．また，標準偏差の平均値に対する割合（百分率）を**相対標準偏差** relative standard deviation または**変動係数** coefficient variation といい

$$\text{相対標準偏差（R.S.D：\%）} = (\text{標準偏差} / \text{平均値}) \times 100$$

で求まる．相対標準偏差によりばらつきの程度を相対的に知ることで，測定や分析結果の精度を評価する．

上記標準偏差は，ある N（i）回の一連の測定値から見積もった値である．ある N 回の一連測定を改めて n 回繰り返したとき，平均値は異なることが多い．同じ母集団からの互いに独立な n 回の測定値の平均値は，標準偏差 $\sigma/\sqrt{n}$ の正規分布となり，分布の幅は狭くなる．

母集団分布が正規分布であれば実際の測定値から求めた $s/\sqrt{n}$ は，平均値の分布の標準偏差 $\sigma/\sqrt{n}$ の推定値であり，平均値の標準偏差又は標準誤差と呼ばれる．

ここまでは，測定対象物質の真値（認証値）が既知であり，ある測定方法による分析結果と真値の比較で，方法自身を評価するためのパラメーターである．次に，その測定（分析）法を用いた未知試料の測定結果の信頼性（精度）を見積もるパラメーターについて解説する．

5) **不確かさ** uncertainty

不確かさとは，一連の系統誤差を含まない（除くことのできる系統誤差を可能な限り除いた）測定値がどの程度真の値に近いかを示すものである．未知試料の測定値の真の値を知ることなく，前述の精度というパラメーターから，その真の値の存在範囲を推定するものであることが，ここまでの真度（正確さ）や精確さと異なる．

不確かさは，「測定の結果に付随した，合理的に測定値に結びつけられうる値のばらつきを特徴づけられるパラメーター」と定義されている．一般に，前項の標準偏差又はそのある倍数として表現され，測定平均値に不確かさが付与され，測定結果は完全なものとなる．

例えば，母集団が正規分布であり，一連の測定結果の平均値が $\bar{x}$，その標本標準偏差を s とすると，不確かさを含んだ測定結果 μ（母集団平均値）は，

$$\mu = \bar{x} \pm ks/\sqrt{n} \quad (k = 1, 2, 3 \text{ など})$$

で表され，$k = 2$ とすれば，この測定結果の母平均 μ がこの範囲内に 95 % の信頼性で存在することを表す．この範囲を**信頼区間** confidence interval，その範囲の限界を**信頼限界** confidence limit といい，その範囲にある信頼性を**信頼水準** confidence level という．

不確かさは，前述のように真値を基にした偏りやばらつきの評価ではなく，未知試料の測定（分析）結果の信頼範囲を評価するものである．このような測定（分析）結果は，何段階かの測定結果の組合せより得られること，言い換えれば不確かさをもついくつかの測定量が組み合わさって求められていることが一般的である．

不確かさの要因を標準偏差で表したものを**標準不確かさ** standard uncertainty といい，いくつかのそれらを合成した（合成法は後述）ものを**合成標準不確かさ** combined standard uncertainty という．更に，それに**抱合係数** coverage factor : k という数値を掛けた拡張不確かさが最終的な不確かさとなる．この抱合係数には 2 を用いることが多いが，測定回数が少ないときには，表 10.3 に示す t 分布表（測定回数に応じた自由度 $N - 1 = \nu$ での種々信頼水準ごとの信頼区間：t 値）により決めることもある．この求め方や取扱いについての詳細は文献[1]等を参照されたい．

表 10.3 種々の信頼水準における自由度 ν に対する t 値*

ν	信 頼 水 準			
	90 %	95 %	99 %	99.5 %
1	6.314	12.706	63.657	127.32
2	2.920	4.303	9.925	14.089
3	2.353	3.182	5.841	7.453
4	2.132	2.776	4.604	5.598
5	2.015	2.571	4.032	4.773
6	1.943	2.447	3.707	4.317
7	1.895	2.365	3.500	4.029
8	1.860	2.306	3.355	3.832
9	1.833	2.262	3.250	3.690
10	1.812	2.228	3.169	3.581
15	1.753	2.131	2.947	3.252
20	1.725	2.086	2.845	3.153
25	1.708	2.060	2.787	3.078
∞	1.645	1.960	2.576	2.807

*$\nu = N - 1 = $ 自由度

---

1) 飯塚幸三（監修）(1996) ISO 国際文書 ― 計測における不確かさの表現ガイド，日本規格協会

6）不確かさの伝播

5-1 で解説した有効数字は，個々の数値の不確かさがそれぞれの数値の最終桁で ±1 あるとした一般的な処理方法を解説した．これは"加減算においてはその答えの持つ絶対的不確かさが最も大きい演算子より小さくなることはない．また，乗除算では答えの持つ相対的不確かさが最も大きい演算子よりも小さくなることはない"が前提となっている．

実際に個々の数値の不確かさを知れば，不確かさを持つ数値同士に相関がなければそれらの演算による結果の不確かさは，次のように見積もることが可能である．

① 加減算での不確かさの伝播

それぞれの演算子の持つ標準偏差 s の絶対値の二乗の和の平方根で表される．

$$(A \pm s_a) + (B \pm s_b) - (C \pm s_c) = (A + B - C) \pm (\sqrt{s_a^2 + s_b^2 + s_c^2} = s_t)$$

と計算され，$(A + B - C)$ の有効数字は，s_t の一桁目とする．

② 乗除算での不確かさの伝播

それぞれの演算子の持つ相対的標準偏差 $s/\bar{x}$ の二乗の和の平方根で表される．

$$(A \pm s_a) \times (B \pm s_b)/(C \pm s_c) = (A \times B/C) \pm s_t$$
$$s_t = (A \times B/C) \times \sqrt{(s_a/A)^2 + (s_b/B)^2 + (s_c/C)^2}$$

と計算され，$(A \times B/C)$ の有効数字は，この場合も s_t の一桁目とする．

このように不確かさが既知である場合は，前述の有効数字の取扱いと異なることも発生する．

5-4 異常値の取扱い

ある一連の測定値や分析結果において，かけ離れた値（**異常値** doubtful value）があり，その原因が明らかな場合にはその値は当然除外すべきである．しかしながら，その原因が明らかにならない場合には，その値が同一母集団に属しているかを統計学的方法により検定し，棄却できるかできないかを決定する．以下にいくつかの検定方法の概略を示す．

1） 4d 法

異常値を除いたすべての測定値を用いて求めた平均値と各測定値との差（**残差** residual という）を求め，更にその平均値（平均残差）を求める．異常値と平均値の残差が平均残差の 4 倍を超えた場合はその値を棄却する方法．4～8 個の測定値のうち異常値が 1 個のときに適用できる．

2) Q 検定

異常値と直近の測定値の差を求め，異常値も含めた最大値と最小値の差（範囲）で除したときの値（比 Q 値）と棄却係数 Q 値（表10.4）とを比較し，比 Q 値が Q 値と等しいか大きい場合は棄却する方法．比較的少ないデータ数（3個以上）でも高い信頼性で適用できる．

表10.4　異なる信頼限界における棄却係数 Q

測定回数	3	4	5	6	7	8	9
$Q_{0.90}$	0.94	0.76	0.64	0.56	0.51	0.47	0.44
$Q_{0.95}$	0.97	0.83	0.71	0.62	0.57	0.53	0.49
$Q_{0.99}$	0.99	0.93	0.82	0.74	0.68	0.63	0.60

3) 標準偏差による方法

測定値の集団において，平均値±標準偏差の3倍の範囲には99.7％の測定値が存在することは前述のとおりである．言い換えれば，この範囲を超える測定値が測定される可能性は0.3％以下であり，同じ測定を1,000回繰り返しても3回しか出現しない確率である（通常では起こりえない確率）．この理論により，その範囲内に入らない測定値を異常値と評価する方法．この手法は，比較的多くの測定値があるとき用いられる．

5-5　分析法の比較（有意差検定）

新しく分析（測定）方法を開発すると，従来から行われている方法と開発した方法との結果が同等であることの比較を基本的には求められる．日本薬局方の通則14でも「日本薬局方に規定する試験法に代わる方法で，それが規定の方法以上の真度及び精度がある場合は，その方法を用いることができる．以下省略」とある．認証標準等がある場合には，真度や精度は実測値の比較で充分可能であるが，測定回数が少ない場合には，その評価の信頼性が担保できないこともある．このような場合に行える統計的な手法について，その概略を以下に簡単ではあるが解説する．

1) F 検定

F 検定は，二つの方法それぞれの標準偏差（不偏分散）が統計的に異なるかを決めるのに用いられている．F 値はそれぞれの方法の不偏分散の比であり次のように表される．

$$F = s_1^2 / s_2^2$$

この時，$s_1^2 > s_2^2$，それぞれを求めた時の自由度 $(N-1)$ を ν_1，ν_2 と定義される．この式により求めた F 値が，表10.5（ある信頼水準で求められる F 値）中の対応する値を超えた場合に，二つの方法が**同等ではない**（有意差がある）と判定される．表10.5は95％の信頼水準のときである．

表 10.5 95 %信頼水準における F 値

	$\nu_1 = 2$	3	4	5	6	7	8	9	10	15	20	30
$\nu_2 = 2$	19.0	19.2	19.2	19.3	19.3	19.4	19.4	19.4	19.4	19.4	19.4	19.5
3	9.55	9.28	9.12	9.01	8.94	8.89	8.85	8.81	8.79	8.70	8.66	8.62
4	6.94	6.59	6.39	6.26	6.16	6.09	6.04	6.00	5.96	5.86	5.80	5.75
5	5.79	5.41	5.19	5.05	4.95	4.88	4.82	4.77	4.74	4.62	4.56	4.50
6	5.14	4.76	4.53	4.39	4.28	4.21	4.15	4.10	4.06	3.94	3.87	3.81
7	4.74	4.35	4.12	3.97	3.87	3.79	3.73	3.68	3.64	3.51	3.44	3.38
8	4.46	4.07	3.84	3.69	3.58	3.50	3.44	3.39	3.35	3.22	3.15	3.08
9	4.26	3.86	3.63	3.48	3.37	3.29	3.23	3.18	3.14	3.01	2.94	2.86
10	4.10	3.71	3.48	3.33	3.22	3.14	3.07	3.02	2.98	2.85	2.77	2.70
15	3.68	3.29	3.06	2.90	2.79	2.71	2.64	2.59	2.54	2.40	2.33	2.25
20	3.49	3.10	2.87	2.71	2.60	2.51	2.45	2.39	2.35	2.20	2.12	2.04
30	3.32	2.92	2.69	2.53	2.42	2.33	2.27	2.21	2.16	2.01	1.93	1.84

2) t 検定

t 検定は，二つの方法によって別々に得られた結果同士から，本当に同じものを測定した結果であることを推測するのによく用いられる方法である．次のような3タイプの方法に分類できる．

1. 真値とその許容値が既知の場合の比較
2. 二つの試料の平均値の比較（一つの試料で二つの分析方法を比較するよりも，一つの分析法で二つの試料を比較するときに用いられることが多い；F 検定も併用される）
3. 対になっているデータの比較

いずれの場合も，ある定義された式により自由度 ν の時の t 値を求め，求められた t 値が前出の表 10.3 中の t 値を超えるか超えないかで，その有意差を検定する方法である．

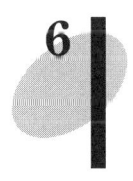

6 分析法バリデーション

分析を行いある目的を達成するためには，その実施しようとする分析法が適当な能力を有するものであるかを検討する必要がある．あるいは，本章1項の分析法の構築で述べたように，新しい方法を開発するときには，設定した目的に対しての能力の達成度を確認する必要がある．分析方法の能力が目的とする結果を得るために充分なものであるか検証することを**分析法バリデーション** analytical validation という．

6-1 分析法バリデーションとは

　分析法バリデーションは日本薬局方において「分析法の誤差が原因で生じる試験の判定の誤りの確率が許容できる程度であることを科学的に立証すること」と定義されている．試験対象医薬品の品質についての正当な判定が行える分析法であるかの判断を目的とした，分析法バリデーションである．

　判定を誤る確率が評価基準ではあるが，許容値は行う試験によって異なるため，その値は分析者あるいはデータの使用者が決めるものである．また，判定を誤る確率を基準として分析法を評価することは実際には困難であり，通常は次項に示す**分析能パラメーター** validation characteristics を評価基準としてバリデーションを行う．

6-2 分析能パラメーター

　分析能パラメーターについて以下に解説するが，分析法の使用目的によって適切なパラメーターを選択して評価を行う．表10.6に各種規格での分析能パラメーターを，表10.7に日本薬局方での試験のタイプ別に検討が要求されるパラメーターを示した．

1) 真度及び精度
　本パラメーターについては本章5-3を参照．

2) 特異性 specificity
　試料中に存在すると考えられる物質の存在下で，目的物質を正確に測定する能力．

3) 検出限界 detection limit と定量限界 quantitation limit
　検出限界：試料中に含まれる目的物質を検出できる最低の量又は濃度
　定量限界：試料中に含まれる目的物質を定量できる最低の量又は濃度
　この2つはよく似ておりしばしば混乱することがある．検出限界は目的物質が存在するかしないかが確実に判定できる量又は濃度であり，その判定を誤る確率を考慮して定める．これに対して定量限界は定量的に量を判定するためその精確さを明らかにしなければならない．一般的には，相対標準偏差で10%程度の精度で定量できる最小量とする．検出限界は定量の下限よりも低く，検出限界付近では，分析対象物質の存在の有無は検出できるが，定量値の精度は低く定量はできないことが多い．

表10.6 各種規格における分析能パラメーターの対比

定義	JP	ICH	USP 24	ISO	JISz 8402-1999	AOAC	その他
個々の測定値と真の値との差	—[1]	—	—	accuracy[2]	精確さ（accuracy）	—	精度[5]
測定値の平均値と真の値との差，系統誤差の指標	真度（trueness）	accuracy/trueness	accuracy	trueness[2]	真度/正確さ（trueness）	accuracy	正確さ[5,6] 正確性 正確度
ばらつきの程度	精度（precision）	precision	precision	precision[2]	精度（precision）	precision	精密さ[5]
繰返し条件が等しいとみなせる	併行精度（repeatability）	repeatability	repeatability	repeatability[2]	併行精度（repeatability）	replicability	繰り返し性[5] 同一条件測定精度[6]
室内再現性	室内再現精度（intermediate precision）	intermediate precision	ruggedness/reproducibility	intermediate precision[2]	中間精度（intermediate precision）	repeatability	再現性[5] 試験室内精度[6]
室間再現性	室間再現精度（reproducibility）	reproducibility	ruggedness/reproducibility	reproducibility[2]	（室間）再現精度（reproducibility）	reproducibility	
分析条件を故意に変動させたときのばらつきの程度	頑健性（robustness）	robustness	robustness	X[3]	X	ruggedness	
シグナルの識別性	特異性（specificity）	specificity	specificity	X	X	specificity	selectivity
検出できる最低濃度	検出限界（detection limit）	detection limit	detection limit	capability of detection[4]	X	sensitivity/limit of detection	
定量できる最低濃度	定量限界（quantitation limit）	quantitation limit	quantitation limit	—	X	—	
分析対象物の濃度変化に対するレスポンスの変化率	—	—	—	X	X	—	slope sensitivity 感度，傾き

1) 定義に対応する用語がない，2) ISO 5725，3) 規格の対象外，4) ISO，TC69/SC6，DIS 11843-1，
5) JISz 8103-1990，6) JISk 0211-1990

（第16改正日本薬局方解説書，F-49，廣川書店）

表 10.7　試験法のタイプと検討が必要な分析能パラメーター

分析能パラメーター ＼ タイプ	確認試験	純度試験		定　量
		定量試験	限度試験	
真度	−	＋	−	＋
精度				
併行精度	−	＋	−	＋
室内再現精度	−	−*	−	−*
室間再現精度	−	＋*	−	＋*
特異性**	＋	＋	＋	＋
検出限界	−	−	＋	−
定量限界	−	＋	−	−
直線性	−	＋	−	＋
範囲	−	＋	−	＋

−　通例評価する必要がない．　＋　通例評価する必要がある．
*　分析法及び試験法が実施される状況に応じて，室内再現精度又は室間再現精度のうち一方の評価を行う．日本薬局方に採用される分析法のバリデーションでは，通例，後者を評価する．
**　特異性の低い分析法の場合には，関連する他の分析法により補うこともできる．
（第17改正日本薬局方解説書，F-24，廣川書店より一部引用）

4）直線性 linearity

目的物質の量又は濃度に対して直線関係にある測定値（応答）を与える能力．

5）範囲 range

適切な精度及び真度を与える，目的物質の下限及び上限の量又は濃度．定量下限と定量上限の間を用いることが多い．

6）頑健性 robustness

分析条件を小さい範囲で故意に変化させるときに，測定値が影響されにくい能力．

日本薬局方の分析能パラメーターとしては定義されているが，検討が必要なパラメーターとしては規定されていない．

7 日本薬局方とは

　医薬品の有効性と安全性が保障されるためには，医薬品としての品質が確保されて薬効が十分であるとともに有害な不純物の混入を避け，医薬品としての適切な使用がなされなければならない．医薬品の品質は規格と試験法に従って試験が行われ初めて純度が保障される．医薬品の効果は臨床試験によって裏付けられた適切な投与方法によって発揮される．日本薬局方は前者の品質を試験するための規格書である．

　日本薬局方の内容は大きく分けて，1）通則，2）生薬・製剤総則，3）一般試験法，4）医薬品各状および5）参考情報の五つから構成されている．これらの各項の内容を以下に概説するが，2）の生薬・製剤総則以外の項目では内容として分析法に関する定義，規定及び規格がほとんどを占めていることがわかる．

1）通則
　日本薬局方全般に関する規則，定義，適否の判定方法，試験に用いられる用語の解釈などを示す．また，試験に使用する単位や濃度，確認試験，純度試験，定量の試験の定義と区別など，医薬品の分析における約束事が記述されている．

2）生薬・製剤総則
　生薬や製剤に関する定義や約束事などであり，特に医薬品分析に関連する記載はない．

3）一般試験法
　日本薬局方で規格された医薬品の試験に共通的に用いられる機器分析法や化学的な定性反応など試験法に関する項目のみだけでなく，試験に用いる試薬，試液，標準品及び使用器具などについて，85以上の項目が詳細に規定されている．

4）医薬品各条
　それぞれの医薬品の規格，定性のための確認試験法，不純物の検出のための純度試験法及び定量法などが規定されている．第15改正で「化学医薬品」と「生薬等」に分類されるようになった．

5) 参考情報

現時点では日本薬局方に規定されていないが，今後，医薬品の品質を確保するために参考とするべき事項及び試験法が記載されている．前項の分析法バリデーションや，今後一般試験法として採用が見込まれる電気泳動法などの試験法が解説されている．例えば，第16改正日本薬局方において誘導結合プラズマ発光分光分析法は参考情報に収載されていたが，同第一追補において誘導結合プラズマ発光分光分析法及び誘導結合プラズマ質量分析法として一般試験法に採用された．

8 試薬，標準試料，器具

8-1 試 薬

化学反応を利用して定量や試験，あるいは合成などを行うために用いられる化学物質は試薬と呼ばれ，純度などの品質が規格に適合したものが市販されている．日本の公定試薬規格には，工業標準化法によるJIS（日本工業規格）試薬規格と，経済産業省の試薬表示認証制度によるNR（認証試薬）規格がある．JIS試薬規格には，試薬の形状，品質，成分，性能，耐久性，分析方法の基準が定められている．この基準に基づいて独立行政法人化学物質管理センターで試験され，合格したものがJIS標準試薬として市販されている．JIS試薬の等級は純度の高い順に特級，1級として規格されている．

試薬メーカーごとの試薬規格に基づく保証を示した試薬もある．その品位の内容や表示はメーカーごとに異なるので，等級等を確認して使用する．精密分析用，残留農薬分析用，液体クロマトグラフ用など特定の用途を表示したものが種々市販されている．日本薬局方では試験に用いる試薬の品位を一般試験法に定めているが，JIS試薬の特級又は1級を規定しているものも多い．

8-2 試液と標準試料

1) 試 液

試液は試験に用いるために調製した試薬溶液の意味で，試薬はそのまま使われることはまれで，多くの場合溶液として用いられる．単なる反応や液性の調整に用いられることが多いので，その濃度は標準液のように厳密である必要はない．

2）標準試料

　標準物質は，化学量及び物理量の計測の基準として重要であり，正確さが保証された表示値を持つものである．例えば，容量分析用標準試薬は，JIS 特級以上の純度と一定組成を持ち一定の条件で乾燥したときに 99.95％ 以上の含量を示し，この値が小数第 2 位まで明記されている．分析の正確さを保証するために標準物質や標準試料が重要であることを明らかにするために，図 10.5 には，分析法が日常分析法として確立され，その信頼性が保持される化学分析の標準化体系の概略を示した．

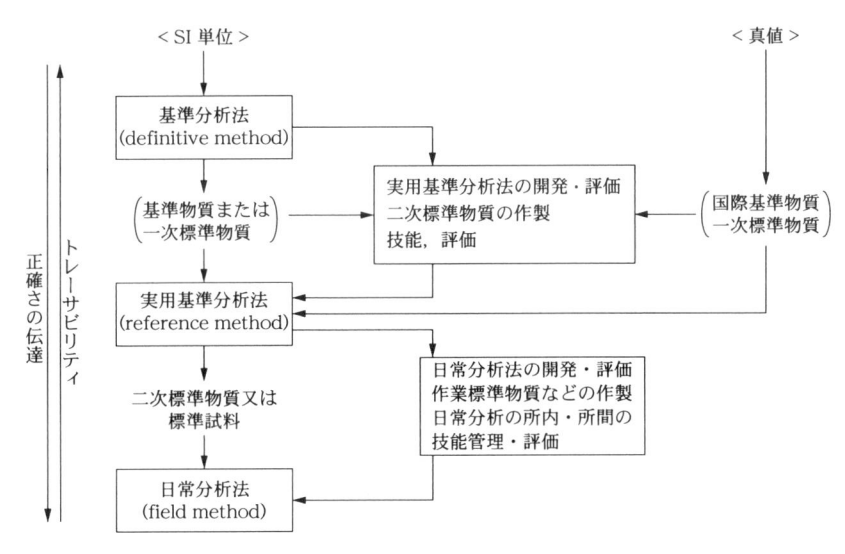

図 10.5　化学分析の標準化体系
（分析化学ハンドブック編集委員会編：分析化学ハンドブック，p.897，朝倉書店より引用）

　分析方法が持つ精度や真度の程度を検討したり，あるいは実際の分析の基準にするために調製された試料を標準試料と呼ぶ．前述の対照試験においては標準試料を用いて測定が行われ，測定値を修正して精確な値を求めている．標準試料は，金属標準液，pH 標準液，有機元素分析用標準試料，臨床化学分析用標準試料，医薬品・食品用色素標準試料など多種多様なものが調製されて頒布されている．日本薬局方標準品は，収載医薬品の品質試験に用いるために，国立医薬品食品衛生研究所あるいは日本公定書協会から頒布されている．

8-3 器　具

　分析に使用する器具は，定量の真度や精度などを保つことのできる材質や規格を具備している必要がある．JIS には，化学用ガラス器具の規格（JIS R 3503）などがあり，その校正方法は化学分析方法通則（JIS K 0050）に規定されている．日本薬局方では，計量器・用器の規格を定め，これに適合するものを使用することとなっている．

付　　　表

付表1　酸塩基の電離定数

付表2　難溶性電解質とその溶解度積

付表3　金属錯体の生成定数

付表4　標準酸化還元電位

付表5　式量酸化還元電位

付表1 酸塩基の電離定数 (25 ℃)

化合物名	化学式	K_a	pK_a
オキソニウムイオン	H_3O^+	5.01×10	-1.7
硝酸	HNO_3	$\sim 10^5$	~ -5
塩素酸	$HClO_3$	5.01×10^2	-2.7
過塩素酸	$HClO_4$	$\sim 10^{20}$	~ -20
塩化水素	HCl	2.51×10^7	-7.4
ヨウ化水素	HI	3.16×10^9	-9.5
ヨウ素酸	HIO_3	1.62×10^{-1}	0.79
スルファミン酸	$HOSO_2NH_2$	1.0×10^{-1}	1.0
フッ化水素	HF	6.71×10^{-4}	3.17
亜硝酸	HNO_2	4.47×10^{-4}	3.35
シアン酸	$HOCN$	2.0×10^{-4}	3.70
トリフルオル酢酸	F_3CCO_2H	1.82	-0.26
トリクロル酢酸	Cl_3CCO_2H	6.31×10^{-1}	0.20
ジクロル酢酸	Cl_2CHCO_2H	5.01×10^{-2}	1.30
クロル酢酸	$ClCH_2CO_2H$	1.38×10^{-3}	2.86
ギ酸	HCO_2H	1.77×10^{-4}	3.75
酢酸	CH_3CO_2H	1.75×10^{-5}	4.76
プロピオン酸	$CH_3CH_2CO_2H$	1.34×10^{-5}	4.87
乳酸	$CH_3CHOHCO_2H$	1.38×10^{-4}	3.86
ピクリン酸	$(NO_2)_3C_6H_2OH$	1.58×10^{-1}	0.80
o-ニトロ安息香酸	$NO_2C_6H_4CO_2H$	6.76×10^{-3}	2.17
p-ニトロ安息香酸	$NO_2C_6H_4CO_2H$	3.63×10^{-4}	3.44
安息香酸	$C_6H_5CO_2H$	6.3×10^{-5}	4.20
バルビツール酸	$C_4H_4N_2O_3$	9.12×10^{-5}	4.04
ジエチルバルビツール酸	$C_8H_{12}N_2O_3$	1.05×10^{-8}	7.98
o-ニトロフェノール	$NO_2C_6H_4OH$	7.24×10^{-8}	7.14
p-ニトロフェノール	$NO_2C_6H_4OH$	5.89×10^{-8}	7.23
フェノール	C_6H_5OH	1.05×10^{-10}	9.98
シアン化水素	HCN	7.2×10^{-10}	9.14
ホウ酸	$B(OH)_3$	5.8×10^{-10}	9.24
アルコルビン酸	$C_6H_8O_6$	1) 5.01×10^{-5}	4.30
		2) 1.51×10^{-11}	10.82
硫酸	H_2SO_4	1) $\sim 10^3$	~ -3
		2) 1.20×10^{-2}	1.92
亜硫酸	H_2SO_3	1) 1.74×10^{-2}	1.76
		2) 6.17×10^{-8}	7.21
チオ硫酸	$H_2S_2O_3$	1) 2.51×10^{-1}	0.60
		2) 1.91×10^{-2}	1.72
クロム酸	H_2CrO_4	1) 1.78×10^{-1}	0.75
		2) 3.02×10^{-7}	6.52
リン酸	H_3PO_4	1) 5.89×10^{-3}	2.23
		2) 6.16×10^{-8}	7.21
		3) 4.79×10^{-13}	12.32
ヒ酸	H_3AsO_4	1) 5.01×10^{-3}	2.30
		2) 1.05×10^{-7}	6.98
		3) 2.92×10^{-12}	11.53
亜ヒ酸	H_3AsO_3	1) 6.03×10^{-10}	9.22
		2) 3.16×10^{-14}	13.5

付表1 （つづき）

化合物名	化学式	K_a	pK_a
シュウ酸	$(CO_2H)_2$	1) 5.62×10^{-2}	1.25
		2) 5.25×10^{-5}	4.28
マレイン酸	$(CHCO_2H)_2$	1) 1.20×10^{-2}	1.92
		2) 5.88×10^{-7}	6.23
フマル酸	$(CHCO_2H)_2$	1) 9.55×10^{-4}	3.02
		2) 4.17×10^{-5}	4.38
酒石酸	$(HOCHCO_2H)_2$	1) 9.10×10^{-4}	3.04
		2) 4.6×10^{-5}	4.34
フタル酸	$C_6H_4(CO_2H)_2$	1) 1.12×10^{-3}	2.95
		2) 3.89×10^{-6}	5.41
サリチル酸	$HOC_6H_4CO_2H$	1) 1.05×10^{-3}	2.98
		2) 3.63×10^{-14}	13.44
クエン酸	$HOC(CH_2CO_2H)_2$	1) 1.15×10^{-3}	2.94
	$\quad\vert$	2) 7.25×10^{-5}	4.14
	CO_2H		
		3) 1.51×10^{-6}	5.82
コハク酸	$(CH_2CO_2H)_2$	1) 6.45×10^{-5}	4.19
		2) 3.31×10^{-6}	5.48
炭酸	H_2CO_3	1) 4.57×10^{-7}	6.34
		2) 5.62×10^{-11}	10.25
硫化水素	H_2S	1) 1.00×10^{-7}	7.00
		2) 1.20×10^{-13}	12.92
水	H_2O	1) 1.82×10^{-16}	15.74
水酸化物イオン	HO^-	10^{-24}	24

化合物名	化学式	K_b	pK_b
ピペリジン	$(CH_2)_5NH$	1.35×10^{-3}	2.87
ピペラジン	$(CH_2)_4(NH)_2$	1) 6.61×10^{-5}	4.18
		2) 4.79×10^{-9}	8.32
メチルアミン	CH_3NH_2	5.25×10^{-4}	3.28
ジメチルアミン	$(CH_3)_2NH$	1.18×10^{-3}	2.93
トリメチルアミン	$(CH_3)_3N$	8.1×10^{-5}	4.09
エチレンジアミン	$H_2N(CH_2)_2NH_2$	1) 4.47×10^{-4}	3.35
		2) 3.31×10^{-7}	6.48
エタノールアミン	$HOCH_2CH_2NH_2$	3.16×10^{-5}	4.50
アンモニア	NH_3	1.80×10^{-5}	4.74
ヒドラジン	H_2NNH_2	3.0×10^{-6}	5.52
トリス（ヒドロキシルメチル）アミノメタン	$H_2NC(CH_2OH)_3$	1.15×10^{-6}	5.94
トリエタノールアミン	$N(CH_2CH_2OH)_3$	5.89×10^{-7}	6.23
HEPES	$C_8H_{18}N_2O_4S$	3.55×10^{-7}	6.45
イミダゾール	$C_3H_4N_2$	1.2×10^{-7}	6.92
ヒドロキシルアミン	NH_2OH	9.33×10^{-9}	8.03
ピリジン	C_5H_5N	1.82×10^{-9}	8.74
アニリン	$C_6H_5NH_2$	4.2×10^{-10}	9.38

付表2 難溶性電解質とその溶解度積

ハロゲン化物	色	K_{sp}	ハロゲン化物	色	K_{sp}
AgCl	白	1.1×10^{-10}	Hg_2Cl_2	白	3×10^{-18}
AgBr	淡黄	4×10^{-13}	Hg_2Br_2	淡黄	5×10^{-23}
AgI	黄	1×10^{-16}	Hg_2I_2	黄	1×10^{-28}
$PbCl_2$	白	2.5×10^{-4}	CuCl	白	1×10^{-6}
PbI_2	黄	1.4×10^{-8}	CuI	白	1×10^{-12}

水酸化物	色	K_{sp}	水酸化物	色	K_{sp}
AgOH ⟶ Ag_2O	褐	2×10^{-8}	$Co(OH)_2$	紅	1.6×10^{-18}
$Hg(OH)_2$ ⟶ HgO	黄	4.3×10^{-16}	$Mn(OH)_2$	白	4×10^{-14}
$Hg_2(OH)_2$ ⟶ Hg_2O	黒	1.4×10^{-26}	$Fe(OH)_2$	帯緑	1.6×10^{-14}
$Pb(OH)_2$	白	1×10^{-16}	$Fe(OH)_3$	赤褐	1.1×10^{-36}
$Bi(OH)_3$	白	4.3×10^{-21}	$Cr(OH)_3$	汚緑	4.2×10^{-32}
$Cd(OH)_2$	白	1×10^{-14}	$Al(OH)_3$	白	1.1×10^{-15}
$Zn(OH)_2$	白	1×10^{-17}	$Mg(OH)_2$	白	3.4×10^{-11}
$Ni(OH)_2$	緑	2.7×10^{-12}			

炭酸塩	色	K_{sp}	炭酸塩	色	K_{sp}
Ag_2CO_3	白	5×10^{-12}	$SrCO_3$	白	1.6×10^{-9}
$PbCO_3$	白	3.3×10^{-14}	$CaCO_3$	白	1.2×10^{-8}
$FeCO_3$	白	2.5×10^{-11}	$MgCO_3$	白	2×10^{-4}
$BaCO_3$	白	7×10^{-7}			

硫酸塩	色	K_{sp}	クロム酸塩	色	K_{sp}
Ag_2SO_4	白	7×10^{-5}	Ag_2CrO_4	赤褐	2×10^{-12}
$PbSO_4$	白	2.3×10^{-8}	$PbCrO_4$	黄	1.8×10^{-14}
$BaSO_4$	白	1×10^{-10}	$BaCrO_4$	黄	2.4×10^{-10}
$SrSO_4$	白	2.8×10^{-7}			
$CaSO_4$	白	6×10^{-5}			

付表 2 (つづき)

硫化物	色	K_{sp}	硫化物	色	K_{sp}
Ag_2S	黒	1.6×10^{-49}	As_2S_3	黄	4×10^{-29}
HgS	黒	4×10^{-53}	Sb_2S_3	だいだい赤	3×10^{-27}
PbS	黒	1×10^{-29}	ZnS	白	1.2×10^{-23}
Bi_2S_3	褐	5×10^{-33}	NiS	黒	1.4×10^{-24}
CuS	黒	8.5×10^{-45}	CoS	黒	3×10^{-26}
Cu_2S	黒	2×10^{-47}	MnS	淡紅	1.4×10^{-15}
CdS	黄	5×10^{-29}	FeS	黒	3.7×10^{-19}

シュウ酸塩	色	K_{sp}	シュウ酸塩	色	K_{sp}
$Ag_2C_2O_4$	白	2×10^{-12}	SrC_2O_4	白	5×10^{-8}
PbC_2O_4	白	3×10^{-11}	CaC_2O_4	白	2×10^{-9}
BaC_2O_4	白	1.7×10^{-7}	MgC_2O_4	白	8.6×10^{-5}

その他の難溶性電解質

$AgCN$ (白)	4×10^{-12}	SrF_2 (白)	2.9×10^{-9}	$MgNH_4PO_4$ (白)	2.5×10^{-13}
$AgSCN$ (白)	1×10^{-12}	CaF_2 (白)	3.5×10^{-11}	$KHC_4H_4O_6$ (白)	3×10^{-4}
BaF_2 (白)	1.7×10^{-6}	MgF_2 (白)	7×10^{-9}	$K_2[PtCl_6]$ (黄)	5×10^{-5}

付表3 金属錯体の生成定数 (log K_f)

配位子 (L)	金属イオン	イオン強度	L	2L	3L	4L	5L	6L
NH_3	Ag^+	0.1	3.40	7.40				
	Cd^{2+}	0.1	2.60	4.65	6.04	6.92	6.60	4.90
	Co^{2+}	0.1	2.05	3.62	4.61	5.43	5.43	4.75
	Cu^{2+}	0.1	4.13	7.61	10.48	12.59		
	Ni^{2+}	0.1	2.75	4.95	6.64	7.79	8.50	8.49
	Zn^{2+}	0.1	2.27	4.61	7.01	9.06		
Br^-	Ag^+	0.1	4.15	7.10	7.95	8.90		
	Cd^{2+}	0.75	1.56	2.10	2.16	2.53		
	Hg^{2+}	0.5	9.05	17.30	19.70	21.0		
	Pb^{2+}		1.1	1.4	2.2			
Cl^-	Ag^+	0.2	2.9	4.7	5.0	5.9		
	Bi^{3+}	2	2.4	3.5	5.4	6.1	6.7	6.6
	Cu^{2+}	1	0.1	−0.5				
	Hg^{2+}	0.5	6.7	13.2	14.1	15.1		
	Pb^{2+}	0.1	1.2	0.6	1.2			
	Zn^{2+}	3	−0.2	−0.6	0.15			
I^-	Ag^+	1.6	13.85	13.7				
	Bi^{3+}	2				15.0	16.8	18.8
	Cd^{2+}		2.4	3.4	5.0	6.15		
	Hg^{2+}	0.5	12.9	23.8	27.6	29.8		
	Pb^{2+}	1	1.3	2.8	3.4	3.9		
F^-	Al^{3+}	0.53	6.1	11.15	15.0	17.7	19.4	19.7
	Cu^{2+}	0.5	0.7					
	Fe^{3+}	0.5	5.2	9.2	11.9			
	Hg^{2+}	0.5	1.0					
	Zn^{2+}	0.5	0.7					
CN^-	Ag^+	0.3		21.1	21.8	20.8		
	Cd^{2+}	3	5.5	10.6	15.8	18.9		
	Hg^{2+}	0.1	18.0	34.7	38.5	41.5		
	Fe^{3+}	0	3.4	6.1	8.7			
	Ni^{2+}	0.1	0.7	1.25		31.3		
	Pb^{2+}	1.5	1.9	3.3		10		
	Zn^{2+}	0.1	1.3	2.1		16.7		
OH^-	Al^{3+}	2				33.3		
	Cd^{2+}	3	4.3	7.7	10.3	12.0		
	Fe^{3+}	3	11.0	21.7				
	Pb^{2+}	0.3	6.2	12.3	13.3			
	Zn^{2+}	0	4.4		14.4	15.5		
SO_4^{2-}	Cu^{2+}	1	1.0	1.1	2.3			
	Fe^{3+}	0	4.0	5.4				
	Zn^{2+}	0	2.3					
SCN^-	Ag^+	2.2	7.6	9.1	10.1			
	Cd^{2+}	3	1.4	2.0	2.6			
	Cu^{2+}	0.5	1.7	2.5	2.7	3.0		
	Fe^{3+}		2.3	4.2	5.6	6.4	6.4	
	Hg^{2+}	1		16.1	19.0	20.9		
	Ni^{2+}	1.5	1.2	1.6	1.8			
	Zn^{2+}	2	0.5	0.8	0	1.3		
$S_2O_3^{2-}$	Ag^+	0	8.82	13.5				
	Cd^{2+}	0	3.94					
	Co^{2+}	0	2.05					
	Fe^{3+}	0.5	2.1					
	Hg^{2+}	0			29.86	32.26		

付表3 （つづき）

配位子 (L)	金属イオン	イオン強度	L	2L	3L	4L	5L	6L
$C_2O_4^{2-}$	Co^{2+}	0.5	3.5	5.8				
	Cd^{2+}	0.5	2.9	4.7				
	Cu^{2+}	0.5	4.5	8.9				
	Fe^{3+}	0.5	8.0	14.3	18.5			
	Ni^{2+}	1	4.1	7.2	8.5			
	Zn^{2+}	0.5	3.7	6.2				
$CH_3CO_2^-$	Cd^{2+}	1	1.0	1.9	1.8	1.3		
	Co^{2+}	0.1	1.1	1.5				
	Cu^{2+}	1	1.7	2.7	3.1	2.9		
	Fe^{3+}	0.1	3.4	6.1	8.7			
	Ni^{2+}	1	0.7	1.25				
	Zn^{2+}	0.1	1.3	2.1				
en（エチレンジアミン）	Ag^+	0.1	4.7	7.7				
	Cd^{2+}	0.1	5.47	10.02	12.09			
	Co^{2+}	0.1	5.89	10.72	13.82			
	Cu^{2+}	0.1	10.55	19.60				
	Ni^{2+}	0.1	7.66	14.06	18.59			
	Zn^{2+}	0.1	5.71	10.37	12.08			
phen (1,10-フェナントロリン)	Cd^{2+}	0.1	9.1	15.8	21.0			
	Fe^{2+}	0.1	5.9	11.1	21.3			
	Fe^{3+}	0.1			14.1			
	Ni^{2+}	0.1	8.8	17.1	24.8			
EDTA（エチレンジアミン四酢酸）	Al^{3+}	0.1	16.1					
	Cd^{2+}	0.1	16.5					
	Co^{2+}	0.1	16.3					
	Cu^{2+}	0.1	18.8					
	Fe^{2+}	0.1	14.3					
	Fe^{3+}	0.1	25.1					
	Hg^{2+}	0.1	21.8					
	Mn^{2+}	0.1	14.0					
	Ni^{2+}	0.1	18.6					
	Pb^{2+}	0.1	18.0					

付表4 標準酸化還元電位

酸化還元反応	$E°$ (V)
$F_2 + 2e \rightleftarrows 2F^-$	+ 2.87
$2H^+ + O_3 + 2e \rightleftarrows O_2 + H_2O$	+ 2.07
$2H^+ + H_2O_2 + 2e \rightleftarrows 2H_2O$	+ 1.776
$SO_4^{2-} + 4H^+ + PbO_2 + 2e \rightleftarrows PbSO_4 + 2H_2O$	+ 1.685
$4H^+ + MnO_4^- + 3e \rightleftarrows MnO_2 + 2H_2O$	+ 1.69
$6H^+ + BrO_3^- + 5e \rightleftarrows 1/2\,Br_2 + 3H_2O$	+ 1.52
$8H^+ + MnO_4^- + 5e \rightleftarrows Mn^{2+} + 4H_2O$	+ 1.51
$4H^+ + PbO_2 + 2e \rightleftarrows Pb^{2+} + 2H_2O$	+ 1.46
$6H^+ + BrO_3^- + 6e \rightleftarrows Br^- + 3H_2O$	+ 1.44
$Cl_2 + 2e \rightleftarrows 2Cl^-$	+ 1.359
$8H^+ + ClO_4^- + 8e \rightleftarrows Cl^- + 4H_2O$	+ 1.3
$14H^+ + Cr_2O_7^{2-} + 6e \rightleftarrows 2Cr^{3+} + 7H_2O$	+ 1.33
$4H^+ + MnO_2 + 2e \rightleftarrows Mn^{2+} + 2H_2O$	+ 1.23
$2Cl^- + 6H^+ + IO_3^- + 4e \rightleftarrows ICl_2^- + 3H_2O$	+ 1.23
$4H^+ + O_2 + 4e \rightleftarrows 2H_2O$	+ 1.229
$6H^+ + IO_3^- + 5e \rightleftarrows 1/2\,I_2 + 3H_2O$	+ 1.19
$6H^+ + IO_3^- + 6e \rightleftarrows I^- + 3H_2O$	+ 1.09
$Br_2 + 2e \rightleftarrows 2Br^-$	+ 1.087
$4H^+ + NO_3^- + 3e \rightleftarrows NO + 2H_2O$	+ 0.96
$2Hg^{2+} + 2e \rightleftarrows Hg_2^{2+}$	+ 0.907
$2I^- + 2Cu^{2+} + e \rightleftarrows Cu_2I_2$	+ 0.86
$Hg^{2+} + 2e \rightleftarrows Hg$	+ 0.850
$Ag^+ + e \rightleftarrows Ag$	+ 0.7994
$Hg_2^{2+} + 2e \rightleftarrows 2Hg$	+ 0.792
$Fe^{3+} + e \rightleftarrows Fe^{2+}$	+ 0.77
$[PtCl_4]^{2-} + 2e \rightleftarrows Pt + 4Cl^-$	+ 0.73
$2H^+ + O_2 + 2e \rightleftarrows H_2O_2$	+ 0.682
$2H_2O + MnO_4^- + 3e \rightleftarrows MnO_2 + 4OH^-$	+ 0.60
$MnO_4^- + e \rightleftarrows MnO_4^{2-}$	+ 0.564
$2H^+ + AsO_4^{3-} + 2e \rightleftarrows AsO_3^{3-} + H_2O$	+ 0.559
$I_2 + 2e \rightleftarrows 2I^-$	+ 0.536
$Cu^+ + e \rightleftarrows Cu$	+ 0.522
$2H^+ + 2H_2SO_3 + 4e \rightleftarrows S_2O_3^{2-} + 3H_2O$	+ 0.40
$2H_2O + O_2 + 4e \rightleftarrows 4OH^-$	+ 0.40
$[Fe(CN)_6]^{3-} + e \rightleftarrows [Fe(CN)_6]^{4-}$	+ 0.356
$Cu^{2+} + 2e \rightleftarrows Cu$	+ 0.337
$2H^+ + BiO^+ + 3e \rightleftarrows Bi + H_2O$	+ 0.32
$Hg_2Cl_2 + 2e \rightleftarrows 2Hg + 2Cl^-$	+ 0.2680
$3H_2O + IO_3^- + 6e \rightleftarrows I^- + 6OH^-$	+ 0.26
$AgCl + e \rightleftarrows Ag + Cl^-$	+ 0.2224
$2H^+ + SbO^+ + 3e \rightleftarrows Sb + H_2O$	+ 0.212

付表 4 （つづき）

酸化還元反応					$E°$ (V)
$2H^+ + SO_4^{2-}$	$+ 2e$	$\rightleftarrows$	SO_3^{2-}	$+ H_2O$	$+ 0.17$
Cu^{2+}	$+ e$	$\rightleftarrows$	Cu^+		$+ 0.158$
Sn^{4+}	$+ 2e$	$\rightleftarrows$	Sn^{2+}		$+ 0.154$
$2H^+ + S$	$+ 2e$	$\rightleftarrows$	H_2S		$+ 0.140$
$CuCl$	$+ e$	$\rightleftarrows$	Cu^+	$+ Cl^-$	$+ 0.14$
$2H^+ + TiO^{2+}$	$+ e$	$\rightleftarrows$	Ti^{3+}	$+ H_2O$	$+ 0.10$
$1/2\, S_4O_6^{2-}$	$+ e$	$\rightleftarrows$	$S_2O_3^{2-}$		$+ 0.09$
$AgBr$	$+ e$	$\rightleftarrows$	Ag	$+ Br^-$	$+ 0.071$
$2H^+$	$+ 2e$	$\rightleftarrows$	H_2		0
HgI_4^{2-}	$+ 2e$	$\rightleftarrows$	Hg	$+ 4I^-$	$- 0.04$
Pb^{2+}	$+ 2e$	$\rightleftarrows$	Pb		$- 0.126$
Sn^{2+}	$+ 2e$	$\rightleftarrows$	Sn		$- 0.140$
AgI	$+ e$	$\rightleftarrows$	Ag	$+ I^-$	$- 0.152$
CuI	$+ e$	$\rightleftarrows$	Cu	$+ I^-$	$- 0.19$
Ni^{2+}	$+ 2e$	$\rightleftarrows$	Ni		$- 0.23$
V^{3+}	$+ e$	$\rightleftarrows$	V^{2+}		$- 0.255$
$PbCl_2$	$+ 2e$	$\rightleftarrows$	Pb	$+ 2Cl^-$	$- 0.27$
Co^{2+}	$+ 2e$	$\rightleftarrows$	Co		$- 0.28$
Tl^+	$+ e$	$\rightleftarrows$	Tl		$- 0.336$
$PbSO_4$	$+ 2e$	$\rightleftarrows$	Pb	$+ SO_4^{2-}$	$- 0.3563$
PbI_2	$+ 2e$	$\rightleftarrows$	Pb	$+ 2I^-$	$- 0.37$
Cd^{2+}	$+ 2e$	$\rightleftarrows$	Cd		$- 0.402$
Cr^{3+}	$+ e$	$\rightleftarrows$	Cr^{2+}		$- 0.41$
Fe^{2+}	$+ 2e$	$\rightleftarrows$	Fe		$- 0.440$
S	$+ 2e$	$\rightleftarrows$	S^{2-}		$- 0.48$
$2H^+ + 2CO_2$	$+ 2e$	$\rightleftarrows$	$H_2C_2O_4$		$- 0.49$
Cr^{2+}	$+ 2e$	$\rightleftarrows$	Cr		$- 0.56$
Ag_2S	$+ 2e$	$\rightleftarrows$	$2Ag$	$+ S^{2-}$	$- 0.71$
Cr^{3+}	$+ 3e$	$\rightleftarrows$	Cr		$- 0.74$
Zn^{2+}	$+ 2e$	$\rightleftarrows$	Zn		$- 0.7628$
H_2O	$+ e$	$\rightleftarrows$	$1/2\, H_2$	$+ OH^-$	$- 0.8277$
$Sn(OH)_6^{2-}$	$+ 2e$	$\rightleftarrows$	$HSnO_2^-$	$+ H_2O + 3OH^-$	$- 0.93$
Mn^{2+}	$+ 2e$	$\rightleftarrows$	Mn		$- 1.19$
Al^{3+}	$+ 3e$	$\rightleftarrows$	Al		$- 1.66$
$Al(OH)_4^-$	$+ 3e$	$\rightleftarrows$	Al	$+ 4OH^-$	$- 2.35$
Mg^{2+}	$+ 2e$	$\rightleftarrows$	Mg		$- 2.37$
Na^+	$+ e$	$\rightleftarrows$	Na		$- 2.713$
Ca^{2+}	$+ 2e$	$\rightleftarrows$	Ca		$- 2.87$
Sr^{2+}	$+ 2e$	$\rightleftarrows$	Sr		$- 2.89$
Ba^{2+}	$+ 2e$	$\rightleftarrows$	Ba		$- 2.90$
K^+	$+ e$	$\rightleftarrows$	K		$- 2.925$
Li^+	$+ e$	$\rightleftarrows$	Li		$- 3.02$

主な値は，*L. Meites*, "Handbook of Analytical Chemistry", McGraw-Hill, New York（1963）による．

付表 5 式量酸化還元電位

酸化還元対	式量電位 (V vs. SHE)	溶 液
$Ce^{4+} + e \rightleftarrows Ce^{3+}$	+ 1.07	1 F* $HClO_4$
	+ 1.44	1 F H_2SO_4
	+ 1.28	1 F HCl
$Cr_2O_7^{2-} + 14 H^+ + 6 e \rightleftarrows 2 Cr^{3+} + 7 H_2O$	+ 1.15	4 F H_2SO_4
	+ 1.08	3 F HCl
	+ 1.00	1 F HCl
$Ag^+ + e \rightleftarrows Ag$	+ 0.792	1 F $HClO_4$
	+ 0.77	1 F H_2SO_4
$Fe^{3+} + e \rightleftarrows Fe^{2+}$	+ 0.735	1 F $HClO_4$
	+ 0.71	0.5 F HCl
	+ 0.68	1 F H_2SO_4
	+ 0.64	1 F HCl
$[Fe(CN)_6]^{3-} + e \rightleftarrows [Fe(CN)_6]^{4-}$	+ 0.72	1 F $HClO_4$
	+ 0.71	1 F HCl
	+ 0.56	0.1 F HCl
$H_3AsO_4 + 2 H^+ + 2 e \rightleftarrows H_3AsO_3 + H_2O$	+ 0.577	1 F HCl
$I_3^- + 2 e \rightleftarrows 3 I^-$	+ 0.545	0.5 F H_2SO_4
$Ti^{4+} + e \rightleftarrows Ti^{3+}$	+ 0.12	2 F H_2SO_4
$PbSO_4 + 2 e \rightleftarrows Pb + SO_4^{2-}$	− 0.29	1 F H_2SO_4

* F は式量濃度（グラム式量/1000 mL）

L. Meites, "Handbook of Analytical Chemistry", Table 5-1, McGraw-Hill, New York（1963）による.

日本語索引

ア

亜鉛塩
　定性反応　98
アガロースゲル　299
アクア錯イオン　24
亜酸化窒素
　定量及び純度試験　284
亜硝酸塩
　定性反応　98
アスコルビン酸
　酸化還元反応　93
アセチルアセトン　25
アデノシン三リン酸　326
アニーリング　341
亜ヒ酸塩
　定性反応　99
アフィニティークロマトグラフィー　251, 266
アフィニティーリガンド　267
アミノ酸クロマトグラフ　274
アミノ酸クロマトグラフィー　274
亜硫酸
　定性反応　99
亜硫酸水素塩
　定性反応　99
アルカリ熱イオン化検出器　281
アルカリホスファターゼ　335
アルミナ　259, 309
アルミニウム塩
　定性反応　99
9-アンスリルジアゾメタン　162
安息香酸
　溶媒抽出　40
安息香酸塩
　定性反応　100
アンフォライト　299
アンモニア分子　23
アンモニウム塩
　定性反応　100
アンモニウム試験法　111
Arrhenius の電離説　4
ICP 質量分析法　178
ICP トーチ　177
ICP 発光分析法　176, 177
IR スペクトル　197
　測定装置　199
R_f 値　290

イ

RIA 競合法　333, 335
RIA サンドイッチ法　336
RIA 非競合法　333
RIA 法　334

イオウイオン　24
イオン
　極限モル導電率　135
イオン化干渉　173
イオン化部　234
イオン源　234
イオン検出部　240
イオン交換クロマトグラフィー　250, 261
イオン交換クロマトグラフィー用充てん剤　263
イオン交換体　43
イオン交換反応
　平衡定数　41
イオン交換平衡　41
イオン交換容量　42
イオンサイクロトロン共鳴　239
イオン積　7
イオンセンサー　137
イオン選択性電極　123
イオンソース　234
イオントラップ型質量分離部　239
異常値　359
異常分散　186
位相問題　228
一塩基多型　341
一次元法　289
一重線　210
一次 X 線　223
一般試験法　365
遺伝子解析法　341
移動界面電気泳動法　293
移動相　249
易動度　293
移動比　290
異反応二価性試薬法　337
イムノアッセイ　327
　種類　329
医薬品各条　365
陰イオン交換体　261
インドフェノール　112
ESR スペクトル　216, 217
ESR 装置図　218
Ilkovič の式　129

ウ

ウエスタンブロッティング　339
右旋性　182

エ

エオシン　72
液体クロマトグラフィー　249
液膜電極　123
液膜法　201
エタノール　67
　^{1}H-NMR スペクトル　209
エチルジメチルシリルイミダゾール　283
エチレンジアミン四酢酸　25
エネルギー遷移　147
エネルギー分散方式蛍光 X 線分析　225
エリオクロムブラック T　81, 83
エレクトロスプレーイオン化　236
塩化物
　定性反応　100
塩化物試験法　112
塩化メチルロザニリン　69
塩基　4
塩基性指示薬　57
塩基性溶媒　16
塩効果　21
炎光光度検出器　281
エンザイムイムノアッセイ　317, 326, 334
塩素酸塩
　定性反応　100
円二色性　180, 186, 187, 188
円二色性曲線　187
円二色性スペクトル　188
円二色性測定法　186
円偏光　180, 181
円偏光二色光度計　187
ATR 法　201
ELISA 法　338
EMIT 法　336
　測定原理　338
F 検定　360
FIA 法　339

FPIA法　339
　　測定原理　340
FT-NMR装置図　211
H鎖　330
^{1}H-NMRスペクトル　207
L系列　222
L鎖　330
MSスペクトル　240
MTT法　344
NAT法　341
NMRスペクトル　203
NR規格　366
SDSポリアクリルアミドゲル電気泳動法　297, 299, 300
SN比　256
X線　219
X線回折　226
X線管球　223
X線吸収スペクトル　220, 221

オ

扇形磁場　237
オキシン　25
オキソニウムイオン　5
オクタント則　189
オクタント投影法　190
オーダーメイド医療　341
ODSシリカゲルカラム　261

カ

灰化　349
回収試験　354
回折格子　150
外部磁場　216
解離　24
解離定数　6
ガウス曲線　355
化学イオン化　235
化学干渉　173
化学結合型シリカ系充てん剤　350
化学シフト　205
　　^{13}C　210
　　^{1}H　207
化学発光　162
化学発光強度　164
化学発光物質　163
化学発光分析　142, 162
化学発光量子収率　164
化学分析　315
化学平衡　1
架橋デキストランビーズ　262, 264, 266
架橋ポリアクリルアミドゲル　262

核オーバーハウザー効果　210
核酸増幅検査　341
拡散反射法　201
核磁気共鳴スペクトル　203
核スピン　203, 204
核スピン量子数　203
下降法　289
過酸化物
　　定性反応　101
ガス感応電極　123
ガスクロマトグラフ　276
ガスクロマトグラフィー　249, 275
ガスクロマトグラフィー/質量分析計　281
ガスクロマトグラフィー用固定相液相　278
ガスクロマトグラフ用吸着型充てん剤　277
ガスクロマトグラム　283
ガスセンサー　137
ガスタイトシリンジ　276
ガス導入装置　276
偏り　355
カタール　319
活性シリカゲル　259
活量　3
活量係数　3
過マンガン酸塩
　　定性反応　101
過マンガン酸塩滴定　91
ガラス電極　122, 123
カラム液体クロマトグラフィー　257
カラム充てん剤　259
カリウム塩
　　定性反応　101
カルシウム塩
　　定性反応　101
カルセイン　84
ガルバニセル　127
カールフィッシャー法　132, 134
還元　33
還元気化法　170
還元剤　34
頑健性　364
干渉　172
干渉作用　172
間接双極子-双極子相互作用　208
間接法　48
官能基
　　振動様式　198
　　特性吸収帯　198

キ

気-液クロマトグラフィー　275, 277
機器分析　315
棄却係数　360
器具　368
気-固クロマトグラフィー　275
基質　319
基質特異性　319
基準振動　196
基準ピーク　240
キシレノールオレンジ　84
気体試料測定法　201
規定度　1
揮発重量法　114
逆相分配クロマトグラフィー　260, 261
逆対称伸縮振動　197
逆滴定　94
逆転写酵素　341
キャピラリー　302
キャピラリーゲル電気泳動　302, 305
キャピラリーゾーン電気泳動　302
キャピラリーゾーン電気泳動法　302
キャピラリー電気泳動　301
キャピラリー電気泳動装置　301
キャピラリー電気泳動法　293
　　泳動速度　303
キャリアーガス　275, 276
吸光度
　　相対誤差　151
吸光法　344
吸収スペクトル　145, 146, 147
吸収端　220
吸着クロマトグラフィー　250, 259
吸着剤　291
吸着指示薬　72
強塩基
　　滴定　53
競合法　332
強酸　9
　　滴定　51
共鳴周波数　204
共鳴線　167, 168
共鳴ラマン散乱　196
共役塩基　5
共役酵素反応　325, 326
共役酸　4
共役酸塩基対　4
極小吸収波長　146
極大吸収波長　146

巨視的磁化
　　励起と緩和　214
キレート　23
キレート環　23
キレート試薬　25, 26
キレート滴定　75
　　滴定曲線　79
銀塩
　　定性反応　101
銀-塩化銀電極　121
近赤外吸収スペクトル　203
近赤外光　203
金属イオン
　　キレート抽出　41
　　滴定曲線　80
金属キレート
　　錯生成定数　27
金属キレート化合物　23
金属錯体　23
　　吸収スペクトル　148
金属錯体生成反応　28
金属指示薬　74, 81, 83, 84
金属電極　122
Q 検定　360

ク

空間的タンデム質量分析　244
空孔状態　220, 232
空試験　354
偶然誤差　354
クエン酸塩
　　定性反応　102
クリスタルバイオレット　69
グリセロリン酸塩
　　定性反応　102
グルコース　185
グルタルアルデヒド法　337
グループ振動数領域　197
クレアチンキナーゼ　325
o-クレゾールフタレインコンプレクソン　83
クロスピーク　212
グローバー灯　200
クロマトグラフ　269
クロマトグラフィー　248, 249
　　分類と適用　250
クロマトグラム　252
クロム酸塩
　　定性反応　102
クーロメトリー　118
クロラミン T 法　333, 334
Craig の向流分配　248
Kramers-Kronig の式　188

ケ

蛍光　155
蛍光イムノアッセイ　339
蛍光基質酵素免疫測定法　336
蛍光強度　158
蛍光検出器　271
蛍光光度計　159
蛍光スペクトル　157, 158
蛍光性キレート試薬　162
蛍光標識免疫測定法　339
蛍光分析　142, 155
蛍光偏光イムノアッセイ　339
蛍光誘導体化　162
蛍光誘導体化法　161
蛍光量子収率　158
蛍光 X 線分析　219, 221
軽鎖　330
ケイ酸　259
計算精密質量　241
ケイ酸マグネシウム　259
系統誤差　354
結晶系　226
結晶構造因子　228
結晶性物質　229
ゲル細孔
　　分子サイズ　263
原子
　　エネルギー遷移　165
原子吸光光度計　166
原子吸光分析　141, 164, 175
原子吸光分析法
　　検出感度　179
原子発光分析　142, 175
原子発光分析法　175
検出器
　　試料感度，セル容量　270
検出限界　347, 362
検量線　152, 172
検量線法　152, 172
Gay-Lussac 滴定法　74
K 系列　222
KBr 錠剤法　201

コ

光学活性体　184, 185
　　立体配置　189
抗原　330
交互禁制律　197
交差ピーク　212
格子定数　226, 227
格子面　227
　　X 線の干渉　228

高周波誘導結合プラズマ　176
合成標準不確かさ　358
酵素　318
　　分類・命名法と活性単位　319
構造因子　228
酵素化学的分析法　317
酵素活性　324
　　酵素の測定法　325
　　定量化　322
酵素活性分析法　317
高速液体クロマトグラフ　269
高速液体クロマトグラフィー　249, 267
高速液体クロマトグラフィー/質量分析計　271
高速液体クロマトグラフィー用カラム充てん剤　268
高速原子衝撃　235
酵素サイクリング法　325, 326
酵素センサー　138
酵素単位　319
酵素的分析法　317
酵素電極　327
酵素反応曲線　320
酵素標識法　337
酵素膜　327
酵素免疫測定法　317, 326, 334
酵素リアクター　327
抗体　330, 331
広帯域デカップリング　210
光電子増倍管　150
勾配溶出　258
後方オクタント　189, 190
向流分配法　248
黒炎炉　170
誤差　354
固相抽出法　349, 350
固相用担体　332
固体膜電極　123
コットン効果　186
固定化酵素法　327
固定化酵素リアクター　327, 328
固定相　249
個別化医療　341
互変異性　185
混合酸
　　滴定　60
　　滴定曲線　61
コンプレキサン　26

サ

サイクリックボルタモグラム　130
サイズ排除クロマトグラフィー　251, 262, 264

分子量分画範囲　265
細胞バイオアッセイ　344
錯解離定数　28
酢酸塩
　　定性反応　102
錯生成定数　28
錯生成滴定　75
錯生成平衡　23
錯滴定　75
サザンブロットハイブリダイゼーション法　341
左旋性　182
サリチル酸塩
　　定性反応　103
酸　4
酸塩基指示薬　56, 58
酸塩基滴定　50
　　滴定曲線　51
　　非水溶液中　67
酸塩基平衡　4
　　非水溶媒中　14
酸化　33
酸化還元指示薬　89, 90
酸化還元対　34
　　電位　88
酸化還元滴定　85
　　滴定曲線　85
酸化還元電位　34
酸化還元反応　33, 34
　　平衡定数　35
酸化還元平衡　33
酸化剤　34
参考情報　366
残差　359
参照電極　120, 121
酸性指示薬　56
酸性溶媒　16
酸素フラスコ燃焼法　74
サンドイッチ法　333
サンプリング　348
三連四重極型質量分析計　245

シ

シアン化物
　　定性反応　103
シアン化物イオン　24
試液　366
ジエチレントリアミン　25
紫外可視吸光光度計　149
紫外可視吸光分析　141, 142
紫外可視吸収スペクトル　146
紫外可視分光光度計　270
時間的タンデム質量分析　244
磁気量子数　232

シグナル対ノイズ比　256
シグナル面積強度　209
シクロヘキサンジアミン四酢酸　25
ジクロロフルオレセイン　72
自己吸収　176
自己反転方式　175
示差屈折計　271
示差走査熱量測定　307
示差走査熱量測定法　310
示差熱分析　307
示差熱分析曲線　309
示差熱分析装置　308
示差熱分析法　308
支持体ゾーン電気泳動法　294
指示電極　120, 122
指示薬　46
指示薬誤差　59
指示薬定数　57
四重極型質量分離部　238
システム
　　再現性　257
　　性能　257
　　適合性試験　257
ジチゾン　25
室間再現性　355
湿式化学分析　315
室内再現性　355
質量　245
質量確度　242
質量作用の法則　2, 3, 8
質量スペクトル　240
質量対容量百分率　2
質量百分率　2
質量分解度　241
質量分析計　242, 271
質量分析法　233
質量分布比　251
質量モル濃度　2
2,2′-ジニトロ-6,6′-ビフェニルジカルボン酸　185
磁場セクター型質量分離部　237
2,2′-ジピリジン　25
ジフェニルアミン　89
ジフェニルチオカルバゾン　25
ジフェニルベンジジン　89
ジメチルグリオキシム　25
指紋領域　197
試薬　366
弱塩基
　　滴定　56, 67
弱酸　9
　　滴定　53, 68
斜方晶系　226
臭化物

　　定性反応　103
重金属試験法　112
重クロム酸塩
　　定性反応　103
重原子法　229
重鎖　330
シュウ酸塩
　　定性反応　103
シュウ酸カルシウム一水和物　313
重水素化硫酸トリグリシン検出器　200
臭素化滴定　95
臭素酸塩
　　定性反応　104
自由ゾーン電気泳動法　294
終点　46
充てんカラム　268, 277
終点判定法　46
終点法　323
自由誘導減衰　205
重量分析　97, 114
酒石酸塩
　　定性反応　104
主量子数　232
順相分配クロマトグラフィー　260
純度試験　111
条件付錯生成定数　29
消光　158
消光剤　158
硝酸塩
　　定性反応　104
上昇法　289
衝突誘起解離　244
生薬試験法　213
生薬・製剤総則　365
蒸留曲線　285
触媒　318
触媒反応
　　活性化エネルギー　318
助色団　147, 148
初速度　320
初速度法　324
除たん白　349
シラノール基　260
シリカモノリスカラム　268
試料
　　前処理　348
伸縮振動　194
深色効果　148
真度　347, 355
振動磁場　214
振動数　139
振動分光法　194
振動面　181
シンメトリー係数　254

信頼区間 358
信頼限界 358
信頼水準 358
g 因子 216
J カップリング 208
J 結合 208
JIS 試薬規格 366

ス

水性二相分配法 248
水素イオン指数 8
水素炎イオン化検出器 280
水素結合 208
水分測定法 132, 134
水平化効果 6
スクロース
　^{1}H–^{1}H COSY スペクトル 213
スチレン-ジビニルベンゼン系強酸
　性イオン交換樹脂 262
ストークスラマン散乱 195
スニップ 341
スピン 232
スピン軌道相互作用 232, 233
スピン結合 208
スピン–格子緩和時間 214
スピン–スピン緩和時間 214
スピン–スピン結合定数 208
スピントラップ法 217, 219
スピンラベル法 218
スペクトル 156
スペーサー 266
Stokes 則 155, 156

セ

精確さ 355
正規分布 355
正規分布曲線 356
生体高分子
　構造解析 191
精度 347, 355
正のコットン効果 188
生物学的医薬品 343
生物学的定量法 315
生物学的分析法 315, 317
生物発光 162
精密質量 241
赤外吸収 194, 195
赤外吸収スペクトル 199
絶対吸光法 154
絶対検量線法 272, 273
絶対誤差 354
ゼーマン効果 174
ゼーマン分裂 204

セリウム塩
　定性反応 105
セルロースアセテート膜 299
全イオン電流クロマトグラム 243
全イオンモニタリング 243
全角運動量 232
旋光 182
旋光計 184
旋光度 180
旋光度測定法 182
旋光度分析 180
旋光度法 142
旋光分散 185, 186, 188
旋光分散曲線 185, 188
センサー 136
全錯生成定数 28
浅色効果 148
選択イオンモニタリング 243
選択反応モニタリング 244
全多孔型 268
全変化量測定法 324
前方オクタント 189

ソ

走査型電子顕微鏡 233
相対強度 243
相対誤差 354
相対標準偏差 356
測定精密質量 241
ゾーン電気泳動法 293, 294

タ

第一アンチモン塩
　定性反応 100
第一水銀塩
　定性反応 104
第一スズ塩
　定性反応 105
第一鉄塩
　定性反応 106
ダイオードアレイ 150
大気圧化学イオン化 237
対照試験 354
対象試料 348
対称伸縮振動 197
対掌体 184
体積百分率 2
第二水銀塩
　定性反応 105
第二水銀塩滴定 77
第二スズ塩
　定性反応 105
第二鉄塩

　定性反応 107
第二銅塩
　定性反応 107
ダイノード 240
タイロン 84
多塩基酸 10
　滴定曲線 61
楕円率 186
多座配位子 25
縦緩和時間 214
ダルトン 245
単位格子 226
単一溶出 258
段階溶出 258
単結晶 X 線回折 230
炭酸塩
　定性反応 106
　滴定 65
炭酸水素塩
　定性反応 106
淡色効果 148
ダンシルクロライド 162
タンデム質量分析 244
たん白質
　等電点電気泳動 300
　^{125}I 標識化法 334

チ

チオシアン酸イオン 24
チオシアン酸塩
　定性反応 106
チオシアン酸塩滴定 73
チオ硫酸塩
　定性反応 106
逐次生成定数 28
チモールフタレインコンプレクソン 83
中空陰極ランプ 165, 167, 168
中空毛管カラム 277
抽出 37
抽出イオンクロマトグラム 243
抽出重量法 115
抽出パーセント 37
中和曲線 51
中和滴定 50
超臨界流体 285
超臨界流体クロマトグラフィー 285
超臨界流体クロマトグラフィー用装置 286
超臨界流体二酸化炭素 286
超臨界流体クロマトグラフィー 250
直接法 48

直線性　364
直線偏光　181
治療薬物モニタリング　329
沈殿重量法　115
沈殿滴定
　　滴定曲線　69
沈殿平衡　16

ツ

通則　365

テ

ディスクリートダイノード電子増倍
　　管　240
定性反応　97
定性分析　97
定電圧分極電流滴定装置　132
定電流電量分析法　133
定量限界　362
定量分析法　45
定量NMR　213
滴定　45
滴定曲線　51
　　形状比較　55
滴定終点
　　判定　56
滴定終点検出法　47, 126, 132
テストステロン　259
鉄試験法　112
デバイ-シェラー環　229
デヒドロアスコルビン酸　93
電位差測定　120
電位差測定装置　120
電位差滴定　125
電位差滴定曲線　126
電位差滴定装置　126
電位差滴定法　74, 126
電位差分析　118
電位飛躍　88
電解セル　127, 128, 130
電荷移動吸収帯　149
電荷均衡　9
電気泳動　292
電気泳動法　292, 294
電気化学検出器　271
電気化学の測定装置　117
電気化学分析　117
電気加熱方式　169, 170
電気浸透流　303
電気的中性の原理　9
電気分解　127, 128
電気分析　117
電極　120

電極電位　119
電子
　　エネルギー準位　145
電子イオン化　234, 235
電子供与体　34
電子受容体　34
電子常磁性共鳴　216
電子スピン共鳴　216
電子スピン共鳴スペクトル　216
電子スペクトル　146
電子遷移　145
電磁波　139
　　種類　140
　　波動性　140
電子捕獲検出器　280
電離　24
電離定数　6
電流滴定　132
　　滴定曲線　132
電流滴定法　132
電量滴定装置　133
電量滴定法　133
電量分析法　118, 133
d-d 吸収帯　148
Debye-Hückel の極限式　4
Debye-Hückel の式　3
DEPT スペクトル　214
DEPT 測定　210
DTA 曲線　309
t 検定　361

ト

統一原子質量単位　245
透過度　142
透過率　142
等速電気泳動法　294
等濁法　74
動電クロマトグラフィー　304
等電点　292, 299
等電点電気泳動法　295, 299
導電率測定装置　135
導電率測定法　134
導電率滴定　136
導電率滴定曲線　136
当量点　46
動力学的測定法　324
特異性　318, 362
特性吸収帯　197
特性 X 線　221
ドニージェ法　76
トムソン散乱　221
ドライケミストリー　326
トリアミノエチルアミン　25
トリエチレンテトラアミン　25

2,4,6-トリブロモフェノール　95
N-トリメチルシリルイミダゾール
　　282, 283
トリメチルシリル化試薬　283
トリメチルシリル化反応　282

ナ

内標準法　172, 272, 273
内部フィルター効果　160
ナイロン　259
ナトリウム塩
　　定性反応　107
p-ナフトールベンゼイン　69
鉛塩
　　定性反応　107

ニ

二塩基酸
　　滴定曲線　62
ニコチンアミドアデニンジヌクレオ
　　チド　322
ニコチンアミドアデニンジヌクレオ
　　チドリン酸　322
二酸化炭素　286
二次元展開ろ紙クロマトグラフィー
　　289
二次元電気泳動法　300
二次元法　289
二次元NMR　212, 215
二重収束型質量分離部　238
ニトリロ三酢酸　25
日本薬局方　365
乳酸　185
乳酸塩
　　定性反応　108
乳酸脱水素酵素　319
乳酸デヒドロゲナーゼ　319
入力補償DSC装置　310
ニュートン力学
　　慣性の法則　245
ニンヒドリン　274, 275

ヌ

ヌジョール法　201

ネ

熱質量曲線　312
熱質量測定　307
熱質量測定法　311
熱重量測定装置　311
熱伝導度検出器　279

日本語索引

熱分析法　307
ネブライザー　177
ネルンスト灯　200
Nernst 式　85
Nernst の分配律　37

ノ

濃色効果　148
濃度　1
ノーザンブロットハイブリダイゼーション法　341

ハ

配位子　23
配位子吸収帯　148
バイオアッセイ　315, 343
バイオ医薬品　343
バイオセンサー　137, 327
バイオリアクター　327
配分　249
薄層クロマトグラフィー　288, 290
薄層板　291
波長　139
波長分散方式蛍光 X 線分析　224
バックグラウンド吸収　173
バックグラウンド補正　174
発蛍光反応法　161
発光法　344
発色団　147
ハードイオン化法　235
ハプテン　330, 336
ばらつき　355
バリウム塩
　定性反応　108
バリデーション　347
パルスシークエンス　211, 212
パルスフーリエ変換 NMR　205
ハロゲン化物イオン　24
ハロメチルジメチルクロロシラン　283
範囲　364
反射指数　227
半当量点　64
反応特異性　319
半プロトン性溶媒　16

ヒ

光吸収　142
光分析　139
光分析法　140
　分類　141
比吸光度　144

非競合法　332
非共鳴近接線方式　174
ピーク測定法　256
ピーク高さ　253
ピーク高さ法　255
ピーク幅　253
ピーク面積法　255
飛行時間型質量分離部　240
ヒ酸塩
　定性反応　108
非晶質　229
非触媒反応
　活性化エネルギー　318
非水滴定　67
ビス(2,4,6-トリクロロフェニル)オキサート　164
N,O-ビス(トリメチルシリル)アセトアミド　282, 283
N,O-ビス(トリメチルシリル)トリフルオロアセトアミド　282, 283
ビスマス塩
　定性反応　108
比旋光度　183
ヒ素試験法　113
8-ヒドロキシキノリン　25
N-ヒドロキシサクシイミド法　337
2-ヒドロキシ-1-(2-ヒドロキシ-4-スルホ-1-ナフチルアゾ)-3-ナフトエ酸　83
ヒドロキソアクア錯陽イオン　24
ヒドロニウムイオン　5
非標識イムノアッセイ　327, 329
非プロトン性溶媒　16
百分率濃度　2
標識イムノアッセイ　329
標準液
　標定　47
標準酸化還元電位　35, 119
標準試料　367
標準水素電極　35, 120, 121
標準添加試験　354
標準添加法　172
標準電極電位　119
標準不確かさ　358
標準偏差　355, 360
標定　47
表面多孔性型　268
1-(2-ピリジルアゾ)-2-ナフトール　83
ピロカテコールバイオレット　83
ピロガロールレッド　83
B/F 分離法　332
B/F 非分離法　332
PCR 法　341, 342
pH

化学種　13
簡易測定　60
勾配　299
測定　124
pH 指示薬　56
pH 飛躍　52
pH 標準液
　pH 値　125

フ

ファクター　47
ファヤンス法　72
ファラデーカップ　240
ファラデー電流　118
1,10-フェナントロリン　25
1,10-フェナントロリン-鉄(Ⅱ)錯イオン　89
1,10-フェナントロリン-鉄(Ⅲ)錯イオン　89
フェノール
　臭素化滴定　95
フェノールフタレイン　56, 157
フェリイン　89
フェリシアン化物
　定性反応　109
フェロイン　89
フェロシアン化物
　定性反応　109
フォトダイオードアレイ検出器　271
フォトマル　150
フォルハルト法　73
不活性気体　275
不完全抗原　330
不確かさ　357
ブチルアミン　68
$tert$-ブチルジメチルシリルクロリド　283
フッ化物
　定性反応　109
フックの法則　194
物質収支　8
物理干渉　173
負のコットン効果　188
不偏分散　356
プライマー　341
フラグメントイオン　240
フラグメントイオンピーク　240
ブラッグ角　227
ブラッグの条件　225, 227
ブラッグ-ブレンターノ集中光学系　231
プリズム　150
フルオレセイン　72, 157

ブルーシフト　148
プレカラム誘導体化法　274
プレドニゾロン　259
フレーム原子発光　176
フレーム発光分析　176
フレーム発光分析法
　　検出感度　179
フレーム分析法　176
フレーム方式　168
フレームレス方式　169
プロトン供与体　4
プロトン受容体　4
プロトン性溶媒　16
n-プロピルジメチルシリルイミダ
　　ゾール　283
プロリン　275
分極移動　210
分光　150
分光測定誤差　151
分散　356
分子
　　電子遷移　155
分子運動
　　自由度　196
分子不斉　184
分析　347
分析対象物質　345
分析能パラメーター　347, 362
分析法バリデーション　361
分析用試薬　326
分配クロマトグラフィー　250, 260
分配係数　37, 251
分配比　37
分配平衡　36
分配律　36
分別沈殿　21
粉末 X 線回折　219, 229, 230
粉末 X 線回折装置　231
粉末 X 線回折パターン　229
分離係数　253
分離分析　247
分離分析法　247
Faraday の電気分解の法則　128

ヘ

平均値　355
併行再現性　355
平衡定数　2, 3
平衡法　324
平面偏光　180, 181
ヘキサメチルジシラザン　282, 283
ペースト法　201
ベースラインノイズ　256
ヘテロジニアス法　332

ヘテロジニアス EIA 法　336
ペリキュラー型　268
ペルオキシダーゼ　335
変角振動　194, 197
偏光子　180
偏光ゼーマン方式　174
偏光面　181
変色電位　90
変色範囲　57
ベンゼン
　　IR スペクトルとラマンスペクト
　　ル　202
変旋光　184
変動係数　356
β-ガラクトシダーゼ　335
Beer の法則　144
Henderson-Hasselbalch の式　12

ホ

ボーア磁子　216
方位量子数　232
芳香族第一アミン
　　定性反応　109
抱合係数　358
ホウ酸塩
　　定性反応　109
放射性ヨウ化ナトリウム　333
放射免疫測定法　333
飽和カロメル電極　121
補酵素活性化免疫測定法　336
補酵素標識ハプテン　336
保持時間　252, 283
母集団　355
保持容量　252, 283
ポストカラム誘導体化法　274
補正保持時間　252, 283
補正保持容量　283
ポテンショメトリー　118, 120
ホモジニアス法　332
ホモジニアス EIA 法　336
ポーラス型　268
ポーラログラフィー　129
ポーラログラム　129
ポリアクリルアミドゲル　266, 299
ポリアクリルアミドゲルスラブ電気
　　泳動　297
ポリアクリルアミドゲルスラブ電気
　　泳動法　296, 298
ポリアクリルアミドゲルディスク電
　　気泳動法　296, 297
ポリアクリルアミドゲル電気泳動法
　　295
ポリアミド　259
ポリクローナル抗体　331

ポリメラーゼ連鎖反応　341
ボルタモグラム測定装置　130
ボルタンメトリー　118, 127, 130
ボルタンメトリック検出器　131
ボルトン-ハンター試薬　333
Boltzmann 分布　168

マ

マイクロシリンジ　292
マイレミド法　337
前処理操作　348
マグネシウム塩
　　定性反応　109
マトリックス支援レーザーイオン化
　　236
マトリックス支援レーザー脱離イオ
　　ン化　235
マンガン塩
　　定性反応　110
マンデル酸　185
Michelson 干渉計　200

ミ

ミカエリス定数　321
ミカエリス-メンテンの式　319,
　　321
ミセル動電キャピラリークロマトグ
　　ラフィー　302, 304
密度勾配電気泳動法　294
ミラー指数　227
ミリテスラ　217

ム

無機金属錯体　23

メ

メシル酸塩
　　定性反応　110
メタアクリル酸-ジビニルベンゼン
　　系弱酸性イオン交換樹脂　262
メチルオレンジ　57
メチルチモールブルー　84
メチレンブルー　89
免疫グロブリン　330
免疫原　330
免疫測定法　327

モ

毛細管　292
目視指示薬

非水滴定用　69
モデファイヤ　287
モノアイソトピック質量　241
モノクローナル抗体　331
モル吸光係数　144
モル振幅　186
モル旋光度　183
モル濃度　1
モール法　71
Moseley の法則　222

ユ

有意差検定　360
有機化合物
　吸収スペクトル　147
有機金属錯体　24
有効数字　352
誘導結合プラズマ　176
誘導体化　274

ヨ

陽イオン交換体　261
溶液
　導電率　134
溶液法　201
溶解度積　16, 17
ヨウ化物
　定性反応　110
ヨウ素還元滴定　93, 94
ヨウ素酸化滴定　93
ヨウ素滴定　92
ヨウ素標識反応　334
溶媒　16
溶媒抽出　39

溶媒抽出法　248, 349
容量滴定法　132
容量分析法　45
容量分析用標準液　45
　標定　49
容量分析用標準物質　47, 48
横緩和時間　214
予混合バーナー　169
4軸X線回折装置　231
4d法　359

ラ

ラジオアイソトープ　333
ラジオイムノアッセイ　333
ラマン活性　197
ラマン散乱　160, 194 195
ラマンスペクトル　199
　測定装置　201
ラマン分光光度計　201
ラーモア周波数　204
Lambert の法則　143
Lambert-Beer の法則　142, 144, 219

リ

リアルタイム PCR 法　341
リアルタイム RT-PCR 法　341
リガンド　266
リチウム塩
　定性反応　110
リービッヒ法　75
硫化物
　定性反応　110
硫酸塩
　定性反応　110

硫酸塩試験法　113
硫酸呈色物試験法　113
両性担体　299
両性物質　11
両性溶媒　16
理論段数　252
理論段相当高さ　253
臨界点　286
りん光　155
リン酸
　滴定　62
リン酸塩
　定性反応　111
リン酸カルシウム　259

ル

ルシフェラーゼ法　344
ルミノール　163

レ

励起スペクトル　157
冷蒸気方式　169
レイリー散乱　160, 195
レッドシフト　148
連続スペクトル　146
連続スペクトル光源方式　174
連続ダイノード電子増倍管　240

ロ

ろ紙　288
ろ紙クロマトグラフィー　288
ローダミン 6G　72
Lorentz 力　237

外国語索引

A

absolute error 354
absorption chromatography 250
absorption indicator 72
accuracy 355
accurate mass 241
acid-base indicator 56
acid-base titration 50
acidic solvent 16
acid indicator 56
activity 3
activity coefficient 3
adjusted retention time 252
affinity chromatography 251
Amberlite XAD-2 349
amperometric titration 132
amphiprotic solvent 16
analyte 345
analytical validation 361
anion exchanger 261
anomalous dispersion 186
antibody 330
antigen 330
APCI 237
apoenzyme reactivation immunoassay system 336
aprotic solvent 16
aqua complex ion 24
aqueous polymer two phase system method 248
ARIS 336
ascending method 289
atmospheric pressure chemical ionization 237
atomic absorption spectrophotometry 141, 164
atomic emission spectrometry 142, 175
ATP 326
auxochrome 147, 148

B

background absorption 173
back octant 189
back titration 94
basic indicator 57
basic solvent 16
bathochromic effect 148
bias 355
bioassay 315
biological analysis 315
bioluminescence 162
blank test 353
blue shift 148
BSA 282
BSTFA 282

C

calculated exact mass 241
capillary electrophoresis 293, 301
capillary gel electrophoresis 302
capillary zone electrophoresis 302
carrier ampholyte 299
carrier gas 275
catalyst 318
cation exchanger 261
charge balance 9
charge-transfer absorption band 149
$^{13}C-^{1}H$ COSY 215
chelate 23
chelatemetric titration 75
chelate ring 23
chemical analysis 315
chemical ionization 235
chemiluminescence 162
chemiluminescence quantum yield 164
chemiluminometry 142, 162
chromatogram 252
chromatograph 269
chromatography 248, 249
chromophore 147
CI 235
CID 244
circular polarized light 181
^{13}C-NMR 209
coefficient variation 356
collision-induced dissociation 244
column liquid chromatography 257
combined standard uncertainty 358
competitive assay 332
complexane 26
complex dissociation constant 28
complex formation constant 28
compleximetry 75
complexometric titration 75
conditional over-all formation constant 29
conductometric titration 136
conductometry 134
confidence interval 358
confidence level 358
confidence limit 358
conjugate acid 4
conjugate acid-base pair 4
conjugate base 5
consecutive formation constant 28
continuous spectrum 146
control test 354
Cotton effect 186
coulometric analysis 133
coulometry 118
countercurrent distribution method 248
coverage factor 358
CW-ESR 216
CyDTA 25, 27

D

Deniges method 76
density gradient electrophoresis 294
deproteinization 349
DEPT 211
descending method 289
detection limit 362
dextrotatory 182
differential scanning calorimetry 307, 310
differential thermal analysis 307, 308
diffraction grating 150
diode array 150
dissociation 24
dissociation constant 6
distortionless enhancement by polarization transfer 211
distribution 249
distribution law 37
distribution ratio 37
doubtful value 359
dry chemistry 326
DSC 307, 310
DTA 307, 308

E

EBT 83
ECD 280
EDTA 25, 27
EDX 225
ED-XRF 225
EI 234
EIA 334, 337
EIC 243
electrochemical analysis 117
electrode potential 119
electrokinetic chromatography 304
electrolysis 128
electrolytic cell 128
electrolytic dissociation constant 6
electron acceptor 34
electron capture detector 280
electron donor 34
electroneutrality principle 9
electronic spectrum 146
electron ionization 234
electrophoresis 292
electrophoretic mobility 293
electrospray ionization 236
ELISA 336
ellipticity 186
EMIT 336
enantiomer 184
end point 46
end point method 323
enzymatic analysis 317
enzymatic methods of analysis 317
enzyme 318
enzyme activity 324
enzyme activity analysis 317
enzyme chemical analysis 317
enzyme cycling method 325
enzyme immunoassay 334
enzyme-linked immunosorbent assay 336
enzyme multiplied immunoassay technique 336
EPMA 233
EPR 216
equal turbidity method 74
equilibrium constant 3
equilibrium method 324
equivalence point 46
error 354
ESI 236
ESR 216
exact mass 241
extracted ion chromatogram 243

F

FAB 235
factor 47
Fajans method 72
faradaic current 118
fast atom bombardment 235
FIA 339
FID 205, 280
flame photometric detector 281
flame photometry 176
flame thermionic detector 281
fluorescence 155
fluorescence immunoassay 339
fluorescence polarization immunoassay 339
fluorescence spectrophotometry 142
fluorescent quantum yield 158
FPD 281
FPIA 339
fractional precipitation 21
free zone electrophoresis 294
frequency 139
front octant 189
FTD 281
FT-NMR 205, 211

G

galvanic cell 127
gas chromatography 249
gas-liquid chromatography 275
gas-solid chromatography 275
GC-MS 243
GC/MS 281
glass electrode 122
GLC 277
gradient elution 258

H

hapten 330
heavy chain 330
height equivalent to a theoretical plate 253
heterogeneous method 332
HETP 253
$^1H-^1H$ COSY 212, 215
high performance liquid chromatography 249
HMBC 215
HMDS 282
HMQC 215
^{1}H-NMR 206
HOHAHA 215
hollow cathode lamp 165, 168
homogeneous method 332
HPLC 249, 267
HSQC 215
hydrogen flame ionization detector 280
hydrogen ion exponent 8
hydronium ion 5
hydroxoaqua complex cation 24
hyperchromic effect 148
hypochromic effect 148
hypsochromic effect 148

I

^{125}I 333
ICP 176
ICP-AES 176
ICP atomic emission spectroscopy 176
ICP-MS 178
Ig 330
immobilized enzyme method 327
immunoassay 327
immunogen 330
immunoglobulin 330
INADEQUATE 215
incineration 349
indicator 46
indicator constant 57
indicator electrode 120
inductively coupled plasma 176
initial velocity 320
inner filter effect 160
instrumental analysis 315
interference 172
intermediate reproducibility 355
iodimetry 93
iodometry 93
ion exchange chromatography 250
ion product 7
ion selective electrode 123
isocratic elution 258
isoelectric focusing 295
isoelectric point 292, 299
isotachophoresis 295

K

katal 319
kinetic method 324

L

L-lactate dehydrogenase 319
law of mass action 3, 8
LC-MS 243
LC/MS 271
LC-MS/MS 244
leveling effect 6
levorotatory 182
Liebig method 75
ligand 23
light chain 330
linearity 364
linearly polarized light 181
liquid chromatography 249
luminol 163

M

MALDI 235
mass balance 8
mass distribution ratio 251
mass spectrometry 233
matrix-assisted laser desorption ionization 235
maximum wavelength 146
mean 355
measured accurate mass 241
mercurimetry 77
metal chelate compound 23
metal complex 23
metal indicator 81
micellar electrokinetic capillary chromatography 302
minimum wavelength 146
mobile phase 249
Mohr method 71
molality 2
molar absorption coefficient 144
molar amplitude 186
molarity 1
molar rotation 183
molecular asymmetry 184
monoclonal antibody 331
moving boundary electrophoresis 293
MS 233, 234
MS/MS 234
MTB 84
mutarotation 184

N

Na^{125}I 333

NAT 341
neutralization curve 51
neutralization titration 50
NHE 120
nicotinamide adenine dinucleotide 322
nicotinamide adenine dinucleotide phosphate 322
NIR 203
NN 83
NOE 210
NOESY 215
non-aqueous titration 67
non-competitive assay 332
normal distribution 355
normality 1
normal phase partition chromatography 260
NTA 25, 27
nucleic acid amplification test 341

O

octant rule 189
one dimensional method 289
open capillary column 277
optically active compound 184
optical rotation 180
optical rotation determination 142
optical rotatory dispersion curve 185
over-all complex formation constant 28
oxidant 34
oxidation 33
oxidation-reduction potential 34
oxidation-reduction reaction 34
oxidizing agent 34
oxonium ion 5

P

packed column 277
PAN 83
paper chromatography 288
partition chromatography 250
partition coefficient 37, 251
PC 83, 288
PCR 341, 342
peak area 255
peak height 253, 255
peak width 253
percentage extraction 37
percent transmission 142
permanganate titration 91

pH 8
pH indicator 56
pH jump 52
photomultiplier 150
plane of polarization 181
plane of vibration 181
plane polarized light 181
polarizer 180
polarogram 129
polarography 129
polyacrylamide gel disc electrophoresis 296
polyacrylamide gel electrophoresis 295
polyacrylamide gel slab electrophoresis 296
polyclonal antibody 331
polymerase chain reaction 341, 342
population 355
porous beads 268
porous layer beads 268
potential jump 88
potentiometric titration 125
potentiometry 118, 120
ppb 2
ppm 2
ppt 2
PR 83
precipitimetry 69
precision 355
pretreatment 348
prism 150
protic solvent 16
proton acceptor 4
proton donor 4
PV 83

Q

quantitation limit 362
quantitative analysis 45
quencher 158
quenching 158

R

radioimmunoassay 333
Raman scattering 160
random error 354
range 364
rate assay 324
rate of flow 290
Rayleigh scattering 160
reaction specificity 319
recovery test 354

redox couple 34
redox indicator 89
redox potential 34
redox reaction 34
redox titration 85
red shift 148
reducing agent 34
reductant 34
reference electrode 120
reference materials for volumetric analysis 47
relative error 354
relative intensity 243
relative standard deviation 356
repeatability 355
reproducibility 355
residual 359
resonance line 168
retention time 252
retention volume 252
reversed phase partition chromatography 260
reverse transcriptase 341
reverse transcription-PCR 341
R_f value 290
RIA 333
robustness 364
RT-PCR 341

S

salt effect 21
sample 348
sampling 348
scanning electron microscope 233
SDS 298
SDS-PAGE 300
selected ion monitoring 243
selected reaction monitoring 244
self absorption 176
SEM 233
semiprotic solvent 16
sensor 136
separation analysis 247
separation factor 253
SFC 285
SHE 35, 120, 121
significant figure 352
SIM 243

single nucleotide polymorphism 341
singlet 210
size exclusion chromatography 251
SLFIA 336
SNP 341
solid-phase extraction 349
solubility product 17
solvent extraction 349
solvent extraction method 248
specific absorption 144
specificity 318, 362
specific optical rotation 183
SRM 244
standard addition test 354
standard deviation 355
standard electrode potential 119
standard hydrogen electrode 35, 120
standardization 47
standard redox potential 35, 119
standard uncertainty 358
stationary phase 249
stepwise elution 258
Stokes' law 156
substrate 319
substrate-labelled fluorescent immunoassay 336
substrate specificity 319
supercritical fluid chromatography 250, 285
systematic error 354

T

TCD 279
TCPO 163, 164
TDM 329
TG 307, 311
theoretical plate number 252
therapeutic drug monitoring 329
thermal analysis 307
thermal conductivity detector 279
thermogravimetry 307, 311
thin layer chromatography 288
thiocyanimetry 73
TICC 243
TIM 243
titration 45
titration curve 51
TLC 288

TMS 282
TOCSY 215
total change method 324
total ion current chromatogram 243
total ion monitoring 243
TPC 83
transition interval 57
transition potential 90
transmittance 142
trueness 355
TSIM 282
two-dimensional electrophoresis 300
two-dimensional method 289

U

ultraviolet and visible absorption spectrometry 141
ultraviolet-visible absorption spectrum 146
unbiased variance 356
uncertainty 357
unified atomic mass unit 245

V

validation characteristics 362
variance 356
Volhard method 73
voltammetry 118
volumetric analysis 45
volumetric standard solution 45

W

wavelength 139
WDX 224
WD-XRF 224

X

XO 84
X-ray fluorescence 221
XRF 221

Z

zone electrophoresis 293, 294